Doce Entardecer

Doce Entardecer

Pelo espírito
Margarida da Cunha

Psicografia de
Sulamita Santos

LÚMEN
EDITORIAL

Doce Entardecer
pelo espírito *Margarida da Cunha*
psicografia de *Sulamita Santos*

Copyright ® 2008 by
Lúmen Editorial Ltda.

4ª edição – Maio de 2011

Direção editorial: *Celso Maiellari*
Preparação de originais: *Alessandra Miranda de Sá*
Revisão: *Mary Ferrarini*
Diagramação: *Jordana Chaves / Casa de Idéias*
Arte da Capa: *Daniel Rampazzo / Casa de Idéias*
Impressão e acabamento: *Gráfica Orgrafic*

Dados Internacionais de Catalogação na Publicação (CIP)
(Câmara Brasileira do Livro, SP, Brasil)

Cunha, Margarida da (Espírito).
Doce entardecer / pelo espírito Margarida da Cunha ; psicografia de Sulamita Santos. — São Paulo : Lúmen, 2008.

1. Espiritismo 2. Psicografia 3. Romance espírita
I. Santos, Sulamita. II. Título.

07-10172   CDD-133.93

Índice para catálogo sistemático:
1. Romances espíritas psicografados : Espiritismo   133.93

LÚMEN
EDITORIAL

Rua Javari, 668
São Paulo - SP
CEP 03112-100
Tel/Fax (0xx11) 3207-1353

visite nosso site: www.lumeneditorial.com.br
fale com a Lúmen: atendimento@lumeneditorial.com.br
departamento de vendas: comercial@lumeneditorial.com.br
contato editorial: editorial@lumeneditorial.com.br
siga-nos no twitter: @lumeneditorial

2011
Proibida a reprodução total ou parcial desta
obra sem prévia autorização da editora

Impresso no Brasil – *Printed in Brazil*

*A Maria Cristina, que sempre acreditou em mim;
a Margarida da Cunha, que me escolheu para
redigir em folhas em branco esta história;
e ao Divino Mestre Jesus, que muito nos tem ensinado
com o consolador prometido, que veio
em tempo apropriado.*

Sumário

Capítulo 1 – Pobreza e revolta, 9

Capítulo 2 – Paulo e Renato, 14

Capítulo 3 – Presentes de Renato, 18

Capítulo 4 – A vila, 24

Capítulo 5 – O tão esperado baile, 32

Capítulo 6 – Encontro às escondidas, 43

Capítulo 7 – Dois corações apaixonados, 51

Capítulo 8 – Novas responsabilidades, 65

Capítulo 9 – O desenrolar dos fatos, 79

Capítulo 10 – Jacira e Caroline, 97

Capítulo 11 – Renato se transforma, 115

Capítulo 12 – Uma outra tragédia na vida de Renato, 130

Capítulo 13 – Reconciliação, 147

Capítulo 14 – Elvira e Eunice, 169

Capítulo 15 – Novos esclarecimentos, 196

Capítulo 16 – Descobertas espirituais de Renato, 212

Capítulo 17 – Novos rumos para Caroline, 227

Capítulo 18 – Um acidente e uma morte, 247

Capítulo 19 – Decadência moral de Renato, 265

Capítulo 20 – Uma separação, 291

Capítulo 21 – A transformação de Paulo, 320

Capítulo 22 – Juvenal — quem é ele de verdade?, 341

Capítulo 23 – O ciúme de Paulo, 354

Capítulo 24 – A vingança de Juvenal, 375

Capítulo 25 – O julgamento, 398

Capítulo 26 – O desencarne de Paulo, 414

Capítulo 27 – Pedrinho e alguns fatos, 440

Capítulo 28 – O desencarne de Elvira, 445

Capítulo 29 – A nova vida de Elvira e Paulo, 475

Capítulo 30 – Retorno à crosta terrestre, 499

Capítulo 31 – O desencarne de Caroline, 521

Capítulo 32 – Grandes revelações, 545

Capítulo 33 – Assistência aos necessitados, 562

1

Pobreza e revolta

Paulo entrou em sua pequena casa irritado, pois pensava no convite que Renato, filho do coronel Donato, havia lhe feito para ir ao baile na casa do doutor Silveira. Por mais que Paulo quisesse ir, não poderia, uma vez que não tinha roupa adequada para se apresentar em tal ocasião. A frustração era grande porque esse seria o primeiro baile de sua vida, e não o queria perder por nada.

Divagando, Paulo pensava: "Meu Deus, por que tinha de nascer tão pobre, viver aqui nesse fim de mundo, na mais completa miséria?"

Dona Eunice, com seus quase cinqüenta anos, embora aparentasse muito mais — devido aos sofrimentos causados pelo trabalho duro da roça, a morte prematura do marido, Malvino, e a fuga de seus dois filhos, mais velhos que Paulo, para a capital —, um tanto mais calada que o habitual, fitou o filho e lhe perguntou:

— Querido, o que você tem? Percebo que desde ontem reclama de tudo; parece que nada está bom.

— Mamãe — respondeu Paulo, com os olhos marejados de lágrimas —, o Renato, filho do coronel Donato, me convidou para o baile que vai acontecer amanhã à noite na casa do doutor Silveira, mas eu não tenho roupas adequadas. Estou cansado de tanto trabalhar e não ter nada. Afinal, já tenho dezoito anos! Gostaria de, pelo menos, me vestir melhor.

— Meu filho, eu lhe falei sobre isso... Você não poderá acompanhar Renato a todos os lugares aonde ele for. Ele é bem diferente de nós, é rico. E nós somos pobres. Cada vez que quiser acompanhá-lo, só vai se frustrar, porque não terá dinheiro suficiente para ir aos locais que ele freqüenta. Seja realista, querido. Renato é um doutor, formado na capital, tem tudo o que o dinheiro pode comprar. E você, o que tem? Uma vaca, duas cabras, uma lebre, e nada mais.

— Mamãe, o Renato não é como os demais ricos que conhecemos. Não é orgulhoso, e faz questão de que eu o acompanhe ao baile.

— Sei que ele não é orgulhoso, mas somos diferentes. Se quiser continuar a fazer tudo o que ele faz, vai sofrer. Acredite em sua mãe, que um dia também teve a sua idade.

Paulo nada mais respondeu, aguardando que a mãe continuasse. Foi com os olhos rasos d'água que o rapaz ouviu dona Eunice prosseguir:

— Filho, por que você não procura ter amizade com pessoas como a gente? O filho de dona Mariquinha cansou de vir aqui para tentar fazer amizade, mas todas as vezes você se embrenhou por esse mato e só voltou bem tarde.

— Mas, mamãe, esses rapazes são vazios e suas conversas não me agradam. O Renato é diferente, instruído, sabe conversar, fala de quando estudava na capital, das namoradas, do que aprendeu, enquanto os rapazes daqui só sabem falar da vida alheia!

— Acho bom não ver tantos defeitos em gente como você, afinal eles podem ser ótimos companheiros, e você também pode freqüentar os lugares aos quais eles vão. Eles não têm dinheiro, como nós, mas garanto que se divertem muito. Ah, só para lembrar: andei pelas cercas do sítio, e vi que o mato está alto. Se não carpir amanhã, eu mesma pegarei a enxada e farei isso.

— A senhora não precisa se preocupar, minha mãe. Já lhe disse que todo o serviço do sítio eu mesmo faço.

Paulo saiu de casa nervoso, pois em sua cabeça a única coisa que martelava era o tal baile na casa do doutor Silveira.

Enquanto Paulo se afastava, Eunice, com lágrimas nos olhos, elevou seus pensamentos em prece, pedindo a Deus que iluminasse seu filho. Sentia-se angustiada porque, havia cinco anos, era tanto mãe como pai do rapaz.

Dona Eunice refletiu sobre o quanto seu filho estava enganado a respeito da riqueza. Ela sabia muito bem que, embora Renato fosse muito rico, ele se deixara aprisionar pelas facilidades dos bens materiais, e com isso tornara-se um homem venal, comandado por paixões desenfreadas que o faziam descer ao último grau moral. Dona Eunice pensou consigo mesma: "Paulo, como você está enganado, meu filho. Você pode não ter dinheiro, mas tem algo que o dinheiro não pode comprar: a dignidade e o respeito pelos seres humanos".

Envolvida nessas conclusões, dona Eunice se lembrou da última conversa que tivera com sua amiga, Maria Lúcia, mulher que vivia do outro lado da vila e que procurava ajudar a todos sem exceção. Embora não fosse servida de muitos bens materiais, sempre ajudava os pobres, ora ofertando alimentos, ora ofertando roupas que ela ganhava de sua patroa, as quais consertava a fim de doar aos mais necessitados. Maria Lúcia havia lhe dito:

— Dona Eunice, sei bem que Paulo fica fascinado com a riqueza que Renato, filho do coronel Donato, ostenta.

— Realmente, dona Maria Lúcia. Sei que meu filho sofre, e são muitas as vezes em que fico pensando em como poderia ajudá-lo. Sabe o que ele me perguntou esses dias? — prosseguiu dona Eunice.

— Não. O quê?

— Ele me perguntou por que alguns são tão ricos enquanto outros são tão pobres.

— E a senhora, dona Eunice, o que respondeu?

— Também me fiz a mesma pergunta... Mas, se Deus sabe de tudo, ele tem certeza do que está fazendo com a gente. O que a senhora acha, dona Maria Lúcia? — perguntou Eunice, esperando uma resposta que satisfizesse também sua curiosidade.

— Bem, na verdade há pessoas que lamentam por ser pobres porque se apegam somente à vida atual. Se conseguissem vislumbrar o futuro, pensariam diferente.

— Mas como uma pessoa pode vislumbrar o futuro? — quis saber dona Eunice.

— Vou tentar explicar em poucas palavras. Quando alguém morre, ela volta a seu "país" de origem, que é o plano espiritual, de modo que todos nós já vivemos muitas vezes na Terra, em corpos diferentes e em vidas diversas, ou seja, o rico de hoje não terá sido o pobre de ontem? No caso da riqueza, facilmente nos habituamos a ela; entretanto, ser rico é uma das provas mais difíceis, porque quem o é facilmente cai nas amarras do orgulho e da vaidade. Também é por meio da riqueza que a pessoa se torna vulnerável às más paixões. Por isso, cara amiga, é muito mais difícil ser rico que ser pobre. As facilidades que a bonança possui são caminhos largos para abusos de toda espécie.

Maria Lúcia fez uma pequena pausa a fim de deixar dona Eunice absorver o que dizia, para em seguida continuar:

— Isso pode nos ajudar a ver o porquê de alguns serem tão ricos e outros, tão pobres; o porquê de tanto a pobreza quanto a riqueza constituírem verdadeiras provações ao espírito, que almeja sempre crescer e evoluir. Se Paulo começasse a pensar nos danos que o dinheiro pode trazer para os incautos, jamais desejaria ser como Renato, ou como qualquer outro rico. Vislumbrar a vida futura, como lhe falei, significa pensar em como utilizar o dinheiro para fazer o bem. Somente assim a riqueza poderá ajudar no bem-estar eterno do espírito. Quem pensa somente na vida atual, concebe apenas as facilidades que o dinheiro pode oferecer. E pessoas como Paulo sofrem muito, achando que os ricos são mais felizes que os que nada têm.

Dona Eunice lembrou-se vividamente da conversa que tivera havia pouco tempo com a amiga da vila. Pela primeira vez, sentiu pena do filho, que sofria sem saber que, na verdade, a riqueza se tornava um fardo para quem a possuía.

Mais uma vez com lágrimas nos olhos, decidiu se dirigir à cozinha para dar início ao almoço.

2

Paulo e Renato

Paulo pegou sua foice e foi cortar capim para os poucos animais que mantinha em cativeiro.

Enquanto se entregava ao trabalho, dizia para si mesmo: "Não agüento mais esta miséria. Não tenho roupas e meus pés nunca viram um par de sapatos. Por que tenho de sofrer assim?"

O rapaz foi desviado de suas divagações ao ouvir os latidos dos cães, que anunciavam a aproximação de alguém. Paulo avistou um distinto cavaleiro ao longe. Era Renato, filho do coronel Donato, montado em seu alazão chamado Chuvisco. Renato era um jovem louro, alto, e seus dentes mais pareciam porcelanas, pois eram perfeitamente enfileirados, de um branco reluzente. Suas vestes demonstravam fino trato, e as botas luziam ao sol, mostrando ser ele alguém que se preocupava demasiadamente com a aparência, fato que evidenciava sua vaidade.

Paulo saudou o amigo:

— Que bom que veio. Estava justamente pensando em você!

Renato, descendo do cavalo, lhe perguntou:

— Em que você estava pensando, Paulo?

O rapaz, meio envergonhado, retrucou:

— Você me convidou para ir ao baile amanhã na casa do doutor Silveira, lembra? Creio que não poderei ir.

— Você não irá ao baile comigo? Não acredito que me fará essa desfeita! Pois vim aqui para acertarmos os últimos detalhes.

— Sabe o que é? Você tem ciência de que sou muito pobre. Não tenho dinheiro para comprar roupas para ocasiões como essa. Sendo assim, não vai dar para ir ao evento.

Renato, fingindo espanto, comentou:

— Não acredito que seja este o motivo. O que está acontecendo que não sei?

— É isso, sim! — afirmou Paulo, convictamente. — O doutor Silveira é um homem rico, e nesse baile só estarão pessoas como ele, como você. Como ir, se não tenho sequer trajes adequados ou sapatos?

— Está bem. Se este for o problema, já está resolvido. Tenho roupas até demais. Tomei a liberdade de lhe trazer o traje que usei em minha formatura. Como não gostei muito do corte do alfaiate, estou dando-o a você.

Paulo, ao tirar as roupas do saco que Renato acabara de lhe entregar, abriu largo sorriso. Logo imaginou como ficariam aquelas roupas nele. Renato, ao observar a emoção do rapaz, continuou:

— Peça a sua mãe que faça uns ajustes, pois sou mais encorpado que você.

Paulo, fitando Renato, continuou com o antigo discurso:

— Acredito que, ainda assim, não poderei ir. Não tenho sapatos... Como pode ver, sempre estou descalço.

— Os sapatos que uso não calçariam bem em você, pois meus pés são mais largos que os seus. Mas não há problema. Iremos à vila amanhã mesmo e providenciaremos um par de sapatos para sair e botinas para você trabalhar. Não fica bem um homem que vai à casa do doutor Silveira continuar a andar descalço.

Paulo sorriu, muito feliz, pois em seus dezoito anos jamais calçara um par de sapatos.

— Amanhã passarei aqui para irmos à vila comprar seus sapatos, mas antes tenho de lhe dar algo.

Renato tirou a carteira do bolso e entregou a Paulo algumas notas, recomendando:

— Amanhã, quando comprarmos o par de sapatos, você deverá pagar, porque não é de bom-tom um rapaz aceitar que outro pague suas despesas. Além do mais, todo rapaz que se preze precisa ter dinheiro no bolso para cobrir um eventual gasto que possa surgir.

— Mas tudo isso? Nunca vi tanto dinheiro assim! Não vou ter como lhe devolver esta quantia!

— Não precisa me devolver o dinheiro. Estou lhe dando essa soma. Sei que vai querer comprar algo para você ou para sua mãe — sugeriu Renato.

— Renato, não sei como lhe agradecer tanta atenção. Agora sei por que você conquistou minha simpatia desde a primeira vez que o vi, pescando em nosso sítio.

— Isso é uma ninharia, meu amigo, diante do valor de nossa amizade. Ela vale muito mais que roupas ou dinheiro — professou orgulhosamente Renato.

— Mas como vou contar a mamãe sobre as roupas que acaba de me dar? Ela me acha muito diferente de você. Afinal, você é rico e instruído, ao passo que eu sou pobre e ignorante.

— Paulo, saiba que viajei muito e nunca encontrei um amigo como você: leal, sincero, humilde, honesto, bondoso, enfim, um amigo que todos gostariam de ter. Por isso, essas diferenças que sua mãe vê não existem. Sempre acreditei que a força do dinheiro e dos bens materiais são efêmeras. Não se julgue inferior a mim, ou a qualquer rico que encontrar. Garanto-lhe que você vale muito mais que nós todos juntos. Amanhã poderá observar que a sociedade em que vivo é hipócrita e mesquinha. Você não deve se impressionar pelo dinheiro que as pessoas ostentam; a maioria é vazia e sem conteúdo. Quanto à instrução, saiba que posso ensinar a você tudo que aprendi. Basta apenas que queira.

Emocionado, Paulo perguntou a Renato:

— Você teria coragem e paciência para ensinar um matuto como eu?

— Por que se menospreza tanto, Paulo? Não acho que você é um matuto! Acredito apenas que não teve oportunidades.

Paulo sorriu para o amigo.

— Você é mais que um amigo. É um irmão para mim!

Neste momento, os dois se abraçaram comovidos. Em seus corações habitava uma amizade sincera e verdadeira.

3

Presentes de Renato

Renato sempre fora um rapaz rico; já havia nascido em berço de ouro. Nunca conhecera a miséria. Embora tivesse bom coração, se havia algo que jamais dispensava era um rabo-de-saia. Para complicar as coisas, dava preferência sempre às mulheres casadas, pois sabia que não corria perigo de se comprometer seriamente com elas. Ao se interessar por uma mulher, não descansava até que ela se entregasse a seus encantos, desavisadamente.

Não foram poucas as vezes que, para se safar das responsabilidades, deixava de falar com a moça com quem se envolvera. Caso algo escapasse do seu controle, e houvesse algum comentário que envolvesse os maridos, ele simplesmente negava o fato, dizendo ao cônjuge que nada sabia sobre o assunto. Como era moço rico, de boa família, os maridos davam o caso por encerrado a fim de não ter seus nomes enxovalhados com um caso de traição.

Paulo sabia desse lado inconseqüente do amigo. Ainda que não concordasse com esse comportamento, não dizia nada para não contrariá-lo. Renato se apega a Paulo porque podia contar suas aventuras românticas ao rapaz com segurança. Tinha certeza de que nunca ninguém ficaria sabendo. Paulo era extremamente discreto. Dona Eunice também tinha conhecimento do comportamento de Renato. Soubera pela primeira vez pelo próprio Renato, ao ouvi-lo narrar um episódio a Paulo, enquanto remendava uma calça velha do filho, sentada em um banco sob a janela de seu quarto. Renato contava ao amigo que fora surpreendido pelo marido da moça. Mas, como o homem tinha dívidas, Renato resgatara as promissórias e dissera ao homem:

— Saiba que paguei todas as suas dívidas, mas as notas estão comigo. Se acaso você resolver não ficar quieto a respeito desse caso, e vier a destruir minha reputação, eu as executarei no mesmo momento, e farei de tudo para lhe arrancar até o último vintém.

Dona Eunice, depois de ouvir acidentalmente a história, tinha feito de tudo para que Paulo se afastasse de Renato, temendo que o filho começasse a fazer as mesmas coisas que o amigo e, por fim, acabasse morto por um marido traído. Falara-lhe na ocasião:

— Filho, sem querer ouvi a conversa entre você e Renato. Querido, somos pobres, é verdade. Mas saiba que, se você fizesse coisas semelhantes, eu morreria de desgosto, além de viver angustiada, esperando a qualquer momento que você levasse um tiro de garrucha de algum marido ciumento.

— Fique tranqüila, mãe. Não aprovo essas coisas que Renato faz, e jamais teria coragem de imitá-lo. Saiba, minha mãe, que nesse sentido sou um rapaz sério. Se um dia me apaixonar, aí sim me caso. Mas viver como Renato é um risco muito grande. Já tentei avisá-lo, mas ele acha graça disso tudo.

— Acho bom mesmo, filho. Apesar de Renato ser um moço descabeçado, ainda assim gosto dele.

— Pois é, minha mãe. Todo mundo tem um lado meio obscuro, e um outro que supera tudo isso. Com Renato não é diferente.

⁂

A conversa entre os dois prosseguia enquanto Paulo continuava seu trabalho. Naquele momento, Paulo se lembrara de ter combinado com a mãe de carpir a área perto da cerca que dava para a fazenda de Renato. Ele comentou com o amigo:
— Ah, esqueci de um detalhe. Não sei se vou poder ir à vila com você. Mamãe mandou eu carpir próximo da cerca que divisa o nosso sítio da fazenda do seu pai, e o mato está bem alto.
— Não se preocupe. Mandarei Tobias, o capataz da fazenda, carpir tanto seu lado como o de meu pai. — Fitando o amigo, convidou: — Estou com muita vontade de tomar o café de dona Eunice. O que você acha de me levar até lá para ter um dedo de prosa com ela?
— Só se for a pé comigo; não tenho cavalo.
— Ora, é só subir na garupa do meu que o levarei até sua casa.
Paulo, um rapaz alto e magro, não teve dificuldades para montar no cavalo. Conversando tranquilamente, os amigos rumaram para a humilde casa de dona Eunice. Ao chegarem ao terreiro da casa, Paulo anunciou, gritando:
— Mãe! Olha quem está aqui para tomar seu café!
Dona Eunice saiu da cozinha enxugando as mãos em seu velho avental, e então Renatou gritou:
— Sou eu, dona Eunice! Vim aqui para tomar seu saboroso café.
— O doutor Renato sabe que as criadas da fazenda fazem café melhor que eu, portanto sinto-me lisonjeada — respondeu a mãe de Paulo.
— Em minha casa fazem café gostoso, mas não como o da senhora. — Em seguida, colocando as mãos ao redor dos ombros de Eunice, Renato lhe disse: — Não é só por causa do café que vim, dona Eunice. Quero também lhe pedir um favor.

— Pode dizer, doutor Renato. Se estiver a meu alcance, farei qualquer coisa que pedir.

— Primeiro vamos deixar as cerimônias para outras pessoas. Para a senhora e para Paulo sou apenas Renato. Afinal, sou pouca coisa mais velho que ele, portanto poderia ser seu filho.

— É que isso é respeito, dout..., quer dizer, Renato.

— Assim fica melhor. Bem, eu vim aqui pedir sua permissão para que o Paulo possa ir comigo à vila amanhã. Ele vai comigo ao baile, e não tem sapatos. Por isso, gostaria de presenteá-lo com um par deles.

Eunice encarou o filho como se lhe dissesse: "Foi você que o mandou vir até aqui?" Paulo, entendendo o olhar da mãe, foi logo explicando:

— Mãe, eu não sabia que o Renato ia pedir isso à senhora...

Renato prosseguiu:

— A senhora tem alguma coisa contra, dona Eunice?

— Não, meu filho. Só me sinto embaraçada por deixar que Paulo o acompanhe em festas de gente rica. Temo que alguém lhe faça alguma desfeita.

— Não precisa se preocupar com isso, dona Eunice. Ninguém fará nada a Paulo. Ele é meu convidado. Se alguém se meter a fazer grosserias com ele, vai se ver comigo.

— Bom, se você garante que vai ser assim, então está bem. Mas e a cerca, Paulo, que combinamos de você carpir?

— Eu mando Tobias, nosso peão, carpir os dois lados, fique tranqüila.

— Se é assim, Paulo pode ir. Mas vocês dois tenham juízo!

Renato ficou conversando ainda por cerca de trinta minutos. Depois, enquanto Paulo e Eunice lhe acenavam, ele se afastava rapidamente em seu alazão.

Paulo, tão logo viu o amigo ao longe, perguntou ansiosamente à mãe:

21

— A senhora ajusta a roupa que Renato trouxe para mim?

— Vou apenas alinhavar, pois você terá de entregar a Renato depois do baile.

— Não, mãe. Pode costurar mesmo. O traje de gala ele me deu de presente, juntamente com este dinheiro aqui.

Eunice, olhando para as quatro notas na mão do filho, comentou:

— Que rapaz bom esse Renato! É bem diferente da dona Aurora, sua mãe, que parece ter o rei na barriga.

— Renato é nosso amigo. Sei que, se um dia precisarmos dele, não se negará a nos ajudar; sua mãe pode ser orgulhosa, mas ele não.

— Ainda assim, não acho justo abusarmos de sua bondade. Quando ele quiser lhe dar mais presentes, fale comigo primeiro.

— Está bem, mãe. Juro que a informarei antes.

Paulo estava feliz. Grandes novidades iam chegar à sua vida, antes tão pacata.

⁂

No dia seguinte, o rapaz levantou-se ainda de madrugada, pegou seu banquinho e foi até o curral para ordenhar a única vaca que possuíam. Depois entregou o leite a sua mãe e foi cortar capim para os animais. Em seguida, espalhou o feijão no terreiro para secar. Quando o sol já ia alto, ouviu os latidos dos cachorros anunciando que alguém se aproximava. Com o coração aos saltos, correu ao encontro de Renato. Estava tão ansioso que não conseguira sequer dormir direito, só pelo fato de, finalmente, poder ter um par de sapatos.

Renato, ao vê-lo, pensou: "Aposto que nem comeu hoje diante do entusiasmo de ter um par de sapatos. Meu Deus, como gosto desta criatura, bondosa e honesta. Por Deus eu juro que tudo farei para ajudá-los, e não deixarei que ninguém lhes faça mal".

Paulo se aproximou com entusiasmo dizendo:

— Bom dia, Renato! Já fiz tudo que tinha para fazer porque, quando estivermos na vila, não quero pressa para vir embora.

— Nem eu, Paulo, nem eu! Ah, estava me esquecendo! Além de comprar os sapatos para você, vou aproveitar para mandar o alfaiate da vila lhe fazer roupas. E não me diga que não devo fazer isso; você sabe como fico quando alguém me contraria.

— Não é isso, Renato. Só acho que não é justo...

— Deixe de bobagem! Já falei que detesto ser contrariado. Vamos, sim, ao alfaiate! Deixe de ser orgulhoso.

— Não é orgulho. Só não quero abusar da sua bondade.

— Você estaria abusando dela se estivesse pedindo algo. Mas não é o caso. Estou fazendo isso de livre e espontânea vontade. E, de mais a mais, um rapaz que não tem roupas para sair! Isso é um disparate.

— Se é como você diz, então aceito. Mas antes preciso falar com minha mãe. Ela sempre me ensinou a não tirar proveitos dos outros.

— Está bem! Mas logo em seguida iremos porque tenho muito que fazer na vila. Também tenho compromisso para tratar na volta; meu pai está me ensinando coisas sobre os negócios da fazenda.

Paulo correu para dentro de casa e contou a Eunice o que Renato pretendia fazer. Completou dizendo que não tinha como recusar.

Dona Eunice, embora insatisfeita com o que Renato fazia, concordou por ver a animação de Paulo.

Paulo, ao voltar, disse a Renato que a mãe o deixara aceitar o presente. Finalmente, Renato falou:

— Bem, então vou à divisa da cerca para ver o trabalho de Tobias, e em seguida podemos partir.

Renato prometeu que voltaria dali a meia hora para buscar Paulo.

4

A vila

Depois de pouco mais de meia hora, Renato se aproximou e não foi difícil ver Paulo, que o esperava sentado em um tronco de árvore. O rapaz, vendo a euforia do amigo, pensou: "Custo a crer que ele se porte dessa maneira. Parece uma criança que vai sair de casa pela primeira vez".

Ao se aproximar, Renato perguntou:

— Você atrelou o cavalo, Paulo?

— Sim, já está atrelado desde cedo.

— Muito bem. Vamos, então, para não chegar tarde à vila. Não se esqueça de que passaremos no alfaiate.

— Não vou esquecer, Renato. Também não agüento mais esperar.

Uma hora e meia depois, Renato e Paulo adentraram a vila. Paulo estava surpreso, pois nunca havia entrado na loja de sapatos de Geraldo, conhecida pela fama de ser careira. Assim que apontaram, o dono viu logo se tratar do filho do coronel Donato. Com amabilidade, perguntou:

— O que o senhor deseja, seu Renato?

— Para mim, nada. Vim aqui trazer meu amigo para comprar sapatos.

Geraldo, encarando Paulo de cima a baixo, retrucou:

— O que eu tenho aqui acho que o senhor vai aprovar. É um sapato de corda que, além de barato, é muito usado pelos moradores dos arredores.

Renato, percebendo que o homem estava atendendo com seu usual pouco-caso para quem não tinha dinheiro, falou-lhe energicamente:

— Mas quem foi que disse ao senhor que vim aqui para comprar sapatos de corda? Vim aqui comprar um par de sapatos de verniz. Por favor, não se importe com o preço, pois meu amigo tem dinheiro suficiente para comprar a loja inteira, se quiser.

— Sim, senhor! — respondeu o homem assustado. — Temos este aqui, última moda em Paris. Garanto que o senhor vai gostar.

— Não é a mim que o senhor tem de mostrá-los. É para meu amigo! Caso o senhor continue com esse descaso para com ele, saiba que tenho dinheiro suficiente para montar uma loja aqui ao lado. Tenho também bastante influência para conquistar toda a sua clientela.

O dono da loja, vendo que o filho do coronel não estava brincando, resolveu mostrar os sapatos mais finos que possuía, diretamente a Paulo. O rapaz não tinha gosto muito apurado; para ele, todos eram maravilhosos. Entretanto, Renato sabia distinguir exatamente se o sapato tinha boa qualidade ou não. Depois de quarenta minutos, Paulo e Renato decidiram: escolheram um sapato de verniz bico fino, um modelo francês.

Paulo, ao saber do valor do calçado, ficou abismado. Com as cédulas enroladas em um pedaço de pano, ofereceu-as a Renato para ajudá-lo a pagar a conta. Mas Renato, sorrindo, lhe respondeu:

— Não, meu amigo, esse dinheiro é para você levar ao baile e comprar algo para sua mãe com o que sobrar.

— Obrigado, Renato, mas minha mãe disse para não aproveitar de sua amizade porque você é muito generoso.

— Não ouça o que sua mãe diz, pelo menos neste caso. Se você fosse um aproveitador sem escrúpulo eu saberia. Portanto, não me julgue alguém ingênuo. Aliás, a ingenuidade passa longe do meu jeito de ser.

Paulo sentiu ímpetos de abraçar o amigo, tal era sua gratidão.

Naquele dia, os dois foram ao alfaiate José, e Renato pediu-lhe que fizesse seis calças e seis camisas para Paulo. O moço não cabia em si de tanta felicidade. Nunca tivera tanta roupa para vestir de uma única vez.

— Quando ficará pronta a encomenda? — perguntou Renato a José.

— Em quinze dias.

— Muito bem. Mande ao endereço da fazenda, e lá eu acertarei a conta.

Paulo, calado, apenas observava tudo. Saíram da loja e seguiram rumo à fazenda. Paulo estava preocupado com sua cabra, que àquela altura deveria estar faminta devido à sua demora na vila.

No caminho, os amigos conversaram sobre assuntos variados. Um deles foi a viagem de Renato ao Rio de Janeiro. Ele prometeu que, assim que tivesse de voltar para lá, levaria Paulo com ele, para completo deleite do moço, que ficou fascinado diante da perspectiva de viajar junto com Renato.

Ao chegarem à fazenda, Renato pediu a Paulo que fosse a seu quarto, pois queria lhe entregar umas coisas. O outro, surpreso, respondeu:

— Por favor, Renato, não posso aceitar mais nada. Você já me deu tanta coisa! Minha mãe vai ralhar comigo.

— Não se preocupe com sua mãe. Depois me entendo com ela. Direi que se trata de coisas que não uso mais. Ela não pode me impedir de lhe dar um simples presente.

— Bem, se você não usa mais... então aceito.

Juntos, se dirigiram ao quarto do rapaz. A casa na fazenda era muito grande. O quarto de Renato era de beleza singular, com móveis de extremo bom gosto. Paulo observava atentamente todos os detalhes. Foi com grande alegria que encontrou uma trouxa que o amigo havia deixado sobre a cama. Paulo pegou aquele amontoado de panos com tanta felicidade e expectativa, que mal podia ver a hora de chegar em casa e ver o que havia ali dentro. Com rapidez, falou a Renato:

— Preciso ir embora. A cabra deve estar faminta e minha mãe, preocupada.

Renato não compreendeu a súbita pressa do rapaz, mas resolveu deixá-lo ir. Afinal, tinham passado um bom tempo juntos.

Paulo chegou em casa feliz, sabendo que, daquele dia em diante, roupas não seriam problema para ele. Assim que adentrou o casebre, viu sua mãe dando o ajuste final na roupa com a qual iria ao baile logo mais à noite. Sem poder se conter, exclamou:

— Mãe! Veja o que Renato me deu!

— O que tem nesta trouxa, meu filho?

— São roupas que ele não usa mais.

Dito isso, Paulo começou a tirar todas as roupas que havia no amontoado de pano, experimentando uma a uma. Eunice, observando tamanho contentamento, não teve coragem de ralhar com o filho, além de saber que, de fato, ele estava precisando mesmo de roupas. Paulo aproveitou para provar também o traje com o qual iria ao baile.

— Mãe, as roupas do Renato são todas novas. Quem foi que disse que dinheiro não traz felicidade? Ele entrou na loja do seu Geraldo e escolheu um dos sapatos mais caros. No início fiquei um pouco embaraçado, mas confesso que gostei do calçado.

— E onde estão os sapatos, meu filho?

— Não acredito! Eu os esqueci na casa de Renato. Fiquei tão animado com as roupas que acabei esquecendo o embrulho no quarto.

Eunice, mais uma vez emocionada com a alegria do rapaz, comentou em tom comovido:

— Não se preocupe, meu filho. Garanto que, antes de ir ao baile, Renato virá lhe trazer os sapatos.

Paulo concordou com a mãe, deixando de lado um tanto de tristeza que o havia tomado por causa do esquecimento.

Passadas três horas, Renato chegou com o pacote em mãos. Foi recebido por dona Eunice.

— Entre, meu filho. Paulo está na cerca, vendo se tudo está de acordo. Tenho de brigar com ele para fazer algo fora de casa; se deixar, ele fica o tempo todo me olhando ajustar as roupas que você deu a ele.

Rindo, Renato comentou:

— Trouxe os sapatos que compramos hoje. Sem eles, como Paulo iria ao baile?

— Obrigada, Renato, por tudo que tem feito por nós. Não tenho palavras para agradecer. Quero que saiba que terá nossa eterna gratidão.

— Fico feliz em saber que a senhora entende que o Paulo para mim é como o irmão que nunca tive. Sou sincero quando digo que ele foi a melhor pessoa que já encontrei, pois sua amizade muito me apraz.

Paulo, que adentrou naquele momento, cumprimentou o amigo com alegria.

— Olá, Renato! Esqueci os sapatos na sua casa... Você os trouxe?

— Sim, veja, estão aqui.

Paulo pegou o embrulho das mãos de Renato e o abriu apressadamente. Com grande entusiasmo, mostrou-os à mãe, que se regozijava com a felicidade quase infantil do filho. O rapaz colocou-os nos pés, e não cansava de admirar o brilho de verniz que tinham.

Renato amigavelmente se despediu:

— Gente, tenho de ir. Se ficar mais tempo aqui, atraso todos vocês, e ninguém vai ficar pronto a tempo para o baile na casa do doutor Silveira. — Voltando-se para Paulo, completou: — Vou esperá-lo na estrada, por volta das oito horas. Cuidado para não sujar a roupa, pois essas pessoas que vamos encontrar adoram observar as mínimas falhas na vestimenta dos outros.

— Iremos a cavalo?

— Não, Paulo. Iremos de automóvel.

— Nossa, que chique. Tinha me esquecido que você havia ganhado um automóvel de seu pai.

Renato, em tom jocoso, retrucou ao amigo:

— Não sou chique; apenas comodista.

Paulo riu meio sem jeito. Não tinha entendido direito o que o amigo queria dizer com aquelas palavras.

Dona Eunice acompanhou Renato até a porta, sem esquecer de agradecer, mais uma vez, tudo que ele fazia por Paulo. O rapaz apenas respondeu:

— Faço isso porque ele é meu irmão. Se não o somos na carne, somos no coração, mãe.

A senhora sorriu ao ouvi-lo dizer "mãe".

— Estou realmente aprendendo a gostar de você como um filho — respondeu docemente dona Eunice.

Assim que viu Renato se afastar, Paulo comentou:

— Sempre foi difícil para mim fazer amizade. Entretanto, a primeira que fiz foi com o melhor amigo que poderia ter.

Dona Eunice concordou.

— Realmente, meu filho. Antes eu não via esse moço com bons olhos, mas começo a crer que ele gosta realmente de nós, embora sejamos pobres.

Paulo sorriu, concordando.

— Mãe, o empregado da fazenda do Renato limpou toda a cerca, portanto não tenho mais nada a fazer hoje. Soltei a Malhada, cortei capim para a lebre, dei milho para as galinhas, enchi os potes d'água e tratei das cabras. Agora, que já é tarde, vou começar a me arrumar. A senhora passa a minha roupa?

Dona Eunice, fazendo um sinal afirmativo com a cabeça, pegou o velho ferro de brasa e se pôs a preparar a mesa para começar a passar o traje do filho.

Paulo esmerou-se no banho. Limpou e cortou as unhas, aparou a barba, que ele fazia questão de manter, e passou babosa nos cabelos que, embora fossem cacheados, mantinham um brilho natural.

Depois de uma hora, Paulo estava pronto. O traje lhe caiu muito bem, embora a camisa tivesse ficado um pouco folgada. Fitando-se no espelho, comentou:

— E então, mãe? Você acha que estou bem?

— Você está lindo, Paulo. Até parece que é filho de fazendeiro, como o Renato.

Depois de terminar de se arrumar, a impaciência tomou conta do rapaz. Foi com alívio que se despediu da mãe algum tempo depois.

— Já vou indo. Não posso deixar o Renato me esperando.

— Está bem, meu filho, mas juízo! Cuidado para não se meter em confusão, e não invente de beber. Pelo que sei, os ricaços adoram tomar uns aperitivos a mais.

— Não se preocupe, minha mãe. Prometo que não vou colocar nada de álcool na boca e que ficarei longe de encrenca. Mas não creio que seja necessário a senhora me dar essa advertência, pois todos os ricos são educados, e pessoas educadas não brigam sem motivo. Isso é coisa de gente ignorante, feito o Joel, que foi jogar cartas na venda e acabou brigando com todo mundo.

— Não é bem assim, meu filho. Ricos brigam sim, mas sempre abafam os incidentes para que ninguém fique sabendo.

— Que seja, mãe! Mas não me meterei em encrencas, juro!

Eunice observou o filho se afastar. Em seu coração, não pode deixar de perceber uma ponta de orgulho. Seu filho era um rapaz bonito e bondoso.

Paulo chegou ao local do encontro. Como estava escuro, não podia ver se a roupa se mantinha limpa. Impaciente, ficou olhando na direção da fazenda de Renato. Alegremente ouviu o ronco do automóvel do rapaz. Embora a luz do farol bruxuleasse, ele logo distinguiu se tratar do amigo. Renato parou para apanhar o Paulo. O rapaz estava tão feliz quanto um garoto que vai realizar um sonho poderia estar. Era a primeira vez que se vestia decentemente e, para completar, ainda ia andar em um automóvel!

Os anos eram idos de 1919, quando os primeiros automóveis começaram a circular nas mãos de quem detinha dinheiro e poder.

5

O tão esperado baile

Ao chegarem à casa do doutor Silveira, Paulo perguntou ao amigo:
— E então? Estou bem?
— Está sim. Mas, antes de entrarmos, arrume a gola da camisa, porque está torta. No mais, está tudo certo. Não se sinta inferior às pessoas que estiverem aí. Muitas delas já tiveram fortuna, mas hoje vivem apenas de aparência, inclusive o dono da casa e sua família. Nesta noite, você é como qualquer um deles. Portanto, se alguém agir com grosserias, me avise que iremos embora imediatamente.

Paulo se lembrou, num repente, de sua mãe, e do conselho para não se meter em confusão.

Ao entrar foram recebidos pelos anfitriões da festa, doutor Bernardo Silveira e dona Clotilde. Paulo fitava surpreso o suntuoso local. Reparou no luxo dos móveis e nos garçons que serviam champanhe para os convidados. No grande salão, grupos de pessoas conversavam animadamente. Assim que entrou, Renato foi logo recebido com deferência pelos donos da casa, que o trataram com delicadeza e cortesia.

Um dos garçons ofereceu champanhe a Paulo. Em monossílabos ele recusou, lembrando novamente do que a mãe lhe falara sobre os aperitivos. O rapaz ficou ao lado de Renato, que o apresentou a todos. Paulo se sentia envergonhado, pois sabia que sua mãe tinha razão: eles eram de mundos completamente diferentes.

A orquestra que estava do lado esquerdo do salão tocava uma composição de Chopin. Paulo olhava tudo admirado; jamais em sua simplicidade imaginara que houvesse tanta beleza e tanto luxo concentrados em um só lugar. Perdido em pensamentos, seu olhar parou em uma moça, que conversava com um grupo de rapazes perto deles. Assim que a avistou, em seu íntimo brotou o pensamento: "Que moça linda! Pedirei a Renato que me apresente a ela".

Não foi preciso, contudo, que pedisse ao amigo. Renato logo percebeu o interesse do rapaz pela jovem.

— Podemos fazer parte desse grupo que tão animadamente conversa? — introduziu-se Renato, alegremente.

— Renato! Você por aqui? Por que não se fez anunciar?

— Não achei necessário. Você sabe que não gosto de aparecer.

Paulo ouvia a conversa calado, mas estava estático diante da beleza da moça.

— Este é Paulo, meu amigo.

A moça, com um sorriso, estendeu-lhe a mão e se apresentou:

— Muito prazer. Eu me chamo Elvira.

— Elvira é minha amiga de infância, Paulo. Há quanto tempo não nos vemos, minha cara?

— Não seja dramático; faz apenas cinco dias.

O grupo todo caiu na risada com o comentário da moça. Menos Paulo, que permanecia calado e atento a cada gesto de Elvira. Ela era uma moça fina, não muito alta, e seus cabelos eram loiros como o sol da manhã. Tinha duas covinhas no rosto que lhe emolduravam o belo semblante. Seus gestos eram delicados, e cada palavra que dizia era acompanhada de um sorriso. Os rapazes se encantavam com ela, que sempre professava que só namoraria com alguém por quem estivesse completamente apaixonada. Renato era o único nas redondezas que não se deixara seduzir pela beleza de Elvira.

Paulo continuava a fitar a moça fascinado. Sabia que seu coração nunca vira criatura mais bela.

Quanto a Elvira, ela também olhava discretamente para Paulo. Assim que o tinha visto, sentira como se uma chama acendesse em seu peito. Contudo, procurou não deixar isso evidente, pois naquele dia ela era a anfitriã, e não queria ser motivo de comentários maldosos.

Prontamente o pai de Elvira, o doutor Silveira, aproximou-se do grupo de jovens para conversar com Renato. Em seu íntimo, nutria a esperança de um dia vê-los casados.

— Posso também fazer parte deste grupo?

Renato gentilmente respondeu:

— Para nós será um prazer, doutor Silveira.

— Por que seus pais não vieram ao baile?

— Meu pai se encontrava indisposto, e minha mãe se recusou a vir sem ele.

— Uma pena... A presença deles muito me honraria. Ainda mais nesta noite tão especial, em que minha filha completa dezessete anos.

— Ah... não sabia que Elvira fazia aniversário hoje, senão teria lhe trazido um belo presente.

— Não se preocupe com isso, Renato. Ela não quer que anunciemos seu aniversário. Sabe como Elvira é... odeia notoriedade.

— Não sei por que rejeita tanto estar em destaque; a própria beleza a faz ser notada entre todos os convivas presentes.

Paulo, que estava ao lado do amigo, continuava sem dizer palavra. O anfitrião, com certa indiferença, fez um aceno se dirigindo a Renato.

— Onde você conheceu o rapaz que o acompanha?

— Ele é meu amigo de longas datas.

— Por acaso se formou com você quando se tornou bacharel em direito na capital?

— Não, doutor Silveira — respondeu Renato com naturalidade.

— Conheço-o das redondezas.

— Que estranho... — retrucou o outro. — A que família pertence?

— À família Marins Mattos, grandes amigos de meu pai.

— E por que o senhor não participa das reuniões sociais aqui da vila, senhor Mattos? — perguntou o anfitrião, dirigindo-se a Paulo.

— Porque ele não gosta de projeções sociais, meu amigo — Renato veio rapidamente em socorro do embaraçado rapaz. — Mas acredito que doravante participará de todas as reuniões sociais do lugar — concluiu Renato, ironicamente.

O doutor Silveira, vendo que o circunspecto convidado nada lhe responderia além do que já fora dito, voltou sua atenção a Renato.

— Fiquei sabendo que seu pai comprou mais terras. É verdade?

— Sim, doutor, meu pai comprou a região do lago, e pretende aumentar a produção de café.

— Está aí um bom negócio. Espero que ele tenha sucesso em sua nova empreitada.

— Meu pai tem o que podemos chamar de mão de Midas — comentou Renato, rindo. — Tudo em que toca se transforma em ouro.

Os dois riram divertidamente. Assim que o anfitrião se afastou, Renato lembrou-se de que Paulo não estava acostumado com um ambiente tão interesseiro. Virou-se para o amigo.

— O que você está achando da festa que antecede o baile?

— Estou gostando muito. Mas queria mesmo dançar com a filha do doutor Silveira.

— Não se preocupe. Quanto a isso, daremos um jeito. Pedirei a ela que dance comigo. Depois da primeira dança, peço-lhe que dance com você.

35

Paulo sorriu para o amigo, agradecido, pois não via a hora de o baile começar a fim de poder dançar com aquela que tocara seu coração.

Elvira conversava alegremente com todos. Paulo estava atento a cada movimento dela porque não queria perdê-la de vista. A moça reparou no olhar, embora discreto, sempre presente do rapaz, e tudo fez para ficar por perto. Ainda que não soubesse que era intencional, tal fato alegrou Paulo.

Depois dos comes e bebes, o baile começou. Renato foi o primeiro a dançar com a filha do anfitrião. Tal como prometido, após a primeira valsa, Renato pediu a Elvira que dançasse com o amigo, solicitação que a moça rapidamente atendeu.

Enquanto Paulo e Elvira dançavam, ela lhe perguntou:

— Nunca o vi por aqui. Acaso faz parte dos ricos excêntricos da região?

— Pelo contrário. Não sou rico. Tenho um sítio na divisa da fazenda de Renato. Apenas somos amigos. Mas não faço parte do círculo de vocês.

Elvira gostou da sinceridade do rapaz, que não escondeu que era pobre. Entusiasmada, convidou:

— Gostaria de dançar mais uma valsa com você. Por acaso aceitaria?

— Para mim seria uma honra, mas creio que outros rapazes estão esperando a sua vez.

— Não ligue para isso. Desviarei os convites, e dançaremos mais vezes.

Paulo se sentiu encantado. Apesar de saber que ele era pobre, Elvira ainda fazia questão de sua companhia.

E assim o baile transcorreu. Elvira dançou a maior parte do tempo com Paulo, que se sentia prestes a explodir de felicidade naquela noite.

Renato gostou de ver os dois amigos se entendendo. Ele trouxera o amigo, é claro, mas queria que Paulo conhecesse outras pessoas, e não que ficasse limitado a plantar-se do seu lado a noite inteira.

Contudo, os pais da moça ficaram intrigados com aquela preferência visível da filha por aquele rapaz que não conheciam. Surpresos, deram-se à seguinte conversa:

— Não entendo por que Elvira está dando tanta atenção àquele moço. Investimos demais nesta festa para que fique com graças com um desconhecido — comentou doutor Silveira.

A esposa, Clotilde, concordava:

— Elvira tem de dançar com outros rapazes. Veja ali o Renato. Está sozinho, e é um moço tão fino! Vou conversar com nossa filha após esta dança.

— Faz bem — respondeu Bernardo Silveira, que tudo fazia para arranjar um marido rico para a filha.

Assim que a valsa terminou, Clotilde chamou a filha na varanda a fim de conversarem.

— Minha filha, não acha que está dando atenções indevidas a um rapaz que a sociedade desconhece?

— Por que isso agora, mamãe? Estou me divertindo! Além do mais, ele dança como nenhum outro.

— Não se faça de desentendida, minha filha. Sabe que gastamos o resto de nossas economias nesta festa, portanto trate de fazer a sua parte.

— O que a senhora quer dizer com isso, mamãe? Por acaso estou à venda? É isso que estou ouvindo?

— Filha, entenda, nossa situação é difícil. Seu pai perdeu grande soma nas mesas de jogo, e estamos na ruína, esta é a pura verdade. O melhor partido que há por aqui é Renato, filho do coronel Donato. Nosso gosto é que você se ajeite com ele para salvar o desastre financeiro em que se encontra nossa família.

— Não farei um casamento por interesse, minha mãe. Se papai perdeu o que tínhamos em mesas de jogo, o problema é dele. Não vou me oferecer como sacrifício para salvar as aparências.

— O recado está dado — tornou dona Clotilde, enraivecida.

— Se hoje você não se acertar com Renato, será nosso fim. Não estou brincando.

Estarrecida, Elvira viu sua mãe se afastar com passos decididos. A moça sentou-se em uma cadeira de vime e pôs-se a chorar.

Paulo, que havia um tempo tentava encontrá-la, foi ter com Elvira, que tinha o rosto entre as mãos e estava soluçando. Com suavidade, perguntou:

— Por que você está chorando? Fizeram algo que a magoou?

— Sim, meus pais. Eles querem de qualquer maneira que eu me case com Renato. A situação financeira da família está muito complicada. Mas eu não amo Renato, e não vou, de modo algum, me casar apenas por interesse.

Paulo ouviu comovido o desabafo da moça.

— Farei o que puder para ajudá-la. Sinto-me muito à vontade a seu lado.

Elvira sorriu-lhe em meio às lágrimas.

— A vida tem coisas estranhas... É a primeira vez que o vejo, mas trago comigo a impressão de já tê-lo conhecido em algum outro lugar.

— Também sinto o mesmo. Parece que nos conhecemos há anos.

Paulo tomou as mãos da moça e beijou-as delicadamente. Elvira ficou observando o carinho daquele rapaz. Encantada, a moça pediu:

— Vou querer vê-lo mais vezes. Estarei à sua espera amanhã às oito da noite, no campo que fica atrás da venda do Ananias.

Paulo sorriu com satisfação. Ela era tudo que sempre sonhara: bela, fascinante e educada.

Elvira continuou:

— Por esta noite não dançaremos mais. Farei como meus pais querem: ficarei perto de Renato, mas também junto de você. Depois dançarei com alguns convidados. Mas, lembre-se: amanhã, no campo da venda, às oito da noite, sob o ipê.

Paulo aceitou de bom grado a proposta da moça. Seu coração era pura alegria. Sabia estar apaixonado, e tinha esperança de ser correspondido.

Elvira cumpriu com tudo que programara. Conversou bastante com Renato e Paulo, e dançou várias vezes com Renato, mesmo sabendo que ele não estava gostando nada daquilo. O rapaz tinha ido ao baile, na verdade, porque estava interessado na senhora Albuquerque de Lima, esposa do desembargador da capital, o senhor José Albuquerque de Lima.

A senhora Luzia Albuquerque de Lima estava encantada com a beleza de Renato, e ele por várias vezes a convidara para dançar com o consentimento do marido.

Como aquele moço era tão fino, tão educado, ninguém poderia imaginar que ele estava flertando com a esposa do desembargador, que era alguns anos mais velha que ele, embora fosse belíssima.

Paulo sabia do interesse de Renato pela senhora Albuquerque, mas procurou não se preocupar com os problemas do amigo.

O baile acabou pouco depois das duas da manhã. Paulo aproveitou o trajeto de volta para fazer a Renato um relato de sua noite.

— Renato, acho que estou apaixonado. Nunca imaginei que houvesse criatura tão bela quanto Elvira.

— Como pode dizer que está apaixonado se a viu só uma vez?

— É esquisito... Tenho a impressão de que a conheço há vários anos. Minha mãe sempre conversa com dona Maria Lúcia, aquela senhora que procura ajudar a todos na vila. Ela conta que nossos espíritos voltam muitas vezes à Terra, e que não raro reencontramos pessoas que conhecemos no passado. Fico pensando: será que eu não conhecia Elvira de um passado distante, e, agora, ao vê-la, estamos apenas nos reencontrando?

— Por favor, Paulo. Sempre o achei inteligente. Não creio que você possa acreditar em tudo que essas pessoas lhe contam. Para mim, a vida é uma só. Temos de tirar o máximo proveito dela.

— Não sei, Renato. Por que então essa sensação de já tê-la conhecido, sendo esta a primeira vez que conversamos?

— Meu amigo, você não a conhece. Portanto, acho bom colocar os pés no chão, pois os pais dela jamais consentiriam o namoro entre vocês dois. Eles são extremamente materialistas e interesseiros. Aconselho-o a ficar longe dela. O Silveira é vingativo, e quer que a filha se case com um rapaz rico.

— Sei disso, ela me contou. Encontrei-a na varanda chorando justamente porque a mãe dela quer que Elvira se case com você.

— Que absurdo! Gosto muito de Elvira, mas jamais me casaria com ela, mesmo que fosse a última mulher da face da terra.

— Por que você diz isso, Renato? Acaso não a acha bonita?

— Sim, meu amigo, eu a acho muito bonita. Mas não a amo. E, para que eu leve uma mulher ao altar, ela terá de fisgar direitinho meu coração.

— E quanto à mulher do desembargador? Você está apaixonado por ela, não?

— Não, caro Paulo. Não amo ninguém. Eu a acho, sim, muito feminina, bonita, e confesso que sinto uma atração quase irresistível por ela, mas jamais me casaria com alguém só por isso.

— Como então afirma que quer ter um contato íntimo com ela se não sente amor?

— Paulo, para mim amor não tem nada a ver com desejo. Eu não a amo, embora a deseje, e muito. E quando Renato, filho de Donato, coloca uma coisa na cabeça, não tem quem a tire.

Paulo encarou Renato sem compreender, pois, para ele, o amor vinha em primeiro lugar, e a idéia das paixões carnais nem sequer passava por sua cabeça. O mais jovem deles deu seqüência à conversa:

— Renato, será que você poderia me levar à vila amanhã? Tenho um encontro marcado com Elvira.

— Enquanto falo de aventuras, você vem me falar que marcou um encontro com Elvira. Essa é boa!

— Pois é... Não tenho como ir à vila no horário que ela marcou.

— Não se preocupe. Vou ajudá-lo a viver esse amor impossível. Todas as vezes que marcar encontro com Elvira, eu o levarei.

Paulo afirmou com sinceridade:

— Você é o irmão que sempre sonhei ter. Serei eternamente grato a você por tudo que tem feito por mim.

— Não se entusiasme. A primeira lição é não confiar muito em mulheres; elas são traiçoeiras.

— Renato, fique tranqüilo. Terei cuidado.

Sorrindo, os amigos tomaram o rumo da fazenda de Renato e do sítio de Paulo.

Naquela noite, Paulo não conseguiu conciliar o sono. Não esquecia o rosto bonito de Elvira. Olhando para a parede de barro pintada de cal, Paulo exclamou em voz alta:

— Elvira, eu te amo, como jamais amei alguém em toda a minha vida!

Enquanto Paulo pensava em Elvira, deitado sobre um colchão de capim, Elvira também pensava em Paulo em seu quarto luxuoso. O íntimo da jovem lhe dizia que suas vidas, a dela e a de Paulo, estariam entrelaçadas para sempre.

Elvira não via a hora de chegar o momento do encontro com o amado. Ela já sabia que o amava com toda a força de seu coração.

Ao mesmo tempo, pensava se não estaria sendo leviana, pois conhecera o rapaz naquela noite e logo após marcara um encontro com ele. Deixou essa sensação de lado, entretanto, pensando que a impressão de conhecê-lo, há muito, era tão forte que justificava aquele ato impulsivo.

Estava quase amanhecendo quando a moça, cansada, finalmente adormeceu.

6

Encontro às escondidas

Desde que o dia raiara, Paulo não pensava em outra coisa, senão em Elvira. Animadamente, falou para a mãe sobre ela.

— Mãe, nunca vi moça mais bonita que Elvira, a filha do doutor Silveira. Ela é...

Entrou em detalhes então com a mãe sobre tudo que ocorrera na noite anterior. Mas, com tristeza, ouviu-a dizer:

— Meu filho, acho bom você não se entusiasmar demais com ela. Elvira é uma moça diferente de nós. Você é um bom rapaz, mas é pobre, e ela é rica, portanto fique longe dessa gente, caso contrário, poderá se machucar.

Paulo ouviu os conselhos da mãe, mas pela primeira vez não os colocou em prática. As emoções que sentia eram muito fortes, o que o fazia ficar surdo a quaisquer outros comentários, como os de sua mãe, ou os de seu melhor amigo.

Eunice logo percebeu que qualquer coisa que dissesse naquele momento seria infrutífero, pois sabia por experiência própria que quando o coração ditava as regras facilmente se sucumbia a elas. Olhando tristemente para o filho, continuou, ainda assim:

— Meu filho, nunca se esqueça dos conselhos de sua velha mãe, que já sofreu muito na vida e sabe o que está dizendo.

Paulo, querendo evitar prolongar a conversar, pediu licença à mãe e foi cuidar das obrigações do sítio. Tinha de entregar queijos frescos aos moradores vizinhos, junto com os ovos. Era dessa maneira que Paulo e dona Eunice viviam, apenas para ter o necessário para comer. O dinheiro que ganhavam nunca era suficiente para gastos extras.

Durante todo aquele dia, Paulo trabalhou com afinco, desejando que as horas passassem mais rápido. Mal podia esperar o horário do encontro.

Passado um tempo, ao ver o pôr-do-sol, o coração de Paulo se encheu de alegria. Em poucas horas estaria com a mulher de sua vida.

Foi para casa, banhou-se e vestiu uma calça azul-marinho que Renato havia lhe dado, junto com uma camisa de seda branca. Colocou os sapatos novos e esperou que Renato viesse buscá-lo. O amigo chegou atrasado, por isso Paulo rapidamente entrou no carro. Sabia que seria péssimo chegar atrasado a seu primeiro encontro.

Ao longo do caminho, Renato tentou travar conversa com Paulo, mas percebeu que o amigo não o estava escutando. Ao chegarem, Renato combinou com ele:

— Meu amigo, irei à casa do desembargador enquanto você se encontra com Elvira. Quando for dez horas, eu o esperarei aqui na frente da venda.

Paulo se despediu sorridente. Foi ao campo que ficava um pouco atrás da venda e, ao avistar o velho ipê, ficou feliz em ver que Elvira não tinha ainda chegado. Passados dez minutos, ele pôde ver, pelo clarão da lua, que Elvira se aproximava. Correu ao seu encontro.

— Que bom que você veio. Comecei a ter medo de que não viesse.

— Quis chegar mais cedo, mas minha mãe começou a me perguntar aonde ia, então tranquei-me no quarto e saí às escondidas.

Paulo fitou o rosto da moça e confessou:

— Vou dizer uma coisa que nunca pensei em dizer para alguém.

— Pois então diga — respondeu Elvira, curiosa para saber do que se tratava.

Após pensar alguns momentos, Paulo prosseguiu:

— Estou apaixonado por você.

— O quê? Você está dizendo que está apaixonado por mim? Não acha que é muito cedo para me dizer isso?

— Sei que pareço um tolo. Aliás, para dizer a verdade, é assim que tenho me sentido. Mas ninguém consegue escapar dos sinais do coração quando ele sinaliza; pensei muito e a sensação de que já a conheço é tão forte que me pego pensando que sempre estive apaixonado por você.

— Bem, se foi sincero comigo, também tenho de lhe contar...

Paulo ficou trêmulo, pois pensava que Elvira fosse lhe dizer que já tinha um pretendente. Com o coração aos saltos, ficou apenas aguardando que ela lhe contasse isso. Elvira não conseguia ver nitidamente os olhos de Paulo. Apesar de a noite estar clara e iluminada pela Lua cheia, o rapaz desviava o olhar triste. Após alguns segundos, Elvira encontrou coragem para dizer:

— Eu também estou apaixonada por você.

Em um forte arroubo, Paulo a tomou em seus braços e beijou-a demoradamente nos lábios. A moça, surpresa, correspondeu ao beijo e permaneceu em seus braços por mais algum tempo. Após vários outros beijos, Paulo a fitou e se esforçou por dizer aquilo que ia em sua mente:

— Elvira, seus pais jamais permitirão que você se case comigo, pois eu sou pobre e nada tenho a lhe oferecer, senão meu amor guardado no peito.

— Não ligue para eles. Sei que não aceitarão. Se for o caso, estou disposta a fugir com você.

Paulo sentiu um grande bem-estar ao ouvir aquelas palavras. Agora tinha certeza de que ela o amava tanto quanto ele. Lembrou-se subitamente de Renato, que deveria estar em frente da venda esperando-o.

— Acho que tenho de ir embora. Renato deve estar a minha espera.

Elvira enlaçou o pescoço do rapaz e beijou-o mais algumas vezes antes de ir embora. Paulo aguardou que ela fosse primeiro para só então, depois de alguns minutos, sair do campo. Temia que alguém pudesse tê-los visto sair do mesmo lugar.

Ao chegar à frente da venda, notou que o amigo ainda não estava por lá. Passados quarenta e cinco minutos da hora combinada, Renato chegou com a roupa amarrotada e os cabelos em desalinho. Paulo, vendo a situação do amigo, perguntou:

— O que aconteceu? Por que seus cabelos estão desarrumados? Onde você estava?

Sorrindo, Renato lhe respondeu:

— Meu amigo, quase fui pego hoje. Preciso pensar um pouco e logo depois eu lhe conto.

— Conta o quê?

— Dê-me alguns minutos. Estou trêmulo ainda. Daqui a pouco falo o que houve para você.

Após entrarem no carro e Renato se recompor, o amigo começou finalmente a narrar o que lhe ocorrera.

— Fui à casa do desembargador para ver a senhora Albuquerque. Para minha sorte, ele havia viajado hoje de manhã para a capital. Conversamos por algum tempo, e depois lancei sobre ela todo o meu charme. Qual não foi minha surpresa quando ouvi daqueles lábios que ela estava louca para me beijar. Trocamos beijos, e logo em seguida ela me levou para seu quarto. Quando estávamos aproveitando o momento, ouvimos a voz do desembargador. Rapidamente peguei minha roupa, pulei a janela, me vesti e saí pelo jardim. Por isso demorei.

Paulo não pôde deixar de rir ao ouvir a história do amigo. Ele havia conseguido o que queria, embora o rapaz não aprovasse as atitudes de Renato.

— Renato, quando é que você vai tomar jeito? E se o marido dela pega você? Minha nossa, seria um deus-nos-acuda! — falou o rapaz, sorrindo para Renato como se ele fosse um garotinho peralta que tivesse acabado de praticar uma travessura.

Renato, ao mesmo tempo que ria da situação, dizia a si mesmo como aquela mulher era bonita e ardente.

Paulo ponderou:

— Meu amigo, acho bom você deixar essa vida de aventuras amorosas para lá, pois uma hora poderá ser pego. E aí, o que vai dizer ao desembargador?

— Não direi nada. Vou tomar agora mesmo minhas precauções.

— O que vai fazer?

— Depois lhe contarei. Todo mundo tem um ponto fraco, e o desembargador não será diferente. Mudando de assunto, como foi seu encontro com Elvira?

— Maravilhoso! Nós nos amamos.

— Acho bom você não ir com muita sede ao pote porque vocês se conheceram ontem.

— Não tem problema. Parece faz anos que nos conhecemos.

— Xi, deu para ver que não tem conversa com você. Meu amigo Paulo está mesmo apaixonado. Só espero que esse bicho que o mordeu não me morda. Eu, hein? Não quero ser contaminado.

— Amanhã você virá à vila novamente?

— Sim! — respondeu Renato. — Amanhã tenho certeza de que será melhor que hoje. Não deixarei de ir ter com a senhora Lima Albuquerque. Acredito que ela esteja tão insatisfeita quanto eu.

No caminho de volta, Paulo se perdeu em pensamentos que diziam respeito a Elvira. Quando se deu conta, estavam chegando.

Naquela noite, Paulo sentia-se exultante. Sentou-se na soleira da porta e ficou a observar as estrelas. A mãe, vendo que o rapaz ainda não dormia, levantou-se da cama e foi encontrá-lo.

— Por que demoraram tanto? Estava tão nervosa que tive de fazer um chá de camomila para me acalmar. Você deveria ter um pouco mais de consideração com sua mãe, que não consegue dormir antes de você chegar.

— O carro de Renato quebrou no caminho, mãe. O motor demorou para pegar.

— Vocês dois juntos... Não me cheira a coisa que preste!

— Não se preocupe, mãe — desconversou Paulo. — Está tudo bem.

O moço observou dona Eunice se afastar recomendando-lhe que apagasse logo o lampião. Paulo, ainda perdido em seus pensamentos, esboçou um sorriso ao se lembrar da enrascada em que Renato se metera aquela noite. Ficou por mais alguns minutos ali, olhando as estrelas. Depois deitou-se, mas o sono não veio. Não conseguia deixar de pensar em Elvira, a sua doce amada.

No dia seguinte, embora Paulo não tivesse dormido muito bem, sentia-se disposto e alegre. Dona Eunice, ao perceber o comportamento do filho, voltou a insistir:

— O que foi que ocorreu na vila ontem à noite para que levantasse tão alegre, Paulo? Você não reclamou da demora do café, tampouco do fato de sermos pobres, coisas que faz dia sim e outro também.

— Mãe, a vida é bela. Infelizmente não sabemos olhar para as coisas boas; atentamos somente às coisas ruins. Prometo que, de hoje em diante, não vou reclamar de mais nada. A senhora é uma pessoa maravilhosa e a melhor mãe do mundo! — dizendo isso, deu um beijo na face de dona Eunice, pegou o chapéu de palha e a enxada, e foi para a roça.

Eunice acompanhou Paulo se afastar com o olhar. "Essa alegria repentina é muito estranha", pensou ela desconfiada. "Aposto que tem mulher envolvida nisso." Envolvida com esses pensamentos, iniciou suas primeiras tarefas do dia.

Paulo, por outro lado, pensava incessantemente em Elvira. Lembrava dos gestos, das palavras, do calor dos lábios da moça. Para ele, não havia espaço para tristezas; tudo era paz e contentamento.

Com o passar dos dias, o estado de contentamento de Paulo só aumentou.

O pai do rapaz, seu Matias, era inclinado a tocar violão, que aprendera apenas de ouvido. Enquanto ainda vivia, sempre aproveitava as horas vagas para ensinar Paulo, que desde criança mostrou também ter intimidade com o instrumento. Entretanto, havia anos que o rapaz não tocava. O violão jazia envolto em um saco plástico, pendurado em seu quarto, havia muito tempo. Naquele dia, sentindo-se muito bem, teve vontade de afinar o violão. Em seguida começou a tocar e a cantar as músicas que faziam sucesso na época.

Em uma dessas tardes em que Paulo se entregava a tocar o instrumento, algo que se tornara um hábito recentemente em seu cotidiano, dona Eunice, ao ouvir a bela voz do rapaz, e o som do instrumento, tão bem tocado, lembrou-se de seu Matias, e de há quanto tempo ele já se fora. Após, olhou melancolicamente para o filho.

— Meu filho, vejo que está muito diferente desde que foi ao baile com Renato. Por favor, conte a sua mãe o que está acontecendo. Acaso essa mudança se deve à moça filha do doutor Silveira?

Paulo percebeu o quanto a mãe era astuta. Sem coragem para mentir, resolveu falar a verdade:

— Sim, mãe. Estou apaixonado, e ela também. Se tudo der certo, me casarei logo.

Ao ouvir aquelas palavras, Eunice fechou o semblante. Respirando com certa dificuldade, retrucou:

— Mas essa moça é muito diferente de nós! Acho que você deve procurar alguém do nosso meio para se relacionar! Além do que, os pais dela jamais permitirão que ela se case com você. Diga-me, filho, como poderá manter o luxo ao qual ela deve estar habituada? — Dona Eunice fez uma pausa para ganhar fôlego. Mais brandamente, completou: — Filho, se não tirar essa idéia da cabeça, poderá sofrer muito ainda. E isso eu não quero para você, de jeito nenhum.

— Mãe, eu a amo muito. Ainda que eu quisesse me afastar, não conseguiria. Não me é mais possível viver sem ela.

— Deixe de bobagem, Paulo. Isso é uma ilusão, que poderá lhe custar muito caro por algo que vai ser passageiro. Ouça sua mãe: deixe de se encontrar com essa moça enquanto é tempo.

— Não farei isso. E ainda há mais: se ela quiser se casar comigo, eu a trarei para morar conosco. Sei que ela não vai se importar em viver modestamente. Nosso sentimento é mais forte que o poder do dinheiro.

— E me diga, meu filho, quando ela quiser um vestido novo, como você fará? Vai roubar para comprá-lo? E quando ela reclamar por ter de trabalhar no sítio, vai deixá-la ficar em casa, como uma madame? Deixe de bobagens, meu querido. Você jamais vai poder lhe dar o padrão de vida ao qual está acostumada.

— Pouco me importam as dificuldades. Nós nos amamos e queremos ficar juntos. Um dia a senhora me dará razão.

— É bem verdadeiro aquele ditado popular — concluiu dona Eunice, cenho franzido. — Quando a miséria entra pela porta, o amor sai pela janela.

— Pela primeira vez, minha mãe, não vou poder obedecer-lhe. Minha felicidade está envolvida nisso tudo desta vez.

Todos os conselhos que tanto dona Eunice quanto Renato haviam lhe dado foram ignorados pelo jovem.

7

Dois corações apaixonados

Os dias foram passando. Fazia quinze dias que Paulo e a mãe haviam tido aquela conversa, mas Paulo continuou a sair todas as noites, encontrando-se com Elvira sob o pé de ipê.

Naquele dia em especial, dona Eunice percebeu uma certa excitação em Paulo, que acordara mais cedo que o habitual, trabalhara muito e evitara tocar nos alimentos. Paulo havia dito à mãe que naquele dia não iria à cidade. Esse fato deixou dona Eunice imensamente feliz. Ela pensou consigo mesma que seria bem possível que Paulo e Elvira estivessem brigados. Durante o jantar, Paulo, que mal comera, pediu licença e, alegando dor de cabeça, foi ao quarto e fingiu dormir.

Dona Eunice, como de costume, lavou os últimos pratos e também foi ao quarto se deitar. Assim que a mãe apagou o lampião, entretanto, Paulo abriu a pequena janela e ficou observando fixamente a mãe dormir. Somente após duas horas, quando tinha certeza de que dona Eunice realmente pegara no sono, ele pegou a trouxa que estava embaixo da cama e pulou a janela.

Renato o aguardava, juntamente com Elvira. O amigo levou o casal à estação de trem, entregou algumas cédulas a Paulo e disse-lhe para se casar assim que chegasse à capital. Depois que estivessem casados, Renato lhe dissera, ninguém poderia fazer mais nada para impedir.

Ainda assim, Paulo estava apreensivo. O pai de Elvira, o doutor Silveira, havia arranjado um casamento com o filho de outro fazendeiro. A moça, contudo, apaixonada por Paulo, recusou-se a casar. Embora estivesse temerosa, Elvira ao mesmo tempo se sentia feliz. Não queria, jamais, só para agradar aos pais, casar-se com um homem rico pelo qual não tivesse amor.

Após algumas horas o trem que ia à capital passou, e Paulo e Elvira embarcaram. Nos pensamentos de Paulo só havia o temor de o que o pai de Elvira seria capaz de fazer com ele quando descobrisse que eles haviam fugido. Ao desembarcarem, Paulo procurou uma pensão, onde se apresentou como marido de Elvira.

A primeira noite foi de muito amor, mas também de muito temor. O medo de ser descoberto fez com que Paulo, no segundo dia na capital, procurasse um cartório e registrasse a união matrimonial. O rapaz pensava em sua mãe, que ficara no sítio, e no que ela faria quando descobrisse que ele não havia dormido em casa. Sentiu pena de dona Eunice. Enfraquecida, ela não teria vigor suficiente para cuidar dos trabalhos sozinha. Porém, confiava em Renato, que lhe prometera mandar alguns empregados da fazenda para ajudá-la. Sentimentos contraditórios perpassavam o coração do rapaz: felicidade e remorso tomavam-lhe conta do ser, fazendo que ficasse por muitas horas em silêncio.

Elvira, percebendo seu estado emocional confuso, perguntou:

— Paulo, você me ama?

— Sim, meu amor, você é a única mulher que amei durante toda a minha vida.

— Você se arrependeu de fugir comigo?

— Não, meu amor, não me arrependi. Se preciso fosse, faria tudo novamente.

— Então por que está tão calado?

— Penso em minha mãe, que ficou no sítio, com todo aquele trabalho. Penso em como ficará quando perceber que não estou em casa.

— Não pense nisso, meu amor. Estamos casados e nada poderá impedir o fato de ficarmos juntos. Se não fizéssemos assim, você sabe que nosso casamento nunca iria acontecer. Portanto, melhore esse semblante!

Paulo abraçou a esposa. Beijando-lhe os lábios com ardor, disse com voz comovida:

— Eu amo você. Ninguém vai nos separar.

Enquanto isso, no sítio de dona Eunice...

A mãe de Paulo se levantou e foi direto para a cozinha a fim de acender o fogão. Em seguida, foi chamar o filho para a lida do dia. Chamou seu nome em voz alta, como sempre fazia, mas não ouviu o costumeiro: "Já estou me trocando, mãe!" Dirigiu-se, então, ao quarto do filho para chamá-lo, mas deparou com um quarto vazio e a janela aberta. A mãe do rapaz apressadamente foi ao terreiro e chamou pelo filho, mas não obteve nenhuma resposta.

Num repente, dona Eunice se lembrou do comportamento nervoso e inquieto do filho no dia anterior, e essa lembrança lhe trouxe uma certeza dolorida de que Paulo havia fugido. Foi ao quarto do filho e procurou pelas roupas que Renato havia lhe dado. Nada. Até mesmo o traje de gala, havia desaparecido. Entre lágrimas, realmente constatou que Paulo havia fugido com a filha do doutor Silveira.

Passadas duas horas, dona Eunice, sentada perto do fogão de lenha ainda apagado, em pranto sofrido, pôde ouvir palmas no terreiro em frente da casa. Ao atender, qual não foi sua surpresa ao constatar ali o pai de Elvira. Com muita grosseria, foi logo dizendo à senhora:

— Por favor, vá chamar minha filha. Sei que ela está aqui com aquele safado do seu filho.

— Meu filho não é safado, doutor. Somos pessoas honestas e de bem. Peço que nos respeite.

— Onde já se viu mendigos serem gente boa! Nós o recebemos com as portas e os corações abertos em nossa casa, e ele age como um inconseqüente, roubando minha filha na calada da noite! Ainda assim acha que ele é gente boa?

— Doutor, fiquei tão surpresa quanto o senhor com a fuga daqueles dois desmiolados. Jamais aprovei o namoro entre eles. Mas julgar nosso caráter dessa maneira é demais. Somos honestos e trabalhadores; vivemos de nosso próprio sustento.

— Ora, deixe de parolar tentando ganhar tempo para seu filho. Chame-os que preciso levar minha filha embora agora mesmo!

— Meu filho também não está em casa — falou dona Eunice energicamente.

— Não acredito! Ou a senhora os chama, ou mandarei a polícia atrás de minha filha.

— Pode procurar em minha casa se quiser, doutor. Estou sozinha.

— Onde já se viu! Uma mãe acobertando a sem-vergonhice de seu próprio filho. Acho bom mandar minha filha para casa; caso contrário, vai ter complicações.

— Pode mandar quem o senhor quiser. Do mesmo modo que sua filha não se encontra em casa, meu filho também não. — Dizendo isso, dona Eunice começou a chorar copiosamente, a ponto de não ver Renato, que se aproximava dali.

O rapaz, vendo a confusão que se formava, tentou ajudar dona Eunice. Falou seriamente ao doutor Silveira:

— Por favor, peço que poupe esta senhora. Ela nada tem a ver com a fuga daqueles dois. Sua filha fugiu porque o senhor queria que ela se casasse com um homem que ela nem sequer conhecia.

— Peço que vá embora, Renato. Desejo conversar com dona Eunice em paz! Então você também está por dentro da patifaria desse rapaz, não é? E eu que inocentemente o recebi com aquele mendigo em minha própria casa! Como pôde trair-me dessa maneira?

— Não traí ninguém. Mas devo lhe avisar, doutor Silveira: a esta hora, os dois já devem estar casados na capital. Eu os ajudei sim e, se pudesse, o faria novamente. Eles se amam verdadeiramente e o senhor não tem o direito de vender sua filha como se vende um animal no pasto. Minha consciência está tranqüila — retrucou Renato incisivamente. — Coisa que, aliás, o senhor não deve ter, pois um homem que está disposto a vender a própria filha para se salvar da ruína... Que deve passar pela sua cabeça? A isso sim eu chamo de um ato indigno! — completou o rapaz. — Agora, vá embora! Se permanecer nestas terras, eu mesmo o colocarei para fora com minhas próprias mãos.

— Seu patife! Vai se arrepender por ter me tratado dessa forma! Vou me vingar nem que seja em meu último dia de vida! — praguejou Bernardo Silveira. E, num ímpeto, avançou sobre Renato que, sem se intimidar, tentou segurar o velho senhor. Entretanto, como viu que doutor Silveira não voltaria atrás, porque estava excessivamente fora de si, deu-lhe um soco no estômago que o fez se curvar de tanta dor.

Silveira, ao perceber que não poderia continuar a extravasar sua raiva contra Renato, uma vez que o moço era muito mais jovem e ele sempre levaria a pior, resolveu ir embora.

Ao ver o doutor se afastar, Renato passou o braço sobre os ombros de dona Eunice e lhe disse meigamente:

— Pare de chorar, dona Eunice. Esse homem não fará nada de mal a Paulo. Nem pode, porque seu filho não fez nada de errado, apenas defendeu sua felicidade.

— Mas como ele vai poder ser feliz roubando a filha de um homem influente como esse?

— Influente! — comentou ironicamente Renato. E, soltando uma grande gargalhada, continuou: — Esse homem acabou com a sua influência na mesa de jogo. Perdeu toda sua fortuna em apostas e queria vender a filha para salvar-se da bancarrota.

— Mesmo assim Paulo não tinha o direito de fugir assim sem me avisar. Como farei o serviço do sítio sozinha?

— Já combinei isso com ele. Mandarei dois de meus empregados aqui para ajudá-la nas tarefas diárias.

— Como fará isso? Não tenho dinheiro para pagá-lo.

— Dona Eunice, isso correrá por minha conta. Não vai ser necessário nenhum pagamento...

— Você não acha que está sendo perdulário conosco, Renato?

— Não! Jamais deixaria a senhora fazer os trabalhos do sítio. Não tem mais idade e muito menos saúde para isso.

Dona Eunice, um tanto mais calma, convidou o rapaz a entrar no pequeno casebre.

— Renato, sei o quanto gosta de meu café... Mas, com todo esse tormento, não acendi ainda o fogão!

— Não se preocupe comigo! — respondeu Renato com seu jeito jovial. — Vou ajudá-la a acendê-lo.

Dona Eunice se sentia mais tranquila. Paulo não estava sem dinheiro e, afinal, ia se casar. Não ia destruir a reputação da moça, algo que chegara a temer.

Após um tempo, percebendo que dona Eunice se mostrava mais calma, Renato resolveu partir. Tinha muitas obrigações na fazenda.

A velha senhora, entretanto, depois que o rapaz deixou o casebre, entregou-se a sentido pranto. Não queria que o filho fosse humilhado por ninguém. Mas isso, pelo menos até aquele momento, lhe parecia inevitável.

Renato fizera tudo como combinado. Mandara que Valdo e Aureliano fizessem todo o serviço no sítio e enviara sementes para que plantassem milho. Com o dinheiro da venda, queria ajudar o jovem casal. Dona Eunice, ao perceber os bons sentimentos que nutriam aquele coração jovem, passou a estimar Renato ainda mais. Não pensava mais em suas leviandades.

Em outra casa, se passava algo diferente. Logo que Bernardo Silveira soube da história do casamento, foi se informar com o chefe da estação a respeito do rumo que a filha tinha tomado. Com satisfação, descobrira que eles haviam embarcado para a capital. O doutor estava furioso. Se Paulo tivesse encostado um dedo sequer na filha, ele o mataria como faria com uma pulga.

O tempo que Paulo e Elvira estiveram na capital, para os pais da moça, foi de muita tormenta e preocupação. Clotilde dizia ao marido todos os dias que precisavam encontrar a filha com urgência para poderem efetuar o casamento com o filho do rico fazendeiro. Só assim se livrariam das dívidas, que se avolumavam vertiginosamente. O marido lhe respondia que encontraria a filha, custasse o que custasse, pois a ingratidão de Elvira o incomodava demais.

Certa tarde, estando Silveira trancado em seu gabinete, chegou um portador lhe trazendo uma missiva. O doutor, vendo o remetente, constatou se tratar de notícias da filha. Rapidamente chamou a esposa e abriu o envelope. Começou a ler a carta, que dizia:

Capital, 22 de setembro de 1919.
Queridos papai e mamãe,
Escrevo-lhes esta para lhes pedir que me perdoem por ter tomado intransigente decisão.

Espero que não se preocupem comigo, pois estou muito bem aqui na capital junto com Paulo, a quem meu coração escolheu para passar o resto de meus dias. Se tomei essa decisão, foi porque me obrigaram a aceitar o casamento com um marido que sequer conheço. Vocês só pensam na situação financeira que os escraviza, mas eu, mamãe, não me preocupo com isso. Tendo alimento e roupas, a mim não importa mais nada.

Paulo e eu nos amamos. Espero que possam compreender isso e aceitar minha decisão. Faz uma semana que estamos aqui, e vocês não podem imaginar como estamos felizes. À tarde saímos para passear e passamos a maior parte do tempo juntos. Até a presente data, faz exatamente quatro dias que nos casamos, portanto, meu pai, não perca tempo pensando em mandar alguém atrás de mim; nossa situação como casal é legal, assim como a do senhor e da mamãe.

Lamento que as coisas tenham tomado este rumo. Mas quero deixar claro que, se tomaram, vocês me obrigaram a isso.

Logo voltaremos. Vou morar com Paulo no sítio de sua mãe. Sei que sentirei bastante a diferença entre minha nova vida e minha velha rotina, mas... fazer o quê? tenho de seguir meu marido aonde ele for.

Espero que possam me perdoar. Eu os amo muito.
Atenciosas saudações,
Elvira.
P.S.: por gentileza, peço que mandem todos os meus pertences ao sítio de Paulo. Mamãe, por favor, mande também meu piano. Vou voltar a dar aulas.

À medida que Silveira lia as linhas que Elvira havia escrito, seu coração ia se contorcendo de dor e revolta. Quando terminou a leitura, esbravejou até não poder mais, enquanto Clotilde soluçava pela dor e vergonha de ter uma filha fugida de casa, casada com um rapaz que não tinha onde cair morto. Silveira, em um acesso de fúria, gritou:

— Ingrata! Quem ela pensa que é para enxovalhar nosso nome, que há muito tem nos orgulhado? Se escolheu viver com um mendigo, pois bem: a decisão é dela! Mas, de mim, ela não vai tirar nem mais uma agulha! Que viva como mendiga também. A partir de hoje, não tenho mais filha. Para mim, essa desavergonhada está morta!

Clotilde, também ferida como estava, completou:

— Se ela pensa que mandarei as roupas finas que ela usava e seu piano, está redondamente enganada. Da casa que ela repudiou não levará nada, nem mesmo uma flor do jardim. — E prosseguiu, com voz glacial: — Esqueçamos desse assunto. Depois dessa afronta, não tenho mais filha. Para mim, é como se ela tivesse morrido. Nunca mais mencione o nome dessa messalina em nossa casa. Se ela nos ignorou, faremos também isso, pelo resto de nossa vida!

Preocupado, Silveira percebeu o quanto a esposa era fria e calculista. Em nenhum momento havia se preocupado com a felicidade da filha. Entretanto, o doutor ponderava consigo mesmo: "Ela está assim porque está magoada com Elvira. Com o passar do tempo, acabará por perdoar a filha".

Entretanto, para surpresa de marido, após duas semanas dona Clotilde continuava irredutível. Não permitia que sequer Justina, a velha criada, tocasse no nome da filha em sua casa. Justina, coração brando, divaga em pensamentos: "Como uma mulher como esta, que sempre tinha sido gentil com a filha, pode proibir que se fale o nome dela? Dona Clotilde não entende que quando a gente se apaixona faz bobagens, mas que ninguém pode condenar, porque foi tudo feito em nome da paixão?"

A velha criada gostava muito de Elvira, de modo que, tão logo a jovem voltasse da capital, ela iria ao sítio fazer-lhe uma visita.

Com o passar do tempo, o cotidiano na antiga casa de Elvira voltou ao normal: Silveira sempre preocupado com os problemas financeiros, e Clotilde sempre a chamá-lo de irresponsável por perder toda a fortuna em uma mesa de jogo.

Enquanto isso, no sítio, dona Eunice não agüentava mais a saudade de Paulo. Embora os serviços estivessem em dia, ela sentia uma dor contundente pela ausência do filho que, embora fosse quieto, estava sempre próximo dela.

Os momentos de alegria que tinha eram as ocasiões em que Renato a visitava. O rapaz tinha o dom de espantar a solidão que morava no coração da bondosa mulher.

Certo dia, estando dona Eunice no quintal, peneirando feijão, ela pôde ouvir os gritos de Renato chamando-a. Preocupada, pensou que algo tivesse acontencido com Paulo, pois Renato não tinha mania de se anunciar daquela maneira. Sobressaltada, chegou à frente da casa.

— Dona Eunice, trouxe notícias de Paulo e sua esposa. Ele me mandou esta carta. Chegou hoje de manhã.

Com lágrimas nos olhos, a pobre mulher pegou o envelope e, beijando as faces de Renato, pediu-lhe:

— Por favor, será que você pode ler para mim? Sabe como é... gente que não sabe ler tem de ficar pedindo aos outros esses favores...

O rapaz, entendendo o drama da simples senhora, pegou o envelope e o abriu. Dona Eunice ainda explicou:

— Ainda bem que meu Paulo não é analfabeto. Freqüentou a escolinha da fazenda do seu pai e ficou lá até o quarto ano. Infelizmente, como não podia ir à vila para continuar o normal, teve de parar por aí. Mas ele era tão aplicado e inteligente! Sua leitura e sua escrita, como você poderá ver, são quase perfeitas.

Renato então se pôs a ler:

Capital, 24 de setembro de 1919.

Querida mamãe, sei que a senhora está triste comigo por ter feito o que fiz, mas não me culpe, pois estou apaixonado e me sinto muito feliz.

Mamãe, Elvira e eu iremos para casa, daqui a dois dias, portanto eu gostaria que a senhora fizesse um colchão de capim para nós, porque vai ser necessária uma cama de casal. Tenho certeza de que a senhora vai gostar de Elvira, sua nora. Mãe, só vendo para saber como ela é gentil e educada. Ela está afoita para conhecê-la, e a nosso sítio.

Agora não somos mais apenas eu e você; somos três. Há Elvira também. Por isso, peço que a senhora procure viver bem com ela. Só assim vou ser feliz. Voltaremos para casa, e Elvira não tem sequer roupas, porque saiu de casa com a roupa do corpo. Se a senhora puder, peça a Renato que vá à casa dela buscar seus pertences, por favor.

Hoje, mãe, sou feliz e nada me falta. Tenho o amor das duas mulheres mais importantes no mundo pra mim, e espero que a senhora possa compreender e perdoar meus desatinos cometidos.

Atenciosamente,
Paulo Marins Mattos

Enquanto a carta era lida, dos olhos de dona Eunice foram brotando lágrimas, que culminaram em um pranto sentido quando a leitura chegou ao fim. A experiente senhora sabia que esse amor poderia trazer sérios problemas ao filho.

Renato, sorrindo, perguntou:

— Feliz, dona Eunice, por obter notícias de Paulo e da esposa?

— Sim, estou. Mas sinto um medo que você não pode imaginar. Veja só o juízo desse rapaz. Roubou uma moça de família rica, casou com ela, e agora vai trazer a pobrezinha para morar conosco. Acha que eles serão felizes? Por acaso essa moça vai viver bem aqui, numa tapera, sentindo que lhe falta até mesmo o básico e necessário? Temo por Paulo, mas o que poderei fazer se ele escolheu assim? Farei de tudo para viver bem com ela, porque o amo demais. Mas acredito que isso não dará certo.

— Não diga isso nem de brincadeira, dona Eunice. Paulo e Elvira se amam. Não se preocupe com dinheiro. Não fui eu mesmo que apadrinhei essa fuga? Portanto, nada mais justo que dar tudo que precisarem. Ah, e com respeito ao colchão, deixe comigo que vou comprar um de mola para os pombinhos.

Eunice beijou carinhosamente as faces do rapaz. Ele, enternecido, falou-lhe:

— Vocês são minha família. Fique tranqüila. Cuidarei de tudo.

— Obrigada, mais uma vez, por tudo que tem feito. O que eu faria sem seu apoio?

Renato seguia satisfeito de volta para casa. A cada dia sentia sua afinidade aumentar por aquelas humildes criaturas.

Ao se aproximar da fazenda, contudo, notou um movimento incomum. Com o coração aos saltos, Renato desceu do cavalo e, ansioso, perguntou a Honório, empregado de seu pai:

— O que está acontecendo, Honório?

— Sinhozinho, fiquei sabendo que seu pai não está passando muito bem.

Renato correu para o interior da casa, assustado com a última notícia que recebera. Ao chegar, viu criados correndo de um lado a outro, entrando e saindo dos aposentos dos pais. Avistou a mãe chorando sobre o coronel Donato, que se mantinha desacordado.

— Mãe, o que está havendo com meu pai?

Desalentada, dona Aurora esperou que seu ânimo se serenasse para só então explicar:

— Meu filho, seu pai saiu para resolver os assuntos da fazenda com Honório quando, subitamente, passou mal. Honório não percebeu nada. Continuou a conversar com ele. Só foi perceber que tinha algo errado quando seu pai caiu do cavalo, já desacordado.

— Como pôde este cretino não ter percebido que papai não passava bem?

— Você sabe... Esses empregados da fazenda não enxergam um palmo diante do nariz. Só fazem o que lhes mandam.

— Mãe, vou despedir Honório. Se não conseguiu perceber que meu pai não estava passando bem, não é digno de continuar trabalhando aqui na fazenda.

— Renato, não seja impulsivo. Como cobrar isso de gente ignorante como Honório? Tenho certeza de que ele não fez por mal; tenha paciência.

— Está bem, mãe. Não farei nada... por enquanto. Mas, se algo acontecer a meu pai, Honório e sua família terão de sair de nossas terras.

— Mas ele tem nove filhos! Esses pobres-diabos não têm aonde ir.

— Não quero saber, minha mãe. Ele que se arranje. Não vou tolerar descaso. Se tudo ocorreu como me contou, foi o mais puro descaso o acontecido.

— Faça como quiser, filho. Contudo, por favor, não deixe seu pai saber disso. Ele confia muito em Honório.

— Combinado, mãe. Já mandou chamar o médico da vila?

— Sim, filho. Acredito que esteja a caminho.

Naquele momento, Donato começou a voltar a si, sentindo fortes dores de cabeça. Quando o velho médico da vila chegou à fazenda, encontrou o coronel já em melhores condições.

— O que meu pai tem, doutor? — perguntou Renato, depois de o pai ser examinado.

— Como você sabe, seu pai já não é mais nenhuma criança. Conta com cinqüenta e nove anos e, por isso, está cansado. Acredito que o sol tenha lhe feito mal. Peço a vocês que não o deixem tomar a dianteira dos negócios da fazenda como vem fazendo há anos. Nessa idade são comuns essas vertigens. Vocês têm de agradecer por ele não ter se ferido seriamente com o tombo do cavalo. Ele pode não ter tanta sorte da próxima vez.

— Não se preocupe, doutor. De hoje em diante, vou assumir o controle da fazenda. Meu pai irá apenas me assistir no que eu precisar.

— Faça isso, Renato. Acredito que um pouco de descanso fará muito bem a seu pai.

Enquanto Renato conversava com o médico, dona Aurora postou-se ao lado da cama do coronel, demonstrando maior solicitude.

Começava uma nova fase na vida de Renato.

8

Novas responsabilidades

Em seguida à saída do médico, Renato foi ao gabinete do coronel Donato para se inteirar a respeito dos problemas da fazenda e fazer um balanço das finanças.

Renato contava com vinte e quatro anos quando passou a liderar os negócios do pai. O coronel, desde que tivera aquele mal-estar, nunca mais fora o mesmo. Sempre se mostrava desanimado e ausente. Aurora se preocupava com a apatia do marido, mas procurava disfarçar. Na fazenda, o coronel era o pai de todos os seus empregados. Sempre tinha um sorriso bondoso e, com paciência, resolvia todas as questões: ora referentes às plantações, ora aos gados, ora se deviam a problemas entre os empregados.

Aurora tinha um temperamento diferente do do marido. Era mais intolerante e não gostava de conversas com os criados. Se o fazia, é porque era estritamente indispensável. Apesar de seu temperamento altivo e orgulhoso, porém, sempre procurava ser justa, de modo que os empregados também gostavam dela.

Nesse contexto, Renato deu início a sua nova vida, agora tomando contato com os problemas que envolviam os negócios da fazenda. Como antes era o pai quem cuidava de tudo, com bondade e paciência, ele sempre permanecera um tanto a distância. O rapaz já não podia mais ir e vir como bem quisesse do sítio dos amigos porque as novas responsabilidades não lhe permitiam. Quando conseguia fazer uma visita, era sempre à noite.

Renato cuidava da fazenda com a mesma competência do pai, embora não fosse tão tolerante com aqueles que cometiam infrações.

Em uma de suas andanças pela colônia da fazenda, Renato avistou uma bela jovem que carregava duas latas de água. A moça era simples, andava descalça e suas vestes eram surradas. Olhando-a fixamente, o rapaz perguntou a Honório:

— Quem é aquela que está carregando as latas de água nas mãos?

Honório, que já conhecia a fama de galanteador do novo patrão, tentou desviar a atenção do rapaz:

— É uma caboclinha do mato que mora mais à frente.

— Mas qual o nome dela, homem?

— Ela se chama Jacira. É filha de nosso companheiro, seu Benedito.

— Muito bonita ela, não acha?

— Não acho nada, patrão.

— Pois eu a achei uma caboclinha muito interessante.

— Patrão, vamos mudar o rumo da prosa? Acho que vou mandar os homens limpar a roça de milho.

— Faça isso, Honório. Tenho de resolver algumas questões.

O homem não viu com bons olhos o comportamento do rapaz. Mas, como tinha passado maus bocados, com medo de o patrão vir a falecer, e ser despedido por Renato, que, segundo acreditava, não era tão compreensivo quanto o coronel Donato, sentiu-se incapaz de dizer alguma coisa. Com essas resoluções em mente, afastou-se em direção à roça de milho. Entretanto, ao chegar lá, resolveu contar o incidente ao pai da jovem. Este, irado, desabafou aos gritos:

— Se aquele filho de um cão fizer algum mal pra minha filha, passo por cima da consideração que tenho pelo coronel, que sempre foi muito bondoso comigo, e mato aquele canalha!

— Não diga isso, homem — tentou contemporizar Honório —, só vim avisá-lo para que peça a sua filha que tome cuidado com ele.

— Obrigado, Honório. Você sabe o que é ser pai. Vou falar já com Jacira e preveni-la a respeito daquele moço avoado.

— Faça isso. É bom que ela fique atenta. Nunca sabemos o que pode passar pela cabeça de Renato.

— Você tem razão.

Mas, perto dali, ocorria algo de que os dois sequer desconfiavam.

Renato, decidido, havia alcançado a moça. Com palavras macias, aproximou-se.

— Boa tarde. Quer que a ajude a levar a água?

A jovem olhou admirada para Renato.

— Não precisa, não. Moro naquela casa, ali na frente.

— Como é seu nome? — perguntou o rapaz, fingindo não saber.

— Por que pergunta? — retrucou a jovem com ar desafiador.

Renato, ao sentir sua animosidade, logo tratou de eliminar a tensão da conversa e foi se apresentando:

— Meu nome é Renato — continuou ele. — Sou filho do coronel Donato.

— Já sei quem é o senhor e quem é seu pai. Não precisa se apresentar — e, dizendo essas palavras, a moça largou as latas pelo caminho e saiu correndo em direção à humilde casa onde morava.

Renato divertiu-se com o comentário da rapariga. Sorrindo, pensou: "Gosto desses bichos-do-mato. Não adianta correr, cabocla, porque já está decidido que você vai ser mulher em meus braços". Divagando ainda, montou em seu cavalo e partiu em direção à roça de milho para encontrar com Honório.

Naquele dia, Renato voltou para casa entusiasmado. Sentira uma forte atração pela filha do empregado da fazenda. Estava pensando em como faria para se aproximar da jovem. Ela era muito arredia. Decidiu que conquistaria bem lentamente a confiança de todos, tanto de Jacira como de sua família.

Desde aquele dia, portanto, conforme havia planejado, Renato fazia questão de se aproximar de Benedito sempre que podia. O pai de Jacira, embora desconfiado, evitava tratá-lo mal, uma vez que, por ser seu patrão, ele lhe devia respeito.

Foi em meio a tais acontecimentos que Renato ficou sabendo que Paulo e Elvira haviam retornado. Naquela mesma noite resolveu visitar os amigos. Chegou ao sítio ao anoitecer. Avistando Paulo, e percebendo-o mais magro, cumprimentou-o com uma sonora gargalhada:

— Vejo que você está aproveitando a lua-de-mel. Se continuar assim, sairá voando com o primeiro vento norte.

— Não se preocupe, caro amigo. Estou sendo muito bem tratado por minha esposa.

— Por falar nela... Cadê Elvira?

— Está conversando com minha mãe. Pelo jeito, terei problemas.

— Por que acha isso, Paulo?

— Elvira se mostrou desapontada quando chegamos. Ela não imaginava que eu fosse tão pobre.

— Fique tranqüilo, Paulo. Não os incentivei a fugir juntos para passarem necessidades. Tudo que estiver a meu alcance, farei para ajudá-los.

— Obrigado, Renato. Mas creio que não poderei aceitar. Já tem feito muito por nós.

— Amigo é para essas coisas, Paulo, e você é meu amigo.

— Como me deixa à vontade, queria lhe pedir um favor.

— Pois o faça.

— Elvira continua com o mesmo vestido de quando fugimos. Você poderia ir à casa dos pais dela e trazer as roupas e o piano que lhe pertencem?

— Não se preocupe. Farei isso amanhã mesmo. Aliás, já era para tê-lo feito. Li a sua carta para a sua mãe, na qual me pedia que providenciasse essas coisas. Mas naquele dia meu pai passou mal e acabei me esquecendo de qualquer outra coisa.

— Muito obrigado, Renato. — Após, mudando o rumo da conversa, Paulo prosseguiu: — E a esposa do desembargador, você continua a se encontrar com ela?

— Continuo sim. Mas confesso que estou cansando do relacionamento. Ela é muito ciumenta. Detesto quando alguém fica me cobrando!

— Ora... Se não gosta dela, por que mantém esse caso?

— Foi um impulso irresistível. Confesso que logo, logo não estarei mais com ela. Descobri uma cabocla na fazenda do meu pai que está me deixando louco.

— Não mexa com essa gente, Renato. São uns coitados. Não vê que levará vergonha e desonra a lares honestos e humildes?

— Bem, se houver um código de honra, estou disposto a pagar o preço que me for exigido.

— Cuidado, Renato. Você pode arrumar problemas.

— Que problemas, que nada! Eu sei é solucionar problemas, e muito bem!

— Esqueceu que, se o desembargador descobrir o caso que você tem com a esposa dele, poderá matá-lo?

— Não, meu amigo. Ele não fará isso. Fiquei sabendo que ele tem se metido em várias dívidas na capital. Recuperei os títulos e, se ele resolver não se comportar comigo, peço que executem toda a papelada, e então ele ficará na miséria.

Paulo não concordava com certas atitudes levianas de Renato, mas procurava não se meter em sua vida íntima. Para ele, o que importava era o Renato que conhecia, que era seu amigo.

Depois de conversarem mais um pouco, os dois entraram no casebre. Renato deu um forte abraço em Elvira. A moça, embora um pouco sem jeito, retribuiu o abraço daquele rapaz que conhecia desde os tempos de infância.

Paulo, que tudo observava, procurou manter a naturalidade, mas viu que a mãe não aprovara a atitude carinhosa de Elvira.

Renato, com naturalidade, perguntou à jovem:

— Você está feliz, minha amiga?

— Estou sim. Mas confesso que sinto saudades de meus pais.

— Agora sua obrigação é acompanhar seu marido aonde ele for — comentou Renato.

— Eu sei. Mas, ainda assim, tenho vontade de rever minha mãe.

— Não acho prudente — comentou dona Eunice. — Seus pais devem estar muito bravos com você.

— Concordo. Mas sou filha; não consigo esconder a saudade.

— Está bem — respondeu Renato. — Prometo que amanhã vou buscar seus pertences na casa de seus pais. Se quiser, poderei levá-la junto para revê-los.

— Quero sim. A saudade que sinto me deixa intranqüila.

Eunice, surpresa, perguntou:

— Mas vocês irão sozinhos à vila?

— Se a senhora quiser — sugeriu Renato —, posso levar Paulo conosco.

Doce Entardecer

— Não posso ir — respondeu o rapaz. — Amanhã tenho de ver como as coisas estão indo por aqui.

Renato, percebendo a preocupação no rosto de dona Eunice, falou, em tom de brincadeira:

— Fique tranqüila. Não farei nada com a esposa de Paulo. Já nos conhecíamos antes de ela se casar, dona Eunice. Lembro do convite para a festa do primeiro aniversário dela. Elvira é como uma irmã para mim. Ainda mais agora, que está casada com meu melhor amigo.

Dona Eunice, sorrindo, respondeu:

— Sei que vocês se estimam como irmãos. Mas não é prudente um rapaz e uma moça andarem sozinhos pela estrada. Quem os vir, o que poderá dizer?

— Não me preocupo com o que as pessoas falam. O mais importante é minha consciência — disse Elvira, que até então se mantivera calada. Dona Eunice percebeu que estava falando demais. Esse era um assunto para Paulo resolver.

Renato, dirigindo-se ao amigo, questionou-o a respeito do fato de levar Elvira com ele. Paulo deu de ombros, e disse que quem decidiria era ela. Mas Elvira, sorrindo, desfez o combinado.

— Pensei bem e decidi não ir. Renato, apenas diga a minha mãe que estou bem e que me sinto feliz. Quando a poeira baixar, irei ter com eles.

Renato concordou. Depois de algum tempo, resolveu ir embora porque tinha ainda muita coisa para fazer no dia seguinte. Paulo e Elvira o acompanharam até a porta e se recolheram em seguida. O casal estava cansado e queria dormir.

Quanto a dona Eunice, estava mais calada que o habitual. Desde que Elvira lhe dera o que ela chamava de "má resposta", resolvera ficar quieta.

Paulo e Elvira se dirigiram ao quarto que antes era só de Paulo. Apagaram o lampião e se deitaram. Elvira, surpresa, perguntou:

— Meu amor, você não mandou sua mãe fazer um colchão de capim para nós?

— Sim, mandei! Mas ela me contou que Renato fez questão de nos dar este colchão de presente.

— Renato é nosso amigo mesmo! Eu o conheço desde criança, mas nunca imaginei que ele tivesse tão bom coração.

— Realmente, ele tem um coração enorme. Minha mãe diz que, se não fosse ele nos dias em que estive ausente, ela teria passado necessidade. O sítio está todo limpo e ele mandou que plantassem milho a fim de aumentar nossa renda. Além do mais, vai deixar aqueles dois empregados trabalhando aqui. Sabe, meu amor, quando seu pai veio até aqui procurá-la para levá-la embora, ele tentou agredir Renato, chamando-o de traidor e maltratando muito a minha mãe. Mas esse nosso bom amigo nos defendeu de todas as formas.

— Jamais imaginei que Renato fosse dessa maneira. Ele sempre me pareceu egoísta demais para se preocupar com alguém.

Paulo, sentindo uma dúvida pairar em sua mente, resolveu fazer uma pergunta a Elvira:

— Meu amor, Renato nunca tentou nada com você?

— Tentou o quê? Não estou entendendo, Paulo.

— Ora, Renato é meu melhor amigo, mas, infelizmente, ele tem um defeito: é uma pessoa muito leviana. As mulheres para ele não passam de um brinquedo que ele pode usar e jogar fora quando quiser.

— Ah, não! Claro que ele nunca tentou algo assim comigo, Paulo! Sei da fama de mulherengo do Renato. Mas eu, pessoalmente, não tenho do que me queixar. Ele sempre me tratou como uma irmã, com muito respeito. Por que você chegou a pensar nisso? — quis saber Elvira, desconfiada. — Você bem sabe que foi o primeiro homem em minha vida. Portanto, qualquer desconfiança a respeito de Renato seria infundada. O fato de conhecê-lo há muito não me faz ser uma das meretrizes com as quais ele costuma se envolver por aí.

— Desculpe, meu amor! Não estava insinuando nada. É que Renato não respeita as mulheres por quem se interessa. Ele as usa e logo depois as joga fora como espigas de milho.

— Sempre soube que ele era assim. Entretanto, posso lhe jurar que ele nunca me faltou com respeito.

— Está bem. Não vamos mais falar sobre isso. Acho que fui injusto com meu melhor amigo — arrependeu-se Paulo.

— Realmente, foi muito injusto. Não só com ele, mas também comigo.

— Desculpe mais uma vez, meu amor. Vou confessar uma coisa: tenho ciúmes de você e de Renato.

— Mas por que o ciúme, se ele não tem sentido?

— Ora... por ele ser mais bonito que eu, por ter estudado na capital e ser um bacharel, por ser rico e de repente você se cansar de ter se casado com um joão-ninguém. Tenho medo de que comece a se interessar por ele.

— Que bobagem! Se não o fiz quando era solteira, acha que o faria agora? Realmente, ele é tudo isso que você disse. Mas há algo nele de que não gosto: as brincadeiras de mau gosto que costuma fazer com as pessoas, sempre querendo mostrar que é mais que os outros. Eu não me apaixonaria por Renato ainda que fosse o último homem da face da terra.

— Eu te amo, meu bem. Por isso tenho medo de perdê-la. Esqueça essas bobagens.

— Paulo, você é o homem que escolhi para viver a meu lado por toda a vida. Mesmo que Renato me faltasse com o respeito, não teria chances comigo.

Paulo, depois de beijar demoradamente Elvira, deu-lhe boa-noite e dormiu.

⁂

Assim que o dia clareou, Paulo estava de pé. Com alegria, foi procurar o balde para buscar leite e encher os potes de água, como era seu costume. Havia felicidade em seu peito porque agora não se sentia tão só, e lhe parecia um sonho o fato de Elvira amá-lo de uma maneira que ele jamais julgara ser possível.

Depois de algumas tarefas, finalmente entrou na cozinha para tomar café e encontrou sua mãe à beira do fogão esquentando água para fazer uma polenta. Paulo ficou satisfeito em ver a mãe fazendo o prato de que mais gostava: polenta com frango. Contudo, depois de alguns minutos, ao observá-la atentamente, percebeu que ela estava diferente, mais calada, quieta.

— O que está acontecendo, minha mãe? Não está feliz por estarmos de volta?

— Estou, filho, claro que estou. Mas me sinto demais nesta casa. Sua esposa foi demasiadamente grossa comigo ontem.

— O que ela fez, mãe?

— Disse que era pra eu me vestir melhor porque estava parecendo uma mendiga à beira do fogão.

— Elvira lhe disse isso?

— Sim, disse! Logo me lembrei do pai dela, que foi tão grosso quanto a filha quando veio a nossa casa para buscá-la.

— Mãe, não fique assim. Elvira está se acostumando ainda à nova vida. Talvez estivesse apenas de mau humor.

— Não, meu filho. Sua esposa não é diferente do pai dela; sempre vai nos achar mendigos. Acho que você não fez a escolha correta.

— Mãe, desculpe! Não posso acreditar que a senhora esteja implicando com minha esposa no segundo dia aqui no sítio. Entenda uma coisa: a senhora é minha mãe, mas ela é minha esposa. Por favor, não me coloque numa situação difícil.

Contrariado, Paulo não tomou seu café. Dirigiu-se ao quarto para conversar com Elvira sobre o assunto. Enquanto isso, dona Eunice ficou a chorar mansamente à beira do fogão.

Ao adentrar o quarto, contudo, Elvira, com um jeito meigo, logo impediu o marido de lhe falar algo. A jovem, mesmo estando em seu quarto, ouvira toda a conversa. Decidira então que, se Paulo lhe pedisse satisfações, ela negaria e afirmaria que sua mãe estava a inventar coisas. Mas nem foi preciso o esforço. Como estava sendo mais carinhosa com ele do que de costume, o rapaz logo esqueceu o motivo que o levara até ali. O fato, para ele, deu-se por encerrado.

Renato levantou cedo e passou as ordens para Honório. Ficou no gabinete de seu pai por cerca de uma hora e meia. Em seguida, foi à vila buscar as roupas de Elvira.

Assim que o jovem tocou a sineta da casa do doutor Silveira, quem veio atendê-lo foi a velha criada, Maria. Com um sorriso nos lábios, recebeu-o:

— Que prazer em vê-lo, doutor. Quer falar com o doutor Silveira?

— Não propriamente, Maria. Gostaria de falar com dona Clotilde, na verdade. Elvira voltou da lua-de-mel e me pediu que levasse suas roupas até o sítio do marido.

— Por favor, não fale no nome da menina Elvira aqui. Todos estão muito bravos com ela.

— Todos quem?

— O doutor Silveira e dona Clotilde proibiram até de mencionarmos o nome da menina nesta casa.

Dona Clotilde, ouvindo que Maria conversava com alguém, foi até a porta ver de quem se tratava.

— O que este traidor está fazendo aqui?

— Por favor... — contemporizou Renato. — Não sou traidor. Apenas vim a fim de trazer notícias de Elvira.

— Você ainda tem coragem de colocar os pés em minha casa para falar dessa ingrata? Para mim, ela não passa de uma vadia, que foi embora com o primeiro que apareceu. Fique ciente de uma coisa, Renato: nós não temos mais filha. Esta à qual se refere, para mim, é uma estranha.

— A senhora não devia dizer isso, dona Clotilde. Embora Elvira não quisesse se sujeitar a um casamento por interesse, ela os ama muito. Abra seu coração, porque ela é a única filha que a senhora tem!

— Não vou abrir nada. Por favor, se veio apenas me incomodar com essa conversa, peço que vá embora.

— Está bem. Não tocarei mais neste assunto. Vim aqui também para buscar os pertences de Elvira. Será que a senhora pode arrumar as malas dela?

— Você se engana, meu amigo. Os pertences que tenho aqui não são desta ingrata à qual se refere. Não tenho mais filha; ela está morta.

— Vocês não podem fazer isso! Ela foi embora apenas com as roupas do corpo.

— Meu senhor, veja que o problema não é meu. Ponha-se daqui para fora, antes que resolva chamar meu marido para expulsá-lo da mesma maneira que fez quando ele esteve no sítio dos mendigos.

Renato, percebendo que não tinha nada mais a fazer ali, retirou-se, contrariado. Era monstruoso ver aquela mãe falar de sua única filha com tamanha frieza. O jovem sabia que Elvira não podia ficar sem roupas. Por esse motivo, assim que saiu, comprou um enxoval completo para a moça, além das roupas de que precisava.

Ao chegar à casa de Paulo, Renato, chateado, não sabia o que dizer à Elvira, ansiosa por receber notícias dos pais. A contragosto, contou-lhe:

— Não trago boas notícias. Seus pais não querem que sequer alguém toque em seu nome naquela casa. Sua mãe disse que, para eles, você está morta. E, para completar, não me deixou trazer nada que lhe pertencia. Disse-me que daquela casa você nunca mais vai ter nada.

Elvira, revoltada, exclamou:

— Mas como podem fazer isso comigo? Tudo porque escolhi o homem com quem desejava me casar? Não me arrependo do que fiz. Se eles dizem que não têm mais filha, a partir deste momento, também digo que sou órfã. Não tenho pais. Apenas meu marido me interessa daqui para diante.

— Não fale assim, Elvira. Com o tempo, as coisas mudam. Bem, mudando de assunto, tomei a liberdade de lhe comprar algumas coisas. Fiz seu enxoval, e comprei também algumas roupas. Se não gostar de algo, podemos ir à capital qualquer dia desses e então compraremos coisas mais a seu gosto.

— Renato, você realmente é nosso amigo e nos quer bem — confessou Elvira. — Não sei o que faríamos se não fosse você.

— Se Paulo é meu irmão, você, que é esposa dele, é também minha irmã. Não vejo nada de tão surpreendente no fato de um irmão ajudar o outro. — E, lembrando de outra coisa, continuou: — Quanto a seu piano, irei à capital na semana que vem e comprarei o melhor que encontrar.

— Por favor, Renato, não faça isso. Ficarei embaraçada com essa atitude. Em outra ocasião poderemos comprá-lo. Agora não se faz necessário.

— Se é assim que quer, não falaremos mais nisso. Entretanto, quero que saiba que pode contar comigo se precisar de mais coisas.

Paulo chegara ali sem que os dois o notassem. Vendo o constrangimento da esposa, perguntou rapidamente:

— O que aconteceu, amor, para você estar com essa expressão?

— Meus pais não deixaram que Renato trouxesse meus pertences. Estão com muita raiva de mim.

— Não precisa se preocupar com isso, Paulo. Comprei algumas coisas de que Elvira vai precisar.

— Mas, Renato, não tenho dinheiro para pagar por tudo isso. Não sei se devemos aceitar.

— Se não aceitarmos, como faremos para comprar minhas roupas? — perguntou Elvira, preocupadamente.

— Está resolvido — falou Renato. — Você vai ficar com as que comprei. E, se precisar de outras peças, estou à disposição para ajudá-los. Sinto-me responsável também porque, afinal, fui conivente com essa fuga maluca de vocês.

Elvira e Paulo, ao ouvirem o amigo se referir ao casamento deles como "fuga maluca", caíram na risada.

9

O desenrolar dos fatos

O tempo, inexorável, seguiu seu rumo.

As coisas no sítio estavam difíceis. Paulo passava muito mais tempo calado porque, no cotidiano, percebera que Elvira não era tão fácil de se lidar. Ora reclamava da cama onde dormia e do colchão que Renato lhes comprara, ora reclamava da comida, ou então se queixava de dona Eunice. Entretanto, como o rapaz amava demais a esposa, era sempre complacente, e lhe prometia que, um dia, iria lhe dar todo o conforto que desejava. Mas, a cada dia, Elvira se mostrava mais intratável.

Paulo já chegara a conversar com o amigo, Renato, confessando ter se arrependido de seu gesto impensado. Fora uma loucura. O amigo o aconselhara a ter paciência. Um dia Elvira entenderia que tinha sido melhor se casar por amor a ter de sofrer as imposições do pai. Entretanto, Paulo se mostrava mais e mais desanimado.

Renato, então, certo dia, resolveu falar com Elvira a respeito de sua nova vida. Era a que, de fato, Paulo podia lhe oferecer. Boquiaberto, contudo, ouviu a amiga, em tom áspero, responder-lhe:

— Você diz isso porque não sabe o que é ter de dormir em um colchão bom, mas em uma cama horrível, na qual se tem de mover vagarosamente para que não despenque; não sabe o que é tomar banho em bacia e comer alimento requentado. Para você, falar é fácil, mas venha aqui viver nessa miséria por um dia apenas, e depois me dirá se tenho ou não razão em reclamar.

— Entendo que é difícil, mas peço que pense um pouco: como você acha que Paulo se sente ao ver sua esposa se queixando o tempo todo?

— Pense em mim por uns instantes. Como acha que me sinto ao ter de enfrentar toda essa miséria e ainda sorrir? Não seja romântico, Renato. Sua vida não mudou nada; a minha, ao contrário, simplesmente acabou.

— Cuidado com o que diz! — alertou Renato. — Cuidado, minha amiga, porque, para Paulo fazer a loucura que fez, só pode ser pelo grande amor que sente. Não deixe que esse amor acabe.

— Por que diz isso? Paulo andou se queixando para você?

— Não posso dizer que ele se queixou. Digo apenas que desabafou. Mas volto a lhe dizer: não o faça se arrepender da decisão de ter lhe tirado da casa de seus pais.

Elvira, ouvindo as palavras de Renato, em tom sério e um tanto cabisbaixa, retrucou:

— Não, Renato! Sem o amor de Paulo não conseguirei viver. Eu o amo muito, e, a cada dia que passa, meu sentimento aumenta. Acho que você tem razão. Tenho de me habituar rapidamente a essa nova situação.

— Pois é isso mesmo que lhe falei. Acostume-se à nova vida e esqueça das mordomias que tinha na casa de seus pais. Se tivesse ficado lá, garanto a você que seria obrigada a casar com o homem que os dois tinham arranjado para seu marido. Dessa maneira é que teria, mesmo, conhecido a infelicidade. Aproveite esse amor, a companhia do homem de que gosta, e procure o mais rápido possível se adaptar a sua condição. Amanhã lhe mandarei uma cama de casal e outro colchão. Não quero que se queixe mais.

— Prometo, Renato, que não me queixarei mais. Desde já obrigada por me dar uma nova cama. É mais um presente de casamento, entre vários outros que você já nos deu.

— E como está o relacionamento com sua sogra?

— Poderia ser melhor, se ela não fosse tão intrometida. Em tudo ela dá palpite, até mesmo nas conversas que tenho com Paulo. Ele fica quieto, mas eu não consigo me calar. Daí, quando falo algo, ela fica toda chorosa, apenas para Paulo sentir pena dela e vir brigar comigo. Veja este exemplo: ela ia requentar o arroz para o jantar e, a fim de fazê-lo, resolveu soltá-lo com as mãos! Eu disse a Paulo que a mãe era uma porca e que não ia comer aquela comida na qual ela havia colocado a mão.

— E o que Paulo respondeu?

— Ele falou que a mãe era muito asseada. Que não se tratava de desleixo; era apenas um jeito antigo de soltar o arroz.

— Então, por que você ficou tão ofendida?

— Você sabe como sou... Não consigo ver as coisas e ficar calada, por isso tenho percebido que ela tem me evitado.

— Elvira, penso que você deva ser mais tolerante com dona Eunice. Em primeiro lugar, ela é mais velha que você; em segundo, é mãe do homem que você diz amar, portanto, para ver seu marido feliz, procure viver em paz com sua sogra. Não só por Paulo lhe peço isso, mas também por mim. Você não imagina como estimo dona Eunice.

— Está bem, Renato. Farei mais este esforço. Mas não sei se vou conseguir mudar; você sabe como sou franca.

— Faça isso para que você própria seja feliz. O tempo da felicidade é agora, Elvira. Não deixe para amanhã. Há muitos que sonham com um amor assim como o seu e de Paulo. Por que não aproveita a oportunidade que Deus está lhe dando?

Elvira, emocionada, fitou Renato e baixou a cabeça por uns instantes. Depois respondeu:

— Acho que você tem razão. Devo aproveitar este momento de felicidade em minha vida, e não me prender a coisas banais. Mudarei minha atitude com dona Eunice. É como você falou: para Paulo se sentir feliz, terei de tratar bem sua mãe.

— Assim é que se fala, Elvira! Contudo, de nada vai resolver dizer coisas para agradar meus ouvidos se não as praticar. Deixe que *eles* vejam como você mudou.

Daquele dia em diante, Elvira se esforçou para não se queixar. Renato, como prometido, mandou-lhe a cama e o colchão novos.

Eunice não via com bons olhos o amigo de seu filho apadrinhar dessa maneira a vida de Paulo e Elvira. Entretanto, como temia respostas mal-educadas da moça, procurava se calar para não arranjar confusão.

Renato estava cada vez mais encantado com a beleza de Jacira. A cada dia que passava, cobria os pais da moça de gentilezas.

Benedito não acreditava em toda aquela bondade, mas sua esposa, dona Firmina, achava que o marido estava vendo coisas onde não existiam. Mesmo assim, depois das visitas de Renato, Benedito sempre dizia à filha:

— Jacira, não quero vê-la se engraçando com esse rapaz. As visitas que ele nos faz bem como os favores que nos presta têm um preço. Não pense que isso vai sair de graça. Ele está querendo algo em troca.

— Papai, não confio nele. Ele me olha de um modo que me deixa encabulada.

— Também já percebi isso, filha. Escute, portanto, o conselho de seu velho pai. Fique atenta, porque o preço que ele vai cobrar é você.

O que seu Benedito não sabia, contudo, era que também a filha o fitava de maneira insistente. Mas viria logo a percebê-lo, embora de maneira desastrosa.

✥

Certo dia, estando Renato com Honório a lhe passar as últimas tarefas do dia, avistou a moça rumo à roça de milho a fim de levar café com bolo ao pai. O jovem, então, falou rapidamente a Honório:

— Faça o que mandei, e depois diga aos companheiros para virem à sede da fazenda pegar os vales do pagamento.

Honório, alheio aos fatos, saiu a fim de cumprir as ordens de Renato.

Renato montou em seu cavalo e dirigiu-se à roça de milho. Alcançou a moça, enquanto ela andava calmamente com a cesta na mão.

— Boa tarde! Para onde você está indo?

— Vou levar café para meu pai. Não posso me atrasar.

— Antes de levar o café, gostaria de ter um dedo de prosa com você.

— Sinto muito, é que não tenho tempo mesmo. Preciso ir, senão meu pai vai se zangar comigo.

— Então serei rápido — falou Renato, decidido. — Estou apaixonado por você, e gostaria que namorasse comigo.

— Não posso! Meu pai me proibiu de me aproximar de você.

— Sei que você também está apaixonada por mim, e que me deseja da mesma forma que eu.

A moça o encarou sem nada dizer. Renato, em questão de milésimos de segundo, desceu de seu cavalo e tomou a moça nos braços.

— Você não sabe o quanto eu esperei por este momento. Tenho certeza de que você também.

Jacira, sem oferecer resistência, deixou-se levar pelos encantos do rapaz e, sem nada dizer, deixou-se amar por ele.

Passados aqueles momentos de amor, Renato sorria intimamente. Havia conseguido seu intento! Jacira, ao contrário, como se acordasse de um sonho, não pôde conter o desabafo:

— Meu Deus, o que fui fazer! Se meu pai descobre, me mata!

— Fique tranqüila. Vou ampará-la no que precisar. Mas, por enquanto, não precisamos lhe dizer nada.

Jacira, fitando Renato, perguntou:

— Você está mesmo apaixonado por mim?

— Você ainda duvida? Caso eu não estivesse, por que acha que teria me deitado com você?

A jovem, enlaçando-o pelo pescoço, beijou-lhe os lábios demoradamente.

Depois desse encontro, Renato e Jacira passaram a se encontrar todos os dias na roça de milho, até que um dia Jacira, sem jeito, confessou que precisava lhe contar algo sério.

— O que é? Fala logo! Não agüento nenhum tipo de suspense.

— Acho que estou esperando um filho seu.

Renato, lívido com aquela notícia, disse à moça:

— Você tem certeza?

— Sim, faz dois meses que minhas regras não vêm. Sinto meu corpo estranho, sem contar que não consigo sentir cheiro de comida que logo enjôo.

— Jacira, não posso assumir essa criança. Se o fizesse, meu pai me deserdaria. Façamos o seguinte: eu a levarei a dona Sebastiana e mandarei que ela tire essa criança.

— Não quero tirar um filho que está por nascer.

— Então quer que eu faça o quê? Que me case com você?

— Você não disse que me amava?

— Não, Jacira, nunca disse que a amava. Apenas confessei estar apaixonado por você. E, para ser sincero, já nem estou mais.

— Mas o que farei? O que direi a meu pai?

— Nada. Vamos à casa de dona Sebastiana e ela fará o serviço. Ela já tirou várias crianças. Com o dinheiro que lhe darei, não contará a ninguém. Depois você arruma outro rapaz e se casa, e o problema vai estar resolvido.

— Como pode pensar dessa maneira fria? Como posso arrumar outro rapaz, se ainda amo você?

— Não, você não me ama! O que houve entre nós foi uma aventura, que está trazendo, aliás, diversas conseqüências desagradáveis.

— Meu pai havia me dito que você não prestava! Como pude ser tão ingênua a ponto de acreditar em seu amor?

— Bem, agora não podemos nos prender a esse assunto irrelevante. Amanhã diga a seus pais que irá à vila comprar panos. Vou esperar por você. Em seguida, iremos à casa de dona Sebastiana.

Jacira, com lágrimas nos olhos, disse:

— E pensar que acreditei em você... Se preciso for, passarei até fome, mas quero criar meu filho.

— Você não pode ter essa criança. O que dirá a seu pai? Quer, por acaso, estragar a minha vida? O escândalo vai ser ainda maior se souberem que tive um filho com a filha de um colono.

— Não se preocupe. Não direi a ninguém que o filho é seu.

— Jacira, não vê que estou tentando preservá-la? O que dirão as pessoas quando virem que você teve um filho sem pai?

A moça não teve saída. As palavras de Renato, embora no meio de todo aquele vendaval, eram sensatas. Resolveu, portanto, aceitar sua triste proposta.

No dia seguinte, Renato foi à vila logo cedo. Passou as ordens para Honório dizendo que ia à vila arranjar comprador para a safra de milho.

Jacira, também dando desculpas para a mãe, se dirigiu à vila.

Renato aguardava nervoso a chegada da jovem, que só foi ter com ele meia hora depois. Ele atrelou o cavalo de Jacira perto do cocho de água e a moça entrou no automóvel de Renato. Juntos, foram à casa de dona Sebastiana.

A velha senhora prontamente atendeu os dois jovens, dizendo com simplicidade:

— Tenho certeza de que está grávida. Arrisco dizer que está quase de três meses; esperou demais.

— Não tinha certeza se estava ou não. Só comecei a desconfiar quando minha mãe, coincidentemente, falou sobre os sintomas que sentira quando ficou grávida.

— Pois é... Se quiserem que eu faça o aborto, vou cobrar caro. Você já está de três meses... Vai sair caro.

— Não se importe com dinheiro; pagarei o que me pedir. O principal é que consiga tirar essa criança — confessou Renato, passando as mãos trêmulas pelos cabelos.

— Então venha, menina. Vamos começar o trabalho.

Levando Jacira a um quarto, a mulher pegou um objeto pontiagudo e fez com que penetrasse em Jacira, que logo começou a sangrar. A senhora a avisou de que ela iria ter dor por alguns dias, mas depois o sangramento pararia, e a criança já estaria fora.

Jacira saiu do interior da casa da mulher sentindo fortes dores no baixo-ventre e com um sangramento que mais parecia uma torrente, tal era sua força.

Renato, ao observar a palidez da moça, perguntou a Sebastiana:

— E então, o serviço foi feito?

— Sim, a criança está morta. Depois que o sangramento parar, nem vai parecer que um dia ela esteve grávida.

— Quanto lhe devo?

— Um conto de réis.

Renato, sem dizer palavra, pagou a mulher pelo serviço.

Jacira, entretanto, não se sentia nada bem. Além de fortes dores, sentia também tontura. Renato ficou um pouco com ela até parecer estar melhor. Em seguida, entregou-lhe os panos que comprara para fazer comprovar o motivo da saída de Jacira e, colocando-a no lombo do cavalo, mandou-a para casa. Enquanto isso, divagava: "Graças a Deus resolvi este problema. Como Jacira pôde ser tão ingênua a ponto de achar que me casaria com ela?"

Renato permaneceu ainda mais uns quarenta minutos na vila para só então rumar para a fazenda. Na estrada, o rapaz pensava em Jacira, em como ela estaria passando. Então, para sua surpresa, de repente avistou avistou o cavalo de Jacira com marcas de sangue no lombo. Procurou por Jacira, mas nada. Avistou ao longe, após procurar por ali, a jovem sob um pé de ipê, com as mãos segurando o baixo-ventre. Correu até ela, assustado com sua palidez. Sentindo ligeiro remorso por tê-la forçado a fazer o aborto, carregou-a até o automóvel e seguiu rapidamente para a fazenda. Assim que chegou à frente da casa da jovem, começou a gritar:

— Dona Maria, por favor, ajude-me! Jacira está passando mal.

A mãe da moça, ao sair e ver a filha carregada por Renato, perguntou, aterrorizada:

— O que está havendo com Jacira?

— Não sei direito. Eu a encontrei sob um pé de ipê, e seu cavalo estava logo mais à frente.

— Meu Deus, ela está sangrando!

— Sim, está. Vou chamar o médico da vila. Fique tranqüila. Tudo vai correr por minha conta.

Jacira, agora nos braços da mãe, jazia quase inconsciente.

Renato mandou chamar o doutor Júlio na vila, a fim de cuidar da moça. Estava ansioso porque o médico poderia dizer o motivo pelo qual a moça sangrava tanto. E assim aconteceu. Após o primeiro exame, doutor Júlio contou aos pais da moça que ela estava grávida e que tinha acabado de praticar um aborto.

O pai de Jacira, completamente fora de si, bradou em direção a Renato, que tudo acompanhava em silêncio:

— Seu cachorro! O que foi que fez com minha filha?

Renato, nervoso, tentou argumentar:

— Por favor, Benedito, não fique assim. Não tenho nada a ver com isso. Encontrei com sua filha caída próxima à estrada e a socorri, apenas.

— Mentiroso! Sei que você é o culpado por essa desgraça que se abateu sobre minha casa. Pode escrever o que vou dizer: se minha filha morrer, eu o matarei!

Por um momento, Renato sentiu exatamente o peso do ato insano que havia cometido. Gaguejando, respondeu:

— Benedito, sou um homem de bem. Mas nem por isso vou assumir uma culpa que não me pertence. Por acaso sou o único homem desta fazenda? Será que sua filha não estava se engraçando com alguém sem que o senhor soubesse?

— Como, depois de tudo que fez, ainda ousa denegrir a imagem de minha filha?

— Não queira me culpar por um erro que não cometi. Se insistir nisso, esteja preparado. Tenho dinheiro e poder suficientes para sair dessa situação sem que uma mancha sequer acompanhe minha honra e meu nome.

— Volto a lhe dizer: se minha filha morrer, encomende desde já seu caixão.

— Não vou discutir mais esse assunto. O senhor deveria é me agradecer por estar arcando com todas as despesas de cuidado com sua filha. Estou sendo muito bondoso, isso sim.

— Bondoso? Não acha que é o mínimo que pode fazer é assumir que desgraçou a vida de minha filha? Por seu pai tenho muito respeito, mas você é um cafajeste. Tenho repulsa por você.

Renato, sem estar disposto para levar adiante aquela discussão, saiu da casa de Benedito e foi ao sítio do amigo, Paulo, para compartilhar com ele o ocorrido. Ao chegar, sem ter avistado Paulo, foi informado por dona Eunice de que ele estava consertando a cerca do sítio. A bondosa mulher logo percebeu que Renato não estava bem. Com seu jeito simples, perguntou:

— Como o conheço, sei que não está se sentindo bem. O que aconteceu, filho?

Renato, passando as mãos pelos cabelos, respondeu, nervoso:

— Vejo que a senhora me conhece melhor que minha mãe. Vou lhe contar, embora esteja me sentindo envergonhado. Agi muito, mas muito mal mesmo.

— Deixe de rodeios; conte-me logo o que aconteceu.

— Dona Eunice, foi vergonhoso o que fiz. Mas não era minha intenção...

Dessa maneira, Renato contou a Eunice tudo que havia ocorrido entre ele e Jacira, bem como os últimos acontecimentos. A mãe de Paulo ouviu atentamente todo o relato de Renato e, com o mesmo carinho de sempre, levantou-se a acariciou os cabelos do rapaz. Falou-lhe amorosamente:

— Filho, sei que errou. Mas lhe digo: quem nunca o fez? Vou contar uma história que vai fazê-lo entender melhor o que quero dizer. Há muitos anos havia uma mulher que costumeiramente se entregava aos prazeres sexuais com qualquer um. Ela era uma prostituta. Na época em que vivia, a prostituição era crime, um ato grave, punido com morte, ou seja, todas as mulheres que a praticassem eram apedrejadas até morrer.

— Que horror! Já imaginou alguém morrer a pedradas? Deve ser uma morte bem lenta e dolorosa — concluiu Renato.

— Deve ser sim. Pois bem. Nesse dia, tal prostituta estava com um homem à beira-mar quando a multidão, carregando pedras, correu atrás dela para apedrejá-la. Logo depois, ela encontrou o mestre Jesus. A multidão, vendo que ela se ocultara atrás do bondoso homem, começou a gritar, enraivecida, que ela deveria morrer. Sabe o que fez Jesus? Abaixou-se e começou a fazer desenhos na areia. Depois levantou os olhos e disse a célebre frase, conhecida de todos, e com a qual iniciei esta história: "Aquele que não tiver pecado, que atire a primeira pedra!" Sabe o que a multidão fez? Um a um, foram jogando as pedras fora, e compreenderam que todos praticam faltas, e que ninguém é perfeito.

Dona Eunice fez uma breve pausa antes de prosseguir:

— Portanto, filho, sabemos que errou. Entretanto, o mais importante é assumir a responsabilidade de sua própria inconseqüência, como aquelas pessoas fizeram ao deixar as pedras de lado. Deus é perfeito e não erra nunca, Renato. Ele é justo e bom, e também é imparcial. Foi assim que criou cada espírito: simples e ignorante. Você errou. Isto é um fato. Contudo, reconhecer já é um bom começo.

Renato ouvia com interesse o que dona Eunice dizia.

— Acredito que está na hora de você amadurecer e começar a arcar com as responsabilidades de seus atos. A primeira coisa que deve fazer é contar a verdade aos pais de Jacira, contar-lhes que você era de fato o pai da criança. Em seguida, procure dar toda a assistência que puder à moça. O aborto, não se esqueça, pode lhe custar a vida.

— Deus me livre. Não diga isso, dona Eunice. Se isso ocorrer, jamais me perdoarei. Foi suficiente pagar para que matassem meu próprio filho.

— Sim, entendo você e seu remorso. Mas há outros que também não são inocentes: a senhora que fez o aborto contribuiu para que isso acontecesse. Você não é o único responsável por essa desgraça. Se a própria Jacira não quisesse fazer isso, quem poderia obrigá-la? Mas essas são questões irrelevantes agora. O que se faz necessário no momento é colocar os pingos nos is, e refletir sobre tudo ser passageiro na vida, embora todas as coisas tenham um preço. Seja um homem que paga o preço exigido.

— Sem dúvida, dona Eunice. Se o caso for dinheiro, pagarei. Não há o menor problema...

— Não falo de dinheiro, meu filho, mas sim de conseqüências. Antes, seja honesto com você mesmo e analise bem os seus atos.

— Estou muito arrependido de ter feito isso com Jacira.

— Acredito. Porém, arrependimento não basta. O importante é a reparação. Assuma o que fez, salve sua reputação e a dessa pobre moça, que você denegriu quando disse que talvez ela pudesse estar envolvida com outro homem.

— Está certo — falou Renato. — Farei isso, mas penso em como ficará meu nome diante de meus empregados, o que eles dirão sobre mim.

— Não se preocupe tanto com o que os outros vão pensar de você. O que importa é sua consciência. Pense: se acaso o pior vier a acontecer com Jacira, isso não é muito mais grave do que o que os empregados poderão dizer?

Renato fitou longamente dona Eunice, e pôde sentir todo o peso do que fizera. Num ímpeto, decidiu que assumiria toda a responsabilidade pelo acontecido.

Dona Eunice carinhosamente lhe falou:

— Filho, sempre soube que você tem um grande coração. Cumpra com seus deveres de homem diante de uma situação como esta.

Despedindo-se, emocionado, Renato balbuciou um "muito obrigado". Dona Eunice se sentiu entristecida pelas conseqüências que a leviandade de Renato haviam trazido para a vida daquele que também aprendera a amar como a um filho. Desejou-lhe em pensamento: "Que Deus o proteja, meu filho. Você vai precisar muito da ajuda dele".

⁂

Renato, ao voltar à fazenda, foi direto para casa. Com fisionomia triste, chamou os pais ao gabinete. Precisava com urgência lhes contar o ocorrido.

Assim que os pais entraram, Renato sentou-se ao lado de sua mãe, enquanto seu pai ocupava o lugar atrás da luxuosa mesa. Renato então passou a lhes contar:

— Queridos pais, sei que não sou o filho que vocês merecem, mais sempre me esforcei para sê-lo. Portanto, vim comunicar-lhes sobre uma falta, grave, que cometi, e que está me tirando a paz. Antes mesmo de começar a narrar os fatos, espero que possam me perdoar.

— O que está acontecendo, filho? Já estou nervosa — respondeu a mãe, aflita.

— Por onde devo começar? Conheci uma moça aqui na fazenda e me encantei com ela. Como a jovem correspondeu a meus galanteios, começamos a nos encontrar. Ontem ela veio me contar que esperava um filho meu.

Seu Donato, que até aquele momento não havia dito uma palavra sequer, perguntou:

— Mas quem é ela?

— É a filha de Benedito, a mais velha, que se chama Jacira.

A mãe de Renato retrucou aflita:

— E agora? O que pretende, meu filho? Quer se casar com ela?

— Não, mãe. Eu a levei ontem à vila e mandei que fosse à casa de dona Sebastiana para tirar a criança. Mas parece que as coisas não deram certo, e ela está passando muito mal.

— Meu Deus! Como sairemos dessa situação? Sempre o avisei para que não se envolvesse com as filhas dos colonos. Você, não contente em se envolver, ainda me pede que a moça mate seu próprio filho! Você é um covarde inconseqüente. Envergonho-me de chamá-lo de filho — gritou o pai, colérico.

— Também não precisa exagerar, Donato. Nosso filho não é de ferro. Por certo a moça deve ter se insinuado a ponto de fazê-lo perder a cabeça.

— Não tente amenizar a situação. Se nosso filho é como é, a culpa é sua! Você sempre colocou panos quentes sobre as cachorradas dele.

E voltando-se furiosamente para o filho: — Diga-me, a moça era pura?

— Sim, meu pai! Era pura sim — confessou Renato, completamente envergonhado.

— Está vendo? A culpa é toda dele! Ele deve ter seduzido a pobre moça e lhe prometido coisas que depois não cumpriu.

— Não, meu pai. Isso não! Não lhe prometi nada. Ela se apaixonou por mim mesmo.

— É uma interesseira! — bradou a mãe de Renato. — Se nosso filho fosse um qualquer, ela não teria se deitado com ele. Fez tudo isso só porque queria que nosso filho casasse com ela. Assim ela estaria com o futuro pronto e ficaria tranquila.

— Pare de arranjar desculpas para esse desavergonhado! E agora? Como fico diante de meus empregados?

— Por favor, meus pais — pediu Renato com a voz mansa —, não os trouxe aqui para que briguem, mas antes para que encontremos, juntos, a solução para o problema.

Donato olhou para a esposa, levou a mão ao queixo, e em seguida inquiriu:

— Já mandou chamar o médico?

— Sim, meu pai. Jacira está sendo assistida pelo doutor Júlio, mas me parece que o caso é grave.

— Iremos até a casa de Benedito. Quando essa moça estiver fora de perigo, você vai reparar o mal que lhe fez.

— Como assim, reparar todo o mal que fiz?

— Você não disse que a moça era pura?

— Sim, meu pai. Ela nunca havia se deitado com ninguém antes de mim.

— Foi como pensei. Quando ela se recuperar, você se casará com ela.

— Mas, pai — argumentou Renato, estarrecido —, não posso me casar com ela. Eu não a amo.

— Donato, você enlouqueceu? — perguntou-lhe a esposa. — Ele não pode se casar com a filha de um colono. Tudo, menos isso.

— Minha querida, quando ele a envolveu e se deitou com ela, ele sabia que não gostava dela a ponto de se casar. A reparação vai ser sofrida para ele, mas fazer o quê? Foi nosso filho mesmo quem escolheu isto.

— Não, pai, por favor, não me peça isto. Não me casarei com Jacira. Posso lhe oferecer uma vida digna, confortável, mas casamento não!

— Casamento sim! Seja homem e arque com as conseqüências de seus atos.

Renato, naquele momento, lembrou-se das doces palavras de dona Eunice: "Cumpra com seus deveres de homem!" Com lágrimas no olhar, o rapaz disse ao pai:

— Está bem, meu pai. Farei o que o senhor quer. Vou me casar com Jacira. Mas lhe afirmo, desde já, que nunca a farei feliz.

— Estas eram coisas para ter pensado antes. Agora vamos tentar consertar as faltas. Essa atitude vai ser de grande valia, pois honrará o nome de nossa família.

A mãe de Renato estava tensa. Como tinha saúde frágil, teve uma vertigem e foi ao chão. Assim que viram a mulher pálida e desacordada, ambos chamaram um dos criados para colocá-la na cama.

Renato se sentia ainda mais culpado pelo fato de a mãe ter passado mal, mas procurava se manter firme.

— Acredito que devamos ir à casa do pobre Benedito. Além de ter a filha desonrada, ainda se encontra em triste situação. Para aliviar tal dor, pedirei a mão de Jacira em casamento por você.

— Isso não! — respondeu a mãe de Renato com voz altiva, embora ainda se sentisse um pouco tonta. — Não permitirei que meu filho, a quem criei com todo o carinho e estudei para ser um doutor versado na lei, despose a filha de um empregado da fazenda.

— Mãe, deixe de se preocupar com isso. Sei o que estou fazendo — respondeu Renato. — Errei e devo ser homem suficiente para assumir minhas culpas. Com o tempo, poderemos ensinar bons modos a Jacira, e ela poderá representar a família muito bem.

— Não acredito nisso. Como uma roceira vai poder representar o nome dos Delafuentes, que sempre foi tão respeitado nessas terras?

— Ora, não seja tão convencional — falou o coronel Donato. — Nosso filho, apesar de parecer cumprir um ato de heroísmo, está antes reparando um erro. Assim será, quer você queira, quer não. Jamais vou permitir que meu único filho se comporte como um canalha, enganando moças inocentes e se safando sempre.

— Mas, Donato — argumentou a mãe de Renato —, se isso realmente aconteceu foi porque ela quis. Nosso filho não é o único culpado diante dessa situação.

— Ele é homem. Garanto a você que quem foi atrás dela foi ele. Quando nosso filho tomou a frente dos negócios, em meu íntimo temia que isso acontecesse. O dono sempre conhece a lã do seu carneiro. Renato sempre nos deu preocupação quando o assunto é mulher.

Envergonhado, o rapaz disse aos pais:

— Prometo que esta será a última confusão que arrumo. Ainda que algo aconteça a Jacira, irei à capital em seguida e arrumarei uma moça de boa família para me casar. Com isso, vocês não terão mais preocupações comigo.

— Meu filho, nunca esqueça que um dia você será pai. Coloque-se então no lugar dos pais que têm as filhas ludibriadas por vocês. Imagine que você pode ser pai de uma menina, como eles. Como se sente?

Renato imaginou a situação e sentiu muito mal.

— Pai, se algum dia tiver uma filha, e algum engraçadinho abusar de sua ingenuidade, ele será um homem morto. Não o deixarei vivo para contar a história a ninguém.

— Pois então, Renato. Reflita agora nessas moças das quais vem abusando no decorrer desses anos. Como esses pobres homens devem se sentir ao verem a filha desonrada? E quanto aos maridos que têm suas mulheres seduzidas por você?

— Ora, Donato, deixei de fazer comparações absurdas. Nosso filho só fez o que fez porque as moças lhe deram chance. Aliás, quem garante que não estavam também elas só no interesse, só que no interesse por nosso dinheiro?

— Cale-se! — bradou o coronel. — Renato é assim hoje por sua culpa. Você foi condescendente demais com seus erros. Por isso ele se tornou alguém que foge das responsabilidades que cabem a seus atos.

— Donato, não fale assim. Não está vendo que não me sinto bem? — exclamou a esposa.

Renato, tentando encerrar aquela discussão, perguntou ao pai:

— O senhor vai comigo à casa de Benedito?

— Sim, filho, irei. Quero desde já avisá-lo: se não mudar, vou reassumir os negócios da fazenda. Mando-o à capital para exercer a profissão que escolheu, e deixo-o longe o máximo possível daqui para que não cause mais danos.

— Não precisa se preocupar, meu pai. Juro que nunca mais cairei em tamanha falta, e tudo farei para consertar as minhas veredas.

10

Jacira e Caroline

Naquela mesma noite, Donato e Renato foram à casa de Benedito. As notícias que obtiveram de Jacira, entretanto, não foram nada animadoras. A moça não falava mais, e continuava a perder sangue. Sua pele parecia uma nuvem, tão pálida estava.

Donato, semblante fechado, perguntou ao médico:

— E então, doutor, como está passando a moça?

— Sinto lhe dizer, coronel, mas já não tenho esperanças em relação a Jacira. Ela perdeu muito sangue. Encontra-se febril, e não há meio de baixar a temperatura. Acho mesmo que ela não passa desta noite.

Ao ouvir tais palavras, Renato sentiu as pernas tremerem. Gaguejando, perguntou ao médico:

— O senhor quer dizer que ela está condenada à morte?

— Infelizmente, sim. Ela não tem chance de recuperação.

Ao ouvir tais palavras, Benedito pegou no braço de Renato e ameaçou:

— Você sabe o que isso quer dizer. Vou matá-lo, pois a vida de minha filha vale muito mais que a sua, seu animal!

— Por favor, seu Benedito. Sei que errei, mas estou disposto a consertar meus atos. Se acaso a filha do senhor melhorar, me proponho a me casar com ela.

O empregado da fazenda, surpreso com as palavras de Renato, ficou pensativo por alguns segundos. Depois, do seu jeito simples, falou:

— O senhor afirma ter se encontrado com minha filha? Afirma que é o senhor o causador de toda essa desgraça que se abateu sobre nós?

— Sim, seu Benedito. Sou o responsável. Por isso quero reparar meu erro. Não vou deixar que nada falte a Jacira, nem a sua família.

O homem, surpreso, coçou a cabeça. Olhou para o coronel Donato e lhe disse:

— Sei que isso é coisa do senhor, coronel. Mas não quero nada que venha desse irresponsável. Ele tinha de pensar nisso antes de fazer as cachorradas.

— Benedito, embora saiba que meu filho foi fraco, ele leva meu sangue correndo em suas veias. Essa decisão dele mostra que é um homem de bem.

Renato ouvia aliviado as palavras do pai. Elas lhe mostravam que ele não havia guardado ressentimento.

Em meio a tal conversa, doutor Júlio apareceu para informar que o quadro de Jacira se agravava, pois a febre não queria ceder.

Renato, preocupado, indagou:

— Doutor, o que o senhor acha de a levarmos a um hospital na capital?

— Meu amigo, não acho aconselhável tirá-la daqui agora; ela não agüentaria a viagem, e certamente morreria no caminho.

Com aquele comentário, Benedito pôs-se a chorar. A esposa, que já estava com os olhos marejados, pressentiu que a morte ia ser inevitável.

Donato disse ao doutor:

— Faça tudo que estiver a seu alcance. Será regiamente pago.

— Sei disso, coronel. Mas temo dizer que a jovem, agora, está nas mãos de Deus.

Pela primeira vez desde que aquele tormento começara, Renato se pôs a chorar, sentado em um banco. Sabia que se não tivesse insistido para que Jacira tirasse a criança nada disso teria acontecido.

O coronel chamou o filho.

— Renato, vamos embora. Não há nada que possamos fazer aqui. Qualquer novidade, Benedito nos informará.

— Não irei, meu pai. Vou ficar aqui até que Jacira fique bem. Assim que melhorar, me caso com ela.

Benedito, ao ouvir as palavras de Renato, acabou sentindo pena do rapaz. Ele trazia em sua fisionomia profundas olheiras, tinha a roupa amarrotada e traduzia, em todo o seu aspecto, o desespero ao qual se submetera nas últimas horas.

A mãe da moça, entretanto, que antes nutria certa simpatia pelo rapaz, olhava-o com desprezo. Assim que se viu a sós com ele, falou-lhe, em tom bastante rancoroso:

— Se minha filha morrer, jamais vou perdoá-lo. Você vai sentir tanto remorso que esse sentimento vai acabar com sua vida aos poucos, até que fique reduzido a nada!

Renato fitou a mulher e nada respondeu. Sabia que ela falava sério. Mas, naquele momento, o que menos queria era se indispor contra ela.

Renato passou a noite na casa de Benedito. Quando o dia estava raiando, Júlio saiu do quarto onde a moça estava. Com tristeza estampada no olhar, disse:

— Sinto muito. Fiz tudo que poderia ter feito. Mas ela não resistiu; acabou de falecer.

— Ela sofreu muito, doutor? — quis saber a mãe, em prantos.

— Não, dona Maria. Jacira estava em coma desde as quatro da tarde de ontem. Seu passamento foi tranqüilo e sua fisionomia está serena, como se estivesse dormindo.

Renato estava prestes a passar mal. Sentia o estômago torcer, e mal conseguia se sustentar sobre as pernas.

Benedito entrou no quarto e, abraçando a filha, falou, entre lágrimas:

— Por que, minha filha, você foi fazer isso? Tinha acabado de completar apenas dezenove anos. Uma criança! Se tivesse nos contado, nós a teríamos ajudado a criar a criança.

Renato estava próximo e ouviu tudo. Chorou sentidamente. As palavras de Jacira não lhe saíam da mente: "Não se preocupe. Não direi a ninguém que o filho é seu". O rapaz sentia-se culpado pelo acontecido.

No dia seguinte ele providenciou o enterro de Jacira. Dias depois, comprou cento e vinte tarefas de terras para Benedito a fim de que fosse cuidar de sua vida. Renato sabia que, se encontrasse com Benedito todos os dias na fazenda, seu erro estaria constantemente diante dos olhos.

O pai de Jacira aceitou as terras. Também ele não queria olhar o rapaz todos os dias.

— Por favor, nunca vá a minha casa, pois o senhor não será bem-vindo! — pediu-lhe Benedito, com a voz cheia de mágoa.

Renato, que jamais tivera a intenção de visitá-lo, com alívio prometeu-o a Benedito.

Quanto a Maria, mãe de Jacira, sequer se despediu. Não conseguia olhar Renato nos olhos e, ao se referir a ele, chamava-o de "assassino de minha filha".

Depois de tudo acertado, Benedito se mudou com a família para o sítio que Renato havia lhes comprado.

※

Já fazia quatro meses que Jacira havia morrido, mas Renato não conseguia esquecer do traumático fato. Emagrecera a olhos vistos, e seu sono era muito intranquilo. Quando conseguia dormir, sonhava com a falecida segurando um embrulho nas mãos, que parecia uma criança. Com ódio brilhando no olhar, lhe dizia:

— Assassino! Veja o que você fez comigo e com seu filho! Vou perseguir você até destruí-lo!

Renato acordava banhado em suor, o cobertor jogado ao chão. Nessas ocasiões, pensava: "Graças a Deus foi um sonho! Preciso parar com isso. Jacira morreu, mas não é minha culpa".

Embora o rapaz falasse isso para acalmar a própria consciência, no fundo sabia que havia sido o responsável pela morte de Jacira e de seu filho. Além de emagrecer, também não conseguia dormir. Perdia a cada dia mais o apetite. Os pais começaram, de fato, a se preocupar com ele.

Certo dia, o coronel Donato chamou o filho ao gabinete para uma conversa séria. O rapaz atendeu ao chamado do pai, mas já não se importava mais com os assuntos da fazenda, de modo que deixou de vender boa parte da safra de milho, o que acarretou aos negócios imensos prejuízos.

O coronel, ao fitar Renato, não pôde deixar de sentir pena. O filho não era o mesmo de antes; seu olhar não possuía a antiga sagacidade, tão comentada por outros, e sua apatia era evidente, começando a se tornar lastimável. Donato, olhando para aquilo que parecia ser o espectro do filho, propôs:

— Renato, sei que está passando por momentos difíceis. Mas eu e sua mãe estamos a seu lado. Chegamos à conclusão que você está precisando sair um pouco da fazenda. Tudo aqui o faz lembrar de momentos dolorosos. Posso lhe garantir uma viagem para onde quiser. Acho que é o melhor que podemos fazer por você agora. Com o passar do tempo, as coisas voltarão a ser como antes.

— Pai, ainda que vá ao final do mundo, meus problemas me acompanharão. Como posso esquecer que, por minha causa, uma moça e uma criança morreram?

— Confie em seu pai. Se afaste daqui por um tempo, filho. Quando voltar, estará melhor.

— Sequer sei aonde poderia ir.

— Vá para fora do país. Assim conhecerá pessoas diferentes, que o ajudarão a esquecer as dificuldades. Por que não vai a Paris? Quem sabe a Cidade Luz não tem o dom de iluminar também seu caminho?

Renato gostou da proposta, e prometeu pensar nela com carinho.

Na tarde daquele dia, Renato foi à casa de Paulo para lhe contar sobre sua viagem. O mais jovem dos dois, ao saber da decisão de Renato, motivou-o:

— Creio que uma viagem lhe fará bem. Mas não se iluda pensando que esquecerá o que houve aqui. As lembranças são como cicatrizes, estão sempre a mostrar os momentos difíceis por que passamos.

— Você tem razão, Paulo. Mas não posso ficar mais desse jeito. Tenho de fazer algo. Perdi o gosto de viver. O sentimento de culpa está me destruindo.

Eunice, que ouvia calada, resolveu opinar:

— Meu filho, acho que você faz bem em sair do lugar que lhe trouxe tanto sofrimento. Entretanto, isso não o aliviará do sentimento de culpa.

Renato, ao olhar para Paulo, dona Eunice e Elvira, que também estava ali, pessoas que considerava muito amigas, disse:

— Acho que devo confessar uma coisa. Devo estar ficando louco. Faz duas semanas que vejo Jacira carregando um embrulho que parece um bebê. Quando ela me olha, vejo ódio em seu semblante. Não quero mais vê-la. Estas visões estão me fazendo perder o juízo.

Eunice fitou o rapaz, penalizada.

— Renato, acho que você tem de rezar pela alma dela. Ela o culpa pela sua morte. Se não tomar cuidado, poderá persegui-lo, de modo que você nunca mais encontre paz.

— Sempre acreditei em alma penada, mas não acho que Jacira tenha se transformado em uma delas. Ela sempre foi muito boa.

— Meu amigo, você sabe como é... Às vezes a pessoa morre mas, sentindo que está viva, ignora que já fez a passagem.

— Meu Deus, como farei para Jacira entender que ela morreu e que não pertence mais a este mundo?

— Filho — explicou dona Eunice —, sua única arma é a prece, portanto reze e peça a Deus que a coloque em bom lugar.

Renato conversou por mais alguns minutos, antes de se despedir. Depois, montado em seu cavalo, enquanto voltava à fazenda, pensava em tudo que havia acontecido. Quando chegou perto da porteira, viu uma mulher carregando uma criança. Ao se voltar para observá-la, contudo, ela tinha sumido, como por encanto. O rapaz então esporou o cavalo e chegou afoito em sua casa dizendo que havia visto Jacira, mas seus pais não acreditaram no que ouviram. O coronel Donato, preocupado, respondeu:

— Você está nervoso, Renato. Por isso digo que lhe fará bem essa viagem.

— Está bem, meu pai. Resolvi ir a Paris. Vou comprar a passagem e embarcarei no próximo vapor que atracar no porto de Santos.

— Ótimo, meu querido — falou a mãe de Renato. — Faça isso. Garanto que, quando voltar, terá esquecido essas amarguras.

Assim se deu. Renato foi à capital da província e tratou de comprar a passagem, sem data para retorno. No dia marcado, foi a Santos e embarcou no vapor, rumo à França, com a intenção de se recuperar do trauma sofrido.

Fazia dois meses que Renato havia partido para Paris. Paulo e a família estavam sentindo muito a falta do amigo. Vez por outra recebiam notícias de Renato, que sempre dizia estar aproveitando bastante a viagem, e que Paris era uma cidade maravilhosa.

Paulo lia as cartas de Renato para a mãe, e sempre vinha uma lembrança junto com a missiva.

Quanto a Benedito, mudara-se para o sítio que coronel Donato havia lhe dado, mas, sempre que se lembrava de sua filha Jacira, não conseguia esconder uma lágrima de emoção.

Dona Maria, a mãe de Jacira, não se conformava com o triste fim da filha. Sempre que tocava no assunto, maldizia:

— Aquele canalha vai pagar por tudo que fez a nossa filha. A peste há de pegá-lo e, quando estiver doente, quero que não tenha ninguém para lhe oferecer nem mesmo um copo de água!

Por outro lado, Benedito contemporizava:

— Mulher, não vamos desejar mal ao rapaz. Ele já está pagando bem caro por tudo que fez. A consciência dele vai doer tanto que não terá paz nem de dia, nem de noite.

Em meio a toda essa angústia, os meses foram passando.

Certo dia, Honório chegou ao sítio de Benedito e lhe contou que Renato havia chegado da viagem. Quando dona Maria ouviu a notícia, respondeu rispidamente:

— Que desgraça! Esse infeliz está de volta! Por que o navio não afundou com ele?

— Ora, Maria, não diga isso. Não vê que, se algo assim acontecesse, muitos morreriam junto? — falou-lhe o marido.

— Não queira se vingar dele. Deixe que a própria vida se encarregue disso. O melhor que temos a fazer é deixar nas mãos de Deus — completou o amigo Honório.

Mais dias se passaram, e nada de Renato chegar. Ele estava no Rio de Janeiro, e havia comentários de que estava às voltas com uma bela moça da sociedade carioca porque resolvera se casar.

Renato ficou por mais dois meses no Rio de Janeiro. Voltou noivo de Caroline, uma jovem que fazia parte da nata da sociedade carioca.

Quando os pais de Renato souberam do noivado, ficaram muito felizes. Esperavam que Renato mudasse depois do casamento.

Caroline era uma moça muito bonita, alta, cabelos louros, corpo elegante, de uma fineza que fazia inveja a qualquer um. Os pais de Renato exultaram em saber que Renato escolhera uma moça tão elegante que, além do mais, também era bastante rica. O filho, ao apresentá-la a seus pais, deixou claro que se casaria dentro de dois meses, e que passaria a lua-de-mel na Europa. Os pais concordaram, satisfeitos, pois aparentemente Renato havia superado o trauma da morte de Jacira.

Caroline era uma jovem que possuía costumes da cidade. Era culta e pouco entendia de assuntos domésticos. Seu pai era político influente na capital, e sua mãe estava sempre envolvida com obrigações sociais.

Quando Renato chegara de Paris, resolvera ficar uns dias no Rio de Janeiro. Fora convidado, então, a um baile. Lá conhecera Caroline, que era a aniversariante. Renato, embora não tivesse sentido nada especial pela moça, pela primeira vez cogitara em se casar. Caroline, ao observar que Renato estava lhe fazendo a corte, sentira-se lisonjeada.

O pai de Caroline, o senhor Otávio Jordano Filho, gostou muito de Renato. Além de ser expansivo e simpático, sabia que o rapaz era o único herdeiro do coronel Donato, o homem mais rico do interior da capital paulista.

Caroline, aos poucos, foi se sentindo mais e mais atraída por Renato, que sempre lhe presenteava com flores.

Em uma certa noite de sábado, ele pediu a moça em namoro, e ela prontamente aceitou. Ficou marcado para o sábado seguinte o pedido oficial. O senhor Otávio ficou feliz em saber que sua filha estava prestes a se casar com um homem rico e bacharel em direito.

Na noite que sucedeu à oficialização do noivado, Renato deu à sua pretensa esposa um bracelete de diamantes, junto com o anel de noivado. O pai de Caroline realizou a recepção no salão nobre de sua casa; os pais de Renato estavam presentes e radiantes de alegria. Donato achava que, com o casamento, Renato não mais se entregaria aos excessos, e se comportaria como um íntegro homem casado.

A data do casamento foi marcada para dali a dois meses.

Ao casamento compareceram grandes autoridades políticas. Entretanto, Renato não estava preocupado com os convidados. Como sempre era ouvido afirmar, não gostava de política. O povo vivia na mais completa indigência, e ele achava que aquele problema era por demais complicado de ser resolvido. O coronel Donato já fizera de tudo para que o filho ingressasse na política, mas Renato sempre recusara.

O rapaz fizera questão de levar seus amigos Paulo, Elvira e dona Eunice à cerimônia. Dona Eunice não estava acostumada a tal ambiente, portanto ficou pouco mais de uma hora. Despedindo-se de Renato, logo quis se dirigir à pensão onde estavam hospedados. Paulo também queria ir embora, mas Elvira não quis acompanhar o marido, e ficou até a festa acabar.

Após a recepção, Renato e Caroline foram ao porto a fim de pegar o vapor que os levaria a Europa em lua-de-mel. Caroline estava feliz, mas Renato se encontrava um tanto tristonho. Sabia que, no fundo, não queria se casar. Mas o casamento se fazia necessário, segundo ele pensava.

O casal ficou dois meses conhecendo os mais belos lugares da Europa. Foram a Paris, Veneza, Londres, Madri e Lisboa. Ao voltarem da lua-de-mel, Renato estava decidido a retornar à fazenda, mas Caroline desejava ficar no Rio de Janeiro, perto dos seus. Entretanto, o rapaz foi intransigente.

— Minha querida, você sempre soube que meu pai tem uma grande fazenda, e que eu sou o único herdeiro. Meu pai já está velho, e eu preciso assumir a fazenda para que ele descanse.

Caroline não gostou do que ouviu. Contudo, resolveu obedecer. Renato agora era seu marido, e ela tinha como obrigação ser submissa a ele.

Renato não era o que se poderia chamar de marido extremoso. Conversava apenas o necessário com a esposa, embora sempre se mostrasse gentil e educado. A esposa, a princípio, sentia a distância de Renato, e chorava sempre às escondidas. Com o passar do tempo, ele só a procurava em momentos íntimos.

O coronel Donato também percebia a frieza de Renato com a esposa, e o aconselhava:

— Filho, você tem de ser mais atencioso com Caroline. Ela sempre está sozinha a bordar, e seus pensamentos só Deus sabe por onde passam.

— Mas, meu pai, eu a trato bem. Não lhe deixo faltar nada e sempre a presenteio com jóias, coisas que todas as mulheres gostam.

— Renato — dizia o experiente coronel —, não se agrada uma mulher só com jóias. A mulher é produto do coração; elas esperam atenção do marido.

— Pai, faço o que posso. O senhor sabe como não é fácil comandar essa imensa fazenda sem esquecer um detalhe sequer. Quando chego em casa, quero descansar dos afazeres do dia.

— Por acaso, então, você foi buscar esta moça no Rio de Janeiro para ficar bordando o dia todo? Acho melhor esquecer um pouco o trabalho e lhe dar mais atenção.

— Está bem, papai. Farei o que me pede. Viajaremos na próxima sexta-feira para o Rio de Janeiro a fim de que ela visite os pais.

— Isso, meu filho. Enquanto o bebê não vem, aproveite a lua-de-mel dando-lhe todo o carinho que ela merece.

Renato, contrafeito com as observações do pai, pediu licença e se retirou. Ao entrar no quarto viu Caroline com o olhar perdido, a fitar a paisagem através da janela, envolta em seus pensamentos. Vendo a esposa naquele estado contemplativo, sentiu pena. Com voz suave, disse:

— Dou um conto de réis para saber em que está pensando.

Caroline voltou-se para ele e balbuciou:

— Nada de importante.

— Então me diga o que é tão sem importância assim. Quem sabe não podemos conversar sobre o que a aborrece tanto aqui na fazenda.

— Está bem. Já que quer que eu fale, direi: você não se importa comigo. Para você, sou apenas um móvel da casa do qual se lembra apenas quando vai usar. Estou cansada de ficar sozinha a maior parte do tempo.

— Mas você não fica sozinha! Há meus pais, sempre a lhe fazer companhia. Além disso, não deixo que nada lhe falte. Tudo que começa a pensar em ter, em seguida já estou lhe dando.

— Entretanto, o principal você não me dá. Não quero jóias caras nem conforto. Quero é fazer parte de sua vida, mas você não me deixa fazer isso. Quando me casei, estava apaixonada. Porém, hoje percebo que você não. Você se lembra de quando estávamos em

Madri em lua-de-mel, e você sempre arrumava uma desculpa e me deixava sozinha no hotel, indo não sei aonde?

Com aquela exposição da esposa, Renato percebia o quanto seu casamento fora um erro. Entretanto, tentou contornar a situação.

— Meu amor, sei que errei com você. Mas prometo ser diferente e lhe dar a atenção que merece. Peço-lhe que me dê uma chance. Farei o possível para ser o melhor marido do mundo.

— Renato, você me ama?

— Ora! Que pergunta! Não me casei com você?

— Você não me respondeu.

Renato, fitando intensamente Caroline, respondeu-lhe:

— Eu a quero muito.

— Mas não me ama, não é verdade?

— Sim, amo você. Contudo, tem de entender que não sou um homem romântico, aquele com o qual você deve ter sonhado. Sou assim. Porém juro que você me terá por toda a sua vida.

— Em nossos momentos íntimos, não percebo que você me ama. Sinto que só estamos ali por obrigação.

— Não diga bobagem! Aceite-me como sou, pois eu a aceito como é.

Caroline, sentindo que o marido não a amava como ela o amava, rompeu em choro sentido. Renato, que não gostava de vê-la chorar, com carinho a envolveu em seus braços, mostrando ser o homem mais carinhoso da face da terra.

No dia seguinte, Caroline estava muito feliz. Chegou a comentar com a sogra:

— Nunca pensei que eu amasse tanto Renato. Ele é o melhor marido do mundo. — E, sorrindo, saiu para colher flores e enfeitar os vasos.

Os pais de Renato ficaram satisfeitos em ver a nora tão contente. Renato já havia se retirado para as tarefas do dia.

Vendo que as coisas estavam sob controle, Renato foi ao sítio de Paulo para conversar com o amigo.

— O que aconteceu? — perguntou Paulo, surpreso ao vê-lo. — Você nunca vem aqui a uma hora dessas.

— Preciso falar com alguém, caso contrário posso explodir.

— O que aconteceu?

— Paulo, nunca menti para você. Tem uma coisa que está me destruindo.

— Algo aconteceu a Caroline?

— Não, com ela está tudo bem. É comigo que não está.

Paulo ficou aguardando o desabafo do amigo.

— Quando me casei com Caroline, achei que ela seria a pessoa ideal para me fazer esquecer de Jacira, mas hoje vejo que isso foi um erro. Ela me cobra amor. Como posso lhe dar isso, se não a amo? Ela é dedicada e submissa, mas sinto que me falta algo.

O outro rapaz, que ouvia atentamente as palavras de Renato, aconselhou-o:

— Renato, procure viver bem com sua esposa. Com o tempo, descobrirá que a ama.

— Não, Paulo. O que sonhava para mim é o que aconteceu entre você e Elvira, um sentimento forte e arrebatador. Agora, no entanto, esse sonho não é mais possível para mim. Não vou me separar de Caroline, que me ama como nenhuma outra me amou.

— Pelo menos tem de parar de se envolver com outras mulheres, Renato — sugeriu Paulo. — Caroline não merece isso. Se não a ama, pelo menos não a faça sofrer e a respeite.

— Não posso prometer isso. O que me mantém vivo são as emoções; se eu deixar de vivê-las por causa do casamento, como vai ser?

— Pense bem, meu amigo. Não desperdice o amor da mulher que viverá com você pelo resto de seus dias pelo das mulheres da vida.

Como naquele momento avistaram Elvira, que se aproximava, ambos resolveram mudar logo de assunto.

— Então, como está indo seu casamento? — perguntou Elvira, jovialmente.

— Vai bem, apesar de crer que não estava preparado para tamanha responsabilidade.

— Você se acostuma. A vida a dois é muito boa. Veja Paulo e eu, como nos damos bem. Paulo tem paciência comigo, e posso dizer que sou feliz como nunca imaginei ser na vida.

— Fico feliz por vocês, Elvira. Bem, gente, acho que preciso voltar à fazenda. Tenho de vender a safra de milho. Com essa queda na economia, os produtos agrícolas estão muito baratos. Fazer o quê? Tenho de me sujeitar; não posso deixar milho estocado no celeiro.

Paulo, lembrando de seus afazeres, convidou o amigo:

— Renato, tenho de ir à vila. Acaso não quer ir comigo?

— Sim, irei. Também tenho coisas a fazer lá.

Enquanto na sede da fazenda Caroline continuava num estado de muita felicidade, imaginando que Renato mudaria e que os dois levariam a vida que ela sempre sonhara, no horário marcado, Renato e Paulo saíram a caminho da vila. Paulo então voltou a tocar no assunto que se encerrara antes com a chegada da esposa.

— Renato, sei que você não ama Caroline, mas o que pretende agora?

— Meu amigo, nada farei. Vou fingir que sou o homem mais apaixonado do mundo, somente para fazê-la feliz.

— Então não vai mais se meter em aventuras amorosas?

— Não é bem assim, Paulo. Vou procurar ser o melhor marido do mundo, mas jamais deixarei de me aventurar com outras mulheres. Você sabe que somente assim me sinto vivo.

— Ora... você já se esqueceu do incidente com Jacira?

Renato, ao ouvir aquele nome, baixou os olhos, que ficaram cheios de lágrimas. Lamentou-se, dizendo:

— Paulo, Jacira foi um erro do qual jamais me esquecerei. Fui responsável pela sua morte e pela de meu filho. Entretanto, acho que já paguei muito caro por essa leviandade.

— Você continua a vê-la com uma criança nos braços?

— Sim, meu amigo. Eu a vejo no meio do milharal, perto da casa da fazenda, em meu quarto... O que mais me intriga, entretanto, é o olhar de ódio que lança sobre mim.

— Faça o que minha mãe mandou: reze por ela e peça a Deus que a encaminhe a bom lugar.

— Não sei mais o que faço. Às vezes acredito que estou enlouquecendo. Você acredita que, quando estou com Caroline em meu quarto, sinto-a por perto, de modo que não consigo fazer nada?

— Não se preocupe, Renato. Tudo isso vai passar, e logo você vai voltar a viver bem, com alegria.

— Sempre tive de tudo: dinheiro, mulheres, automóvel... Mas sinto falta de algo. Por vezes penso que a mulher que poderia me fazer feliz não está aqui. É como se eu corresse atrás do vento sem nunca poder alcançá-lo. Preciso pensar com clareza sobre o que quero da vida. — Dizendo essas palavras, os dois chegaram à vila. Paulo foi à venda de seu Martins para comprar alguns haveres enquanto Renato anunciou que ia à casa de madame Marie.

A casa de madame Marie era uma casa de mulheres de vida fácil, que ganhavam a vida de maneira pouco digna. Desde a morte de Jacira, Renato se tornara cliente assíduo daquela casa, gastando lá altas somas de dinheiro.

Doce Entardecer

Paulo ficou esperando Renato na frente da venda. Somente após duas horas o amigo apareceu. Conhecendo-o, percebeu sua expressão de desapontamento. Agindo com discrição, nada perguntou, contudo.

Renato mandou que Paulo entrasse no carro. Como se mantivesse calado, Paulo arriscou perguntar se havia algo de errado. O amigo, novamente com lágrimas nos olhos, respondeu:

— Não sei o que há comigo. Sinto necessidade de aproveitar a vida, mas vejo que a cada dia que passa minha vida tem se tornado mais vazia.

— O que ocorreu, exatamente?

— Tenho freqüentado a casa de madame Marie, e gasto lá altas somas de dinheiro com as mulheres.

— Por que faz isso? Acaso não tem mulher em casa?

— Tenho, mas com aquelas mulheres sou o que sou. Não preciso fingir uma delicadeza que não possuo, e faço com elas o que bem entendo. Elas estão sendo pagas para isso.

— Mas, Renato, não vê que assim você se desrespeita, tanto quanto desrespeita quem deita com você? Tenha um pouco de amor-próprio e procure ser feliz com a mulher com quem se casou.

— Não consigo ser como você, Paulo. Preciso de novas emoções, de mulheres diferentes. Talvez você nunca vá entender o que estou querendo dizer.

— Cuidado, Renato. Você pode perder tudo por causa dessas aventuras sem futuro. Se Caroline se separar de você, sua vida ficará pior do que está.

— Sei disso. Mas você não sabe o quanto tenho sofrido desde que Jacira morreu.

— Você amava Jacira?

— Hoje reconheço, meu amigo, que Jacira foi a única mulher que amei. Se tivesse tido a coragem de assumi-la, e a meu filho, garanto que hoje seria bem mais feliz.

Renato parou o carro perto do sítio do amigo.

— Agora é tarde. Você está casado com outra mulher. Procure ser feliz com a que Deus permitiu que você tivesse nos braços no momento.

Renato levou as mãos à cabeça e, aos prantos, falou:

— Pago caro por um erro, e terei de pagá-lo pelo resto de minha vida. Daria toda a minha fortuna para ser feliz assim como você e Elvira, mas acho que a felicidade não foi feita para mim.

— Deixe de ser pessimista, Renato. Você se casou com uma bela moça que, para ajudar, é tão rica quanto você — disse Paulo.

Renato, entre lágrimas, nada respondeu. Em seguida, despediu-se.

— Preciso ir embora. Caroline está me esperando para o jantar. Se eu não chegar no horário, minha mãe ralhará comigo.

— Faça isso, Renato — falou Paulo. — Aproveite os momentos que pode estar com sua esposa e vai descobrir que a felicidade está em suas mãos e você apenas não a está enxergando.

Renato, concordando, despediu-se do amigo e foi embora para sua fazenda.

11

Renato se transforma

Ao chegar em casa, Caroline o estava esperando na varanda. Assim que o viu, levantou-se correndo e foi a seu encontro.

— Renato, estava esperando por você. Aconteceu algo para que demorasse tanto?

— Não, querida. Apenas fui ao sítio de dona Eunice visitar meu amigo Paulo.

— Não acredito que você fica se misturando com gentalhas! Há tantas pessoas de nosso nível que tentam se aproximar de você...

— Não me interessa a amizade desses interesseiros que você diz serem de nosso nível. Só querem se aproximar de mim para ter projeção social.

— Às vezes não o entendo. Você parece tão arredio em algumas situações que chega a me assustar. Começo a duvidar de que me ame realmente.

— Lá vem você com essa história. Não me casei com você? Não a trato bem? O que você quer de mim?

— Nada, Renato. Só queria que me desse um pouco mais de atenção.

— Caroline, você reclama demais. Isso me irrita. Aceite o que posso lhe dar, por favor.

A esposa, ao ouvir as palavras duras do marido, não conseguiu segurar as lágrimas que lhe brotavam dos olhos. Renato não se comoveu com aquela cena e lhe respondeu, em tom jocoso:

— Odeio mulheres que ficam chorando à toa. Seja mais firme se quer me conquistar.

Quando Renato entrou em casa com passos resolutos, sendo seguido por uma chorosa Caroline, o coronel Donato percebeu que algo havia acontecido. Os olhos da jovem estavam vermelhos e a fisionomia de Renato, séria. O filho do coronel se dirigiu rapidamente ao quarto e, pretextando cansaço, disse que não iria jantar.

Caroline, entretanto, levou o jantar ao quarto. Quando o marido a viu entrar com a bandeja, vociferou:

— Não lhe disse que não queria jantar? Por que trouxe comida para mim no quarto? Não sou nenhum inválido para comer na cama. Leve essa comida daqui. E, por favor, não me faça cara de vítima, porque isso me enoja!

Caroline, soluçando, pegou a bandeja e se retirou. Renato não se sentia bem depois daquele ataque de fúria. Ficava pensando em como tinha sido duro com a esposa. Entretanto, quanto mais ele queria ficar sozinho, mais ela o seguia. Era de irritar qualquer um!

Renato resolveu sair dizendo que tinha uma questão para resolver na vila. Caroline pediu que ele não fosse, mas o rapaz deu de ombros, ignorando os pedidos da esposa. O jovem chegou à casa de madame Marie e escolheu uma moça de nome Iolanda. Levando-a ao quarto, entregou-se ao prazer do sexo satisfazendo seus mais baixos instintos.

Renato bebeu e gastou muito naquela noite. Só quando o dia amanhecia ele resolveu voltar para casa.

Estava infeliz, e dentro de si havia um vazio que chegava a doer na alma.

A vida de Renato tornou-se assim: aventuras com mulheres da vida e uma distância enorme de Caroline, na qual investia dia a dia.

Certa noite, estando Renato cansado para ir à vila, sentou-se na varanda e olhou em direção ao paiol. Avistou a figura de Jacira carregando um bebê. Assustou-se e, firmando o olhar, percebeu que já não havia mais nada ali. Mais uma vez, ela havia sumido.

No dia seguinte, ao conversar com Honório, contou o que tinha visto.

— Seu Renato, pelo que sei Jacira está precisando de paz. O senhor não é o primeiro a vê-la. Várias pessoas a viram pela fazenda ninando uma criança.

— Como pode ser? Jacira está morta, e os mortos não voltam mais.

— O corpo morre, mas o espírito permanece vivo. Ele leva consigo todas as impressões que tinha quando ainda estava na carne. Jacira morreu com muito ódio do senhor. Talvez ela nem saiba que morreu. Por isso guarda as mesmas emoções.

— Se for isso mesmo, Jacira deve ter muita raiva de mim. Afinal, fui o responsável por essa desgraça que se abateu sobre ela.

— O melhor que o senhor tem a fazer é pedir perdão e mandar que ela vá para o lugar que Deus lhe reservou.

— Não sei não. Acho que não acredito nisso. Se os mortos voltassem, ninguém mais teria paz.

— Pense, senhor Renato: como o senhor vê, então, Jacira pela fazenda se a morte é o final de tudo?

Renato se calou porque sentiu coerência nas palavras de Honório. Prometeu a si mesmo que procuraria alguém que entendesse do assunto.

Nos dias seguintes, entretanto, o jovem não viu mais a figura de Jacira. Devido a isso, tratou de não pensar mais no assunto, embora percebesse que sua vida estava indo de mal a pior. Durante o dia trabalhava na fazenda do pai e ia visitar seus amigos no sítio, mas, quando chegava a noite, Renato sentia-se intranqüilo, e logo vinha uma grande necessidade de ir à casa de madame Marie. O rapaz era considerado um bom cliente, pois gastava altas somas de dinheiro com bebidas e mulheres.

Caroline, de outro lado, ficava em casa, sentindo cada vez mais que seu casamento havia sido um erro.

O coronel Donato não esquecia de advertir o filho sobre dar mais atenção à esposa. Renato sempre lhe respondia:

— Não entendo por que tanta preocupação com Caroline, pai. Dou-lhe de tudo, desde vestidos caros, jóias, até a viagem que ela quiser fazer. Sendo assim, não vejo nenhuma razão para que ela reclame.

— Filho — dizia Donato nessas ocasiões — , a mulher não é como nós; elas são produtos do coração. Garanto que ela trocaria todas as mordomias que você lhe dá por um pouco de sua atenção. Sua mãe e eu sempre nos demos bem porque sempre fui um marido presente. Fazemos as coisas juntos. Por isso, nem o tempo tampouco as dificuldades pelas quais passamos conseguiram nos afastar. Você, entretanto, faz da maneira errada; deixa sua esposa em casa, ora a pretexto de trabalhar, ora para ir atrás das sirigaitas daquelas casas de mulheres.

Renato olhou surpreso para o pai. Ele continuou:

— Se um dia você ficar pobre, ou doente, essas mulheres serão as primeiras a lhe virar as costas; fique atento à pérola que tem em casa. Se um dia se meter em apuros, ela sim ficará do seu lado.

O jovem, ao ouvir as palavras do pai, sentiu que ele tinha razão. Várias vezes, estando bêbado na casa de madame Marie, fora convidado a se retirar sob alegação de que o recinto iria se fechar. Pensando em tudo isso, Renato tomou uma decisão:

— Pai, não se preocupe comigo. De hoje em diante serei o marido que Caroline sempre sonhou, e não mais porei os pés na casa de madame Marie.

— Faça isso, meu filho, e vai descobrir o sentido da palavra "felicidade". Embora sua mãe tenha muitos defeitos, assim como eu, considero-me feliz a seu lado, e não consigo me ver sem sua companhia.

Renato achou bonitas as palavras de seu pai, e desde então começou a prestar mais atenção em sua esposa.

Caroline acordava cedo e se dirigia à varanda a fim de bordar, ou de ler. Sempre pedia à irmã que lhe comprasse livros novos. Para ela, a leitura era excelente companhia em seus momentos de solidão. O marido, agora a observá-la, sentia certa pena da esposa, que passava a maior parte do tempo sozinha. Certa noite, o rapaz comentou:

— Minha querida, vejo como deve se sentir entediada em ficar na fazenda. Por esse motivo, quero que façamos uma viagem juntos. O que acha de irmos à Europa? Talvez possamos revitalizar nosso casamento.

Caroline, sentindo intraduzível alegria, aproximou-se do marido.

— Renato, me apaixonei por você desde o primeiro momento em que o vi. Não sei se você está passando por algum momento difícil... Você não me conta nada. Mas não importa. Acho que uma viagem nos faria bem.

Renato tomou a mão da esposa e suavemente a beijou.

— Acredito que nunca é tarde para tentarmos consertar alguns erros. Eu lhe prometo que daqui por diante farei de tudo para me tornar o melhor marido do mundo.

Ao dizer essas palavras, Renato levou Caroline até o quarto e, lá, entregaram-se aos prazeres do amor. Ainda assim, o rapaz não se sentia totalmente feliz. Sabia que apenas cumpria uma obrigação, enquanto sua esposa, envolvida, lhe entregava o melhor de si.

Alguns dias depois, Renato foi ao sítio de Paulo falar-lhe sobre sua viagem à Europa. Começariam por Paris e rumariam para Londres ou Madri.

Paulo, observando a expressão desejosa da esposa, lhe falou:

— Sei como gostaria de fazer uma viagem como esta. Mas não temos meios para isso. Sou apenas capaz de levá-la para tomarmos banho no lago.

— Não estou cobrando nada, Paulo. Não fale bobagens perto de Renato. Ele já tem uma cabeça aviltada por natureza, e você ainda dá margem para que lhe venham toda sorte de impurezas à mente.

— Elvira, por favor, não estou pensando em nada ruim. Acabo, sim, é de ter uma idéia genial.

— Que idéia é essa? — quis saber Elvira.

— O que acham de viajar conosco para a Europa? Acredito que uma viagem entre casais seria muito interessante.

Paulo olhou para Renato, descrendo das palavras do amigo.

— Acabei de lhe dizer que não podemos arcar com algo assim. Não poderemos ir. Também não vou aceitar que você pague essa viagem para nós.

— É verdade, Renato — ponderou Elvira. — Essa viagem deve ser feita a dois, e não a quatro. Garanto que, quando pudermos, também Paulo e eu a faremos.

— Ora, não pretendia ofendê-los. Mas volto a dizer: o convite continua de pé. Se porventura mudarem de idéia, terão até o dia dezessete do mês que vem para me dar a resposta.

— Obrigada, Renato, por fazer questão de nossa companhia. Porém, ainda que meu sítio seja pequeno em relação à sua fazenda, há muito trabalho a realizar. Não poderia deixar minha mãe sozinha. E, mesmo que pudesse, viajar por sua conta me daria muito constrangimento.

— Está bem, meu amigo. Mas um dia farei questão de viajarmos juntos, nem que seja para o sertão baiano a fim de tirarmos umas férias.

Elvira se retirou para seu quarto. Paulo, aproveitando a ausência da esposa, perguntou a Renato:

— Como você está se saindo como marido fiel?

— Estou fazendo força para ser um bom marido para Caroline. Entretanto, fidelidade é uma palavra que não existe em meu dicionário. Ela que se dê por satisfeita de me ter como marido. Mas que não espere exclusividade; isso não lhe darei.

— É uma pena você não amá-la. Garanto-lhe que, se a amasse, a fidelidade seria algo espontâneo. Veja meu casamento com Elvira. Embora nosso casamento tenha começado de forma confusa, porque tive de fugir com ela, e depois descobri que ela tem um temperamento difícil, jamais pensei em traí-la. Ela é a mulher que amo, e com ela não me falta mais nada.

Renato olhou maliciosamente para Paulo e comentou:

— Você não a trai porque não tem oportunidade. Se tivesse, não pensaria duas vezes em deitar-se com outra.

— Você se engana, Renato. Para mim poderia surgir a mulher mais bonita, mais rica, mais atraente, que não me deitaria com ela. Já tenho a mulher que amo.

Renato ainda achava que Paulo estava blefando.

— Paulo, hoje terei de ir à vila para comprar sementes. Só que farei isso à noite porque as sementes estão guardadas no paiol do seu Josias. Você não quer ir comigo para carregar as sacarias?

— Gostaria de ir, mas temo que Elvira fique zangada comigo. Nunca saio de casa à noite.

— Ah! Então você é daqueles que temem a mulher? Quem manda na sua casa, o cabeça ou o pescoço?

— Não estou entendendo o que você quer dizer com isso.

— Ora, o padre não fala que o marido é o cabeça da mulher?

— Sim. Mas o que tem isso?

— Se o cabeça é o marido, a mulher é o pescoço, portanto vejo que na sua casa quem manda é o pescoço.

Paulo sorriu, ao ouvir a comparação de Renato, que sempre se mostrava de bem com a vida, apesar de nos últimos tempos ser constantemente envolvido pela melancolia. Em um ímpeto, disse-lhe:

— Está bem. Vou com você à vila buscar as sementes. Porém, não arrume mais nada para fazer porque não quero deixar minha mãe e Elvira sozinhas.

— Você é muito engraçado. Quando era solteiro, deixava sua mãe sozinha e ia se encontrar com Elvira. Agora, só porque já se casou com Elvira, não pode deixar sua mãe sozinha.

Paulo riu ao ouvir a observação do amigo. Era verdade. Combinaram de ir à vila juntos depois das sete da noite.

Quando Paulo entrou, disse a Elvira que iria à vila com Renato buscar sementes. Assim que carregassem a carroça, ele estaria de volta. Elvira, como Paulo já havia previsto, ficou brava por saber que o marido ia sair com Renato. Embora os dois fossem amigos, ela não confiava em Renato; achava-o mulherengo.

No horário marcado, Renato chegou animado para buscar Paulo.

Elvira, que estava irritadíssima, não fez questão de esconder de Renato sua revolta.

— Renato, você não tem vários homens que trabalham para você em sua fazenda?

— Sim. E o que tem isso?

— Por que então Paulo é que tem de ir com você à vila para buscar sementes? Mande um de seus empregados.

— Convidei Paulo porque prezo a sua companhia. Se assim não fosse, nem aqui viria.

Dona Eunice, ouvindo a resposta de Renato, tomou a defesa do moço.

— Não vejo por que Paulo não pode ir com Renato à vila. Foram juntos tantas vezes já. Até mesmo para se encontrar às escondidas com você, Elvira.

Elvira não se convenceu. E continuou:

— Paulo, se você for, vai dormir na rede, pois em minha cama não dormirá.

— Ha, ha! — gargalhou Renato. — Então essa é a tática de sua esposa? Se não fizer o que ela manda, dorme na rede, sozinho, sem ninguém?

— Cale-se, Renato — mandou Elvira. — Não quero que meu marido saia com você porque não o acho boa companhia para um homem casado.

Renato, tornando-se subitamente sério, olhou para Paulo, magoado.

— Está certo, meu amigo. Não precisa ir comigo. Amanhã pedirei a Honório que busque as sementes. Não quero causar problemas entre você e sua esposa. Afinal, lugar de marido é ao lado da esposa.

Dona Eunice percebeu que o rapaz havia ficado chateado. Uma vez mais, tomou sua defesa.

— Muito me admira você, Paulo... Quando era solteiro, ele era uma boa companhia. Agora, só porque se casou, ele não serve mais. Se há algo que me deixa irritada é a ingratidão. Elvira, se não fosse por Renato, vocês não estariam juntos, sabe disso? Além do mais, ele sempre esteve disposto a ajudar em tudo o que pôde.

Elvira sentiu que havia sido dura demais com Renato. Com sinceridade, falou:

— Desculpe-me, Renato. Não quis ofendê-lo. Esqueça o que eu disse.

— Você foi sincera e disse o que pensava — afirmou Renato. — Para você minha companhia irá perverter seu marido. Mas, Elvira, antes de conhecê-la, Paulo já era meu amigo. Se eu fiz coisas erradas, ele nunca as fez, ainda estando comigo. Pelo menos que eu saiba.

Paulo viu que tinha de tomar uma decisão. Embora não quisesse se indispor com a esposa, também não queria perder a amizade sincera de Renato.

— Elvira, acho que está na hora de você confiar em mim e entender que Renato é o irmão que Deus me deu. Nem mesmo você pode fazer nossa amizade ter fim.

Eunice gostou da decisão de Paulo. Ela achava a nora mimada. Estava mais que no tempo de entender que a vida não era como ela imaginava; Paulo era seu marido, e não sua propriedade.

Renato, entrando em seu automóvel, ia se despedir quando Paulo disse que iria à vila. O amigo se sentiu constrangido porque, na verdade, não iria pegar nenhuma semente. Na verdade, tinha planejado levar Paulo à casa de madame Marie.

Ao chegarem à vila, Renato foi à venda e encomendou as sacarias com o dono. Depois, falou ao amigo:

— Paulo, está na hora de você aproveitar a vida. Elvira não é a única mulher da face da terra. Garanto que há mulheres melhores que ela por aí.

— Não, Renato. Não quero ir à casa de mulheres. Se soubesse que era para isso que queria me trazer até aqui, não teria vindo.

— Deixe de bobagem! Vamos lá! Pagarei todas as despesas.

Paulo, contrariado, seguiu Renato. No entanto, em seu íntimo, estava decidido a permanecer fiel à esposa.

Doce Entardecer

Ao chegar à casa de madame Marie, Renato foi recebido com muita cortesia pela dona da casa, e logo uma moça bonita de nome Jaqueline foi atendê-lo.

Paulo observava o local com curiosidade. Sentia pena daquelas mulheres que eram obrigadas a se deitar com homens por dinheiro.

Renato mandou que uma das moças de madame Marie cortejasse a Paulo, mas ele se manteve impassível. Quando a moça o convidou para ir a seu quarto, contudo, o jovem a acompanhou. Enquanto a bonita moça tentava seduzi-lo, Paulo fitou-a nos olhos e lhe falou:

— Sou casado e amo minha esposa. Sei que Renato a pagou, por isso estou aqui. Assim você pode ganhar seu dinheiro. Mas não vou me deitar com você.

— Gostaria de ser sua esposa — respondeu-lhe a jovem. — Homens assim são raros. Mas, como nada faremos, não posso aceitar o dinheiro.

Paulo penalizou-se.

— Fique com o dinheiro. Sei que vai precisar dele. Mas procure arrumar um trabalho e sair desta vida. Isso aqui não é cotidiano para ninguém. O melhor dinheiro que podemos ter é o que ganhamos com esforço e trabalho. Vista-se e vamos descer. Preciso ir embora. Se Renato quiser ficar aqui, o problema é dele. Irei a pé.

Ao chegar à sala, viu de longe Renato sentado com duas mulheres. Uma delas estava em seu colo. Ao ver Paulo acompanhado da jovem que lhe fora destinada, perguntou:

— E então? Divertiu-se?

— Isso não é divertimento para ninguém. Pense na situação dessas coitadas, que são obrigadas a se deitar com toda sorte de homens por dinheiro. Quer saber de uma coisa? Fique aí; vou-me embora.

— Ora, não seja tolo. Como você vai voltar? A pé?

— Sim, por que não? Jamais o acompanharei se for para vir a este antro.

Decidido, Paulo saiu. Renato, jogando algumas cédulas sobre a mesa, foi correndo atrás do amigo.

Paulo estava muito bravo com o rapaz, primeiro por ter mentido sobre a história das sementes; segundo por querer testá-lo a respeito da fidelidade à sua esposa.

— Paulo, não entendo o porquê de estar tão bravo — falou Renato, alcançando-o. — O que eu queria é que se divertisse um pouco, mas vejo que não entendeu minhas intenções.

— Sua intenção era destruir meu casamento, já que o seu é um verdadeiro fracasso. Você me quis vivendo um relacionamento como o seu. Escute bem o que vou lhe dizer: não tenho o dinheiro que você tem, mas tenho uma coisa que você está muito longe de sentir, que é alegria interior e paz de espírito.

Renato foi tomado de súbito por uma angústia infinita. Com olhos lacrimejantes, Paulo lhe disse:

— Amigo, peço que me perdoe. Nunca quis destruir sua felicidade com Elvira. Só queria mesmo lhe mostrar um outro lado da vida.

— Uma vida suja e infeliz. É assim que diz ser meu amigo? Chego agora a acreditar que Elvira tinha razão. Você não é uma boa companhia para mim.

— Paulo, sabe que o considero muito. Jamais farei algo assim novamente. Peço que me perdoe; sei que é um homem de bem.

Paulo, ainda nervoso, respondeu:

— Chega dessa conversa. Preciso chegar logo em casa. Minha mãe e Elvira devem estar me esperando.

— Por favor — pediu Renato —, não diga nada às duas sobre esses acontecimentos infelizes.

— Não, Renato. Não vai ser assim. Nunca escondi nada de Elvira. Nossa relação sempre foi muito aberta. Ela vai saber do que aconteceu. Agora, como ela vai reagir é com ela.

Renato procurou não dizer mais nada. Estava ansioso por chegar logo à casa de Paulo. Sentia que o amigo estava completamente zangado.

Doce Entardecer

Quando Renato deixou Paulo em frente do sítio, indo embora em seguida, Elvira o aguardava. Dona Eunice já tinha se recolhido. O marido, sem jeito, se aproximou da jovem.

— Você não sabe o que Renato aprontou hoje. Sabe aquela história de que ia buscar sementes na vila? Era mentira. Na verdade, ele queria era me levar à casa de madame Marie.

— O quê? Aquele desavergonhado queria corromper você com mulheres da vida?

— Sim, querida. Mas fique tranqüila. Nada aconteceu. Tenho uma bela mulher em casa, a qual amo muito. Jamais trairia você com quem quer que fosse.

— Mas você esteve às voltas com uma meretriz e não aconteceu nada?

— Sim, juro! Deixei que Renato pagasse a pobre moça, mas nada ocorreu entre nós. Aconselhei-a a deixar essa vida dura.

— Meu amor, acredito em você. Você é tudo que sempre sonhei.

— Mesmo sendo pobre como sou?

— Dinheiro não importa. O que vale é o amor que sinto por você. Ninguém vai conseguir tirá-lo do meu coração. — E, dizendo isso, Elvira se envolveu nos braços de Paulo, e os dois se entregaram ao sentimento verdadeiro que sentiam.

No dia seguinte, Renato chegou cedo à casa de Paulo, e foi bem recebido por dona Eunice. Quando Paulo o viu, sentiu ímpetos de rir, tal era o constrangimento do amigo. Como permanecesse calado, Elvira tomou a dianteira da conversa:

— Canalha! Sei por que você queria que Paulo o acompanhasse à vila. Mas você pôde comprovar que meu marido é fiel, e juntos somos felizes de uma maneira que você desconhece. Fique atento, Renato. Se insistir em fazer de Paulo um mau-caráter como você, me recusarei a recebê-lo em minha casa.

Renato tentou justificar dizendo que havia feito apenas uma brincadeira, mas Elvira foi taxativa em dizer:

— Você não presta! Não aprovo essa amizade.

— Engraçado — retrucou Renato —, quando apadrinhei a fuga de vocês eu prestava, mas agora que já estão juntos eu não sirvo mais. Acho mesmo que vocês não são tão amigos quanto eu pensava.

Dona Eunice, sentindo o ambiente tenso, interveio:

— Em minha casa não permito que se faça uma desfeita dessas a Renato. Por acaso ele não deu provas suficientes de sua amizade por nós? A maneira que ele leva a vida é problema dele, e se o casamento dele não é perfeito, nada temos a ver com isso. Paulo vai continuar a ser amigo de Renato, sim. Se fizer o que Elvira quer, estará se mostrando um ingrato, e ingratidão é algo que não tolero!

— Mas quem foi que disse que não quero mais a amizade de Renato? — esclareceu Paulo. — O que ocorreu não muda em nada nossa amizade. Ele pode vir à nossa casa quantas vezes sentir vontade. Não vou obedecer a ninguém, nem mesmo a Elvira, se o assunto for impedir nossa amizade.

Renato, olhando para Elvira em tom desafiador, comentou:

— Vejo que não foi desta vez, minha amiga, que destruiu nossa amizade. Mas um dia vou provar a você que Paulo não é esse santo que você idolatra. — Dito isso, Renato caiu na gargalhada, deixando Elvira irritadíssima, a morder os lábios de raiva. O jovem então continuou, dirigindo-se agora à dona Eunice:

— Como sou bem-vindo aqui, me convido para almoçar. Estarei aqui um pouco antes do almoço.

Dona Elvira, preocupada, lhe falou:

— Renato, não temos aqui o que você está acostumado a comer. Nossa horta está feia, e eu não posso matar as galinhas porque estão botando ovos.

— Dona Eunice, isso é de menos. Mando matar um garrote. Tenho muita carne na fazenda. Trarei verduras e frutas. Portanto, não há desculpa que me dê que me faça mudar de idéia.

Paulo sorriu ao ver a espontaneidade do amigo.

Duas horas antes do almoço, como havia prometido, Renato chegou carregado de alimentos. Elvira, apesar das divergências com Renato, no fundo gostava dele. Quando o rapaz ficava muito tempo sem aparecer, ela sempre notava sua ausência. Ironicamente, quem não gostava dessas observações era Paulo, que, embora disfarçasse muito bem, sentia ciúmes de Renato, não só pela beleza física que o amigo apresentava, mas também pelo jeito extrovertido, que encantava pessoas de todas as idades.

Assim, os amigos, naquele dia, tiveram, apesar de tudo, uma refeição feliz.

12

Uma outra tragédia na vida de Renato

Na fazenda de Renato, as coisas iam muito bem. O café, que garantia o conforto dos moradores, estava em alta, fazendo com que os produtos da fazenda tivessem seu valor ainda mais alto. O coronel Donato confiava plenamente na administração de Renato, pois nada ele fazia sem pedir a orientação do velho fazendeiro.

Os dias se passavam, e Caroline estava afoita. Aguardava com ansiedade a data de sua viagem. Ela acreditava que, depois desses momentos a dois, Renato seria mais atencioso com ela. Embora o marido fosse gentil, não era atencioso. Voltara a ficar distante. Sensível como Caroline era, ela vinha percebendo claramente o desinteresse do marido. Muitas vezes adormecia chorando. Renato só chegava de madrugada, cheirando a álcool e a perfume vagabundo de mulher, o que deixava claro à esposa por que ele não a procurava para cumprir as obrigações de marido.

Renato, muitas vezes, andava sozinho na fazenda pensando: "Gosto de Caroline, e sei que tenho feito ela sofrer a meu lado. Contudo, acho que este casamento foi um erro. Eu a quero como uma irmã, e não como mulher. Precipitei-me em acertar o casamento. Acho que Jacira era a única mulher com quem deveria ter me casado. Por covardia, fugi à responsabilidade de pai e marido, e hoje sofro as conseqüências. Agora é tarde para me arrepender. Fiz o que pude para amparar Benedito e a família, mas isso não me alivia a consciência. Tudo que puder farei para tornar Caroline feliz. Mas, infelizmente, não me sinto alegre ao lado dela. E, para ajudar, quando me encontro com essas mulheres mundanas, sempre me sinto vazio e sem esperança".

O rapaz, envolvido com tais pensamentos, observou a imagem da mulher que carregava um embrulho, como se fosse uma criança, embaixo de uma velha árvore de jacarandá. Apeou o cavalo e foi até lá. Ao olhar a mulher, espantado, reconheceu Jacira. A criança, entretanto, não a podia ver. A jovem o encarou por alguns instantes, em seguida lhe dizendo:

— Assassino! Veja o que fez comigo e com meu filho! Jamais será feliz porque eu tornarei sua vida um apanhado de miséria.

Renato tentava dizer algo, mas não conseguia. Sua voz parecia estar presa na garganta. Quando olhou em direção à árvore, não viu mais ninguém. Sentindo-se realmente miserável, o rapaz chorou sentidamente. Ao fitar novamente a árvore, disse em voz alta:

— Jacira, sei que errei. Sei também que deveria tê-la assumido, tanto quanto nosso filho. Peço, por misericórdia, que me perdoe. Sofro muito com esse peso que levo na consciência. Você foi a única mulher que verdadeiramente amei. Como me arrependo por não ter tido coragem de assumi-la. Perdoe-me! — E, chorando, continuou a dizer essas mesmas palavras.

Renato ficou mais alguns momentos parado ali, na esperança de conseguir avistar novamente Jacira. Mas ela não se mostrou mais a ele.

Naquele mesmo dia, Renato foi ao sítio de Paulo a fim de conversar com o amigo sobre o que lhe ocorrera. Paulo, ao ouvir o relato do amigo, disse-lhe:

— Renato, sei que existem espíritos. Minha mãe conta sobre as vezes que viu meu pai depois de morto. Como Jacira morreu ressentida com você, talvez ela queira se vingar. Acho que você deve procurar padre Bento e lhe contar tudo que está acontecendo.

— Não, Paulo, não farei isso. Padre sempre vem com a mesma história, de que mortos não voltam porque ou estão no céu ou no purgatório, fazendo a gente acreditar que é louco ou mentiroso.

— Então, o melhor que tem a fazer é mesmo viajar. Procure esquecer essas coisas. Quem sabe novos ares não lhe farão bem?

— Acho que você tem razão. Quando chegar a Paris, levarei Caroline a museus e teatros. Vamos passear e tentar esquecer os problemas que temos enfrentado aqui. Arrependo-me do que fiz, é verdade, mas o que está feito está feito. Não há remédio para o que já foi. Tenho de fazer de tudo para esquecer.

— Faça isso e será um novo homem quando voltar.

Passados mais doze dias, estava Renato embarcando para a França, mostrando-se extremamente atencioso com Caroline e procurando desfrutar de tudo que a viagem poderia lhes proporcionar.

Caroline estava feliz porque nem mesmo na lua-de-mel Renato fora tão atencioso como naqueles dias. Ele levou a esposa ao teatro e lá assistiram a uma ópera, com a qual ficaram extasiados, tamanha era sua beleza e seu lirismo. Os dias em Paris foram só de alegrias para o casal. Certa tarde, enquanto faziam algumas compras, encontraram, na mesma avenida, um casal de brasileiros que também passeava por ali. Ambos eram amigos dos pais de Caroline, João Pedro e Claudete. Ao verem o casal, exclamaram:

— Caroline, você por aqui?

— Que bom encontrá-los — respondeu a jovem, sorrindo. — Renato, estes são João Pedro e Claudete, amigos de meus pais.

Renato os cumprimentou com simpatia. Simpatizou com eles de pronto, principalmente com João Pedro, que era muito extrovertido.

Como Caroline já estava cansada de andar, convidou-os:

— O que acham de tomarmos um café naquela confeitaria da esquina? Meus pés estão doendo.

Renato completou, dizendo com ar de brincadeira a João Pedro:

— Mulheres! Elas fazem questão de andar na moda, mesmo que isso lhes cause desconforto e dor!

— Ainda bem que não temos esses problemas, não é mesmo, Renato?

Os quatro desataram a rir.

Chegando à confeitaria, sentaram-se a uma mesa, e as mulheres pediram chá com bolo, enquanto os homens preferiram café. Conversaram alegremente sobre muitas coisas. Caroline perguntou dos pais. Contou a Claudete que estava morando na fazenda de Renato, no interior de São Paulo, e que tinham resolvido fazer aquela viagem para sair da rotina da tranqüilidade da fazenda.

O casal de amigos, em contrapartida, disse que viajava porque, sendo João Pedro um homem que trabalhava muito, raramente tinha tempo para a esposa. Por isso, tinham resolvido viajar para aproveitar a companhia um do outro.

Renato gostava mais de João Pedro a cada instante de conversa. Ele era espirituoso e alegre. Caroline, por sua vez, tinha adorado encontrar com pessoas que falavam o português. Embora seu francês fosse fluente, ela não gostava muito de passar dias só se expressando naquela língua. Renato falava francês muito mal, por isso sempre ficava quieto, esperando que a esposa se manifestasse, principalmente na hora de fazer compras.

O tempo foi passando e os quatro não perceberam que estavam ali havia duas horas.

João Pedro, alegando cansaço, olhou para o relógio e chamou a esposa.

— Querida, não acha que está na hora de voltarmos ao hotel?

— Oh, sim, meu querido! Vamos, também estou cansada.

Os dois casais se despediram. João Pedro abaixou-se para pegar os pacotes que estavam no chão, e dos embrulhos caiu um livro intitulado *Le Livre des Esprits*. Renato pegou-o na mão, a fim de ajudar o amigo. Olhando o título, indagou:

— Não o entendo bem. Seria "o livro dos espíritos"?

— Sim, meu amigo. É um livro que trata da verdade sobre os espíritos.

— Você acabou de comprá-lo, não é mesmo? — perguntou Renato interessado.

— Sim — respondeu o outro. — Achei o título interessante, e o autor me é desconhecido, um tal de Allan Kardec.

— Gostei do tema. Vou comprar um para mim também. Afinal, somos assombrados por espíritos o tempo todo — comentou Renato em tom jocoso.

Embora todos rissem de seu último comentário, Renato se referia a algo real. Lembrara-se da aparição de Jacira, e sentiu que aquele livro talvez pudesse explicar coisas que para ele não tinham explicação. Assim que se separaram, Renato não pensava em outra coisa, a não ser no livro. Carinhosamente, consultou a esposa:

— Querida, você deve estar cansada.

— Sim. Por quê?

— Aquele livro do senhor João Pedro me chamou a atenção. Gostaria de procurar um exemplar para comprar. Você quer voltar ao hotel?

— Sim, Renato. Meus pés estão me matando!

— Então eu a levarei ao hotel, e depois vou procurar o livro para comprar.

Caroline ficou desconfiada, pois em Paris a liberdade era bem maior que em outros países. Arrependeu-se em seguida de não ter se oferecido para ir com o marido. Renato, entretanto, prometeu que, assim que achasse o livro, voltaria. Caroline não gostou, mas fingiu não se importar.

Rapidamente Renato saiu e logo encontrou em uma livraria um exemplar do livro que lhe chamara tanto a atenção. Comprou-o e imediatamente voltou ao hotel. Caroline assustou-se ao ver o marido de volta tão rápido. Vendo que não levara mais que vinte minutos para voltar, e sentindo-se aliviada, beijou-o várias vezes.

Renato, sem entender o que ia na mente da esposa, de nada desconfiou. Procurou uma poltrona e se acomodou nela para dar início à leitura.

Embora o francês de Renato não fosse muito bom, ele começou a ler a obra que discorria sobre a imortalidade da alma, a natureza dos espíritos e suas relações com os homens, as leis morais, a vida presente, a vida futura e o futuro da humanidade. Renato ficou tão absorto com a leitura, embora muitas vezes tivesse procurado Caroline para ajudá-lo com a tradução, que esqueceu do tempo.

Caroline, por sua vez, se interessou pelo assunto e, ficando ao lado do marido, muitas vezes lia e traduzia para ele. O jovem, ao ouvir Caroline traduzir o texto do livro, pensava, feliz, que não estava ficando louco, e que tampouco a visão de Jacira era fruto de seu remorso.

O casal, que naquela noite havia combinado de jantar no restaurante mais caro de Paris, esqueceu do horário, e principalmente da reserva que havia feito com antecipação. Leram por mais de cinco horas.

Quando Caroline cansava de ler, Renato pegava o livro e lia em voz alta. Caroline às vezes o interrompia a fim de corrigi-lo, e ambos acabavam rindo. Renato, pela primeira vez, esquecera-se de todos os seus problemas e, com a leitura, foi encontrando, pouco a pouco, as respostas que tantas vezes tinha procurado.

Caroline estava também satisfeita, pois nunca vira o marido realmente tranqüilo como estava. Entretanto, a leitura acabou só no dia seguinte. Ambos estavam cansados, e deixaram-se entregar ao sono.

Quando acordou, Renato ficou pensando sobre o que lera, sobre o que agora sabia da imortalidade da alma, de quem realmente era, de onde tinha vindo, para onde iria após a morte. O jovem refletiu sobre como os espíritos podiam influenciar a vida de uma pessoa, e ficou especialmente tocado pela parte a respeito das leis morais. Renato refletia agora de uma nova maneira sobre sua vida e o que estava fazendo com ela. Pensou em presentear Paulo com um exemplar, mas de nada lhe serviria porque ele não sabia falar francês.

Com essas transformações, Renato começou a sentir alegria na companhia de Caroline. Sempre soube que ela era inteligente e graciosa, mas sem jamais imaginar que seus interesses envolvessem também esses assuntos.

Ao longo dos dias seguintes, vez ou outra Renato relia alguns pontos que lhe chamavam a atenção. O rapaz parecia muito diferente. Caroline estava assombrada. Nesse ambiente feliz prosseguiram viagem. Foram a Londres, depois ficaram quinze dias em Portugal, e aproveitaram para ver uma tourada em Madri.

Ao todo, foram dois meses de viagem.

Logo que voltou, Renato foi ao sítio do amigo entregar os vários presentes que tinha comprado para todos: Paulo, dona Eunice e Elvira.

Doce Entardecer

A euforia sobre o que lera no livro foi aos poucos fenecendo, e Renato voltou a ser o mesmo irresponsável de sempre. Depois de quarenta dias que haviam chegado, Caroline, contentíssima, foi ter com o marido.

— Tenho uma surpresa para você, meu marido. Espero um bebê.

Renato, passando do rubor à palidez, gaguejou para a esposa:

— Como isso foi acontecer? Nós já havíamos conversado que eu não queria um filho agora. Uma criança neste momento só vai atrapalhar meus planos.

Caroline, magoada com a resposta do marido, respondeu:

— Não vejo por que não podemos ter um filho agora. Faz um ano e dois meses que estamos casados, e graças a Deus nossa condição financeira nos permite ter um filho e educá-lo muito bem.

— Sei disso. É que não estou preparado para ser pai. Não quero este bebê. Faça como quiser, mas dê um jeito nesse problema.

— O quê?! Não vou interromper minha gravidez. Se não quer este filho, também não me quer. Este é o caso, não é? Pois bem, voltarei à casa de meus pais.

— Caroline, não quis dizer isso. Mas me sinto confuso. Esta gravidez me preocupa.

A esposa olhou friamente para Renato e lhe respondeu:

— O que quer que eu faça? O que fez a cabocla que matou seu filho e morreu?

Renato, perdendo a cabeça com aquele comentário, deu um soco na barriga da mulher. Caroline despencou escada abaixo, ficando desacordada. O jovem, quando deu pelo que tinha feito, mandou Honório imediatamente correr em busca do doutor Júlio na vila.

A mãe de Renato e Januário levaram Caroline ao quarto, enquanto Renato chorava desconsoladamente. Assim que o médico chegou, constatou que ela estava perdendo muito sangue, e que provavelmente havia perdido a criança.

Renato, desesperado, perguntou ao médico:

— Como ela está, doutor?

— Embora tenha perdido o bebê, seu estado de saúde é bom. Como é jovem, logo ficará bem.

Donato, ao saber do acontecido, chamou Renato ao gabinete e, pela primeira vez, esbofeteou o filho. Em seguida, praguejou:

— Às vezes me envergonho de ser seu pai. Não bastava o que fez com a pobre da Jacira, agora faz isso com sua própria esposa? Pois se algo acontecer a esta jovem, não terei mais filho. Você anda fazendo várias burradas. Pensa que não sei sobre as mulheres da vida com as quais anda se envolvendo? Enquanto fica na farra, deixa sua esposa aqui, sozinha, sentindo falta de sua companhia!

— Meu pai, não quero que nada de mal aconteça com Caroline. Mas ser pai seria para mim uma experiência muito dolorida, que me faria lembrar todos os dias de Jacira.

— Se ocorreu o que ocorreu, foi por sua culpa. Você foi o responsável pela morte de seu filho e da moça.

— Não me faça sentir pior do que já estou. No momento, a única coisa que quero é ver Caroline bem. Quero que me perdoe, e quem sabe no futuro possamos ainda ter um filho?

— Seja homem e cumpra com suas obrigações de marido. Pensa que não sei que anda falhando nisso também?

— Por favor... Esse assunto só cabe a mim e a Caroline. Peço que não se envolva nisso.

Renato saiu da presença do pai e, caminhando sem rumo, foi parar no meio do mato, onde chorou copiosamente.

Dois dias depois, Caroline estava melhor, mas recusava-se a ver Renato, que, por várias vezes, havia tentado entrar no quarto para conversar com ela. Caroline não se conformava de ter perdido o bebê, e sentia que o amor que nutrira pelo marido havia desaparecido, como por encanto. Mas a verdade era uma só: Caroline, embora sem o saber, ainda amava Renato, com todas as fibras de seu coração, mas estava muito magoada com o que ele havia feito.

A jovem ficou mais um mês na cama. Quando saía, pedia que a criada fosse chamar a sogra a fim de ajudá-la. Durante as refeições, pedia que a levassem ao quarto. Não queria ver o marido de maneira nenhuma. Só de pensar nele, sentia uma repulsa que nem ela própria sabia de onde vinha.

Renato estava arrependido, e muitas vezes perguntava a si mesmo: "Meu Deus, o que deu em mim para fazer uma maldade dessas? Onde eu estava com a cabeça quando agredi minha esposa, forçando-a a perder meu filho? Estou cansado de viver; peço que o Senhor se compadeça de mim e tire-me desta vida".

Com um arrastar de dias tristes, uma amargura foi se instalando entre o casal.

Renato já não ia com tanta freqüência à casa de Paulo e, quando o fazia, era sempre para uma visita rápida.

Certa vez, ao conversar com o amigo, perguntou:

Paulo, por que Elvira não lhe dá um filho?

— Não sei. Acho que ainda não é o tempo. Confio em que há um tempo certo para tudo. Nós queremos, mas Deus acha que ainda não é a hora.

— E se descobrisse que Elvira está grávida? Como se sentiria?

— Ah, seria o homem mais feliz da face da terra, e cobriria Elvira de mimos. Mas por que pergunta, Renato?

O rapaz, com olhos marejados, desabafou seu triste drama com o amigo, que ouvia tudo calado. Depois do relato, apenas lhe falou:

— Meu amigo, por duas vezes Deus quis presenteá-lo com um filho, e por duas vezes você recusou. Não o recrimino por isso. Mas acho que é o momento de ter paciência com Caroline. Certamente ela está muito magoada com você. Da próxima vez que Deus trouxer uma criança a sua vida, aceite-a de bom grado.

Renato, aproximando-se do amigo, abraçou-o chorando.

— Por favor, não conte isso a ninguém. Tenho vergonha de ser essa ínfima criatura que sou.

— Não seja severo com você mesmo. Procure aprender com seus erros.

— Paulo, você não é um amigo; é um irmão que Deus me deu — confessou Renato, com toda a sinceridade. — Serei sempre grato por tudo que você e sua mãe têm feito por mim. Não que meus pais não sejam bons, mas às vezes acho que são tão comprometidos com seus próprios problemas que se esquecem de mim. Meu pai, ao saber o que eu havia aprontado com Jacira, me deu uma bronca, e depois amenizou a situação dando um pedaço de chão àquela pobre família. Você acha que terras iriam apagar a falta que a filha lhes faria? Sinto que meu pai deveria ter sido mais severo comigo, mas não, sempre se preocupou com o fato de me dar tudo. Meus erros sempre foram sandices da mocidade. Hoje percebo que não é assim. Várias vezes, enquanto estudava na capital, me envolvi com mulheres casadas. Quando os maridos descobriam e queriam me matar, o que fazia meu pai?

Paulo sacudiu a cabeça, em sinal de negação. O amigo voltou a contar:

— Mandou-me para a Suíça. Queria que eu passasse uma temporada lá. Achou que, quando eu voltasse, as coisas já iam estar nos respectivos lugares. Sei que estraguei a vida de muitas mulheres, cujos maridos não perdoaram a traição, mas minha mãe, por exemplo, sempre dizia que quem tinha de pensar eram elas, porque tinham marido e família. Quanto a mim, era um rapaz solteiro. Veja bem, não estou recriminando meus pais, porém sinto que falharam comigo em relação à educação moral. Para o filho de Donato, Renato, tudo era permitido. Hoje quem sofre as conseqüências sou eu, que carrego a morte de meu filho, da única mulher que amei e agora ainda tenho de arcar com a morte de meu filho perante minha esposa, além de encarar o ódio que ela está sentindo de mim neste momento. Pelo pouco que conheço Caroline, sei que jamais me perdoará. — Respirando fundo, continuou: — Meu amigo, daria toda a fortuna que tenho para ter uma vida como a sua. Você tem uma mãe que está sempre presente e uma mulher que o ama de verdade, e que também é amada por você. Para mim, agora, tanto faz viver como morrer. Acredito que a morte para mim seria uma dádiva de Deus, e que, depois de morto, ninguém mais me perturbará.

— Engana-se, Renato — falou Paulo. — A morte não é solução para ninguém. Por acaso não se lembra de que Jacira morreu e, no entanto, ela não está em paz? Se estivesse, não ficaria se mostrando a você com a criança nos braços, perturbando-o, como há muito vem fazendo.

— Paulo, vou lhe confessar uma coisa. Quando você fala sobre essas coisas, fico aterrorizado, mas uma parte de mim sente que é verdade. Já lhe contei do livro que comprei em Paris, cujo título é *O Livro dos Espíritos*? A obra menciona que os espíritos se relacionam com os homens.

Paulo se interessou pelo assunto, e quis saber mais, mas Renato estava com pressa e disse que lhe falaria sobre aquilo uma outra hora. Depois de mais um tanto de conversa, Renato montou em seu alazão e foi embora. Precisava saber como Caroline estava passando.

Ao chegar à casa da fazenda, o rapaz entrou e não viu sua mãe, como de costume, sentada na varanda bordando. Olhando para os lados, também não viu nenhum de seus criados. Preocupado, subiu correndo as escadas e foi direto ao quarto de Caroline, pois pensava que algo pudesse ter lhe acontecido. Mas, assim que olhou para o quarto, avistou-a encostada em almofadas. Tinha os cabelos negros soltos e olheiras tão profundas que o marido se sentiu penalizado ao vê-la. Em tom humilde, iniciou:

— Que susto, Caroline! Entrei em casa e não vi ninguém. Achei que algo tivesse acontecido a você.

— Se tivesse, garanto que não se preocuparia, uma vez que poderia ter então quantas mulheres agüentasse...

— Não diga isso, Caroline. Estou arrependido pelo que fiz. Peço que me perdoe. O que ocorreu está acabando comigo.

— Não, não o perdôo. Você matou nosso filho e quase acabou comigo. Você nunca mais vai tocar em mim. Desde a morte de nosso filho, você é como um estranho.

— Não diga isso, Caroline. Dê-me uma chance. Assim que você se recuperar, poderemos ter tantos filhos quanto queira.

— Não, Renato. Não vou ter mais filho nenhum. Quando quiser engravidar, me deitarei com o primeiro colono que aparecer. Não é assim que você faz ao se deitar com aquelas mulheres da casa de madame Marie?

— Não vou discutir isso com você. Mas há um porém. Embora não queira mais brigar com você, não admitirei traição. Se assim o fizer, vou mandá-la de volta à casa de seus pais.

— Garanto que serei discreta. Mas nem pense em me devolver a meus pais; caso contrário, eles vão saber o que você me fez.

Indignado com as palavras de Caroline, Renato deixou o quarto.

Ao encontrar a mãe na escada, por estar ainda irritado, contou-lhe tudo que havia conversado com a esposa. Surpreso, viu a mãe se posicionar ao lado da nora.

Renato resolveu sair para caminhar. Pensou em ir à vila, mas os encontros com mulheres já não lhe davam mais o prazer de antes. Aquela foi a primeira vez que Renato se sentiu completamente sozinho. Começou a pensar no porquê das coisas. Por que ele, sendo tão rico, era tão infeliz, enquanto Paulo, com toda a sua pobreza, conseguia sempre estar satisfeito? O jovem começou a pensar que era porque não havia encontrado o amor, aquele do qual os poetas falavam, o mesmo amor que Paulo, várias vezes, mencionara sentir pela esposa.

Renato pensava em suas aventuras amorosas, ora com mulheres casadas, ora com mulheres da vida, e sentiu-se tão vazio que seu coração chegou a doer. Lembrava das inúmeras vezes que estivera sentado na varanda de sua casa, sentindo saudades não sabia de quem nem de onde, e refletia agora sobre o porquê de essa saudade sempre tê-lo deixado nostálgico. Parecia saudade de um tempo que nem sequer havia vivido.

O jovem também pensou nas conveniências que tinha por ser rico, mas, quando pensava em Paulo e Elvira, sentia uma ponta de inveja. Ele, pobre, era feliz, enquanto o filho do coronel Donato não. Perdido nesses pensamentos, ouviu a voz de Honório:

— Patrão, foi arrebentada a cerca que divisa o sítio de dona Eunice, e uma boa parte dos bois foi pastar lá.

— Mas como isso foi acontecer? — perguntou Renato.

— Pelo que sei, os moleques do Getúlio estavam fazendo arte por aquelas bandas. Ao que me consta, foram eles que cortaram a cerca.

Renato imediatamente ordenou a Honório que fossem resgatar os bois. Paulo tinha uma pequena plantação de milho. Se não chegassem a tempo, os bois poriam tudo a perder. Honório acompanhou Renato, que montou rápido em seu alazão. Foram direto ao sítio dos amigos. Quando se aproximaram da cerca e olharam os arames, puderam constatar que haviam sido realmente cortados. Irado, Renato gritou:

— Vamos acertar esta situação e depois pegaremos os pestinhas que fizeram isso. Essa brincadeirinha vai acarretar em prejuízos para meu amigo. Os pais dos moleques também precisam ser responsabilizados.

Honório nada disse. Fazendo o que Renato havia mandado, encontrou doze cabeças de gado pastando no milharal de Paulo, que ainda estava pequeno.

Paulo, assim que soube da invasão dos bois pela chegada de Renato e Honório, correu à plantação de milho, mas, ao observar a situação, viu que era tarde demais. Os bois tinham pisoteado boa parte. O rapaz ficou emudecido tal era sua tristeza. Mas nada comentou. Foi Renato quem disse:

— Paulo, isso não vai ser nada. Arcarei com os prejuízos. Creio que este pedaço de chão haveria de dar cerca de trezentas sacas de milho, portanto as pagarei a fim de que plante outra coisa.

— Não acho justo você fazer isso, Renato. A terra não daria todo esse milho. Vou tentar aproveitar o que sobrou..

— Nada disso. Estou dizendo que vou lhe pagar, como se as tivesse comprado. Você não vai me dizer não porque só estou tentando ser justo, a fim de lhe aliviar os prejuízos. — E, voltando-se ao empregado: — Honório, conduza os bois à fazenda, depois mande que arrumem a cerca. Quanto aos autores desta brincadeira, pagarão bem caro por tamanha irresponsabilidade.

Paulo, ao observar o semblante distorcido em crueldade do amigo, contemporizou:

— Não faça nada, Renato. Já esqueceu que um dia fomos crianças também?

— Por favor, Paulo, não queira se meter em minhas decisões. Essa irresponsabilidade tem de ser punida, ou pelos filhos, ou pelos pais.

— Não acho certo que você castigue os pais por causa de uma brincadeira de criança.

Mas Renato estava alterado, e Paulo viu que não adiantava tentar conversar com ele naquele estado. Sendo assim, decidiu se calar e esperar que a raiva de Renato amenizasse.

Depois de três horas de serviço, os bois já estavam na fazenda novamente e a cerca havia sido arrumada. Contudo, Renato permanecia irredutível quanto a castigar os culpados. Chamando Honório, instigou-o a falar:

— Quem fez esta peraltice?

Honório sabia que Renato não era tão benevolente quanto seu pai. Em virtude disso, tentou ocultar a verdade:

— Não sei dizer, senhor. Provavelmente os bois estouraram a cerca.

— Por favor, Honório, não subestime minha inteligência. Vi que os arames foram cortados. Se não me disser quem foi, porei você na rua e não permitirei que fique em minhas terras por mais um minuto sequer.

O empregado, ao sentir que o patrão não estava de brincadeira, calou-se por alguns segundos, mas subitamente decidiu-se:

— Fiquei sabendo que foram o Zequinha e o Nardo que fizeram essa brincadeira. São filhos de Januário, senhor Renato. Não faça nada aos pais deles; eles nada sabem sobre o assunto.

Renato, ainda indignado, dirigiu-se à roça onde Januário trabalhava e, aos gritos, bradou:

— Enquanto você trabalha aqui feito um touro, sabe o que seus filhos fazem?

— Não, senhor — respondeu o empregado humildemente.

— Pois vou lhe contar: eles cortaram os arames da cerca que divisa a fazenda com o sítio de Paulo, meu amigo, que, garanto, é mais pobre que vocês.

Januário, colocando as mãos na cabeça, disse em desespero:

— Mas como aqueles pestes fizeram um serviço desse?

— Como eu não sei. Mas exijo que os repreenda. Se não o fizer, eu o colocarei na rua sem piedade.

Januário, quase chorando, respondeu:

— Não precisa mandar, patrão. Vou passar o chicote naqueles dois. Se não aleijar, não digo nada.

— Também não é para tanto. Apenas quero que comece a passar serviços para eles, assim não terão tempo para traquinagem.

— Pode deixar, patrão. De hoje em diante vão trabalhar comigo na roça, e estarão sob minhas vistas.

— Faça isso, Januário. A última coisa que quero é mandá-lo embora da fazenda.

Depois que Renato conversou com Januário, viu como o serviço era importante para aquelas criaturas servis e obedientes. Não teria coragem de despedi-los. No final das contas, pensando melhor no assunto, e sentindo a raiva diminuir, Renato chegou a achar graça da traquinagem das crianças.

13

Reconciliação

Paulo, preocupado, temia pela atitude que Renato poderia tomar. Sabia que o amigo era um bom sujeito, mas tinha um temperamento difícil. Quando as coisas não saíam a contento, ele sempre ficava irritado e descontava em quem aparecesse pela frente.

No final da tarde, Renato apareceu no sítio de Paulo como se nada tivesse acontecido. Paulo, ansioso, lhe perguntou:

— O que você fez com as crianças que fizeram aquele buraco na cerca?

— Calma, homem, não fiz nada. Apenas dei uma bronca em Januário para que fique de olho nos filhos. Não vou admitir mais traquinagens de filhos de colonos.

— Não diga isso, Renato. Sei que tem bom coração. Não seja injusto. As crianças, ao fazer aquilo, não imaginavam o que iria acontecer.

— Isso não me importa. De amanhã em diante, vão trabalhar junto com o pai na lavoura.

— Você não pode fazer isso, Renato. As crianças têm de aprender a ler e a escrever para que não sejam analfabetas. Quando der de fato o tempo de começarem a trabalhar, não vão mais poder aprender.

— Isso é verdade. Acho que mudei de idéia. Não quero ser responsável por algum dia os filhos de Januário serem analfabetos e sequer conseguirem lidar com notas de dinheiro.

— Este é o Renato meu amigo.

— Ora, deixe de bobagem. Não sou tão carrasco assim, não. Apenas quero ser justo.

E, mudando de assunto, o amigo contou a Paulo a conversa que tivera com Caroline. Baixando os olhos, confessou:

— Se aquela diaba me trair, não hesitarei em mandá-la para casa de seus pais, desprezando-a pelo resto da vida.

— Não seja tão duro com ela, Renato. Ela disse isso porque está ressentida. Ela jamais vai ter coragem de traí-lo. Acalme seu coração.

— Ela disse que jamais voltará a se deitar comigo porque sabe de todas as minhas aventuras. Sabe, inclusive, que freqüento assiduamente a casa de madame Marie.

— Quanto a isso não poderei dizer se ela o fará ou não, mas posso lhe dizer que você colhe hoje o que plantou ontem. O plantio é fácil; difícil é a colheita.

— Pois é, meu amigo. Agora sei disso. Mas quero fazer de tudo para ter um filho com ela. Não a tirei da casa dos pais para ser infeliz comigo, afinal.

— O importante é você ter paciência.

Dona Eunice se aproximou.

— Meu filho, você jantará com a gente esta noite? Sabe o que fiz para o jantar?

— Não — respondeu Renato desanimado.

— Sopa de mandioca, que você tanto gosta. E coloquei bastante pimenta.

— Acho que não só jantarei como dormirei aqui, para poder comê-la também amanhã de manhã — brincou Renato.

Todos riram com as brincadeiras de Renato, mas apenas dona Eunice percebia o quanto ele era uma pessoa triste. Embora tivesse bom coração, era extremamente leviano.

Naquela noite, Renato jantou com Paulo e sua família, e passava das nove da noite quando resolveu voltar para a fazenda. Em determinada parte do caminho, o rapaz viu um vulto de mulher. Pensou que se tratava de um engano, porque o que poderia fazer uma mulher ali àquela hora? Seguiu seu caminho, mas subitamente o cavalo parou. Renato o comandava, mas nada. Então resolveu descer e, quando novamente avistou o vulto, viu se tratar de Jacira com a criança no colo. Renato, em desespero, gritou:

— O que quer comigo? Vá para o céu ou para o inferno, mas me deixe em paz!

Logo a figura se desfez, e a estrada voltou a ficar tranqüila como sempre. O rapaz, com o coração aos saltos, montou em seu cavalo, que a custo lhe obedeceu, e voltou para casa. Ao chegar, encontrou a mãe à sua espera.

— Renato, o que está acontecendo com você? — censurou a mãe. — Não vá me dizer que esteve trabalhando até agora, pois Honório falou a seu pai que, assim que mandou os empregados voltar para casa, pegou o seu cavalo e saiu. Para onde você foi?

Renato, contrariado com o interrogatório de sua mãe, respondeu:

— Desculpe, mãe. Mas já estou bem crescidinho para ter de dar satisfação a respeito de onde e com quem estive.

— Ah! Então você estava às voltas com aquelas mulheres, não é verdade? Já não chega o fato de ter estragado seu casamento, agora quer matar seus pais?

O jovem, sentindo a raiva subir-lhe, sentiu ímpetos de sair daquela casa e não voltar mais. Contudo, com voz alterada pela emoção, respondeu:

— Não, minha mãe, não estava com nenhuma mulher. Quer saber mais? Não estraguei meu casamento coisa nenhuma. O que ocorreu foi um acidente, e, se Caroline não quer me perdoar, posso colocá-la no trem amanhã mesmo e mandá-la para a casa dos pais. Quanto a vocês, se insistirem em querer comandar minha vida, irei embora daqui de uma vez por todas. É por bondade que lhe darei esta satisfação: estava na casa de Paulo e sua família, e jantei com eles.

— Não sei por que se apegou tanto àquela gente pobre e sem cultura. Você sempre teve tudo que queria, filho. Nunca lhe faltou nada. Poderia se relacionar com quem quisesse de nosso meio, mas não... Prefere nos contrariar e se juntar a essa gente. Não que eu tenha algo contra eles, mas são tão pobres... O que podem ter eles para lhe oferecer?

Renato sentiu sua revolta aumentar, e com ironia respondeu:

— O que essa pobre gente, como a senhora diz, tem, minha mãe, é algo que nunca tive: uma família de verdade. Dona Eunice ama seu filho de uma maneira que até me causa inveja; por outro lado, Paulo casou-se com a moça que ama. Quando estou com eles, posso compartilhar um pouco dessa felicidade. Eles podem não ser ricos, mas têm uma coisa que nós, com toda a fortuna, nunca tivemos: é a felicidade e o prazer em estar juntos. Desde criança, mãe, lembro que tinha de comer sempre primeiro, e deveria me deitar cedo para que você jantasse, pois ou papai estava trancado em seu gabinete, ou estava a perambular pela fazenda. Quanto à senhora, me deixava sempre com as criadas, alegando cansaço ou dor de cabeça. Tive de crescer sozinho porque não podia brincar com os filhos dos colonos, porque eram pobrezinhos.

Renato tomou fôlego e continuou:

— Muitas vezes, da janela de meu quarto, eu avistava os filhos dos colonos brincando, fazendo algazarra, mas, quanto a mim, filho do coronel Donato, estava sozinho. Embora tivesse vários brinquedos, não tinha com quem brincar. Hoje, minha mãe, as coisas não são diferentes. Papai adoeceu, e conversa comigo apenas para tratarmos de negócios. A senhora está sempre atormentando a vida das criadas. Caroline se tornou uma mulher intratável. E quanto a mim, o que fazer? Vou à casa de meus amigos, desfrutar da companhia deles. Não pense que eles são interesseiros. Não aceitam nenhum tipo de ajuda que eu possa oferecer, aliás. Eles gostam de mim pelo que sou, minha mãe, e não pelo que tenho, muito menos pelo filho de quem sou. É por esse fato que não admito que nem a senhora, nem ninguém os critique. Estou já com trinta e quatro anos, e tenho somente eles por amigos.

A mãe, cada vez mais boquiaberta, ouvia o filho continuar:

— Estive na capital por tantos anos, mas só encontrei pessoas que gostavam de sair comigo porque sabiam que eu pagava as despesas das noitadas. Elas não gostavam de mim realmente. Hoje, minha mãe, tenho com quem conversar e sou querido por "aquela gente", como você diz. Eles são como minha família.

— Meu filho, não sabia que pensava isso de nossa família. Por que nunca me disse?

— Não queria causar problemas, minha mãe. Agora vou dormir porque estou muito cansado. Amanhã tenho muitas coisas a resolver na fazenda.

Pedindo licença, Renato seguiu em direção a seu quarto. Desde o incidente com Caroline, não dormia com a esposa nem dividiam mais o mesmo quarto. Ele banhou-se rapidamente, deitou-se e logo voltou a pensar no que vira na estrada. Ao repassar mentalmente a figura de Jacira com a criança, sentiu arrepios e procurou não pensar mais no assunto. Como estava muito cansado, logo adormeceu.

Sonhou que estava em um lugar onde o cenário era muito feio. Havia árvores ressequidas e lama por toda a parte. O mau cheiro que exalava daquele lugar era insuportável. Renato caminhava e, cada vez mais, sentia que seus pés afundavam na lama grudenta do local. Em dado momento, avistou Jacira carregando o pequeno embrulho. Surpreso, perguntou-lhe:

— Jacira, você aqui? Sei que isso é um sonho porque você está morta, e os mortos não voltam.

— Assassino! Assassino! — gritou ela, e começou a agredi-lo com palavras, dizendo que, por causa dele, ela se encontrava naquele lugar horrível. Disse-lhe que ela queria criar o filho, e não fazer o que tinha sido obrigada a fazer.

Renato fitou a figura triste de Jacira.

— Por favor, me perdoe. Estava confuso. Sei que estraguei a sua vida e a de nosso filho por nascer, mas estou muito arrependido.

— Gostaria de poder perdoá-lo. Porém, por enquanto, isso não será possível. Sofro a cada lágrima que derramo, mas lanço mil maldições sobre você também a cada uma.

— Jacira, queria que as coisas fossem diferentes. Contudo, já que é assim, peço a Deus que a ajude a me perdoar, para que você própria tenha mais paz e consiga sair deste lugar tenebroso.

Após dizer estas palavras, Renato acordou sentindo grande mal-estar. Lembrava-se de cada detalhe do que sonhara. Levantou-se, tomou um copo com água e ficou pensando no sonho que tivera com Jacira. Era estranho, mas o que lhe parecia incrível era que a história parecia verdade. "Acho que ver Jacira em todos os lugares está mexendo com meu juízo", pensou ele. "Essas alucinações têm de parar. Caso contrário, minha vida vai ser sempre perturbada pelas coisas do passado."

Nesse instante, forte lembrança lhe veio à mente. Lembrou-se da viagem que fizera com Caroline e do livro que havia lido. Pensou no que o livro falava. Sentindo o coração oprimido, disse em voz alta:

— Jacira, sei que não tem paz também! Por favor, me perdoe. Sofro muito pelo mal que lhe causei.

Renato levantou-se e foi ao corredor. Olhando para a porta do quarto de Caroline, sentiu uma vontade imensa de lá entrar, mas refreou o impulso. Mas, logo depois, ponderou: "Ela não pode me recusar assim. Ainda sou seu marido. Ela tem de cumprir com suas obrigações de esposa". Andando vagarosamente pelo corredor, entrou no quarto de Caroline de modo lento. Avistou-a, surpreendentemente, ainda acordada.

Tentando ser gentil, disse-lhe:

— Vim aqui para saber se você precisa de algo. A noite está fria, e pensei que talvez estivesse descoberta.

— Obrigada pela preocupação. Estou bem. Pode se retirar. Para mim, é um suplício olhar para você.

— Caroline — começou Renato, em voz suave — gostaria que soubesse que o que houve entre nós foi um lamentável acidente. Gostaria que me perdoasse e que pudéssemos viver novamente como marido e mulher.

— Como viver com um homem que matou o próprio filho e que, além disso, não me respeita, deitando-se com com mulheres da vida, que costumam se deitar com qualquer um?

— Estou disposto a recomeçar nossa vida de maneira mais digna. Então poderemos constituir uma família e ter tantos filhos quanto desejar.

— Renato, quando me casei com você, julguei estar apaixonada. Mas você, aos poucos, acabou com aquele sentimento bonito que eu nutria por você. Recomeçar agora será uma farsa porque nosso casamento já acabou.

— Não diga isso. Você ainda é minha esposa. Juro que, daqui para diante, farei de tudo para que seja feliz. Acredite em mim, dê-me uma chance.

Caroline sentiu que as palavras do marido eram sinceras. Embora estivesse mentindo quando dizia que não o amava mais, o ressentimento que sentia por ele continuava ali, latejante em sua alma. Friamente, ela respondeu:

— Você terá de se esforçar muito se quiser conquistar minha confiança novamente. Sou sua esposa e não fugirei de minhas obrigações.

Contudo, para me conquistar, terá de provar que realmente mudou. Você sempre me deixou sozinha aqui a maior parte do tempo, fazendo com que eu me sentisse viúva de um marido vivo. De hoje em diante, se for para recomeçar, como diz, quero estar a maior parte do tempo junto com você, quero fazer parte de sua vida, saber por onde anda, e tem mais: não quero saber de você envolvido com outras mulheres.

— Se este é o preço que tenho de pagar para sermos felizes, aceito suas condições. Eu a levarei a todos os lugares que freqüentar, inclusive à casa de meus amigos que moram no sítio vizinho. Quando for à vila para resolver os assuntos da fazenda, você vai estar sempre comigo. E, de hoje em diante, não me deitarei com outra mulher a não ser você.

Caroline ficou feliz ao ouvir as promessas do marido. Embora ainda houvesse ressentimento em seu coração, ainda o amava. Queria, no fundo, resgatar seu casamento.

Renato, sentado a seu lado na luxuosa cama, enlaçou-a nos braços e, beijando-a várias vezes nos lábios, falou:

— Você faz parte de mim, e eu não quero mais ficar longe de você.

Como Caroline estava convalescendo do aborto involuntário, entretanto, Renato a respeitou. Mas passou o resto da noite a seu lado.

No dia seguinte, quando o coronel Donato o viu saindo do quarto de Caroline, ficou muito satisfeito. Com curiosidade, perguntou:

— E então, meu filho? Acredito que vocês tenham feito as pazes. Isso muito me alegra.

— Sim, papai. Tive meus problemas com Caroline, mas de hoje em diante serei o marido que ela sempre sonhou. Farei de tudo para que seja feliz a meu lado. E, se Deus permitir, logo teremos um filho, que levará o seu nome.

Com satisfação, o velho coronel abraçou o filho.

— Isso mesmo, Renato. Eu o criei para ser um homem, e vejo que não fraquejei em minhas lutas. Faça isso e terá um futuro tranqüilo. Seus dias serão cheios de alegrias, assim como foram os meus. Sua mãe e eu tivemos desavenças, mas nunca dormimos de costas um para o outro. Sempre um de nós cedia. Aprenda a ceder, meu filho, que seu casamento terá muito sucesso.

— Pois é... Casei-me para formar uma família mas, na primeira oportunidade que tive, fiz com que Caroline perdesse a criança. Chega, pai, basta de remorsos. De hoje em diante eu a farei feliz.

Renato ouviu a mãe chamá-lo. Honório o aguardava para resolverem a questão do preço do café. Rapidamente tomou seu desjejum e foi ao quarto. Vendo que Caroline havia acordado, disse-lhe:

— Meu amor, vou ter de ir à vila porque tenho quatrocentas sacas de café para vender. Irei com Honório. Enquanto isso, descanse. Se puder, desça para o almoço. Juro que estarei aqui no horário.

Caroline, sorrindo, respondeu:

— Vá, meu querido. E não se preocupe: ficarei bem. Amo você!

— Também te amo, minha querida.

Renato se dirigiu à vila com Honório. Ao saírem da estação de trem, onde foram depositadas as sacarias, Renato pegou o dinheiro e, satisfeito, pôs-se no caminho de volta. Pretendia chegar logo à fazenda.

Ao saírem da estação, entretanto, coincidentemente Renato encontrou a esposa do desembargador com o marido. O desembargador cumprimentou-o com a mesma atenção de sempre, mas Renato ficou lívido ao olhar para ela. Sua barriga já despontava, crescida.

Foi o desembargador quem lhe contou, animadamente:

— Hoje, meu amigo, me considero um homem feliz. Faz dez anos que estamos casados e, justamente quando eu havia perdido as esperanças, minha querida esposa resolveu me dar este presente. Agora creio ser um homem realizado.

Renato, ao fitar a esposa do desembargador, disse simplesmente:

— Meus cumprimentos, senhora. Vejo que a família vai aumentar.

— Obrigada pelas felicitações. Mas não vejo motivos para tantos festejos. Afinal, a criança nem nasceu ainda.

Renato, ao olhar disfarçadamente para a mulher, percebeu de pronto que o filho que ela levava no ventre era seu, e também que estava ressentida pelo fato de ele ter se afastado sem ter lhe dado nenhuma satisfação. Com um tom de voz frio, ela comentou:

— Ficamos sabendo que você se casou. Nem sequer nos mandou convite, Renato!

— Perdoe-me, mas, como me casei na capital, foi impossível mandarmos convites. Não houve festa, apenas os padrinhos e um almoço, com uma pequena recepção no final da tarde.

— Entendo — respondeu o desembargador em um tom conciliador. — Mas quando seu filho nascer eu quero estar na festa de nascimento.

— Podem ficar tranqüilos que mandarei convites para todos. Vocês serão os primeiros a recebê-lo.

Alegando que precisava voltar rapidamente à fazenda, Renato se despediu e, de cenho fechado, voltou calado. Não era mais o mesmo que havia falado o tempo todo durante o trajeto de ida à vila. Em sua mente, pensava: "Meu Deus, aquele filho é meu. O que posso fazer? Jamais direi algo a respeito, a quem quer que seja. Nem mesmo a Paulo falarei. Prometi mudar meu comportamento e respeitar minha esposa. Esse bebê vai ser filho do desembargador, e não quero mais pensar nisso".

Assim como prometera, voltara para o almoço. Ao chegar notou Caroline bordando na varanda. Com a claridade do dia, notou como ela estava abatida. Tinha olheiras profundas. Ao vê-lo, esboçou um sorriso e se levantou, aguardando que ele se aproximasse dela. Renato, ao vê-la à sua espera, comentou:

— Fiz o possível para manter minha palavra. Perdoe-me pelo atraso. É que as sacarias que foram levadas à estação tiveram de aguardar porque o trem atrasou. Por isso tive de esperar.

— Não se incomode. Sei que fez o que pôde para estar aqui no horário. O importante é que veio. Vamos aproveitar. Desde que chegamos de viagem, não fizemos mais as refeições juntos.

— Caroline, quero que saiba que você é a pessoa mais importante no mundo para mim. Não quero vê-la magoada comigo nunca mais. Assim que pudermos, quero ter um filho com você.

Caroline sorriu.

— Sempre quis que nosso casamento fosse assim. Vamos esquecer o passado, e recomeçaremos daqui em diante.

O almoço transcorreu tranqüilamente, porém Renato estava apreensivo, de modo que seu pai logo percebeu e, com curiosidade, perguntou:

— Há algo que o está perturbando, meu filho?

Renato, pego de surpresa, arrumou uma desculpa que satisfez a curiosidade de todos.

— Meu pai, vendemos todo o nosso café, mas não sei se o preço foi justo.

— Não se queixe, meu filho. Pelo preço que conseguimos, pode-se dizer que o vendemos a preço de ouro.

A mãe de Renato comentou:

— Detesto esse tipo de conversa durante as refeições. Vamos comer em paz.

Caroline estava especialmente feliz naquele dia. Desta vez, parecia que seu casamento ia dar certo. Os pais de Renato também estavam satisfeitos com o rumo que as coisas haviam tomado.

Ao terminar de almoçar, Renato pediu licença:

— Estou me sentindo um tanto indisposto. Acho que não vou percorrer a fazenda na parte da tarde. Vou me deitar para ver se essa dor de cabeça melhora.

A mãe de Renato mandou que a criada fizesse um chá para Renato, que ele aceitou de bom grado para evitar falatórios. Dirigiu-se ao quarto de hóspede e deitou-se. Em sua cabeça, fulminava-o o pensamento de que a esposa do desembargador estava grávida. Renato tinha certeza de que o filho que ela carregava no ventre era seu. Renato pensou na criança, e decidiu que nunca se aproximaria dela, a fim de não causar aborrecimentos nem a ele próprio nem à esposa do desembargador.

Como havia decidido guardar o segredo a sete chaves, nem mesmo para Paulo, seu melhor amigo, ele contara. Queria que todos vissem sua mudança, que havia de fato ganhado responsabilidade, que era um novo Renato.

O tempo transcorria tranqüilo.

Renato não freqüentava mais a casa de madame Marie, tampouco se envolvia em aventuras com outras mulheres.

Seu casamento ia bem. Embora ele não amasse Caroline, fazia de tudo para se mostrar atencioso e gentil. Sempre a levava junto quando ia à casa de Paulo e Elvira, de modo que as duas mulheres fingiam ser amigas, pois Elvira nunca gostara realmente de Caroline, nem esta de Elvira.

Caroline gostava muito de Paulo e de sua mãe, Eunice. Considerava Elvira mimada demais e muito autoritária. A esposa de Renato achava, de fato, que a esposa castigava Paulo com seus desmensurados caprichos.

As visitas de Paulo e Elvira à fazenda de Renato se tornaram constantes, e os pais de Renato viam com bons olhos a amizade que Renato e Paulo mantinham.

Dona Eunice raramente comparecia a essas visitas porque não se sentia bem, embora a mãe de Renato tivesse sempre procurado tratá-la com delicadeza e cortesia.

Certo dia, Renato estava na vila tratando de negócios quando soube que o filho do desembargador havia nascido. Era um menino. Embora com ímpetos de lhe fazer uma visita, sentiu-se constrangido. Sabia que a mãe da criança não fazia questão de vê-lo. Por isso, Renato teve a idéia de levar seus pais à casa do desembargador a fim de fazerem uma visita de cortesia. Os pais de Renato aceitaram o convite do filho, mas sequer imaginavam que aquela criança era neto deles. Foram inocentemente à casa do desembargador, portanto. Ao chegarem, foram muito bem recebidos pelo dono da casa. Alegremente, o pai mostrou a criança aos visitantes.

Renato, ao olhar para a criança, viu logo sua semelhança com os traços de seu pai: o mesmo furo no queixo do coronel Donato estava ali. Sentiu-se emocionado ao carregar a criança, mas procurou disfarçar, dizendo:

— Poxa, o bebê é muito parecido com o senhor, desembargador. Olhe, até mesmo o formato do nariz é igual!

O desembargador, todo satisfeito, comentou:

— Todos dizem isso. Por esse motivo, terá o nome de meu pai, Maciel Hernandes, e será também um magistrado, assim como meu pai foi.

A esposa do desembargador permaneceu calada a maior parte do tempo. Quando a criança começou a chorar, pediu licença e se retirou, levando o pequeno Maciel. Renato, ficando sem assunto, convidou os pais:

— Meu pai, não acha que está na hora de irmos embora? Vejo que Caroline está cansada, e confesso que também estou.

Dessa maneira os pais de Renato foram embora, prometendo voltar mais vezes. Mas Renato não estava preparado para o que viria a seguir.

— Convido vocês, tanto sua esposa com o senhor — falou cerimoniosamente o desembargador —, a serem padrinhos de Maciel. O batizado será dentro de quinze dias.

— Fico muito feliz! — comentou o coronel Donato. — Pode deixar que a festa corre por nossa conta. Convide quem desejar. Vamos gostar de dar uma recepção majestosa em nossa fazenda.

Ao fitar o pai, Renato viu que não tinha alternativa senão aceitar o convite. Caroline também não fez nenhuma objeção.

Entretanto, havia alguém que não tinha gostado nem um pouco do convite. Era a esposa do desembargador. Assim que os convidados saíram, ela lhe falou, com hostilidade:

— Por que você faz questão de que o filho do coronel Donato seja padrinho de nosso filho? Acho que ele não é a pessoa mais indicada para tal missão.

— Por que você não quer que Renato e Caroline sejam padrinhos de Maciel? Há algo que não sei?

A mulher se sentiu embaraçada. Tentando disfarçar o rancor, disse ao marido:

— Não tenho nada contra Renato e sua esposa, apenas o acho leviano demais. Você conhece bem a sua reputação de galanteador.

— Mas, querida, não temos nada a ver com os problemas íntimos de Renato. Essa fraqueza faz parte da sua mocidade. Depois de um tempo isso passa. Além do mais, ele é filho de um homem ilustre da região, e você sabe que, se acaso ele não tiver herdeiro, nosso filho poderá se tornar seu herdeiro por consideração.

— Não vejo assim — respondeu a mulher. — Para nós, nada falta. Temos mais que o necessário para viver. Nosso pequeno Maciel não vai precisar do dinheiro daquele rapaz irresponsável e leviano. Temos de pensar bem se vamos dar o nosso filho para ele apadrinhar. Não se esqueça de que os padrinhos têm obrigação de ficar no lugar dos pais, caso aconteça algo conosco. E, pelo que sei, Renato não terá amor suficiente para cuidar do pequeno Maciel. Por isso sou contra ele batizar nosso filho.

— Você está delirando, minha querida. Renato está se mostrando excelente marido e um ótimo administrador da fazenda e dos bens do pai. Não vou voltar atrás em minha decisão. O filho do coronel e sua esposa serão os padrinhos de nosso filho, e assunto encerrado.

Dona Luzia Albuquerque de Lima se dirigiu ao quarto contrariada com a decisão do marido. Ao fitar o pequeno Maciel, pensava: "Como a vida é estranha. O pai vai batizar o próprio filho, e não poderei fazer nada. Apenas José não percebeu a semelhança do menino com a família do coronel Donato". Entretanto, como era de sua natureza não contrariar as decisões do marido, procurou não pensar mais no assunto, embora guardasse em seu coração a paixão por Renato, cujo resultado fora o nascimento do inocente Maciel.

Renato, por sua vez, voltou para casa calado. Não queria a responsabilidade de ser padrinho do próprio filho. Contudo, como não podia desabafar com mais ninguém sobre aquele assunto, a não ser com Paulo, decidiu que iria no dia seguinte à casa do amigo, sem Caroline, para que pudessem conversar. O filho do coronel se enternecia ao lembrar do rosto do pequeno Maciel. As mãos do bebê eram como as suas. Não era de todo ruim. Se fosse mesmo o padrinho do garoto, pretendia passar algum tempo com a criança para que ela viesse a gostar dele, não como pai, é claro, mas como um padrinho querido.

Caroline percebeu que o marido estava mais calado que o habitual. Porém, jamais imaginaria o porquê de sua introspecção.

Ao chegar em casa, Renato não esperou pelo café que a criada Joselina havia preparado, e foi direto ao quarto, chamando por Caroline. Enquanto se deitava, Renato olhou fixamente para o rosto da esposa, e lhe disse:

— Meu amor, sei que cometi muitos erros com você. Mas, de todos eles, o pior foi ter rejeitado nosso filho. Hoje, ao ver o pequeno Maciel, filho do desembargador José de Albuquerque, juro que senti um grande remorso, e você não sabe a vontade que me deu de ser pai. Querida, quero muito ter um filho com você.

— Renato — confessou Caroline —, você não sabe a alegria que está me dando. Ser mãe sempre foi meu maior sonho.

— Então, o que estamos esperando? Faremos nossa parte que, garanto, Deus se encarregará do resto.

Na manhã seguinte, tanto Caroline quanto Renato estavam felizes. Pareciam se encontrar novamente em lua-de-mel. Quem ficou satisfeito com o comportamento do casal foram os pais de Renato, que se mostravam sempre carinhosos e atenciosos com sua esposa.

Caroline parecia uma adolescente e, quando Renato saiu, a moça o acompanhou e deu-lhe um sonoro beijo nos lábios. Renato olhou com ternura para a esposa.

— Espere-me para o almoço. Virei almoçar com você. Pretendo continuar com nossa empreitada para realizarmos nosso sonho.

Caroline, sorrindo, respondeu:

— Não demore. Vou ficar esperando por você.

Quem ficou intrigada com a conversa do casal foi a mãe de Renato. Ousou se intrometer, perguntando aos dois:

— Posso saber que conversa é essa? Do que vocês estão falando?

Renato piscou um olho para Caroline, deu uma gargalhada e disse baixinho, só para a esposa ouvir:

— Por favor, não diga nada a ela. Não quero que ninguém saiba. É um segredo nosso.

Caroline sorriu.

— Renato, amo você!

Foi assim que, feliz da vida, Renato saiu para a jornada do dia.

Honório já esperava o patrão no pé da escadaria que dava para a varanda.

— Honório, hoje não estou muito disposto a trabalhar. Tome conta dos cafezais e do milharal. Vou ao sítio de Paulo. Se houver algum problema, tente resolver; caso contrário, me espere. Mas lhe garanto

que nada de grave vai acontecer. — Dizendo isso, Renato montou em seu cavalo e se dirigiu à casa dos amigos. Ao chegar ao sítio, avistou Paulo limpando o pomar. Indo a seu encontro, saudou-o:
— Bom dia, meu amigo! Como vão as coisas?
— Sem novidade nenhuma.
— Mas que desânimo é este?
— Ah, Renato, estou cansado. Minha mãe e Elvira não estão se entendendo bem. Elvira sempre coloca defeito em tudo que minha mãe faz. Ando percebendo que minha mãe está muito triste. Não sei mais o que fazer. De um lado, minha mãe, a mulher que me criou e que me ama, com toda a força de seu coração; do outro, Elvira, a mulher que eu amo. Só de imaginar perdê-la, meu coração já dói. Não sei o que fazer para solucionar esse impasse. Jamais vou deixar minha mãe. Por outro lado, nem quero pensar em deixar Elvira.

Renato viu muita tristeza estampada no olhar do amigo. Como movido por uma força maior, Renato soltou, decidido:
— Acho que Elvira tem de ceder. Você é filho e ela nunca vai conseguir tirá-lo do coração de dona Eunice. Deixe-me falar com ela. Quem sabe ela não me ouve?

Paulo sorriu tristemente e disse:
— Obrigado por tentar, meu amigo, mas o temperamento de Elvira é difícil. Ela é inflexível!
— Desculpe-me falar assim, Paulo, mas, se Elvira é assim, é porque você é muito cordato. Seja mais duro com ela e a faça se colocar em seu lugar. Você sabe o quanto eu aprecio sua mãe. Não vou permitir que Elvira a faça sofrer.

Paulo, sabendo que tanto Renato quanto Elvira tinham gênios difíceis, arrependeu-se de ter desabafado com o amigo. Tentou contemporizar:
— Deixe, meu amigo. Vou falar com Elvira. Não se preocupe com este problema.

— Ora, por favor, Paulo! Sei que você teme uma discussão minha com Elvira. Mas somos quase irmãos; não ficara nenhuma mágoa entre nós.

Paulo tratou de mudar de assunto. Renato então lhe contou sobre o filho que a esposa do desembargador tivera. O amigo ouvia tudo com atenção. Ao final, apenas respondeu:

— Sua situação é complicada. Sugiro que não comente esta história com mais ninguém. Se essa desconfiança chegar aos ouvidos do desembargador, ele pode tentar matá-lo.

— Não, Paulo, você é único que sabe disso. Agora me diga onde está Elvira que pretendo falar com ela.

Paulo, tentando dissuadi-lo:

— Deixe isso para lá que eu mesmo resolvo!

— Não vou deixar, Paulo! Você é muito manso. Mulher a gente tem de domar, nem que seja no laço.

— Não concordo com isso. Elvira faz parte de mim.

— Não seja piegas, meu amigo. Primeiro a educação, depois o amor. Discipline sua esposa para que ela não venha lhe causar problemas mais adiante.

— Elvira jamais me causaria problemas. Ela é, ao contrário, a solução de todos os meus problemas.

— Chega de lorotas. Onde ela está?

— Deve estar dentro de casa. Cuidado com o que vai lhe dizer; não quero vê-la sofrer.

— Prefiro que ela sofra a você sofrer. Sofrimento de homem apaixonado é fogo!

Sorrindo, Renato se afastou rumo à pequena casa de Paulo. Ao chegar, encontrou Elvira brincando com a lebre e lhe dando um pedaço de cenoura. Foi logo ao assunto:

— Olha aqui, menina — foi dizendo, sem ao menos cumprimentá-la antes —, sei que você tem deixado dona Eunice entristecida.

Aqui não é a casa que você cresceu e que todos tinham de ouvi-la. Dona Eunice é uma mulher simples, mas alguém a quem prezo muito. Seja realista, coloque os pés no chão e veja que ela é uma mãe para você. Você vive dizendo que ama seu marido, mas para mim isso é mentira. Você não me engana. Só queria enfrentar seus pais, mostrando que era dona de seu nariz.

— O que você está dizendo, seu troglodita? Eu amo meu marido e não admitirei que você, nem ninguém, duvide disso. Se enfronto a miséria, é por amor. De nada reclamo. Agora, em relação à dona Eunice, ela faz tudo ao contrário do que gosto. Realmente, não temos nos dado muito bem, mas sei que com o tempo isso se resolverá.

— Você percebeu o quanto ela anda triste? Não tem coração ao ver uma pessoa, cujos anos lhe pesam, chateada por sua causa? O que você faz para ajudar? Fica criticando a maneira de ela agir, querendo que faça o que sua mãe fazia. Mas ela não é sua mãe. É, sim, mãe de seu marido. Quando digo que não ama Paulo é porque não percebe o quanto essas diferenças de vocês o entristecem. Coloque-se no lugar dele. Ora você fala mal da mãe dele, ora a mãe dele fala mal de você. Ele tem de ficar no meio, pois, afinal, ama as duas e não quer se indispor com nenhuma. Acho bom você refletir bem sobre isso. Elvira, você não é mais criança. Pare de se comportar como uma menina mimada. Embora Paulo e dona Eunice sejam simples, eles têm a mim para defendê-los, quer de você, quer de qualquer outro que queira prejudicá-los.

Elvira, ao ver o amigo tão irredutível, tratando-lhe com firmeza, não conseguiu segurar as lágrimas que teimavam em cair. Por fim, concordou:

— Acho que tem razão. Tenho sido intolerante com dona Eunice. Ela tenta me agradar, mas sempre me irrito. Acho que vou tratá-la melhor. Amo muito Paulo e não quero vê-lo sofrer.

— É isso mesmo que deve fazer. Vejo que você é uma mulher inteligente. Para segurar seu marido, tem de achar um lugarzinho no coração da mãe dele também. Faça o que lhe digo, seja mais madura em relação a esse impasse, e verá que tudo se transformará para melhor.

Embora Elvira tenha chorado, em nenhum momento ficou ressentida com Renato. Ele era o único que tinha coragem de lhe dizer as palavras duras que ela precisava ouvir. O amigo, entretanto, para não prolongar aquele sofrimento, ao ver Elvira chorar, mudou o rumo da conversa, falando novamente que iria reembolsá-los do prejuízo causado pelos bois. Elvira fingia estar interessada no assunto, mas na verdade pensava em como tinha agido mal com dona Eunice, sua sogra.

Renato conversou por cerca de uma hora com Elvira. Após, foi cumprimentar dona Eunice, que confessou não estar passando muito bem naquele dia. Sentia dores no peito. Ao ouvir aquela queixa, Renato voltou à fazenda e pediu que Honório fosse chamar o doutor Júlio na vila. Mandou que viesse o mais rápido possível, que seria bem pago pelo serviço.

Paulo também se encontrava preocupado com a mãe, mas tinha medo de expressar a preocupação e se indispor com a esposa.

Renato, assim que deu ordens a Honório, foi até a casa-grande e chamou Caroline para ir com ele até a humilde casa de Paulo porque dona Eunice não se sentia bem. Caroline concordou em seguir o marido até o sítio vizinho. Embora não gostasse muito de Elvira, apreciava muito Paulo e sua mãe.

O casal chegou com o médico, que apressadamente viera da vila. Enquanto o aguardavam examinar dona Eunice, ficaram calados, esperando o que o doutor teria a dizer. O médico indagou à senhora:

— Dona Eunice, o que a senhora está sentindo?

— Bem, faz dois dias que não venho me sentindo muito bem. Sofro de dores no peito, e há horas em que a fadiga que sinto é tão grande que parece me consumir.

— Pelo que posso ver, a senhora está com um esgotamento nervoso muito grande. Acho melhor tomar um calmante, que vou lhe receitar e, junto, tome bastante chá de erva-cidreira. Os dois a ajudarão a melhorar. Contudo, para que a senhora se recupere de fato, sugiro que mantenha a calma. Pelo seu estado clínico, dá para ver que a senhora tem ficado nervosa, e isso é prejudicial à saúde.

Ao ouvir aquelas palavras do médico, Elvira começou a chorar. Confessou-se culpada pelo estado de saúde de sua sogra e, ajoelhando ao lado da cama de dona Eunice, prometeu:

— Dona Eunice, sei que tenho lhe causado muitos aborrecimentos. Peço que me perdoe. Desde que saí de minha casa para casar com seu filho eu a tenho como minha mãe. Por favor, não leve em conta as minhas grosserias; elas são involuntárias. Se algo lhe acontecer, o que será de mim e de Paulo?

— Não se culpe, minha filha. Você é uma moça diferente de nós, por isso não a culpo por ser tão exigente. Contudo, minha filha, para que Paulo seja feliz, nós duas temos de nos dar bem. Quanto a mim, prometo que não mais me intrometerei em sua vida. E você, filha, me deixe fazer as coisas do meu jeito.

Paulo, ouvindo a conversa das duas mulheres, compreendeu o quanto tinha sido omisso diante da situação. Tornando para o médico, falou-lhe:

— Doutor, não tenho dinheiro para comprar o remédio que o senhor prescreveu, porém juro que minha mãe terá mais paz.

— Com o remédio não se preocupe — respondeu Renato. — Mandarei Honório ir até a vila para comprá-lo. As despesas correm por minha conta.

— Obrigado, meu irmão — respondeu Paulo. — Sem você não sei como faria. Mal temos o necessário. Nunca me sobraria o dinheiro suficiente para comprar esse remédio nem para pagar as despesas do médico.

Doutor Júlio deu a Renato o receituário e pediu que dona Eunice guardasse repouso por uns dois dias.

Após a saída do médico, Renato chamou Paulo em um canto.

— Paulo, isso não pode mais continuar assim. Você não pode se omitir diante da situação. Não tenha medo de perder Elvira. Ela é apenas sua esposa. Tenha medo de perder sua mãe, porque mãe é uma só.

Paulo teve de concordar com o amigo. Ele teria de tomar uma posição diante daquela situação absurda.

Assim que todos saíram, Paulo chamou Elvira para uma conversa particular.

— Elvira, você sabe o quanto eu a amo. Fiz muitas loucuras, e a maior delas foi ter roubado você de seus pais. No entanto, também amo minha mãe. Desde que meu pai morreu e meus irmãos foram embora, ela só tem a mim. Por isso, de hoje em diante, não vou permitir que você a afronte, e peço que tenha mais paciência com ela. Nós nunca seremos como você. Somos gente simples, da roça. Mas, apesar de simples, somos dignos. Não vou deixar que a faça ficar doente por causa de seus caprichos.

Elvira, soluçando, abraçou o marido.

— Sei que tenho sido intransigente com dona Eunice. De hoje em diante prometo que não a deixarei nervosa. Eu o amo, e quero vê-lo feliz. Mas como você vai poder ser feliz da maneira que estamos vivendo, comigo sempre implicando com sua mãe, não é?

Foi assim de fato. Depois daquele dia, as coisas entre Elvira e a sogra melhoraram, e muito. Elvira não implicava mais com a sogra, e dona Eunice não se intrometia na vida conjugal do filho. Mas a paz ainda não viria a reinar absolutamente por ali.

14

Elvira e Eunice

Embora o ambiente fosse tranqüilo na casa de Paulo, dona Eunice estava longe de se sentir à vontade na presença da nora. Sabia que ela se esforçava para não causar transtornos, não porque gostasse dela, mas porque procurava viver melhor com o marido. E, embora se aplicasse nessa função, ainda assim dona Eunice percebia o desagrado de Elvira, que por vezes olhava a sogra com ares de deboche, algo que lhe era incontrolável.

Dona Eunice, como prometido, fazia sua parte. Mas, ainda assim, a nora nunca parecia satisfeita.

Dona Eunice tomou por hábito ir à casa de dona Genoveva, uma amiga, com quem gostava muito de conversar. Não tinha mais o mesmo prazer de ficar em sua casa porque tinha de compartilhar o local com Elvira.

Conversava com dona Genoveva, mas nunca falava mal da nora. Mas dona Veva, como era chamada, vinha percebendo que sua amiga não estava muito bem. Dona Eunice sempre fora alegre e espontânea. Entretanto, ultimamente vivia calada, e pouco falava sobre o filho ou a nora. Dona Veva foi sincera quando perguntou:

— Nice, o que está acontecendo com você? Não se mostra mais alegre como antes, não conta mais anedotas e tampouco fala da situação do sítio. Desabafe, minha amiga. Problemas às vezes ficam menores quando falamos sobre eles. Talvez para a senhora seja grande, mas, quem sabe, visto por um ângulo diferente, ele se torne mais fácil de resolver?

Dona Genoveva era uma senhora que possuía uma grande propriedade. Viera da capital para ter um pouco de sossego no interior, embora seu marido continuasse a trabalhar na capital como tabelião de um pequeno cartório. Veva tinha várias pessoas que a ajudavam a cuidar da propriedade, que não chegava a ser uma fazenda, mas também não poderia ser considerada um sitiozinho. As terras se perdiam de vista, embora a propriedade fosse pequena, se comparada com a do coronel Donato.

— Não, minha amiga, meu problema não tem solução. Está sendo muito penoso ficar na situação em que me encontro. — E, aos poucos, dona Eunice foi se abrindo e contando tudo por que passava à amiga. — Dona Veva, não sei o que faço. Tenho procurado viver bem com ela, embora não tenha aprovado a decisão de Paulo, que resolveu fugir com ela para se casar. Mas, como ele é muito apaixonado por essa moça, procuro agradá-la para que meu filho fique feliz. Mas ela não reconhece. Antes dizia abertamente o que pensava; depois que Renato, amigo nosso, conversou com ela e mostrou que as coisas não são assim, ela procurou melhorar. Porém, vejo que suas atitudes em relação a mim não são verdadeiras. Quando faço ou digo qualquer coisa a Paulo, ela me olha como se eu fosse um intrusa dentro de minha própria casa. Fico pensando comigo: o que fiz a Deus para merecer isso?

Dona Eunice levou alguns minutos para conter a emoção. Depois prosseguiu:

— Sempre procurei me dar bem com todos. Ajudei muitas pessoas quando, na verdade, minha situação financeira nem permitia. Cuidei de meus filhos com todo o desvelo que uma mulher de valor pode ter, e veja o que recebi: dois de meus filhos quiseram a parte deles no sítio. Como se ainda não bastasse, foram embora. Nunca mais me deram notícias, nem sei onde e como estão. Paulo, que sempre foi o mais amigo de meus filhos, deixou-se levar por uma moça caprichosa. Ele observa o que ela faz comigo, mas nada diz com medo de desagradá-la. Sinto que perdi o único filho que ainda me restava.

— Não sei por que se desespera, minha amiga. Vejo que há problemas maiores que o seu. Embora sinta que seu filho está distante porque arranjou uma esposa, saiba que este é um seguimento natural da vida. Será que não está sentindo demasiada pena de si mesma?

— Claro que não! Estou me anulando para ver meu filho feliz. Se faço isso, é por amor.

— Minha amiga, quando seus filhos foram embora, você ficou com Paulo, que entrava na adolescência. Como seu marido havia morrido, você se apegou demais a ele. Mas já parou para pensar que Paulo, ainda que seja seu filho, não é uma propriedade única e exclusivamente sua? Assim como o sítio que lhe pertence.

— Mas, Veva, nunca vi meu filho como sendo meu. Eu o criei para o mundo, para enfrentar os desafios da vida.

— Desculpe, dona Eunice. Você é minha amiga, mas não é assim que vejo. Na verdade, essa mudança de comportamento, esse mutismo, é porque está sentindo que seu filho anda dividido entre a mãe e a esposa. Você se ressente de não ser mais o centro das atenções de seu filho. Minha amiga, quando um espírito reencarna na Terra, os pais biológicos são os meios para que esses espíritos venham evoluir seu condicionamento espiritual. É bem verdade que nosso querido mestre Jesus comentou sobre a obrigação de todo homem de honrar pai e mãe. Por que ele nos disse isso? Para que todos pudéssemos sempre ser gratos a Deus e a nossos pais pela oportunidade de estar aqui na crosta terrestre, tentando aprimorar o espírito. Mas isso não nos dá o direito de sermos egoístas. Deixe seu filho seguir o caminho dele. Esta é a forma de orientá-lo, no momento, para que seja um homem de bem.

— Você está sendo tão dura comigo! Chego a duvidar de que realmente seja minha amiga. Nunca fui egoísta. Antes, gastei toda a minha juventude cuidando de meu marido e dos meus filhos. Malvino Deus levou cedo para junto dele. Quanto aos outros dois, Isaías e Ismael, logo após o pai ter morrido, exigiram que eu vendesse parte do sítio, que já não era muito grande, e lhes entregasse a parte deles em dinheiro. O único que me restou foi Paulo.

— Por que fez todo este sacrifício? — indagou dona Veva.

— Ora, que pergunta. Fiz por amor — respondeu dona Eunice.

— Hoje, Eunice, você está triste porque sente que está perdendo o amor do único filho que lhe restou. Será que isso não é um sinal de egoísmo?

— Já lhe disse que não sou egoísta. Se fosse, não teria cuidado tanto de minha família como cuidei. Passei por privações, muitas vezes deixei de comer para que nada lhes faltasse. E agora, o que recebo? Ingratidão é o que recebo! Primeiro de meus dois filhos, que foram embora; agora de Paulo, a quem mais devotei minha vida, que arranja uma esposa que vive a me perturbar. E Paulo nem se importa; ele nunca se indispõe com a mulher em minha defesa.

— Isso não é ingratidão. Trata-se de um ciclo natural da vida. Seu filho se desapegou de você porque agora tem uma esposa. Aceite isso com naturalidade. Veja que seu filho amadureceu e está formando uma nova família. Não pense que, por ter dispensado tanto amor a ele, Paulo agora tem de ficar contra a esposa, a seu lado. Entenda que, para ele, também é difícil. Como não deve estar este rapaz, entre as duas? Deixe esse lugar de vítima, Nice. Você age como se sua nora estivesse afastando Paulo de você, e a vida responde de acordo com nossos atos.

— Mas como você pode dizer que a vida responde de acordo com nossos atos? Sempre procurei ser uma boa esposa e depois uma boa mãe. Agora vejo que meu trabalho foi inútil.

— Amiga, entenda, você acha que a vida está sendo injusta com você, mas é o contrário: ela é justa, e só responde aos seus atos.

— Veva, você quer dizer que sou culpada pelo que está acontecendo?

— Não, minha amiga! — respondeu de pronto dona Genoveva. — Não se trata de culpa, mas de como aceitamos os fatos comuns da vida. Você diz que procura tratar bem a esposa do seu filho, mas será que inconscientemente não deixou transparecer que não aprovou o casamento deles?

— Não! Tenho plena consciência de que nada fiz para que ela se sentisse assim. Muito pelo contrário, sempre a tratei com tolerância e bondade, mas ela sempre se mostrou irascível e mimada.

— Pois então o que posso lhe dizer é que a vida presente responde muitas vezes pelos atos passados.

— Você quer dizer que o passado traz algo de mal ainda que não tenha feito nada contra ninguém? Quando repasso minha vida mentalmente, vejo que só procurei ajudar a todos e fazer o bem.

— Se não fez nada de mal nesta existência, será que na outra não cometeu nenhum deslize?

— O quê?! Outra existência? O que é isso? Não estou entendendo nada — respondeu dona Eunice, perplexa.

— Deixe-me explicar melhor. Todos nós já vivemos muitas vezes na Terra. Ou seja, quando morremos, nosso corpo físico se decompõe, mas o espírito permanece vivo, porque é eterno.

— Que conversa é essa, Genoveva?

— Nunca ouviu falar em reencarnação?

— Reencarnação? Não, nunca ouvi. O que é?

— Vou tentar explicar desde o começo. Quando Deus nos criou, fez-nos espíritos simples e ignorantes e, a fim de que crescêssemos e aprendêssemos, ele nos deu sempre a oportunidade de um recomeço. Por exemplo, todos nós já tivemos várias passagens pela Terra, e em cada encarnação aprendemos algo. Entretanto, como somos ainda crianças espirituais, cometemos muitos erros. Várias pessoas que convivem com a gente hoje podem muito bem ter sido nossos companheiros de jornada em algum lugar de nossa existência. Por exemplo, já parou para pensar que você e Elvira podem ter vivido numa mesma época e numa mesma família? Talvez apenas isso possa explicar a implicância gratuita que ela lhe direciona. Paulo pode ser apenas um pretexto para que a implicância aconteça. Talvez vocês já passaram por algum tipo de rivalidade antes, e agora você se sente mal com toda essa situação.

— Veva, sempre a tive como uma pessoa equilibrada e lúcida, mas essa história de que vivemos em corpos diferentes é pura fantasia. Eu a respeito muito, mas não posso aceitar uma idéia maluca assim.

— Minha amiga, vou lhe contar algo que ocorreu há anos. Quando ainda era uma simples adolescente, meu pai resolveu comprar umas terras no Rio Grande do Sul. Viajamos por lugares que nunca pensei que existissem. Quando chegamos à capital, passei em frente de uma casa e fiquei admirando a fachada. De repente, tive umas visões estranhas. Embora a casa tivesse uma arquitetura muito antiga, ainda podia ver como era por dentro. Sabia até que o papel de parede que cobria as paredes da sala e dos quartos era de um verde muito claro, com detalhes vermelhos. Fiquei parada enquanto meu pai, impaciente, pediu-me que o acompanhasse. Foi uma questão de segundos. Eu o acompanhei, mas a imagem da casa ficou marcada em minha mente. Instalamo-nos em uma pensão próxima, por isso, assim que meus pais saíram à procura de terras, pedi que me deixassem ficar na pensão. Disse-lhes que não queria sair antes de terminar a leitura de um livro que estava quase no fim. Eles concordaram. Assim que se afastaram, esperei algum tempo e depois voltei à velha casa. Fiquei admirando-a até que uma velha senhora saiu da casa e seu olhar pousou no movimento da rua. Como queria me aproximar daquela senhora, aproximei-me e comentei com ela como havia belas flores no jardim, embora, na realidade, ele estivesse malcuidado.

Dona Veva fez uma breve pausa. Eunice a ouvia atentamente.

— Conversamos por mais alguns minutos. Contei-lhe que vínhamos de São Paulo e que meu pai queria comprar terras para criar gado. A velha senhora me falou que morava sozinha. Seu marido tinha morrido havia vários anos e seu único filho morrera picado por uma cobra quando fora caçar em uma reserva florestal que ficava no interior. A senhora se apresentou como dona Hortência Couto Mendes. Ela fazia parte de uma família tradicional que, infelizmente, estava em ruína financeira. Pedi que me servisse um copo de água, e ela me convidou a entrar. O que eu desejava era adentrar a casa mesmo. Boquiaberta, olhei todos os aposentos, que eram exatamente como eu os havia visto. Ali, na realidade, havia a passagem do tempo, claro. Os papéis de parede estavam envelhecidos, e a mobília estava bem arruinada. Subitamente, senti um aperto em meu coração. A cada minuto que passava ali, minha intimidade com aquela senhora aumentava, como se fôssemos velhas conhecidas. Ela me mostrou vários quadros; eu sentia que já tinha visto todos eles.

— Meu Deus! Que história mais esquisita, Genoveva. — Eunice, desconfiada, aguardava dona Veva rememorar os fatos. Em seguida, a outra senhora prosseguiu:

— Despedimo-nos, mas fui visitá-la várias vezes. Até que um dia estávamos em nossa fazenda, e pedi a meu pai que me levasse à casa de minha amiga. Fiquei sabendo que ela havia morrido. Fiquei triste, mas ao mesmo tempo feliz. Embora tenhamos convivido pouco, parecia conhecê-la de longa data. Sentia tanto carinho por ela que, confesso, chorei com a notícia.

— Mas o que esse relato tem a ver com nossa conversa?

— Eu vivi naquela casa. Fiz parte daquela família. Tenho certeza disso, meu íntimo dizia isso. Ela gostou de mim, assim como gostei dela, imediatamente. Foi recíproco. Assim como senti imensa simpatia por aquela senhora, também é comum sentirmos repulsa por pessoas que vemos pela primeira vez.

— Sabe que isso já aconteceu comigo? Às vezes acontece de ver alguém e de não gostar da pessoa, apenas de olhá-la. Mas isso não quer dizer que tenhamos vivido outras vidas aqui na Terra. Pode ser uma simples coincidência, ou impressão — completou dona Eunice, entendendo aonde a amiga queria chegar.

— Nice, não negue os fatos. Veja sua situação. Faz tudo para agradar a sua nora, mas ela não corresponde, sendo que vive muito bem com outras pessoas. Acha que isso é simples coincidência? Há mais mistérios entre o céu e a Terra do que podemos imaginar. Eu, particularmente, não acredito em coincidência. Se hoje você vive ao lado de Elvira, é porque existe algo que você desconhece, mas que um dia ainda vai descobrir. Tudo que vivemos na Terra é ilusão, mas as verdades do espírito, estas sim são reais.

— Veva, você me diz coisas que parecem fantásticas demais. Não posso crer no que ouço.

— Eunice, entenda, você, embora não saiba ler nem escrever, me parece uma pessoa muito esclarecida. Não creio que não tenha condições de ver as verdades eternas. O que digo já foi estudado até mesmo por grandes cientistas. Houve um estudioso, chamado Hippolyte Léon Denizard Rivail, que se interessou pelo assunto.

— Quem foi esse tal de Hippolyte Léon Denizard Rivail? — perguntou Eunice, em sua simplicidade.

— Hippolyte, ou Allan Kardec, como o conhecemos hoje, era um professor que gostava desses assuntos que envolviam vidas passadas. Era um cientista.

— Mas era professor de qual matéria? — indagou dona Eunice.

— O professor Hippolyte foi bacharel em Ciências e Letras; falava inglês, italiano, holandês, espanhol, francês e alemão. Publicou livros de aritmética, gramática francesa e programas de cursos como de física, química e astronomia. Foi um homem extremamente inteligente, que começou a estudar os fatos espirituais, ou seja, ele codificou o espiritismo. Foi o organizador, tradutor e pesquisador dos ensinamentos transmitidos pelos espíritos superiores.

— Sim, mas o que tem ele com nossa conversa, Veva? E para que serve essa tal volta à Terra?

— Nice, esses espíritos superiores transmitiram a esse ilustríssimo professor que, quando o espírito está no corpo físico, ele se chama "encarnado", e, quando a pessoa morre, se chama "desencarnado", porque abandona o corpo e volta novamente a viver num mundo espiritual. Sendo assim, a morte não existe para o espírito. O que morre na verdade é o corpo material, porque o espírito é eterno. A reencarnação se dá porque ora estamos encarnados, ora estamos desencarnados, ou seja, ou estamos aqui na Terra, ou no mundo espiritual. Esse trâmite acontece a fim de que possamos educar o espírito e também para aprendermos a lidar com a matéria sem apego. A reencarnação se faz necessária para que consigamos nos libertar do orgulho, do egoísmo, da maldade e, principalmente, para perdoarmos nossos irmãos, pois os espíritos superiores ensinaram que o planeta Terra é uma escola pela qual devemos transitar com fins de elevação espiritual. Quando isso se dá, passamos a ser melhores como espíritos, e, à medida que avançamos na escala evolutiva, nos aproximamos um pouquinho mais de Deus. Na maioria das vezes, voltamos à Terra junto com alguém que nos fez mal no passado, ou até mesmo com aqueles que prejudicamos. Como a reencarnação é o véu do esquecimento, o espírito esquece, mas as sensações continuam. Veja só seu caso e o de Elvira.

— O que tem meu caso? — perguntou Nice, sem entender direito.

— Elvira não faz parte de sua família por acaso. Certamente ela tem laços ou com você ou com Paulo, ou até mesmo com os dois. Se hoje existe essa diferença entre vocês, a resposta, se não está no presente, deve estar no passado. Entende agora quando digo que acredito plenamente em você quando diz que não causou nenhum mal nesta existência? Mas não sabemos, do passado, o que você tem a resgatar.

— Interessante, Veva. Você, me falando essas coisas, me faz crer que ninguém é inocente, e que não somos vítimas, mas sim algozes de nós mesmos.

— Realmente, minha amiga. Fico contente em perceber que você entendeu o que eu queria dizer.

— Não sabia que isso já foi artigo de estudo — comentou dona Eunice, espantada.

— Sim, artigo de um estudo sério. Asseguro-lhe que tudo que digo é verdade. Mesmo o maior exemplo de homem que já pisou na Terra deu várias vezes a entender que sempre houve a preexistência dos espíritos. Certa vez, um homem chamado Nicodemos foi ter com Jesus e lhe perguntou o que deveria fazer para herdar o reino de Deus. Sabe o que o mestre respondeu?

— Não, o quê?

— Que, a menos que o homem nasça de novo, ele não pode herdar o reino de Deus. É somente assim, Nice, que temos respostas a perguntas como: Por que uns nascem tão ricos enquanto outros nascem tão pobres?; Por que há diferenças entre os homens, por exemplo, por que uns são notavelmente inteligentes e outros nem tanto assim?; Por que algumas crianças nascem com deficiências físicas, e outros têm filhos aparentemente perfeitos? Tudo isso é doutrina codificada por Allan Kardec, que nos dá a resposta que, antes da codificação, não conseguíamos encontrar. Como aprimorar as leis do Cristo em apenas uma existência? Seria impossível, pois, ainda que vivêssemos oitenta anos teríamos ainda muita coisa para aprender.

— Interessante esse pensamento. Várias vezes já me perguntei por que existem essas diferenças. Deus parece ser misericordioso com alguns e tirano com outros.

— Não é, minha amiga. Deus não é tirano e não castiga seus filhos. Nós próprios somos os causadores de nossos sofrimentos devido à nossa ignorância.

Eunice, entretida com a conversa, não viu o adiantado da hora. Concluiu também que ela não era tão inocente assim com respeito às diferenças com Elvira.

— Sabe, Veva, é tão bom conversar com você! Mas está tarde; preciso ir embora. Tenho de preparar o jantar. Paulo chega com fome e, se não estiver pronto, ele come qualquer coisa e vai dormir. Fico preocupada.

— Eu entendo, minha amiga. Bem, se quiser saber mais sobre as leis da vida, venha conversar comigo outra hora. Terei prazer em lhe falar sobre outros assuntos. Hoje vejo que vai sair daqui sabendo que Deus não é vingativo, mas, antes de tudo, que é um Deus de amor, e concede oportunidade a todos para que se redimam de seus erros.

Eunice olhou com respeito para dona Veva.

— Hoje você despertou minha curiosidade. Voltarei outras vezes para conversarmos sobre este assunto.

— Será um prazer para mim. Deixe-me mostrar a você o livro que serve de base para nossa conversa.

— De que adianta um livro, se não sei ler?

— Eu terei imenso prazer em lê-lo para você e em lhe falar sobre alguns pontos que considero fundamentais neste livro.

— Ótimo — respondeu Eunice, deixando o livro sobre a mesa e olhando o sol, que já se punha. Despediu-se da amiga:

— Tenho de ir agora cumprir com minhas obrigações. Amanhã virei aqui para termos mais uma conversa.

Dona Genoveva ficou observando dona Eunice, que se afastava em direção à porteira.

⁖

Ao chegar em casa, Eunice encontrou Elvira, que estava a bordar em um banco perto da porta principal do casebre. Com descaso, ela lhe perguntou:

— Por onde esteve? Paulo veio até aqui e eu disse que a senhora havia saído. Garanto que está preocupado com sua ausência.

— Eu estava na casa de dona Genoveva e me distraí com o tempo ao conversar com ela.

— Espero que a senhora não cometa mais esse desatino. Sabe que deixa Paulo preocupado. Não gosto de vê-lo nervoso.

Dona Eunice sentiu vir à mente o conteúdo de sua palestra com dona Veva. Cogitou que talvez a amiga tivesse razão. Como poderia sua nora não gostar dela, sendo que nunca lhe fizera nada? Só havia uma explicação: ambas tinham vivido juntas, em alguma existência passada. Saindo de suas divagações, Eunice se calou.

Assim que dona Eunice se calou e estava pensativa, Paulo chegou, e perguntou:

— Mãe, estive aqui à tarde, mas não a encontrei. Onde esteve? — perguntou Paulo, que havia chegado naquele momento.

— Estive na casa de dona Veva. Conversamos e, quando me dei conta, já era tarde.

— Fez muito bem, mãe. A senhora nunca sai de casa, só fica aqui, cuidando de comida, roupa e limpeza. Acho que a senhora merece umas horas de distração.

Elvira detestou aquele comentário. Com os olhos arregalados na direção do marido, não conteve sua indignação:

— Como pode dizer uma coisa dessas para sua mãe? Não vê que ela não está em condições de andar por aí sozinha?

Dona Eunice, ao ouvir a nora, também não se conteve:

— Não acredito que me julgue incapaz de sair sozinha. Do jeito que fala, parece que sou uma velha que está ficando caduca.

Paulo, percebendo que Elvira estava prestes a passar dos limites, interferiu em favor da mãe:

— Minha querida, não vejo por que minha mãe não deva sair e visitar suas conhecidas. Ela não está velha, pode ir aonde bem entender.

Aos prantos, Elvira, ao ouvir as palavras do marido, se retirou da cozinha. Paulo, correndo, a seguiu.

— Elvira, por que está chorando? Não disse nada para ofendê-la. Não quero vê-la chorar.

— O que quer? Diz que estou errada na frente de sua mãe e ainda quer me ver sorrindo?

— Bem... precisamos ter uma conversa. Você me forçou a dizer aquilo.

— Por acaso pensa em chamar a minha atenção por causa de sua mãe?

— Não, não vou chamar a sua atenção, mas não estou gostando do que vem acontecendo aqui em casa. Você sempre deixa minha mãe nervosa. Antes de eu trazê-la para cá, ela era uma senhora alegre, que estava sempre sorrindo e cantando. Mas agora, com suas implicações diárias, ela está perdendo a alegria de viver.

— Você quer dizer que sou culpada pela tristeza de sua mãe? Não vê que ela está fazendo isso de propósito, somente para nos fazer brigar?

— Isso não é verdade. Minha mãe nunca fala nada contra você. Você, ao contrário, está sempre falando dela. Isso muito me entristece.

— Ah, desculpe! Esqueci que você ainda não cortou o cordão umbilical.

— Elvira, eu amo você, mas não posso permitir que continue com esse descaso com minha mãe. Ela faz tudo para agradá-la, e você só a critica.

— Deixe de bobagem. Não vou mais ouvir uma palavra sequer. Se quer ficar com sua mãe, fique. Vou-me embora.

Paulo, quando escutou aquelas palavras, não conteve as lágrimas. Abraçando a esposa, disse-lhe:

— Por favor, minha querida, não diga isso nem brincando. Como viverei sem você?

Elvira, sentindo-se vitoriosa, correspondeu ao abraço e prometeu, mais uma vez, que deixaria de implicar com a sogra.

꧁꧂

Dona Eunice não se sentia nada bem com aquela situação que se instalara em sua casa. Se Paulo estivesse, Elvira a tratava com atenção e cortesia; quando ele não se encontrava em casa, ela mal trocava palavras com a sogra.

Como dona Eunice não tinha com quem conversar, as visitas à casa de Genoveva se tornaram freqüentes. Sentia-se sozinha dentro de casa, embora estivesse acompanhada.

Numa dessas visitas, Eunice desabafou novamente com a amiga, chorando:

— Veva, não agüento mais esta situação. Penso seriamente em deixar Paulo com sua esposa e ir embora.

— Mas para onde você vai? — perguntou a amiga, preocupada.

— Não sei. Tenho três filhos, mas dois deles sumiram no mundo. Sobrou-me Paulo, que já não é o mesmo depois que se casou com aquela moça caprichosa e implicante.

— Como pretende fazer? Sair de sua casa e se aventurar pelo mundo sem eira nem beira por causa de uma moça que ainda nem aprendeu a viver? Minha amiga — prosseguiu dona Veva —, a paciência é a mãe da redenção, portanto, pense um pouco. Jesus, que foi nosso grande mestre, sofreu injúrias, torturas, calúnias, mesmo sem ter feito nada para merecer isso. E ele agüentou pacientemente tudo isso. Por fim, teve a morte. Por acaso você está numa situação dessas?

— Não, é claro. Mas não tenho o mesmo temperamento de Jesus. Estou ficando cansada. Para aquela mocinha, não passo de um traste velho que está incomodando a felicidade dela.

— Nice, aprenda a ter paciência. Um dia ela entenderá que você não é uma sogra para ela, mas sim uma mãe. Seja forte e não desista. Enquanto ela a ignorar, procure fazer o contrário. Como Jesus disse, ofereça a face esquerda se alguém lhe bater na direita. Isso não quer dizer que você deve deixá-la fazer o que quiser com você. Entretanto, se ela se mostrar intolerante, mostre-se paciente com ela. Se ela mostrar raiva, trate-a com carinho. Com o tempo ela vai perceber o que está fazendo e, enfim, mudar seu proceder.

— Não acredito. Ela é muito intransigente. Pessoas assim não mudam. Eu só a tolero porque ela e Paulo se dão muito bem. Embora sejamos pobres, eles são felizes.

— Pois então. Se é assim, sua única opção é ser perseverante. Deixe que o tempo se encarregue de mostrar a ela a pessoa bondosa que você é.

Eunice gostava de conversar com Genoveva. Enquanto falavam, a pobre mulher esquecia os problemas e não via a hora passar. Naquele dia, ela confessou à amiga:

— Veva, as horas mais felizes do dia são as que passo aqui, com você. Quando penso em voltar para casa, me dá uma tristeza tão grande que tenho vontade de sumir.

— Quanta bobagem está dizendo, Nice. Pelo que sei, você não é uma mulher fraca que precise ficar se escondendo dos problemas enquanto conversa comigo. Sei que é forte, portanto não há motivos para se esconder. Você precisa encarar seus problemas. Sua nora não é mais forte que você. Se você continuar com essa passividade, ela vai tomar cada vez mais seu espaço. Como pode permitir isso? Há coisas que não podem ser mudadas. Só nos cabe confiar em Deus e ter paciência. No momento devido, tudo se resolverá.

— O que mais tenho é paciência. Mas estou chegando ao limite. Quase não agüento mais — disse Eunice.

— Amiga, entenda, enquanto você ficar só na defensiva mostrando essa passividade, sua nora não vai respeitá-la e sempre a verá como uma velha. O que tem a fazer é lhe mostrar que você é uma mulher forte, decidida, e que sabe muito bem o quer. Quando ela perceber isso, vai ceder e respeitar seu espaço. Entretanto, não se esqueça que mostrar firmeza não é ser rude. Use, antes, brandura, embora sempre convicta do que quer e do que pretende fazer.

— Como posso mostrar que sou decidida sem ser rude?

— Você pode fazer isso sem magoar sua nora. O maior exemplo que temos é o próprio Jesus, que, em muitas situações, usou de firmeza, fazendo-se respeitar por onde quer que fosse, porém sem abandonar o lado fraterno.

— Não sou Jesus, Veva. Não sei como fazer isso.

— Com o tempo você vai descobrir que a solução que procura está dentro de você. Acredite no que estou dizendo. Calar-se diante da situação não é mostrar bondade, e sim um sinal de covardia que a impede de dizer o que realmente pensa.

— Isto é verdade, Genoveva. Tem razão. Tenho de aprender a colocar para fora o que estou sentindo.

— Mas o faça de maneira bondosa, e verá os resultados depois.

As duas mulheres conversaram por mais algum tempo. Quando Eunice resolveu voltar para casa, no caminho foi pensando em tudo que a amiga havia lhe dito, sobre imposição e respeito, e em voz alta disse a si mesma:

— Acho que deveria ter sido assim desde o início. Mas nunca é tarde para começarmos. Vou continuar a tratar Elvira bem, mas não vou mais ficar quieta.

Ao chegar em casa, Elvira estava trancada no quarto com Paulo. Eunice, embora não gostasse dessa atitude da nora, nada dizia. Entrou na cozinha para colocar água no fogo e dar início ao jantar quando ouviu Elvira dizer:

— A senhora está atrasada. A que horas essa janta vai ficar pronta?

— Minha filha, eu estava tão ocupada quanto você. Mas, como você já se encontrava aqui, poderia ter dado início à janta. Se tivesse feito assim, ela estaria quase pronta. Além do mais, Paulo não deve estar com tanta fome, senão teria vindo procurar algo para comer.

Elvira ficou surpresa com a atitude da sogra. Mas, como estava acostumada a dar a última palavra, completou:

— Como vou fazer a janta se a casa não é minha?

— Filha, a partir do momento em que se casou com meu filho, a casa é tanto sua quanto minha, e as obrigações são as mesmas, afinal, não somos, as duas, mulheres?

Elvira não respondeu. Retirou-se irada com as respostas de dona Eunice e se dirigiu rapidamente ao quarto para prestar reclamações ao marido sobre a sogra.

— Paulo, sua mãe, desde que começou a freqüentar a casa de dona Genoveva, está muito diferente do que era. Acredita que agora ela foi grosseira comigo só porque a lembrei do horário da janta?

Paulo ouviu as queixas de Elvira sem retrucar nada. A esposa ficou aguardando que ele desse uma resposta em seu favor, mas, como o marido permaneceu calado, prostrou-se emburrada em um canto, evitando qualquer comentário. Paulo, tentando aliviar a tensão do ambiente, tentou travar conversa com a esposa e a mãe, mas Elvira fazia descaso de suas palavras.

Dona Eunice percebeu que algo havia ocorrido entre os dois, mas continuou a conversar como se não desconfiasse de nada. Contudo, quanto mais Eunice parecia extrovertida, falando tranqüilamente, mais Elvira ficava brava com Paulo.

O rapaz não queria se meter nas desavenças entre Elvira e Eunice, porque uma era sua mãe e a outra era sua esposa. Ele amava as duas, não queria se indispor com nenhuma.

Naquela noite, Elvira se deitou, mas evitou conversar com Paulo. O marido dormiu contrariado, mas não armou discussão, em virtude de sua natureza pacata.

Ao amanhecer, Elvira continuou a evitar a sogra, mas dona Eunice fazia questão de envolvê-la na conversa. Quando Paulo chegou para o almoço, sentiu-se triste ao ver que Elvira evitava sua mãe. Ele não gostava disso. Sabia o quanto a mãe era bondosa, e o quanto Elvira era fútil e caprichosa. Não quis comentar o incidente da noite anterior porque sabia que, se a mãe tinha dado má resposta, era porque estava no limite de sua paciência.

Foi ter com a esposa, imaginando que ela tivesse passado a maior parte do tempo no quarto. Elvira se mantinha sisuda, sem querer ver nem mãe, nem marido. Ao vê-la, perguntou:

— Elvira, não estou entendendo seu comportamento. Por que está me tratando assim? Não me lembro de ter feito nada para você

— Como me diz isso com essa cara polida? Precisei de um marido para me defender, e o que você fez? Nada! Ficou calado, deixou sua mãe falar o que bem entendia para mim. Foi para isso que me tirou de minha casa, para levar essa vida miserável e ainda ter de agüentar desaforos de uma velha mal-educada?

— Por favor, Elvira, não fale assim de minha mãe! Ela a recebeu com todo o carinho, e tem por você sentimentos de mãe. Se vocês não se dão bem, é porque você não quer. Minha mãe é estimada por todos.

— Ah, é? Todo mundo gosta de sua mãe porque ninguém a conhece, nem mesmo você, que convive com ela há tanto tempo.
— Você sempre soube que eu era pobre. Se aceitou se casar comigo foi porque assim o quis. Não é porque se julga melhor que nós que vou permitir que maltrate minha mãe! Se quiser voltar para a casa de seus pais, pode fazê-lo. Não vou mais prendê-la aqui.

Elvira, ao compreender que Paulo falava sério, mudou de tática. Embora não gostasse de dona Eunice, ela amava muito o marido para perdê-lo. Mas também não queria dar o braço a torcer para a sogra.

— Paulo, acho que não vale a pena brigarmos por causa de sua mãe. Não vê que é isso que ela quer? Não vamos fazer isso, por favor. Eu amo você demais para vivermos assim, nesse inferno.

— Se me ama, vai ter de aceitar minha mãe. Não vou deixar que continue a tratá-la dessa maneira.

Elvira, com olhos lacrimejando, concordou:

— Está bem. Se isso lhe faz feliz, eu o farei. Mas minha relação com ela será tão falsa que ela logo perceberá.

Paulo já saía do quarto, entretanto, deixando as últimas palavras de Elvira perdidas no ar. Dirigiu-se à cozinha para almoçar e voltar logo ao serviço. Elvira se prontificava sempre a levar o almoço para o marido na roça, mas sabia que ela não o faria naquele dia porque estava brava. Penalizado, ficou a olhar a mãe, de costas, mexendo o feijão. Por outro lado, Paulo se continha, fazendo-se de forte, mas tinha grande temor de a esposa abandoná-lo. Tinha conhecimento do quanto a amava, e a dor de imaginá-la partindo lhe parecia insuportável.

Elvira saiu do quarto logo em seguida, os olhos vermelhos de tanto chorar. Eunice, vendo-se como o motivo da discussão, sentia-se muito mal diante da nora. Elvira pegou um prato e serviu o marido, depois se serviu. Enquanto comia, comentou com dona Eunice:

— Hoje a senhora caprichou. A comida está muito gostosa.

Eunice sorriu e respondeu:

— Fiz como sempre, minha filha. Coloquei um pouco de coentro no feijão; é por isso que tem esse sabor especial.

Elvira estava sendo falsa. Ela, na verdade, odiava comida com coentro, e Paulo sabia disso, mas nada comentou. A mãe, em sua ingenuidade, começou a lhe explicar como tinha feito o feijão. A jovem fingia ouvir, enquanto Paulo a encarava com olhar de desaprovação.

Após terminarem de limpar a cozinha, a nora disse à dona Eunice:

— Vou à roça levar um pouco de café para Paulo.

Eunice, sabendo que Elvira queria mesmo era ficar sozinha com o marido, nada comentou. Apenas mencionou que iria à casa de dona Genoveva e recomendou que a nora esquentasse a janta caso ela se atrasasse. Elvira sorriu para a sogra, dizendo-lhe:

— Não se preocupe. Cuidarei de Paulo. Fique despreocupada que ficaremos bem.

Dona Eunice sabia que a nora estava sendo falsa, mas fingiu acreditar nas palavras dela.

Assim que a moça chegou à roça e avistou Paulo, enlaçou-o pelo pescoço, dando-lhe um sonoro beijo nos lábios. Depois de se entregarem ao amor, ela comentou com o marido:

— Sua mãe foi à casa de dona Genoveva. Você não acha que ela está indo demais à casa da tal amiga?

— Minha mãe sempre gostou de dona Veva, mas nunca freqüentou sua casa como agora.

— Não sei não. Para mim, sua mãe está fazendo algo que não sabemos, e usa essa desculpa para sair de casa.

— Elvira, não diga uma infâmia dessas. Minha mãe sempre foi uma mulher de respeito. Desde que meu pai morreu, nunca mais olhou para ninguém.

— Você diz isso porque não está o tempo todo com ela. Percebeu como está se arrumando melhor? Até os cabelos ela anda penteando adequadamente. Para mim, deve estar de namorico com alguém. Ela também é mulher, Paulo, e deve ter seus desejos, como qualquer outra.

— Jamais minha mãe faria uma coisa dessas. Ela sempre disse que homem na vida dela só foi papai.

— O pior cego é o que não quer ver. Depois não diga que não o avisei — respondeu Elvira com um olhar malicioso.

Paulo, embora não acreditasse nas palavras de Elvira, não deixou de pensar no assunto, permanecendo mais calado que o habitual. Dessa maneira trabalhou o resto da tarde e, ao ver Elvira se afastar na direção da casa, pensou: "Não posso acreditar em uma coisas dessas. Elvira quer que eu brigue com mamãe, mas isso eu não farei. Ela sempre se mostrou sincera e fiel". Contudo, aquela suspeita não lhe saía mais da mente. Logo ele voltou a pensar: "Se for verdade que mamãe anda se encontrando com alguém, o que farei? Vou lhe pedir uma justificativa. Se não houver uma boa explicação, vou embora com minha esposa de uma vez por todas". Paulo abandonou o serviço na hora e seguiu rumo ao sítio de dona Genoveva, para certificar-se de que sua mãe estava lá.

Quando chegou perto da propriedade de dona Veva, avistou a mãe sentada na cozinha comendo bolinhos de chuva com a amiga. Sem saber o que dizer, ficou a observá-la, calado.

— Meu filho, você aqui? Aconteceu algo com Elvira?

O rapaz, constrangido, gaguejou:

— Não, minha mãe, não ocorreu nada. É que senti muita saudade da senhora. Pensei que pudesse estar precisando de mim.

Eunice, ignorando a verdade sobre a repentina visita de Paulo, respondeu:

— Você sempre foi um filho muito preocupado. Não acha que estou um pouco crescida para tanta preocupação?

Paulo sorriu sem nada dizer. Dona Veva completou:

— Já que está aqui, venha tomar um café conosco. Fiz bolinhos para a conversa ficar melhor.

Paulo desajeitadamente sentou do lado da mãe e tomou seu café enquanto as duas conversavam. Foi a dona da propriedade quem continuou:

— Então, minha amiga, como estávamos conversando, quando um espírito volta para o astral, muitas vezes ele nem sequer tem consciência de que morreu.

— Mas como pode ser?

— É simples, Nice. Quando uma pessoa morre de maneira brusca, seu desenlace é tão repentino que por vezes ela não sente.

Paulo foi se interessando por aquela palestra e, pouco a pouco, passou a fazer parte, enchendo dona Genoveva de perguntas. Foi bem tarde que dona Eunice se deu conta de que tinha escurecido. Com alegria despediu-se de sua amiga. Paulo, entretanto, sentia remorso por ter duvidado da mãe.

Quando os dois chegaram ao casebre, encontraram Elvira aos prantos. Ela tinha verdadeiro pavor de ficar sozinha. Ao ver Paulo chegar com a mãe, gritou-lhe, colérica:

— Onde você esteve que me deixou aqui sozinha todo esse tempo?

— Fui à casa de dona Genoveva para ver minha mãe. Não é que a conversa estava tão boa que acabamos perdendo a noção da hora?

— O que tem essa mulher que cativa a atenção de todos?

Paulo começou a explicar sobre o que eles haviam conversado, mas a esposa o interrompeu:

— Não vai me dizer que você acredita nessas bobagens? Essa mulher conta mentiras e vocês acreditam? Só me faltava essa agora.

— Não, filha — explicou Eunice. — O que minha amiga fala tem sentido. Já parou para pensar nas diferenças que existem no mundo? Por que uns são tão pobres enquanto outros nadam na riqueza, ou por que uns nascem com defeitos físicos, e outros não? Será que Deus é tão injusto assim?

— O importante, para mim, é se estou ou não me sentindo bem. Não acredito nessas bobagens que os outros contam, afinal, tive uma boa educação.

— Filha, mas estas são verdades que não dependem de educação. Verdades são sempre verdades. Acho que está na hora de você se interessar por assuntos espirituais.

— Jamais vou conversar com esta mulher. Para mim, é uma farsante que está envolvendo você nessas conversas sem sentido.

Paulo resolveu se interpor:

— Engana-se, Elvira. Dona Genoveva não é uma farsante. Longe disso, é alguém que sabe muito bem o que diz.

— Está bem. Não vamos discutir este assunto. Só quero deixar claro que não acredito e jamais acreditarei em tais bobagens. Espero que não desejem que eu acredite nisso.

Dona Eunice, vendo que a nora era incrédula, tratou de mudar de assunto e esquentar a janta, pois Elvira nada havia feito.

Paulo, por sua vez, começou a crivar a mãe de perguntas, fato que deixou a jovem ainda mais irritada com a sogra.

— Mãe, lembra quando vi papai na cozinha olhando para a senhora?

— Sim, meu filho!

— Pois então... Quer dizer que não era um sonho, como a senhora havia dito para mim na época?

— Não, meu filho. Como dona Veva explicou, seu pai de fato estava aqui na cozinha, mas, infelizmente, seu estado não era dos melhores. Como ele partiu repentinamente, não aceitou ter desencarnado, ou ignorou o novo estado. Talvez estivesse aqui achando que poderia fazer as mesmas coisas que fazia antes, perturbando a nós que ainda estamos na carne.

— Mas como ele poderia nos perturbar, sendo que era tão bom para nós?

— Filho, quando as pessoas mudam de estado, e não são encaminhadas para esferas superiores, eles não percebem que sua energia é diferente da nossa. Não se dão conta de que estão nos perturbando.

— Isso que a senhora me diz é fantástico. Muitas vezes estava trabalhando no sítio e sentia meu pai me observando, do mesmo modo que fazia quando era vivo. Então olhava em todas as direções e não via nada. Comecei a achar por um tempo que estava pensando demais nele.

— Filho, como seu pai ficou por aqui depois do desencarne, é bem possível que estivesse olhando seu serviço. Ele o conhecia bem, e você sabe o quanto era exigente com respeito a serviço.

— Mas onde ele está agora? Porque nunca mais o senti, nem aqui em casa, nem na roça.

— Filho, talvez ele tenha sido ajudado por espíritos mais esclarecidos. Para um desencarnado, ficar na crosta terrestre é muito penoso. Como ele era bom, talvez tenha recebido ajuda.

— Mãe, então é isso que a senhora conversa tanto com dona Genoveva quando vai à casa dela?

— Sim, meu filho. Minha amiga está me ajudando muito. Além de ser uma pessoa muito culta, é também lúcida no que diz respeito a conhecimentos espirituais. Quanto mais aprendo, mais fico interessada. Ela lê um livro para mim e vai me explicando.

— Qual é o título do livro, mãe?

— É... Deixa eu lembrar... Ah, chama-se *O Livro dos Espíritos*!

— Que título mais fúnebre para uma boa leitura. Vocês estão equivocados com o que essa mulher está ensinando. Acho melhor deixarem isso para lá. Já ouvi dizer que pessoas que se metem com espíritos enlouquecem.

— Elvira, não é verdade — respondeu dona Eunice. — Minha amiga, por acaso, lhe parece alguém desequilibrado?

Doce Entardecer

Elvira, nada respondendo, deu de ombros. Paulo, entretanto, adiantou-se em responder:

— Bem ao contrário, mãe. Além de centrada, tem uma bondade em seu coração que faz bem a qualquer um.

— Filha, acredito que seria bom se você a conhecesse um pouco mais antes de formar um conceito sobre ela. Gostei bastante de Paulo ter ido à casa dela esta tarde, pois pôde aprender um pouco também.

— Não esperem isso de mim — retrucou a jovem. — Isso é coisa para gente ignorante e sem cultura.

— Aí é que se engana. Sabia que houve um cientista famoso que estudou o assunto?

— Por favor, não acreditem em tudo que essa mulher diz. Ela quer iludir vocês. Vejo que com Paulo já conseguiu seu intuito.

— Não, meu amor — respondeu Paulo carinhosamente —, não estou iludido. Mas quero, sim, ir todas as tardes com minha mãe à casa de dona Veva para ouvir mais sobre esse assunto.

— Só me faltava esta agora! Você vai me deixar aqui sozinha para acompanhar os ensinamentos de uma mulher maluca?

— Ela não é maluca — defendeu dona Eunice. — É o que podemos chamar de pessoa espiritualizada, que se preocupa com a continuação da vida. Se não quer ficar sozinha, por que não nos acompanha todas as tardes?

— Eu não! Não acredito nisso. Para mim, morreu, acabou. E mortos não voltam. Eu é que não quero ser corrompida por ensinamentos sem sentido de uma senhora que não tem o que fazer.

— É uma pena pensar assim. Eu, desde que comecei a freqüentar a casa de dona Genoveva, tenho me sentido muito bem. Mas cada um é livre para fazer o que quiser da vida.

— Quanto a mim — completou Paulo —, mãe, diga a dona Veva que acompanharei a senhora em suas visitas. A senhora não pode ir um pouco mais tarde? Sabe que eu tenho de cumprir minhas obrigações aqui no sítio primeiro.

— Vou falar com ela, filho, depois lhe dou uma resposta.

Elvira, contrariada, aguardava o horário de dormir para dizer a Paulo que o proibiria de acompanhar a mãe. Ficaram conversando por cerca de mais duas horas até Paulo se sentir cansado e querer dormir.

Assim que a sogra se recolheu, Elvira, em seu quarto, disse enraivecida ao marido:

— Não acredito que você vai me deixar sozinha para acompanhar duas velhas caducas que gostam de contos de fadas!

— Minha mãe não é caduca, querida, nem é velha; tampouco dona Genoveva. Acho que antes de julgar uma pessoa você tem de conhecê-la. Não vou discutir com você. Esses assuntos me interessam porque sempre vi coisas, principalmente quando era pequenino. Se não quiser ficar sozinha, acho bom nos acompanhar.

— Paulo, vou ser sincera: se acaso me deixar sozinha, quando voltar, não estarei mais aqui.

Paulo empalideceu ao ouvir aquela ameaça. Pensou nas palavras do pai: "Quando você crescer, meu filho, não se deixe levar pelas mulheres. Elas usam de artimanhas para que façamos o que elas querem. Nunca se deixe enganar. Quando dizem uma coisa, na verdade estão pensando em outra".

Paulo, tentando concatenar as idéias, blefou:

— Veja bem o que você está dizendo. Não a obrigarei a ir à casa de dona Veva, mas não sou sua propriedade, da qual possa se desfazer a hora que bem entender. Irei até a casa da amiga de minha mãe e, se não quiser ir, eu a respeito. Mas peço que respeite também minha decisão de adquirir novos conhecimentos.

Foi então que Elvira se pôs a chorar. Fitando Paulo, falou, com ares de vítima:

— A única coisa que lastimo neste mundo é amar muito você. Se não fosse isso, juro que iria embora.

— Não quero que isso aconteça. Sofrerei muito se um dia a perder. Mas também não posso segurá-la a meu lado. Nosso casamento está em suas mãos.

Elvira, que até aquele momento achara Paulo um homem fácil de manipular, via que ele não era tão ingênuo assim. Tratou de abrandar o tom da conversa, portanto. Paulo, por sua vez, percebendo que a esposa estava mais calma, lançou um olhar ao alto e agradeceu em pensamento: "Obrigado, meu pai. Se não fossem seus conselhos, não saberia como lidar com essa situação para convencê-la a ficar".

Toda a ira que sentia, contudo, Elvira direcionou à sogra. Fingindo ter adormecido, não viu que dois vultos perto dela lhe emanavam energias negativas, fazendo com que ela ficasse agitada. Sua raiva aumentava a cada minuto, sensação que a deixou insone por quase toda a noite. A jovem adormeceu quando o dia já clareava.

15

Novos esclarecimentos

O sol da manhã seguinte encontrou Paulo contente, dando um beijo na face da esposa. Entretanto, ela lhe retribuiu grosseiramente:

— Não dormi quase a noite toda, e você vem ainda me acordar? Enquanto eu estava acordada, você roncava. Agora saia daqui! Não pretendo me levantar tão cedo.

Paulo viu que Elvira não estava bem-humorada naquele dia. Saiu rapidamente, em silêncio, para evitar que a esposa se zangasse ainda mais.

Elvira, uma vez acordada, começou a sentir arrepios pelo corpo. Não pôde ouvir algumas entidades a seu lado que lhe sussurravam ao ouvido:

— Não vá à casa daquela mulher. Você é superior a essa gentalha. Não se deixe levar por conversas de gente da roça.

A moça, embora não conseguisse ouvir as palavras, registrou-as mentalmente e disse em voz alta:

— Papai me pagou o melhor colégio para moças na capital. Não fez isso para eu seguir uma impostora que gosta de iludir pobres ignorantes.

As entidades ficaram radiantes. Logo iriam iniciar o plano de destruição daquela moça que sempre fora tão orgulhosa.

Na tarde seguinte, Paulo conversou com Elvira a respeito de acompanhá-los quando fossem à casa de dona Genoveva. A jovem se opôs ferozmente. Paulo, sem querer parecer covarde diante da mulher, retrucou:

— Você é quem sabe. Vou com mamãe. O convite está feito. Se quiser ir, terei imenso prazer em levá-la. Se não quiser, tranque as portas e deite-se porque não sabemos a que horas voltaremos. Você está consciente, não é, Elvira, de que quem está estragando nosso casamento é você mesma, com seu capricho excessivo?

— Ninguém está estragando nada. Só não sou ignorante e não me deixo levar por conversas que velhos contam.

— É uma pena que pense assim. O saber não ocupa espaço, e com certos conhecimentos podemos viver bem, sem nos deixar influenciar por forças externas — respondeu Eunice.

— O que a senhora quer dizer com "forças externas"?

— Minha filha, há espíritos por toda parte. Quando estamos tristes, zangados, revoltados, com sentimentos de ódio, vamos atrair para nós espíritos dessa natureza. Por exemplo, quando estamos sentindo raiva, nossa onda mental é tão poderosa que vai trazer para perto de nós espíritos também raivosos, fazendo assim aumentar nossa ira. Alguma vez você já não sentiu uma tristeza que nem sequer imagina de onde se origina? Pois então, filha. Há espíritos tristes que podem se aproximar de nós fazendo-nos pensar que a tristeza que sentimos é nossa, mas, na verdade, a tristeza é deles.

— Lembro-me de uma vez na capital — confessou Elvira — em que tudo ia bem. Eu tirava boas notas, minha família ainda estava bem financeiramente, mas, de repente, eu senti uma tristeza tão grande que não entendi de onde vinha aquilo. Depois dessa vez, em outros momentos senti a mesma coisa. Nunca entendi o porquê daquele sentimento.

— Com certeza, minha filha, era algum irmãozinho que vive em outra dimensão da vida. Ele estava triste e se aproximou de você, transmitindo-lhe sua tristeza. Embora não o visse, registrou aquele sentimento.

Paulo se sentia particularmente feliz naquele dia. Percebeu, talvez pela primeira vez, que Elvira conversava com sua mãe sem parecer falsa ou artificial. Em seu pensamento passava a idéia de um dia poderem, as duas, ser amigas.

A jovem, prestando mais atenção no que a sogra dizia, começou a sentir que as palavras daquela mulher faziam sentido. Com interesse, perguntou:

— Mas tudo isso que me conta a senhora aprendeu com dona Genoveva?

— Sim, minha filha. Ela estuda a doutrina espírita, codificada por Kardec, e tem muito a nos ensinar.

Elvira sentiu real interesse pelo que dona Eunice falava. Com sinceridade, indagou novamente:

— A senhora vai à casa dela quase todos os dias, não é? Será que poderia acompanhá-la amanhã para ouvi-la um pouco e aprender mais sobre essa tal doutrina?

Eunice sentiu-se muito contente. As palavras da nora estavam despidas de falsidade e de rancor, e amorosamente respondeu:

— Filha, para mim será um prazer você me acompanhar à casa de dona Genoveva. Ela é uma pessoa tão boa! Você vai se sentir à vontade ao lado dela. Além do mais, os conhecimentos que ela tem vão deixá-la maravilhada. Você verá o quanto Deus é bondoso e misericordioso.

A sogra a estava tratando com cortesia e amizade, por isso Elvira, satisfeita, concordou em ir no dia seguinte. Queria saber mais sobre aqueles mistérios da vida. Após essas palavras, chamou Paulo para se recolherem. Estava tarde. Paulo concordou, e foi apagar o lampião. Dona Eunice também tratou de ir para seu quarto.

Ao adentrar o aposento do casal, Paulo sentiu tanto sono que mal prestou atenção em Elvira. A jovem, por sua vez, sentiu arrepios por todo o corpo e um leve mal-estar, acompanhado de uma sensação de medo. Olhou para um canto do quarto e sentiu como se alguém estivesse ali a observá-la. Agarrou-se a Paulo, que dormia, e fechou os olhos fortemente. Ficou nesse estado, sentindo frio e arrepios, por alguns momentos. Depois, colocando a cabeça no peito do marido, sentiu-se protegida e adormeceu.

Dormiu e sonhou...

Elvira se encontrava em um lugar frio e escuro. Dois vultos lhe diziam:

— Por que decidiu ir à casa daquela mulher? Não há necessidade de ir lá. Tudo que quiser saber, nós explicaremos. Não vá. Se for, vai se arrepender.

A jovem acordou gritando. Paulo tratou de acender a lamparina a fim de socorrer a esposa. Assustado, olhou para Elvira, que estava amedrontada, suando muito. Paulo lhe disse, em tom conciliador:

— Não fique assim. Se teve um pesadelo, agora tente se acalmar. Não deixarei que nada de mal lhe aconteça.

Elvira sentou-se na cama, olhando para o fogo que crepitava. Enquanto isso, Paulo pegou uma caneca de água para acalmá-la. A esposa tomou um gole e a devolveu. Quando Paulo ia apagar a lamparina, Elvira pediu:

— Por favor, não apague a lamparina. Estou sentindo muito medo. Deixe-a como está.

O marido, carinhoso, atendeu prontamente seu pedido. A jovem se encolhera, encostando a cabeça no peito de Paulo. Ele já quase pegava no sono quando ouviu Elvira gritar, aterrorizada:

— Paulo, me ajude. Mande essas duas criaturas que estão do lado de nossa cama irem embora. Não quero vê-las.

— Querida, não há ninguém aqui além de nós. Fique calma; você teve outro pesadelo.

— Paulo, não durma, por favor. Faça-me companhia. Estou com medo.

O rapaz ficou acordado por certo tempo mas, vencido pelo cansaço, e sem que Elvira percebesse, adormeceu.

No dia seguinte, Elvira se levantou cedo. Tratou de acender o fogão e, enchendo a chaleira, fez o café. Dona Eunice se levantou e espantou-se quando encontrou tudo pronto. Com alegria, disse à nora:

— O que ocorreu para levantar tão cedo, minha filha?

Pela primeira vez Elvira notou que a sogra não lhe parecia tão ruim quanto antes. Tinha um interesse de mãe. Respondeu-lhe com sinceridade:

— Não dormi muito bem. Tive pesadelos e vi vultos em meu quarto. Acho que foi influência da conversa que tivemos ontem à noite.

Eunice, preocupada, coçou a cabeça.

— Minha filha, se quer ser feliz, trate de procurar ajuda espiritual. Pelo que me contou, está sendo obsediada, por espíritos vingativos.

— Como assim, espíritos vingativos? Nunca fiz mal a ninguém!

— Filha, não fez mal nesta existência, mas quem me garante que não sejam inimigos do passado?

Elvira pôs-se a pensar e, aos soluços, confidenciou:

— Desde criança tinha pesadelos. Neles, dois vultos vinham me pegar e davam sonoras gargalhadas, fazendo-me tremer de medo. Quando eu acordava, estava tremendo e suando muito. Com o tempo, os pesadelos passaram. Agora, depois de muitos anos, começaram de novo. Não quero voltar a tê-los. Ajude-me, pois temo ficar louca.

— Não tema, Elvira. Os conhecimentos da vida espiritual não deixam ninguém louco. Ademais, esses conhecimentos foram estudados por cientistas famosos. Nada tema, repito. Deus, sendo de amor, não quer que seus filhos permaneçam na ignorância. Tais conhecimentos são fundamentais para a nossa felicidade.

— Mas tenho visto vultos em meu quarto, e isso me apavora. Até mesmo em sonhos eles estão presentes. Dizem-me que não é para freqüentar a casa de dona Genoveva. Fico receosa de me acontecer algo.

— Filha, o que acha de fazermos uma prece juntas? Depois pensamos em ir ou não à casa de minha amiga.

— Não custa tentar, não é, dona Eunice?

— Muito bem. Assim é que se fala. Vamos fazer o que Deus quer de nós, e não daremos ouvidos a irmãos menos esclarecidos.

Dizendo essas últimas palavras, dona Eunice começou a fazer uma sentida prece. Perto dali ocorria cena que não podia ser notada por olhos humanos. Enquanto a bondosa senhora rezava, saíam fachos de luz de seu peito que envolviam Elvira em uma atmosfera de paz e tranqüilidade. Assim que a prece terminou, Elvira permaneceu com os olhos fechados por mais alguns segundos. Com alegria, olhou para dona Eunice, dizendo:

— A senhora não imagina como a prece que fez me deixou bem. Sinto que estou flutuando. A senhora tem razão. Tenho de ir à casa de dona Genoveva para saber o que ela tem a me ensinar.

— Muito bem, minha filha, estou gostando de ver. Quando alguém quer colocar obstáculos para que não tenhamos conhecimentos necessários para a nossa felicidade, devemos impor a nossa vontade acima de qualquer coisa. Deus, com certeza, nos ajudará se quisermos aprender um pouco mais para vivermos melhor.

No outro plano, enquanto dona Eunice fazia a prece, um homem de alvas roupas adentrou a cozinha e, com mãos espalmadas, deixou que energias benéficas envolvessem as duas mulheres. As duas entidades que estavam coladas em Elvira, quando viram as luzes que saíam do peito de dona Eunice, fugiram amedrontadas, prometendo voltar depois a fim de impedir que Elvira fosse à casa de dona Genoveva.

A moça conversava amigavelmente com dona Eunice. Havia esquecido os horrores da noite anterior. Ao entrar na cozinha, Paulo se surpreendeu ao ver as duas conversando sem nenhuma tensão. Era a primeira vez que via as duas se tratar sem animosidade. Sorrindo, Elvira recebeu o marido:

— Querido, conversava com sua mãe. Confesso que estava enganada a respeito dela. Dona Eunice assumiu em meu coração o papel de mãe. Nunca mais farei nada para desagradá-la, e quero que ela nutra por mim um amor de filha.

— Desde que aceitou meu filho para marido, já ocupa um lugar de filha em meu coração.

Paulo, satisfeito, confessou:

— Hoje é o dia mais importante de minha vida. As mulheres que mais amo no mundo começaram a se entender.

A sogra lhe recomendou:

— Elvira, caso sinta uma tristeza repentina, raiva, medo ou outras sensações desagradáveis, utilize nossa melhor arma, que é a prece. Só assim você poderá fazer essas duas entidades que a obsediam ficar longe.

A moça ficou amedrontada, mas dona Eunice esclareceu:

— Não tema. Se estiver ligada com o plano superior, eles nada poderão fazer para perturbá-la.

Paulo tomou seu café mais falante que o habitual. Com alegria saiu para a lida do dia, prometendo que voltaria no horário para irem juntos à casa de dona Genoveva. Tudo era paz naquele dia. Elvira, simpática, se propôs ajudar dona Eunice. Entretanto, subitamente sentiu um mal-estar. Em sua mente, ouvia alguém lhe dizer: "Você não irá à casa daquela mulher. Se assim o fizer, vai se arrepender".

Dona Eunice, que por vezes era agraciada com a vidência, viu exatamente como a nora estava sendo sugestionada por duas entidades. Com amor, convidou Elvira para uma nova prece. A nora aceitou. Com o coração transbordando de alegria, dona Eunice conseguiu lançar para longe os vultos que perturbavam a nora. A jovem disse à sogra, pensativa:

— Estranho... Até há poucos minutos, estava me sentindo irritada e com mal-estar. Depois da prece, sinto-me bem novamente.

— Filha, tenho o dom da vidência. Pude ver duas entidades sussurrando coisas em seu ouvido. Como você não pode vê-las nem ouvi-las, apenas registrou seus pensamentos.

— De fato, dona Eunice. De repente, não tive mais vontade de ir à casa de dona Genoveva. Agora, contudo, penso firmemente em ir. Se acaso me vir relutando em ir, por favor, faça uma prece dessas pedindo aos espíritos amigos que me permitam tal visita.

— Não é necessário pedir, Elvira. Farei isso mesmo sem que você saiba.

Elvira sentiu-se, depois de tanta discórdia, em paz consigo mesma. Sempre fora sujeita a crises de humor, indo da euforia à depressão com tanta rapidez que chegava a assustar quem com ela convivesse.

Dona Eunice também se sentia bem. Estava mais próxima da nora, e vira que ela precisava de ajuda espiritual. Pensava: "Elvira não é má pessoa. Contudo, ela precisa aprender a confiar em Deus para que se livre daqueles que a perseguem, para que tenha paz e faça meu filho feliz".

Depois daquelas palavras, Eunice levantou seus olhos aos céus e viu que as nuvens ora formavam castelos, ora formavam cabeças de animais. Embalada nesses pensamentos, fez nova prece pedindo orientação do alto a sua nora e a seu filho.

Na hora marcada, Paulo estava em casa. Arrumou-se para ir à casa da amiga de sua mãe. Elvira, ao contrário, sentia-se indisposta e dizia que não iria naquele dia. O marido, por sua vez, tentava persuadir a jovem a acompanhá-lo. Vendo, contudo, que ela não faria nada que a contradissesse, deixou que ela decidisse naturalmente.

Quando dona Eunice voltou do riacho aonde ia para lavar roupas, encontrou a nora trancada no quarto. Vendo o filho, perguntou:

— Onde está Elvira?

— Trancada no quarto. Diz que não vai à casa de dona Veva.

— Ora... Mas ela havia prometido que iria. O que a fez mudar de idéia?

— Não sei, mãe. Às vezes acho que Elvira tem sérios problemas emocionais. Em um momento está feliz; em outro, já se mostra deprimida. Faço tudo para que se sinta feliz, mas acho que não sou o homem ideal para ela.

— Filho, não se trata disso. O problema é que Elvira está sendo constantemente assediada por entidades menos esclarecidas. Por isso sofre dessas mudanças repentinas de humor.

— O que podemos fazer para ajudá-la, mãe?

— Nossa única arma, filho, é a prece. Vamos pedir a Jesus, nosso mestre querido, que mande um emissário seu a fim de ajudá-la.

Dona Eunice, concentrada, pediu a Paulo que visualizasse Elvira feliz, e que pensasse em Jesus. Com os olhos fechados, Eunice fez sentida prece em favor de sua nora. Após um quarto de hora Elvira saiu do quarto. Seu semblante era o mesmo que apresentava pela manhã, alegre, sem traços de preocupação. Perguntou, ao olhar para o marido e para a sogra:

— E então? Vamos ou não à casa de dona Genoveva?
— Sim, filha, iremos. Só estávamos esperando por você.

Elvira se aproximou da sogra e disse-lhe em tom carinhoso:

— Estava me sentindo indisposta. Algo me dizia para não ir, mas logo depois senti a antiga disposição. Sei que a senhora deve ter feito alguma prece.

— Quem a ajudou, Elvira, foi Deus. O que mais quero é que seja feliz ao lado de meu filho. Ele a ama muito...

Elvira respondeu, sorrindo:

— Acho melhor irmos logo. Não é de bom-tom que alguém fique a nos esperar.

Paulo apressou a mãe e ficou do lado de fora esperando enquanto dona Eunice fechava a casa. Ao chegarem à casa de dona Veva, a velha amiga já os estava esperando. Só não sabia que Elvira viria. Recebeu-a com grande satisfação.

Dona Eunice, com muita simplicidade, disse-lhe:

— Veva, está é minha nora. Ela está aqui porque quer aprender também sobre as bênçãos espirituais.

— Para mim é um prazer recebê-la em minha casa. Espero que fique à vontade.

A princípio Elvira realmente se sentiu bem, mas, aos poucos, foi lhe dando um desespero, uma agonia, que a obrigou a pedir licença a fim de se retirar. Forçando um sorriso, falou:

— Não estou me sentindo muito bem. Se a senhora não se importar, voltarei outro dia.

— Filha, não é você que quer ir embora. Há duas entidades do seu lado que lhe estão querendo que você saia. Firme seus pensamentos em Jesus. Assim que fizermos nossa prece, tudo isso vai passar.

Elvira fez o que a dona da casa sugeriu. Assim que a prece terminou, a jovem irrompeu em muitas lágrimas, sem conseguir se conter. Tanto Eunice quanto Paulo ficaram assustados com sua reação, mas, a um gesto de Genoveva, permaneceram calados, sem se mover. Dona Veva disse aos presentes:

— Por favor, irmãos, façamos uma oração em pensamento para que o irmão que se encontra atrás de Elvira possa fazer o intercâmbio conosco. Não desviemos o pensamento de Jesus. Somente assim poderemos ajudar esse irmão necessitado.

Enquanto isso, Elvira chorava convulsivamente. Após alguns minutos, dona Veva perguntou, em tom amistoso:

— Meu irmão, por que está chorando?

Elvira nada disse, e continuou a chorar.

Novamente, dona Genoveva insistiu:

— Por que o irmão chora?

Elvira, remexendo-se na cadeira, retrucou em voz pastosa:

— Choro porque estou cansado de viver dessa maneira. Não agüento mais ficar recebendo ordens e ser tratado como um cão raivoso. Para mim chega. Preciso de um pouco de paz.

— Irmão, a paz de que tanto necessita somente Deus poderá lhe dar. Por enquanto, deixe de fazer o que vem fazendo. Arrependa-se de seus atos, pois a ajuda prontamente virá. Você irá a um lugar de paz, onde há felicidade em abundância.

— Não acredito que exista esse lugar. Desde que deixei meu corpo de carne estou assim, escravo desses que se julgam fortes.

— Irmão, ninguém pode ser mais forte que Deus. Confie Nele, e verá o quanto poderá ser feliz.

Ao ouvir estas palavras, a entidade que se manifestava por meio de Elvira tornou, aos prantos:

— Para mim não há felicidade. Mandaram-me ficar ao lado dessa moça para desgraçar a vida dela. Nosso chefe tem contas a ajustar com ela.

— Irmão, não pense nesse chefe, pense em você. Procure sua felicidade. Deixe Elvira em paz; vocês estão atrapalhando sua vida e a tornando infeliz. Não aumente sua dívida; permita que ela leve sua vida em paz, que ela seja feliz com o marido.

— Está bem! Vou aceitar sua sugestão. Contudo, se meu chefe por acaso vier me procurar, não conte onde estou. Se ele colocar as mãos em mim, com certeza vai me castigar.

— Não se preocupe. Siga esta irmã que está a sua frente. Vá e procure sua felicidade. Aprenda as leis morais de Jesus e procure melhorar seu modo de ser.

Elvira parou de chorar. Pendeu a cabeça para a frente por mais alguns momentos até que, finalmente, abriu os olhos.

Paulo estava preocupado com a esposa, mas dona Genoveva pediu:

— Pegue um pouco de água para ela. Passemos à consideração do evangelho. Assim que terminarmos nossas considerações, conversaremos sobre o assunto.

Tanto Eunice quanto Paulo ficaram observando Elvira. Contudo, Elvira, sem parecer passar por nenhum mal-estar, ouvia interessada cada palavra da dona da casa. Introduzindo a palestra daquela noite, ela começou:

— Meus irmãos, temos a nosso favor a prece. Somente ela nos faz fortes a fim de que nos aproximemos de Deus e inutilizemos os assédios que sofremos diariamente dos irmãos menos esclarecidos. A prece nos achega mais a Deus, porque é agradável a Ele. Um fator importante, também, é que ela é ditada por nossos corações. É preferível a Deus quando feita não com os lábios, mas com a força da nossa fé, e que a façamos com humildade. A prece é um ato de adoração. Orar a Deus é pensar Nele, aproximar-se Dele e colocar-se em comunicação com Ele. Pela prece podem-se propor três coisas: louvar, pedir e agradecer. Portanto, meus irmãos, quando nos sentimos impelidos a fazer qualquer coisa que nosso íntimo rejeita, façamos uma prece. Ao olhar uma noite cheia de estrelas, façamos uma prece de louvor. Ao sentirmos que fomos ouvidos, façamos uma prece em agradecimento. Ela é um escudo que nos protege de assédios de irmãos menos esclarecidos.

Genoveva, dizendo essas palavras, elevou seus pensamentos ao alto. Fez uma oração de agradecimento por naquela noite um irmão ter sido ajudado e por Elvira ter conquistado, com isso, mais tranqüilidade depois daquele dia.

Depois que a breve palestra terminou, Elvira estava eufórica. Quis saber mais sobre o que ocorrera ali.

— Dona Genoveva, o que aconteceu? Eu sentia que falava, mas não eram minhas as palavras; saíam de minha boca como se alguém a estivesse usando. Eu não tinha vontade de chorar, mas, de repente, não pude conter as lágrimas. Em meu íntimo sentia que fazia algo muito errado.

Genoveva pausadamente passou a explicar.

— Minha filha, o que aconteceu nessa noite é que você mostrou ter sensibilidade acentuada. Você foi o veículo para que aquele irmão se comunicasse conosco e pudesse entender o mal que não leva a nada, a não ser ao desespero e à dor. Você, Elvira, foi o que chamamos de médium, uma vez que tem a capacidade de sentir o mundo espiritual. É por isso que faz coisas das quais se arrepende depois, e magoa a quem na verdade não queria. Tenha cuidado, filha. Toda mediunidade tem de ser educada. Educar significa descobrir como lidar com ela. Esses irmãos não queriam que você viesse aqui, mas depois nada puderam fazer para impedi-la. Contudo, queriam que você fosse embora de todo jeito.

— É verdade. Eu me sentia mal e não via a hora de sair daqui. Agora, contudo, me sinto bem. Parece que um peso saiu de minhas costas.

— Querida — continuou carinhosamente dona Veva —, assim como esse irmão se aproximou de você, deve estar atenta para que outros não se aproximem. Nós os atraímos por meio de nossos pensamentos. Tenha cuidado com o que pensa, portanto. Não guarde rancor, raiva ou ódio. Se fizer assim, atrairá para seu lado irmãos que estão na mesma faixa vibratória. Em vez de ter esse tipo de pensamento, pense em amor, bondade, amizade e, principalmente, em Jesus. Fazendo isso, atrairá para junto de si irmãos de elevadas posições. Nunca se esqueça da prece também; ela é poderosa e protetora aliada.

Paulo ouvia calado. Dona Eunice se sentia exultante. Certamente dali para diante seu relacionamento com a nora mudaria.

Conversaram mais um pouco, e a dona da casa trouxe bolinhos de chuva com um bule de chá a fim de que comessem e conversassem mais à vontade. Elvira gostou prontamente de dona Genoveva. Sentira que, além de conhecedora do assunto, era também uma pessoa de bom coração. Paulo interrompeu o silêncio:

— Obrigado, dona Genoveva, pela consideração e pelos bolinhos. Entretanto, se eu não tirar essas duas daqui, ficarão por mais sei lá quantas horas, e amanhã tenho de levantar cedo.

— Para mim foi um prazer tê-los em minha casa. Espero que na semana que vem possam voltar.

Elvira foi a primeira a se manifestar:

— Eu virei, sem dúvida, ainda que eles não venham. Gostei muito das explicações que a senhora me deu. Quando tiver um problema, virei aqui a fim de que me esclareça. Agora que descobri que meus desajustes têm origem espiritual, sei que aqui terei ajuda.

Dona Eunice parecia ver a nora pela primeira vez. Ela estava muito diferente da Elvira arrogante que antes conhecera.

No trajeto de volta, os três comentavam sobre a noite de palestra. Ao chegar em casa, como as duas conversavam animadamente, Paulo, sonolento, falou:

— Bem que dizem que as mulheres quando se juntam falam por um ano inteiro. Agora acho bom deitarmos porque amanhã vou levantar cedo. Tenho de ir à vila vender os ovos que temos guardado. Amanhã vocês conversam mais.

Elvira fitou carinhosamente o marido.

— Paulo é um grande dorminhoco — disse em tom de brincadeira. — Nem mesmo a paz da qual estamos desfrutando hoje o faz permanecer um pouco acordado.

— Nisso concordo com você, filha — tornou dona Eunice. — Meu filho, se pudesse, passaria a maior parte do tempo dormindo.

As duas se despediram rindo. Dona Eunice, entretanto, não esperava pela maior surpresa da noite: Elvira se aproximou dela e disse um boa-noite seguido de um beijo em sua face. Com emoção, a bondosa senhora correspondeu ao afeto da nora, fazendo o mesmo. Com lágrimas nos olhos, falou-lhe:

— Minha filha, sinto tanto carinho por você! Se a chamo de filha, é porque assim penso de verdade. Deus não pôde me dar uma filha, mas Paulo pôde me dar essa alegria.

Elvira, sorriso nos lábios, vagarosamente se distanciou, acompanhando Paulo a seus aposentos.

Naquela noite especial, Eunice fez uma prece agradecendo a Deus por haver conquistado o coração da nora.

Elvira, por sua vez, enquanto se preparava para dormir, dizia a Paulo que, sonolento, mal ouvia:

— Meu amor, perdi muito tempo criticando sua mãe, sem saber que, na verdade, não tinha a meu lado uma sogra, mas sim uma mãe.

Paulo respondeu, balbuciando por causa do sono:

— Sempre soube que, assim que a conhecesse profundamente, você iria gostar de minha mãe. Além de ser sincera, ela é também afetuosa. Vamos torcer para, de hoje em diante, vocês serem como mãe e filha.

— Meu amor, como fui injusta com a mãe Eunice. Se não fosse por ela, jamais teria conhecido dona Genoveva, que de hoje em diante considero uma grande amiga.

— Mas se dona Genoveva é sua amiga, o que mamãe é para você?

— Não seja tolo, Paulo. Para mim ela é uma mãe querida que Deus me deu. Já que minha mãe me despreza, eu a adotei para ser minha mãe do coração.

Ao dizer essas palavras, e não ouvir mais nenhum comentário, Elvira percebeu que Paulo dormia.

No dia seguinte, Elvira se levantou, acendeu o fogão e preparou o café. Dona Eunice, ao se levantar, sorriu, dizendo-lhe:

— Minha filha, não precisava ter levantado tão cedo. Este é meu serviço. Além do mais, você não está acostumada com essas tarefas.

— Não diga isso, mãe Eunice. Esqueceu que agora somos mãe e filha? Não quero que a senhora se desgaste. Aproveitando a ocasião, quero lhe pedir perdão por ter me excedido em meus caprichos.

— Não se preocupe com isso. Façamos de conta que você se casou ontem com Paulo. De agora em diante teremos uma vida nova.

Realmente foi assim. A animosidade que existia entre as duas mulheres desapareceu como por encanto. Elvira sempre estava junto com a sogra para realizar os mínimos detalhes dos serviços domésticos.

Para Paulo, ver a mãe e a esposa se dando bem, como mãe e filha, era o paraíso na Terra.

16

Descobertas espirituais de Renato

Certo dia, Renato chegou à casa de Paulo dizendo que estava cansado do casamento. Não agüentava mais ver a esposa dia e noite, e confessara que estava enjoado daquela situação.

Paulo sentiu pena do amigo. Embora ele tivesse tudo que o dinheiro podia comprar, não tinha o mais importante, que era o amor verdadeiro e a paz interior. Respondeu, então, atencioso:

— Meu amigo! Não sei como você está se sentindo, pois graças a Deus nunca passei por isso. A cada dia amo mais Elvira. Contudo, penso que você deveria organizar melhor sua vida a fim de poder dar a Caroline o carinho que ela merece. Garanto que o amor vem com o tempo, afinal ela é uma mulher bonita e tem muita cultura.

— Isso só não basta; preciso de bem mais. Necessito de paixão para me sentir vivo, e isso eu não sinto por Caroline.

— Paixão, meu amigo, é efêmera e passageira. Tenha cuidado. As paixões avassaladoras são como chuvas de verão, que destroem casas, arrancam árvores, derrubam cercas. Mas, assim que passam, tudo volta a ser como antes, apenas com uma diferença: assim como as tempestades de verão, deixam marcas que muitas vezes nem o tempo consegue apagar. Pense em sua esposa, nos filhos que você pode ter com ela, na alegria de ser pai; somente dessa maneira verá que paixão nada mais é que ilusão, e toda ilusão é transitória. O amor, este sim, amigo, quando é verdadeiro, é duradouro. Eu jamais trocaria o amor que sinto por Elvira por uma paixão. O que sinto por ela é tão verdadeiro como o dia que nascerá amanhã. Ela é a mulher de minha vida. Embora eu seja muito pobre, nunca trocaria o amor de minha esposa por nenhum outro, mesmo que fosse por interesse.

— Você pensa assim porque ama sua esposa. Eu não amo Caroline. Faço tudo para ser atencioso e gentil, mas às vezes até meu pai percebe que estou sendo artificial e fingido.

— Renato, o que tenho a lhe dizer é isso. Enquanto você procurar no braço de outras mulheres a paixão que você diz precisar para se sentir vivo, terá apenas desilusão. Tome cuidado porque, quando acordar da ilusão, poderá ser tarde demais. Cuide de Caroline, que é esposa fiel e dedicada. Você sentirá falta dela se por um acaso vier a perdê-la.

— Você acha que sou tão idiota a ponto de fazer algo que ela venha a saber? Não, meu amigo, sou muito discreto.

— Não se engane, Renato. Tudo que se faz sobre a terra um dia será descoberto. Fique atento com o que está plantando. Dependendo do que for, vai colher dor e sofrimentos.

Renato, sem conseguir se fazer entender pelo amigo, uma vez que ele não concordava com sua maneira de viver, tratou de mudar de assunto.

— Paulo, conheci na capital um rapaz de nome Juvenal. Ele é boa pessoa, alegre e muito prestativo. Se o conhecer, garanto que gostará muito dele.

— Ele deve pensar como você, certamente.

— Sim. Quando vou à capital, com pretexto de resolver negócios, ele sempre me leva para a casa de meretrizes, e lá nos divertimos muito.

— Renato, não tenho nada a ver com sua vida. Quero que fique atento, no entanto, com gente assim. Apesar de parecer uma ovelha, pode ser um lobo prestes a atacá-lo. Se ele vier a sua casa, não o traga aqui, por favor.

— Do jeito que fala, parece que Juvenal é um transviado, e que poderá fazer mal a qualquer um! Está sendo preconceituoso, Paulo. Como pode julgá-lo sem nem ao menos conhecê-lo?

— Pois então me diga: acaso quando saem para a boemia, quem paga as contas?

— Eu pago. Ele não tem dinheiro sequer para pagar o quarto da pensão onde mora.

— E em que ele trabalha?

— Pelo que sei, trabalha com compra e venda de gado.

— Mas, se ele não tem nada, onde consegue dinheiro para comprar gado?

— Isso eu não sei, tampouco me interessa. O importante, para mim, é que ele seja como vem sendo: honesto e bom companheiro.

— Quem sou eu para ficar dando conselhos? Entretanto, acredito que, antes de tomar uma pessoa como amiga, você deve procurar conhecê-la melhor. Se fizer isso, garanto que não terá aborrecimentos.

— Pode deixar, *papai*. Seguirei seu conselho. No próximo final de semana ele virá à fazenda. Gostaria que você o conhecesse.

— Está bem. Mas não quero maior envolvimento com ele, já lhe disse.

— Paulo, às vezes você me parece ter setenta anos. Seus pensamentos são tão retrógrados. Nem mesmo meu pai, que conta com setenta e cinco, pensa como você.

— Sinto muito que pense assim. Sou seu amigo e não gostaria de vê-lo sofrer. Ademais, esse tal Juvenal não me parece boa coisa, de fato. Não acha cômodo irem às farras e só você pagar as contas?

— Não seja maldoso, Paulo. Juvenal é um bom companheiro. Mas amigo de verdade eu só tenho você. Não sou tão ingênuo a ponto de me deixar levar por pessoas interesseiras.

— Quem avisa amigo é. Depois não venha dizer que não o avisei.

Renato conversou com Paulo por mais algum tempo. Em seguida, foi para casa dizendo que tinha muito que fazer.

À noite, Renato voltou à casa de Paulo para conversar com dona Eunice e Elvira, enquanto Paulo observava calado a conversa dos três.

Elvira lhe contava sobre a experiência que tivera na casa de dona Genoveva, e Renato ouvia com interesse. Ele próprio, como já tinha falado aos amigos, não tinha visto Jacira pela fazenda?

Porém, havia algo ali de que Paulo não estava gostando. Observando o porte elegante de Renato e sua conversa, começou a sentir ciúmes do amigo. Procurou disfarçar para que ele não notasse. Não queria perder o único amigo que tinha.

Renato fez várias perguntas, mas como Elvira só havia ido uma vez à casa de dona Genoveva não sabia responder a todas elas. Foi com entusiasmo que Renato sugeriu:

— Se não se importarem, gostaria de ir à casa dessa mulher. Algo me diz que ela poderá elucidar muitas dúvidas que tenho.

Eunice respondeu:

— Para mim será um prazer. Dona Veva é a melhor criatura que conheço, sempre preocupada com o bem-estar dos outros. Tem tanto conhecimento que você ficará abismado. Ela é letrada e tem muitos livros. Talvez possa emprestar-lhe alguns.

Renato ficou eufórico. Queria ir o quanto antes à casa de dona Genoveva. Paulo continuava desgostando daquela aproximação demasiadamente exagerada, segundo sua opinião.

Elvira propôs:

— Se quiser poderemos ir hoje à casa de dona Genoveva. Garanto que a bondosa senhora não se importará.

— Não acho de bom-tom irmos à casa dos outros sem um prévio aviso — comentou Paulo.

— Não se preocupe, meu amigo. Darei um jeito de avisá-la que a visitarei esta noite.

Paulo, contrariado, nada respondeu. Eunice, contudo, estava empolgadíssima com o interesse de Renato. Embora ele tivesse fama de aventureiro e irresponsável, talvez pudesse mudar com esses conhecimentos espirituais. Dessa maneira, combinaram tudo. Renato mandou que Honório fosse à casa de dona Genoveva perguntar se poderia recebê-los naquela noite.

Para Genoveva, foi um enorme prazer receber Honório com aquele pedido, que mostrava que o filho do coronel Donato estava à procura de conhecimento espiritual e paz interior. Depois de Honório partir, ela fez uma prece a Deus a fim de agradecer a oportunidade de estar sendo útil.

O empregado da fazenda voltou com boas notícias para Renato. Imediatamente ele se dirigiu ao sítio de Paulo para falar que poderiam ir ter com dona Veva em sua casa. O outro amigo, entretanto, fazia cara de descaso. Renato, percebendo o desinteresse do amigo, perguntou-lhe abertamente:

— Posso saber o que está acontecendo com você? Parece que não quer que eu vá à casa da amiga de sua mãe.

— Não se trata disso. Estou cansado; é só.

— Você não me engana — retrucou Renato. — Acho que você está enciumado. Se for esse o caso, pode ficar tranqüilo. Já lhe disse uma vez: mesmo que ela fosse a única mulher da face da terra, não me interessaria por ela. Eu a tenho como irmã, Paulo. E, se me interessasse por ela, acha que teria apadrinhado a fuga de vocês dois?

Paulo sabia que Renato estava sendo sincero. Balbuciou:

— Desculpe-me, Renato. Não queria ofendê-lo. É que, vendo-o tão rico, de porte nobre, elegante, comunicativo, chego a pensar, às vezes, que seria o par ideal para Elvira.

— Deixe de bobagens, homem. O par ideal para Elvira é você. Afinal, quem foi que se casou com ela? Quem a faz feliz? Deixe de ser inseguro. Elvira ama você, e você, pelo que vejo, está feliz ao lado dela.

O temor de Paulo, com aquela conversa, desanuviou-se como por encanto. Ele pôde perceber como aquela crise de ciúme era infundada. Abraçando Renato, comentou:

— Você é um cabeça-dura, mas é o melhor amigo que um homem pode ter.

Renato, sorrindo, completou:

— Diga a sua mãe e a sua esposa que passarei assim que o sol se puser. Pretendo conversar bastante com dona Genoveva. Iremos de automóvel, assim podemos ficar tranquilos quanto ao horário de volta.

Paulo sorriu e concordou.

Naquela mesma noite, todos estavam à espera de Renato. Ele chegou entusiasmado, e disse que pediria a dona Veva que lhe mostrasse os espíritos.

— Não diga bobagem, Renato — respondeu dona Eunice. — Minha amiga não fica invocando os espíritos. Ela apenas estuda as obras de Allan Kardec.

— Quem foi esse Allan Kardec?

— Um grande estudioso, que codificou as instruções dadas por espíritos superiores.

— Poxa, não sabia que havia pessoas importantes que tinham se interessado por esse assunto — comentou Renato.

— Pois sim, meu filho. Entre elas há cientistas famosos, que ingressaram no firme propósito de conhecer as leis espirituais.

— Deixemos de conversa — disse Paulo. — Se ficarmos aqui falando, a hora vai passar e não poderemos ficar muito tempo na casa de dona Genoveva.

— Ah, estou me lembrando de uma coisa. Da última vez que estive em Paris, comprei um livro chamado *Le Livre des Esprits*. Quer dizer "o livro dos espíritos". Se não me engano, foi esse tal de Kardec quem escreveu — comentou Renato.

— Realmente, meu filho! — respondeu dona Eunice. — Allan Kardec era francês e esse foi primeiro trabalho dele com os espíritos superiores.

— Eu li esse livro em doze horas! Confesso que nunca nenhum outro teve impacto tão grande sobre mim.

— Não diga lorotas, Renato! — comentou Paulo, ironicamente. — Se tivesse causado tanto impacto assim em você, certamente teria mudado de proceder.

— Você acredita em milagres, Paulo? — falou Renato, gargalhando.

Elvira, que estava dentro da casa, apareceu.

— Hoje eu não vou — disse a jovem. — Acho melhor ficar em casa. Estou me sentindo cansada e quero dormir cedo.

— Não, filha, não se deixe envolver. Vamos à casa de minha amiga, sim. Garanto que voltará bem melhor. O problema é que alguém não quer que você vá. Entretanto, é você quem manda em si mesma. Não aceite sugestão de irmãos menos esclarecidos. Indo conosco, não só se ajudará como também a quem está do seu lado.

— Há alguém comigo?

— Elvira, há pouco você estava animada para ir. De repente, sentiu essa indisposição. Claro que não se trata de sua vontade; o que ocorre é que você está captando energias negativas de espíritos que não querem que você vá.

— Se é assim, eu irei. Quem deve decidir o que vou fazer ou não sou eu. Esse corpo me pertence, e só faço o que me dá vontade. Se mais alguém próximo de mim não quer ir, o problema é dele. Mas me impedir... isso jamais vai acontecer!

— Assim é que se fala, filha — concordou Eunice. — Antes de sair, façamos uma prece a fim de que essas energias negativas que a estão envolvendo sejam desfeitas.

Depois de sentida prece, Elvira já estava completamente diferente. Dizia não estar mais cansada, e queria chegar logo para aproveitar melhor o tempo.

À casa da bondosa senhora todos chegaram esperançosos e ansiosos por saber qual seria o tema da palestra daquela noite.

Dona Genoveva, ao ver os presentes, mandou que entrassem e que cada um tomasse assento em volta da mesa. Falaria sobre o desencarne e o lado dimensional, diferente do nosso, onde aquele espírito iria viver.

Renato, como prestava mais que a costumeira atenção, perguntou, com real interesse:

— Dona Genoveva, para onde o espírito vai depois da morte?

— Meu filho, Jesus, nosso mestre, nos ensinou que na casa do Pai há muitas moradas. Se pensa que existe só o plano terrestre, se engana. Quando uma pessoa morre, o que na verdade acaba é o corpo de carne, pois o espírito é eterno. O espírito desencarnado, como o chamamos, vai para diferentes mundos, de acordo com seu merecimento. Por exemplo, muitos de nossos irmãos que desencarnam são atendidos imediatamente por uma equipe socorrista. Mas isso ocorre de acordo com os méritos de cada um. Infelizmente, nem todos são socorridos de imediato. Por vários fatores, ignoram que morreram, não aceitam ajuda, ou simplesmente querem ficar do lado de seus familiares encarnados.

— Então, se é assim, deve ser muito triste morrer. Nem sabemos ao certo para onde vamos.

— Meu irmão — esclareceu dona Veva —, de acordo com nossos atos dá para ter uma idéia do lugar para onde iremos. Sabemos que Deus dá a cada um segundo seus atos, portanto pratiquemos o que Jesus nos ensinou: a caridade. Fora dela, como disse o mestre, não há salvação.

— Sou um homem caridoso — respondeu Renato. — Procuro sempre ajudar aqueles que precisam.

— Meu amigo — retrucou dona Genoveva —, a caridade tem várias faces. Podemos ajudar os que estão precisando de ajuda material, mas também podemos ajudar os que sofrem emocionalmente. Isso quer dizer que, quando nos dispomos a ouvir o que o próximo tem a dizer, isso também é caridade. A maior caridade que podemos fazer é estar sempre dispostos a ajudar nosso próximo, independentemente de quem ele seja.

— O que a senhora quer dizer com "próximo"? — indagou Elvira.

— Filhos, Jesus, enquanto viveu aqui na terra, ensinou a muitos com parábolas, e uma delas foi a do bom samaritano.

— Sempre fui à igreja, porém confesso que nunca prestei muita atenção nos sermões do padre Bento. Achava-os maçantes e cansativos — Renato apressou-se em dizer.

— Em breves palavras — começou dona Veva — vou contar a parábola do bom samaritano para que entenda melhor o que quero dizer. Havia um homem que estava descendo de Jerusalém para Jericó, e caiu esta pobre criatura nas mãos de salteadores, que não somente o despojaram como também cobriram-no de feridas, deixando-o quase morto. Eis que passou pela mesma estrada um sacerdote, mas, quando viu o pobre homem todo machucado, caído na estrada, passou para o outro lado. Mais tarde passou por ali um levita, que veio também para o mesmo lugar. Entretanto, ao ver o homem, também se desviou dele. Tempos depois passou um samaritano que viajava. Chegando ao lugar onde estava esse homem, e tendo-o visto, foi tocado de profunda compaixão. Eis que ele se aproximou do pobre desafortunado, derramou óleo e vinho sobre suas feridas e as enfaixou. Tendo colocado o enfermo sobre seu cavalo, conduziu-o a uma hospedaria e cuidou dele. No dia seguinte, tirou duas moedas e as deu ao estalajadeiro, dizendo: "Tenha bastante cuidado com este homem. Tudo que gastar a mais, eu o pagarei assim que regressar". Portanto, quem demonstrou real caridade para com aquele homem, que estava necessitando de ajuda? — perguntou dona Genoveva.

Em uníssono, todos disseram ao mesmo tempo:

— Foi o samaritano!

— Isso mesmo, amigos. Essa parábola de Jesus nos ensina como devemos nos portar diante das misérias do próximo. Não podemos fazer como o levita e o sacerdote. Sejamos, ao contrário, caridosos como o samaritano. O próximo é todo irmão que está perto de nós.

Renato estava surpreso com as explicações claras de Genoveva. Os sermões que o padre fazia na igreja para ele chegavam a ser tediosos. Com entusiasmo, o jovem perguntou:

— Dona Genoveva, e quando prejudicamos alguém sem querer? Como podemos fazer para restituir o mal?

Renato pensava em Jacira. Sabia o quanto a havia prejudicado, levando-a, no final, à morte. Sem saber do que se tratava, contudo, dona Genoveva, como se servisse de instrumento espiritual naquele momento, respondeu-lhe:

— Meu irmão, não se culpe diante de um fato que ocorreu. Antes, procure não mais errar. O que foi feito não tem retorno. A única coisa possível é pedir perdão, arrepender-se de seus atos, e rogar a quem você prejudicou que o perdoe e o deixe encontrar a paz que tanto almeja.

Renato, surpreso diante das palavras de Genoveva, emudeceu. No entanto, o jovem se questionou a respeito de como aquela senhora sabia daquilo, uma vez que somente ele, Paulo e dona Eunice tinham consciência do que ocorrera. Paulo, seguindo os rumos do pensamento do amigo, fitou-o, observando sua palidez. Tentou ficar tranqüilo e não deixar transparecer a própria preocupação.

Renato nada mais disse. Ficou ouvindo a dona da casa atentamente. Dona Eunice e Elvira estavam totalmente absortas nas explicações simples de dona Genoveva. Enquanto isso, Paulo tentou lançar um olhar significativo na direção de Renato.

Ao término da reunião, o jovem, ainda pálido, perguntou em particular a dona Veva:

— Quem lhe contou o que ocorreu comigo tempos atrás?

— Filho, ninguém me disse nada. Naquele momento, foi transmitida uma mensagem a mim. O irmão que comanda a reunião me usou para falar com você. Fique tranqüilo; este segredo é só seu. Não tenho o direito de revelá-lo a ninguém, até mesmo porque não conheço os detalhes, nem de que se trata.

— Mas nunca contei isso a ninguém, somente a Paulo e dona Eunice. Como esse espírito poderia saber algo tão particular?

— Renato, os espíritos têm uma visão muito mais ampla que nós, que ainda estamos presos no corpo de carne. Quando for desencarnado, saberá o que estou dizendo.

Renato não comentou mais nada porque não queria entrar em pormenores com dona Genoveva. Sabia, contudo, que a mulher era de boa índole e que jamais contaria seu segredo a ninguém.

Ficaram na casa de dona Genoveva por cerca de uma hora, comendo pão e tomando café. As mulheres estavam eufóricas e queriam conversar todas ao mesmo tempo. Paulo e Renato, calados, observavam-nas conversar sem parar. Foi Renato quem interrompeu:

— Sinto estragar o prazer desse encontro, mas temos de ir. Amanhã tenho várias coisas para resolver, e minha esposa já deve estar sentindo minha falta.

— Para mim foi um prazer sua visita, Renato. Gostaria de desfrutar de sua companhia mais vezes. Você é meu convidado também para a próxima semana.

Com essas palavras, todos se despediram e o grupo seguiu rumo ao automóvel de Renato. No caminho, Elvira perguntou ao amigo:

— O que achou da reunião?

— Achei-a interessante. Gostei muito de dona Genoveva. Acho que virei mais vezes. Sempre me interessei por assuntos que envolvem espíritos.

— Você vai ver, Renato — falou dona Eunice — , que, após adquirir os conhecimentos espirituais e colocá-los em prática, a sua vida mudará para melhor. Digo por experiência própria. Lembra como antes eu e Elvira não nos dávamos muito bem? Mas, depois de freqüentar a casa de dona Genoveva, e colher alguns ensinamentos espirituais, nosso relacionamento passou a ser como de mãe e filha, não é mesmo, Elvira?

— Sim, dona Eunice. Nossa vida está mudando para melhor, com a graça de Deus.

Renato nada respondeu. Deixou-os em casa e, ao se ver a sós com Paulo, perguntou:

— Amigo, seja sincero: você comentou com mais alguém aquela minha história com Jacira?

— É claro que não, Renato! Segredo é segredo.

— Então como dona Veva sabia de minhas falhas no passado?

— Você tem de entender que ela tem amigos de outras dimensões. Ela falou aquelas palavras que somente eu e você sabíamos porque não era ela quem falava, mas sim os amigos do astral.

— Isso é possível? — perguntou Renato, um tanto descrente.

— Sim, meu amigo. Lembra que contei o que ocorreu com Elvira na primeira vez em que lá esteve?

— Lembro. Acho que vou adquirir todo o conhecimento que me for possível. Se tem algo de que gosto neste mundo é de aprender. Creio que esses conhecimentos me serão úteis no futuro.

— Se quiser, vamos lá toda segunda-feira. O horário é sempre o mesmo, às oito da noite. Minha mãe gosta de ir antes para conversar com dona Genoveva. As duas se dão muito bem.

— Esses conhecimentos também seriam úteis para Caroline. Ela anda depressiva, e gosta agora de ficar enclausurada em nosso quarto. Quem sabe a companhia das mulheres não lhe fará bem?

Renato se despediu então do amigo, ligando o automóvel. Paulo ficou observando-o desaparecer na estrada.

Ao entrar, dona Eunice perguntou a Paulo:

— Quer comer algo, filho?

— Não, mãe. Já comi demais na casa de dona Genoveva. Vou dormir; estou cansado. — Pegando nas mãos de Elvira, ambos se dirigiram ao quarto. Antes de adormecer, a esposa lhe confessou:

— Paulo, não consigo imaginar minha vida sem você. Nunca amei alguém como o amo.

Paulo, enlaçando a esposa pela cintura, deixou que ela o conduzisse à cama, e lá se entregaram aos sentimentos que vinham de seus corações.

※

Quando Paulo se levantou no dia seguinte, Elvira ainda estava deitada. Estranhando aquela atitude, chamou a esposa:

— Não vai levantar hoje, preguiçosa?

— Vou, meu amor. Esta noite tive um sonho tão estranho... Eu era negra, tinha uns quarenta anos. Você era um jovem de vinte e poucos. O mais engraçado era que eu já o amava como amo hoje. Será que este sonho tem algo a ver com uma de nossas vidas passadas?

— Não sei, querida. Se tiver alguma dúvida, pergunte a dona Genoveva. Ela convidou cinco pessoas que virão da capital na semana que vem para fazer parte da reunião. Quem sabe alguém não saberá elucidar esse mistério? Agora acho bom você se levantar porque minha mãe ficará preocupada se não o fizer, achando que está doente.

— Amor, sua mãe faz por mim o que minha própria mãe Clotilde nunca fez. Eu a estimo de coração. Quando penso no que lhe fiz, sinto um remorso tão grande que chega a oprimir meu peito.

— Não pense mais no passado. Sejamos felizes no presente. Isso é o que importa. O que passou, passou.

— Você tem razão. Fale a sua mãe que já estou indo. Vou só acabar de me arrumar.

Paulo, beijando ternamente os lábios da esposa, deixou o quarto.

Ao entrar na cozinha, pôde sentir o cheiro de café fresco. Sobre a mesa havia uma lata cheia de pães. Paulo deixou para tomar café mais tarde, pois já estava um pouco tarde para ordenhar a Malhada. Teve tempo ainda de ver Elvira sair do quarto e se dirigir à sogra com um sorridente bom-dia.

— Filha, por que não ficou um pouco mais na cama? Paulo foi ordenhar a vaca, e só teremos leite mais tarde. Por enquanto, não temos muito o que fazer.

— Mãe Eunice, quero ser útil. Não quero deixar todo o serviço da casa para a senhora. Não sou melhor que ninguém, por isso faço questão de ajudar. Ademais, estou aprendendo a gostar da senhora. Cada hora que passamos juntas me traz muita felicidade.

Eunice, com lágrimas nos olhos, respondeu:

— Eu também a aprecio muito. Tudo que estiver a meu alcance farei para que você e Paulo sejam felizes. Vocês dois são meus filhos.

Elvira, ao receber tamanho carinho, e sendo afetuosa por natureza, aproximou-se da sogra e lhe beijou uma das faces.

Não demorou muito para que Paulo ordenhasse a vaca, enchesse os potes e pegasse a enxada para carpir o feijão que ele havia plantado. As duas continuavam conversando na cozinha:

— Filha, gosto muito de você. Queria que você tivesse mais conforto. Infelizmente, não podemos dar isso a você.

— Não se preocupe com isso, mamãe. Aqui tenho o que nunca tive antes: a felicidade. Os recursos financeiros não me fazem falta.

Como Paulo ainda não tinha voltado com o leite, ficaram aguardando o rapaz e conversando sobre vários assuntos, em agradável harmonia.

17

Novos rumos para Caroline

Renato chegou em casa pensativo. Como dona Genoveva, que era alguém que ele mal conhecia, soubera de seu segredo? Teria sido um espírito, de fato, que lhe falara aquilo, ou alguém, encarnado mesmo, lhe havia dito?

Renato sabia que Paulo jamais contaria a alguém seu segredo. Ele era muito quieto e discreto. Pensando assim, chegou em casa e adentrou seu quarto, encontrando Caroline deitada, sem conseguir conciliar o sono. A esposa respondeu mordazmente:

— Onde esteve? Já sei, nem precisa responder: ou bebendo com amigos, ou estava às voltas com mulheres.

— Nem uma coisa nem outra. Estava com a família de Paulo, em uma reunião na casa de dona Genoveva.

— Que tipo de reunião? — indagou Caroline, desconfiada.

— Dona Genoveva é uma pessoa de muita fé. Ela palestrava sobre os ensinamentos de Jesus.

Caroline, soltando uma sonora gargalhada, disse:

— Logo você, um fanfarrão, que gosta de bebidas e de mulheres, vem me dizer que estava participando de um culto religioso? Acaso pensa que sou uma idiota?

— Não seja maldosa, Caroline. Juro a você que estava lá. Se quiser, poderei levá-la na próxima vez que for à casa dela.

— Não me venha com lorotas. Não quero conversar com você hoje. Por isso, trate de arrumar a cama no chão. Comigo é que não vai dormir. Tenho verdadeira repulsa por você.

— Caroline, acredite. Estou lhe dizendo a verdade.

— Se é verdade ou não, pouco me interessa. De hoje em diante, você dormirá no chão. Não vou me deitar com um homem que pertence a todas as mulheres. Só não me separo de você porque uma mulher assim não é bem-vista perante a sociedade. No entanto, você jamais vai colocar as mãos em mim novamente. Não me importo a respeito de suas aventuras amorosas. Para mim chega. Cansei de me entregar a um homem que não me dá valor. Não contente com isso, ainda subestima minha inteligência dizendo que esteve em um culto religioso.

— Está bem, Caroline. Se é assim que quer, assim será. Jamais vou procurá-la novamente. De hoje em diante, cumpriremos só o protocolo de casamento bem-sucedido. Mas saiba que um dia você se arrependerá. Amanhã mesmo vou providenciar um colchão para dormir. Porém, já a previno: se meus pais souberem, haverá conseqüências para você.

Renato apagou a luz e acomodou-se aos pés da cama de Caroline. Ele estava insone, portanto pôde ouvir os soluços que a esposa tentava abafar. Ele, por sua vez, pensava: "Entre tantas mulheres que queriam se casar com Renato, filho do coronel Donato, bacharel em direito, eu pude escolher justamente esta criatura infantil e inútil para esposa". Com esses pensamentos funestos, adormeceu, deixando Caroline a ouvir seus roncos.

Caroline, ao ouvir o marido ressonando, pensava: "Esse cretino vai me pagar. Vou arranjar um amante, e ele nada poderá dizer. Afinal, ele tem tantas mulheres que nem mesmo seus pais ficarão contra mim se descobrirem. Sou jovem, bonita, e disponho de uma boa situação social. Daqui por diante participarei mais dos bailes, e sempre arranjarei desculpas para ir à capital, pois jamais me envolveria com alguém desse fim de mundo. Tem de ser alguém com quem Renato se sinta diminuído ao extremo, e que não só goze de beleza física, mas de uma fortuna invejável. Um dia amei meu marido, mas hoje não sei ao certo o que sinto. A infidelidade dele já chegou ao limite de minhas forças. Meu próprio marido me negou a alegria de ser mãe; agora vou lhe impingir um filho que não será seu". Pensando nisso, Caroline não viu que um vulto colado a ela lhe transmitia tal pensamento, por isso reproduziu, em voz alta:

— Eu me vingarei de você!

No dia seguinte Caroline acordou como de costume, e chamou o marido, que ainda dormia a sono solto. Com um sorriso, ela lhe explicou:

— Vamos manter as aparências diante de seus pais. Não quero que eles tenham mais essa decepção com você. Trate-me com cortesia e atenção na frente deles, que farei a minha parte. Mas lembre-se: quando estivermos em nosso quarto, as coisas continuarão como estão, cada um do seu lado.

— Muito bem. Se deseja assim, não vou me opor. Embora você não acredite, ontem não fiz nada de mal. Se não acredita, faça como quiser. Sempre procurei ser um bom marido para você.

Dizendo isso, Renato juntou as roupas de cama que estavam no chão, banhou-se e, assim que se arrumou, desceu para o desjejum. Ao ver os pais e a esposa esperando-o, disse com docilidade:

— Bom dia a todos. Hoje estou com tanta fome que comeria um vitelo se me servissem.

— O que deu em você, meu filho? — perguntou-lhe a mãe. Nunca vira o filho tão bem disposto.

— É o amor, minha mãe, é o amor...

Caroline sentiu como se um vulcão estivesse prestes a entrar em erupção dentro de si. Olhou para o marido e, crispando de raiva, falou:

— Meu querido, não seja tão indiscreto. Seus pais não se interessam por nossas intimidades.

Renato, sorrindo, respondeu:

— Meus pais sabem o quanto nos amamos. Logo, logo vamos deixar essa casa lotada de crianças.

— Essa será minha maior alegria — concordou o coronel Donato.

— Pois bem — iniciou Caroline —, já que estamos todos reunidos, gostaria de pedir a permissão de meu marido para passar uns dias na capital, na casa de meus pais.

Renato, surpreso, indagou:

— Mas que idéia é essa, querida? Desde que nos casamos você nunca aventou a possibilidade de visitar seus pais sem minha presença!

— Meu amor, estou com muitas saudades deles. Deixe-me ir. Ficarei só alguns dias; depois prometo que não vou mais sem sua presença.

Renato, contrariado, não deixou transparecer sua revolta. Como não podia ser mal-educado com a esposa, falou em voz forçosamente calma:

— Como você sabe, nunca lhe neguei nada. Esta não será a primeira vez. Quanto tempo pretende ficar na casa de seus pais?

— Um período razoável, a fim de que possa visitar também minhas amigas que se casaram antes de mim.

— Está bem. Consinto em que vá, mas informo que minha mãe irá com você.

Caroline, revoltada, deixou transparecer todo seu ódio ao dizer:

— Acaso eu lhe dei motivos para desconfiar de mim? Então acha que não sou digna de visitar meus pais sozinha?

Renato, se sentindo embaraçado, disse em tom conciliador:

— Não é nada disso, minha querida. Apenas temo que viaje sozinha. Mas, se achar que não há problema, pode ir.

— Que bom, filho, que decidiu assim. Eu não me sinto com vontade de me ausentar da fazenda agora. Deixe que sua esposa vá sozinha.

Caroline, sentindo-se satisfeita, dissimulou a felicidade que ia em seu íntimo. Iria à capital apenas se vingar de Renato.

Mais tarde Renato passou pelo sítio de Paulo. Assim que chegou, contou-lhe as novidades, sem esconder nada sobre sua separação de corpo com Caroline. Paulo, que ouvia mais do que falava, resolveu se manifestar:

— Meu amigo, quem sabe essa viagem de Caroline à capital não seja boa para vocês dois? Talvez, quando ela voltar, vocês possam fazer as pazes.

— Acho que tem razão. Quero muito ter um filho com ela. Se ela se mantiver assim, resoluta, isso se tornará impossível.

Renato ficou conversando com o amigo mais um quarto de hora; depois adentrou a casa pedindo um pouco de café a dona Eunice. A senhora o serviu, e Renato gentilmente agradeceu:

— Já tomei muito café em minha vida, até mesmo fora do Brasil. Mas nunca encontrei ninguém que fizesse um café tão gostoso como o da senhora.

— Sinto-me lisonjeada. Mas quem anda fazendo café aqui é Elvira. Ela tem se mostrado excelente cozinheira, e faz questão de aprender tudo que faço.

— O quê? Elvira cozinhando e fazendo café? Não creio. Ela nunca fez isso antes!

— Disse bem, Renato — completou Elvira, que chegara ali naquele momento —, "nunca fez isso antes", mas agora faço. Estou aprendendo a cozinhar.

— Quem a viu e quem a vê...

Todos riram com essas palavras espontâneas de Renato.

Assim que tomou o café, Renato se despediu. Paulo o acompanhou até o cavalo que estava amarrado em uma árvore próxima à porta da pequena sala. O outro amigo lhe perguntou com sarcasmo:

— Diga a verdade: Elvira está mesmo cozinhando bem, assim como sua mãe fala?

Paulo, sem jeito, respondeu:

— Minha mãe tem lhe ensinado. Tem hora que ela coloca sal de mais, em outras vezes coloca de menos. Sem contar as vezes em que deixa queimar o arroz. Ela fica orgulhosa em dizer que foi ela quem fez a comida, e mamãe sempre diz que ela está indo bem; mas o que eu não gosto que ela faça é a bendita gemada de manhã. É um horror! Triste é que ela faz uma caneca cheia, e tenho de tomar tudo para não entristecê-la. Ela faz com tanto carinho que me dá pena.

— Que história é essa de gemada de manhã? — perguntou Renato.

— Foi minha mãe que inventou. Ela fazia para o meu pai, e disse a Elvira que com gemada o homem fica mais viril.

Renato caiu na gargalhada. Depois completou:

— Amigo, ela não faz essa gemada só por você. Faz por ela também... Você é marido dela, não é?

Paulo, completamente embaraçado, mudou o rumo da conversa, retomando o assunto da viagem de Caroline.

— Não sei por que aquela infeliz foi ter essa idéia agora. Se ela está pensando que vou atrás dela na capital está muito enganada. Se ela passar lá um ano, ficarei um ano sem vê-la.

— Meu amigo, esse casamento não está nada bem. Acho que você tem de freqüentar a casa de dona Genoveva para obter ajuda espiritual.

— Acho que você tem razão, Paulo. Vou ser assíduo nas reuniões. Quem sabe assim minha vida melhora.

⁂

Dias depois, Caroline partia da fazenda dos sogros. Ia em direção à vila, onde pegaria o trem para a capital. Estava feliz, mas em sua mente só havia uma palavra: VINGANÇA! Ela pensava em arrumar um belo rapaz e manter um romance secreto. Só voltaria quando estivesse grávida.

Ao se despedir de Renato, na estação, disse-lhe, sorrindo:

— Espero que, quando voltar, essa animosidade que existe entre nós já tenha amainado. Gostaria que pudéssemos ser felizes juntos.

Renato respondeu, também em tom carinhoso:

— Gostaria de ir junto com você. Mas sei que a distância nos será benéfica. Vou esperá-la para que possa ir comigo à casa de dona Genoveva. Sei que não acredita, mas realmente estava lá, conforme lhe disse.

— Talvez eu vá. Mas isso é coisa para o futuro! — Deu um beijo na face de Renato e se despediu, vendo que o chefe da estação estava recolhendo os bilhetes.

Com imensa alegria Caroline entrou no trem. Passava em seus pensamentos a idéia de freqüentar bailes, saraus e tudo que envolvesse o meio social.

Renato voltou para casa tranqüilo. Seus pais já sentiam falta da nora, nem bem ela tinha partido. Afeiçoaram-se muito a ela.

⁂

Fazia dois meses que Caroline havia chegado à casa dos pais. Como tinha ainda uma irmã solteira, as duas iam sempre a bailes, festas, aniversários, saraus. Foi em um desses bailes que Caroline conheceu Alceu Mendonça, um rapaz de trinta anos, elegante, porte atlético, que era muito requisitado pelas moças, pois além de ser belo era também muito rico. Seu pai era dono de uma grande tecelagem, onde trabalhavam muitos funcionários.

Quando Caroline viu Alceu pela primeira vez, sentiu-se extremamente atraída por ele. Como era casada, e não estava acompanhada pelo marido, não era de bom-tom que dançasse uma valsa com um rapaz solteiro. Entretanto, Alceu era um jovem alegre, que sempre estava acompanhado não só de amigos, mas também de moças, a maioria apaixonada por ele. Também era leviano. Mantinha contato com meretrizes e mulheres casadas. Não se envolvia com moças solteiras temendo ter de assumir algum compromisso. Assim que Alceu avistou Caroline sentada a um canto da sala, tomou duas taças de champanhe e levou uma a ela.

Caroline estava encantada com as gentilezas do rapaz. Logo travava uma conversação que para os demais não tinha nada fora do comum. O rapaz iniciou a conversa:

— Não entendo por que uma jovem tão linda não está aproveitando a festa.

A moça, sorrindo, respondeu:

— Ah, meu marido não pôde vir. Estou só. Como minha irmã está dançando, tenho de ficar aqui observando os dançarinos.

— Trouxe-lhe uma taça de champanhe. Porém, antes, deixe que me apresente: me chamo Alceu Mendonça. Sempre participo das reuniões da sociedade, mas nunca vi a senhora por aqui.

— Meu marido é fazendeiro no interior. Eu o acompanhei quando me casei. Moro na fazenda.

— Como pode uma senhora tão bela ficar trancafiada em uma fazenda, sem aproveitar as belezas das reuniões sociais?

— Por favor, senhor Alceu, já estou me sentindo constrangida.

— Diga-me: qual o seu nome?

— Desculpe não ter me apresentado. Chamo-me Caroline, e sou irmã de Camila. Meu pai se chama Carlos Eduardo; é advogado.

— Não me diga que você é filha do doutor Carlos! É ele quem resolve as questões legais na fábrica de meu pai.

— É mesmo? Pensei que fôssemos estranhos, mas na verdade somos mais próximos do que imaginamos — respondeu Caroline com simpatia.

Alceu flertava com Caroline discretamente. A moça fingia não perceber. Pediu licença e saiu a fim de tomar uma fresca.

Enquanto o baile transcorria, Caroline observava as pessoas que freqüentavam aquele lugar. Contudo, a cada lance de olhar, via os olhos perscrutadores de Alceu em sua direção.

Depois de dois dias da recepção na casa da família de Pedro Jardim Albuquerque, Caroline estava sentada na varanda quando ouviu a sineta soar. Deixou que o mordomo fosse atender. Ele voltou dizendo-lhe:

— Senhora Caroline, está aqui um portador do senhor Alceu Mendonça, que me mandou lhe entregar essa missiva. Ele aguarda uma resposta.

Caroline, afoita, leu o bilhete:

Prezada Caroline,
Tomei a liberdade de lhe mandar essa missiva para convidá-la a tomar um chá na confeitaria próximo a sua casa. Por favor, mande resposta.
Alceu Mendonça.

Com satisfação, Caroline pegou um papel e um envelope elegante, e respondeu:

Senhor Mendonça,
Sinto-me lisonjeada com seu convite. Peço que me espere às quinze horas na confeitaria. Irei de bom grado.
Caroline.

Assim que lacrou o envelope, mandou que o mordomo o entregasse ao portador, alertando-o de que não dissesse nada a ninguém sobre inusitada visita.

No horário marcado, Alceu esperava Caroline, que se atrasou arranjando desculpas para não levar a irmã.

Ao ver o rapaz sentado à mesa, que ficava mais no fundo da confeitaria, Caroline se aproximou e Alceu se levantou, beijando-lhe a mão. Puxando uma cadeira para Caroline, falou:

— Que bom que a senhora veio. Meu coração já não agüentava mais a ansiedade de vê-la novamente; desde que a vi pela primeira vez, não tenho pensado em outra coisa.

Caroline sentiu, depois de tanta angústia e destrato, valorizada verdadeiramente por um homem. Renato pouco se importava com ela, a não ser na hora em que seus desejos animalescos se agigantavam.

Com prazer, a jovem senhora respondeu:

— Seu convite muito me lisonjeou, Alceu. Estava mesmo precisando conversar com alguém.

— Sempre haverá ouvidos dispostos para uma dama como você.

— Peço-lhe que deixemos o protocolo de boa educação de lado. Sejamos nós mesmos, por favor.

— Se prefere assim... para mim será um prazer conversar com a senhora informalmente.

— Ora... se vai fazer isso, o primeiro passo é não me chamar de senhora. Assim fico à vontade para fazer o mesmo com você. Afinal, temos a mesma idade!

Alceu, sentindo-se vitorioso intimamente, perguntou:

— Você se divertiu muito na recepção do senhor Pedro Jardim Albuquerque?

— Sim. Embora não pudesse desfrutar da dança, me foi muito agradável aquela noite.

— Pois para mim — revelou Alceu — aquela recepção foi a melhor de todas. Lá a conheci, e confesso que não consigo pensar em outra coisa a não ser em você.

Alceu, tomando as mãos de Caroline, beijou-as ternamente.

Caroline pensou em Renato naquele momento. Sentiu-se mal com o que ocorria ali, mas imediatamente pensou nas mulheres com quem o marido dormira, desrespeitando-a vergonhosamente, fazendo com que todos os empregados da fazenda soubessem de suas aventuras amorosas, desmoralizando-a perante todos. Com uma sacudidela de cabeça para afastar os maus pensamentos, aceitou o cortejo do rapaz, e assim outros encontros foram marcados, até que, numa tarde em que o tempo prometia um temporal, Alceu a levou para a sua casa de campo. Tudo já estava previamente arrumado para a tarde de amor que teriam.

Com o coração aos pulos, Caroline pensava em Renato, mas agora era tarde para retroceder. Ela percebera que Alceu era de temperamento romântico e ardente, e que uma recusa dela poderia deixá-lo muito nervoso.

Ao chegarem à casa de campo de Alceu, a moça ficou impressionada com o luxo do lugar. A lareira estava acesa e não havia mais ninguém na casa, pois ele dera ordens aos empregados para que, após deixarem tudo preparado, fossem embora.

Caroline não amava Alceu, porém tinha de levar adiante seus planos de vingança. Apenas depois disso ela poderia voltar para casa, e nunca mais iria querer ver o futuro amante novamente. O rapaz, assim que se viu sozinho com Caroline, estendeu-lhe uma taça de vinho e, juntos, sentaram-se à frente da lareira crepitante. Ali Alceu tomou-a nos braços, e o casal se deixou levar por aquele momento.

Enquanto Alceu estava enlevado com a entrega total de Caroline, ela, por sua vez, não conseguia tirar o marido de seus pensamentos, o que a impedia de sentir qualquer emoção com aquele colóquio amoroso.

Permaneceram durante toda a tarde na casa, e só saíram depois que a chuva cessou. Caroline se sentia confusa e arrependida. Entretanto, não havia mais o que ser feito. Permaneceria na casa paterna por mais alguns dias, e depois voltaria para a fazenda.

Depois desse primeiro encontro, houve outros, e foi numa tarde de sol, embora fria, que ela disse a Alceu:

— Recebi uma missiva de meu marido pedindo que eu volte para casa. Meu sogro encontra-se enfermo. Como faz três meses que estou aqui na capital, e dois meses com você, acho que nosso romance pára por aqui.

— Não posso acreditar no que ouço! Você vai voltar para aquele cretino que não lhe dá valor?

— Sim, Alceu. Aquele cretino é meu marido.

— Mas ele não a ama como eu. Não permitirei que parta.

— Por favor, Alceu, não me crie problemas. Também vou sentir sua falta. Nunca havia me sentido tão mulher como me senti a seu lado, mas façamos desses momentos uma doce recordação. Assim que tiver uma oportunidade, voltarei e poderemos ficar novamente juntos.

Ao ouvir aquelas palavras, Alceu se acalmou. Beijou-a freneticamente nos lábios, e foi correspondido.

Assim que Caroline chegou à casa dos pais, informou-os de que era hora de voltar para casa. Ela tinha marido, e não poderia deixá-lo muito sozinho. Todos de sua família respeitaram sua decisão. Com autoridade, instruiu-os:

— Se alguém vier até aqui perguntar onde fica a fazenda em que moro, vocês dirão que fica no interior da capital de Goiás. Não quero que dêem meu endereço a ninguém.

Todos concordaram. Entretanto, a mãe de Caroline, ficando a sós com a filha, indagou:

— Filha, temo que em seus passeios tenha acontecido algo que não queira nos contar.

— Não se preocupe, mãe. Nada ocorreu. Só não quero receber visitas.

A mãe, sem desejar ser indiscreta, não perguntou mais nada. Porém, em seu íntimo sabia que Caroline estava envolvida com um homem, e que era esse o motivo de não querer dar o endereço a ninguém.

No dia seguinte, Caroline embarcou no trem. Estava pensativa. Sabia que a loucura que fizera não tinha justificativas, mas, ao pensar na infidelidade de Renato, sentia-se vingada, embora Alceu não a tivesse agradado nem um pouco. Ela sabia que amava Renato, mas não era correspondida. Com esses pensamentos chegou à vila. Quando desceu do trem, o marido a esperava. Ao olhá-lo, Caroline se sentia mal. A todo momento lhe vinha à mente o que havia ocorrido na capital, e em seguida a certeza de que Renato era o único homem de sua vida.

Renato estava especialmente delicado naquela tarde, com os olhos brilhantes de emoção. Pediu à esposa:

— Por favor, esqueçamos o que aconteceu. Eu a amo. Confesso que senti muito sua falta. Vamos voltar a ser como um casal que realmente se ama. Não me despreze mais. Estou freqüentando a casa de dona Genoveva, e lá tenho aprendido muito sobre as leis morais de Jesus.

Caroline, ao ouvir aquelas palavras, sentiu tanto remorso pelo que tinha feito que não conseguiu conter as lágrimas. Deixando sua cabeça pender sobre os ombros de Renato, confessou-lhe, com a voz embargada pela emoção:

— Renato, nunca em minha vida amei alguém como o amo.

— Sei que pensa que eu não a amo — respondeu o marido delicadamente. — Mas você está enganada. Você é a mulher de minha vida.

Caroline sentiu que sua vingança se voltara contra si própria. Renato, embora fosse um aventureiro, não merecia tal traição. Ele era o único homem que a poderia fazer feliz.

Ao chegarem à fazenda, Caroline foi muito bem recebida pelos sogros, e Renato mandou que levassem suas malas para seu quarto.

No almoço, Caroline estava mais calada que o habitual. O coronel Donato lhe perguntou o que ela havia feito naqueles três meses em que esteve fora. A nora respondeu:

— Bem, meu sogro, visitei museus, fui a confeitarias variadas, participei de saraus, inclusive tocando piano em um deles, fui a bailes e aproveitei a maior parte do tempo para ficar em companhia de meus pais. A saudade era tanta que mesmo que ficasse lá um ano não conseguiria esgotá-la.

— Fico feliz que você esteja aqui — confessou dona Aurora, mãe de Renato. — Meu filho não sai mais de casa. O único lugar a que vai é a casa dessa tal Genoveva, que tem ensinado muito sobre o evangelho de Jesus. Sempre o levei à igreja, mas agora é que veio brotar em seu coração o interesse.

Caroline sentiu uma pontada de culpa no peito. Renato usava seu tempo com coisas úteis, enquanto ela estivera levando uma vida leviana na capital.

À noite, Renato levou ao quarto uma garrafa de vinho e duas taças para comemorar a volta da esposa. Enquanto tomavam o vinho, o marido disse a Caroline:

— Meu amor, por favor, nunca mais fique tanto tempo longe de mim. Você não sabe a falta que me fez.

Tomando a taça da mão de Caroline, beijou-a apaixonadamente. A jovem compreendeu nesse momento o quanto o marido a amava.

Aquela noite poderia ter sido perfeita, não fosse a crise de choro que acometeu Caroline. Em todos os gestos do marido ela via Alceu, sentindo grande repulsa por si própria. Não deixou que Renato se apercebesse desse fato, pois não queria magoá-lo. Ela o amava.

Caroline tomou mais duas taças de vinho, e somente assim conseguiu se entregar à paixão que ardia em seu coração. Esquecendo de tudo que a rodeava, entregou-se ao amor do marido.

Depois daquela noite de amor, tudo era motivo de alegria para Renato. Afinal, ele tinha a seu lado a mulher que amava. Dona Aurora e coronel Donato ficaram felizes em ver que, finalmente, os dois tinham se entendido. Aquela viagem fora providencial. Fora com a distância que Renato havia percebido o quanto amava a esposa.

Passadas algumas semanas, Caroline começou a se sentir enjoada. Mesmo o cheiro da comida na panela lhe causava náuseas. Dona Aurora logo suspeitou:

— Filha, acho que você está grávida. Eu sentia o mesmo quando fiquei grávida de Renato.

Caroline passou do rubor à palidez. Um filho agora estragaria completamente seus planos. Embora tivesse desejado ardentemente isso como vingança, agora temia estar grávida. Falou então à sogra:

— Creio que não, dona Aurora. Ando com o estômago fraco. Alimentei-me mal enquanto estive na casa de meus pais. Perdia muito tempo passeando e esquecia de comer.

— Não seja ingênua, minha filha. Suas regras estão atrasadas?

— Sim, era para virem agora, mas não vieram ainda.

— Pois então, filha, elas só virão daqui a nove meses. Enquanto isso, vou preparar o enxoval do meu neto.

Caroline sentia que a nora estava correta. Na verdade, fazia dois meses que as regras não desciam para ela.

Assim que Renato chegou em casa, ela contou ao marido sobre a suspeita da gravidez. Ele ficou eufórico, abraçando e beijando a esposa.

Os meses seguintes foram de grande felicidade para Renato, que havia contado a todos que iria ser pai, e que este levaria o nome de seu avô, Ageu. Caroline estava sendo mimada, tanto pelo marido como pelos sogros, mas dentro de si trazia um terremoto. O filho que estava em seu ventre não era de Renato, mas sim de Alceu. Sabia que aquela aventura poderia lhe custar muito caro. Tentara, sem sucesso, subir as escadas várias vezes, tentando cair a fim de ver se perdia o fruto que carregava dentro de si. Havia tomado ervas que, pelo que ouvira dizer, eram abortivas, mas nada. Nesse suplício, chegou ao momento do parto.

Renato mandou que Honório fosse chamar doutor Júlio na cidade. Sua esposa iria dar à luz, e não queria que fosse atendida por parteiras.

Depois de uma hora o médico deu entrada nos aposentos de Caroline. Ela estava quase em trabalho de parto. O médico apenas lhe deu algumas instruções quanto a respiração e tranqüilidade, e o mundo viu chegar o filho tão esperado, um belo menino, que nascera muito grande.

Renato ficou tão emocionado com a chegada do herdeiro que mandou abrir um tonel de vinho para os funcionários. Naquele dia, ninguém mais trabalharia. Contudo, quem estava apreensiva com o nascimento de Ageu era dona Aurora. Pelos seus cálculos, seu neto nasceria dentro de um mês. Chamando o médico de lado, indagou:

— Doutor, não era para essa criança nascer agora. Pelos meus cálculos, ainda levaria um mês para o nascimento.

— Cara dona Aurora, somente Deus sabe o momento da concepção. Qualquer cálculo que façamos é inexato. Fique feliz por ter um neto saudável. Você reparou como o nariz dele é parecido com o do pai?

Dona Aurora aproximou-se da criança e viu que o menino realmente tinha os mesmos traços de quando Renato era um recém-nascido.

Depois do nascimento do filho, Renato se desdobrava em atenção a ele e à esposa. Caroline, por sua vez, tinha dúvidas se aquele menino era mesmo do marido. Não conseguia tirar da mente a traição e, subseqüentemente, a gravidez.

Mas o tempo é o melhor amigo. Muitas vezes amaina nossas dúvidas e apreensões.

Ageu foi crescendo forte e saudável. À medida que crescia, mais se diferenciava dos familiares de Renato. Este brincava com ele, colocava-o em seu ombros e saía pela fazenda.

O menino contava com cinco anos quando, certo dia, chegou à fazenda um homem chamado Alceu Mendonça, que procurava terras para comprar. Renato recebeu Alceu e sua esposa, Catarina, com grande hospitalidade. Contudo, quando Caroline o avistou, sentiu um grande mal-estar, pediu licença e foi a seu quarto.

Caroline não queria que Alceu visse Ageu de maneira nenhuma. Conforme o menino crescia, estava cada vez mais parecido com ele. Se Alceu visse a criança, logo descobriria que o filho de Caroline era seu. Quem teria fornecido seu endereço a ele? Teria ido à fazenda por causa dela, ou tudo não passava de mera coincidência?

Dona Aurora e o coronel Donato receberam os visitantes com amabilidade, dispondo-se a procurar terras a fim de que as comprassem para formar uma fazenda. Catarina era uma bela jovem, de olhos azuis e corpo escultural, que chamava a atenção tanto de homens como de mulheres.

Enquanto falavam de terras, a aia entrou segurando a mão do pequeno Ageu. Alceu ficou boquiaberto, pois imediatamente percebeu detalhes dos traços de sua família no rosto da criança. A partir daquele momento, não teve dúvidas de que o pequeno Ageu era seu filho.

O casal se despediu dizendo que ficaria na hospedaria da vila. Assim que comprassem as terras, voltariam à capital.

Fato semelhante ao ocorrido com Alceu aconteceu com dona Aurora. Assim que viu aquele homem e pousou o olhar na criança, não teve dúvidas de que Caroline já o conhecia e de que Renato não era o pai da criança.

Quando o casal se afastou, dona Aurora decidiu que teria uma conversa definitiva com a nora. Quando todos voltaram à rotina, a esposa do coronel Donato bateu à porta do quarto de Caroline. Sem rodeios, perguntou-lhe:

— De onde conhece o senhor Alceu?

— Não o conhecia, ou melhor, não o conheço. De onde a senhora tirou essa idéia?

— Por favor, filha, já tive sua idade. Não queira subestimar a argúcia de uma velha como eu.

Caroline, chorando, abraçou a sogra. Em seguida, desabafou:

— Não vou mentir, dona Aurora. Isso tem me infelicitado muito. Renato sempre me foi infiel, e em uma das ocasiões em que estava muito chateada com ele resolvi visitar meus pais na capital. Em um baile, conheci o senhor Alceu. Na época ele era solteiro, e, como eu estava me sentindo muito humilhada em ser esposa de um homem que possuía todas as mulheres que encontrava, decidi me vingar dele. Fiz esse desatino somente para ir à desforra. Quando fiquei sabendo que estava grávida, me desesperei. Sabia que o filho não podia ser de Renato. Contudo, desde que voltei da capital meu marido tem se mostrado tão amoroso, atencioso, bom pai, que tudo que ele me fez eu esqueci. A única coisa que não consigo esquecer é que eu o traí, perdendo com isso minha dignidade. Bem, se a senhora quiser contar tudo a Renato e a seu Donato, pode fazê-lo. Eu mesma voltarei à casa de meus pais e levarei o fruto de minha infidelidade comigo.

— Nunca permitirei que você leve meu neto daqui! Nada direi também, porque não quero atrapalhar a felicidade de meu filho, e principalmente a de meu neto. Para mim é como se ele tivesse nosso sangue correndo em suas veias; mas agora entendo o descaso que nutre por essa criança. Caroline, ele é inocente, não tem culpa dessa sujeira toda. De hoje em diante, cobrarei que você seja boa mãe, tanto quanto é boa esposa.

— Dona Aurora, eu amo meu filho, mas não suporto olhá-lo. Sua fisionomia delata toda a minha traição. Se um dia meu casamento acabar, a culpa será toda minha.

— Não, filha, nada está perdido. Esse homem veio a pretexto de comprar terras mas, na verdade, ele veio saber de você. Apenas tenha cuidado com ele. Ele deve ainda ser apaixonado por você, e este rapaz, sim, pode destruir seu casamento.

Caroline, aliviada, abraçou a sogra novamente. Beijando-lhe a face, agradeceu, chamando-a de mãe.

Desde que reatara com Caroline, Renato estava feliz. Nunca mais procurara outra mulher. Quando soube que teria um filho, mudara completamente, e sempre dizia a Paulo:

— Quando me casei com Caroline, confesso que não a amava. Contudo, depois que ela foi à casa dos pais, e ficou lá por três meses, confesso que senti tanta falta dela, que hoje compreendo o que você sempre disse: que, estando ao lado da mulher amada, nada nos falta. Hoje posso afirmar que sou feliz. Além de ter minha esposa comigo, também tenho meu filho Ageu, que me trouxe muita alegria. Meu amigo, eu o aconselho a arrumar uma criança. Você vai ver a alegria que ela trará a sua casa.

— Sempre penso nisso, mas Elvira não quer. Ela diz que um filho vai deformar o corpo dela, e ela quer ficar bela para mim. Mas eu quero muito um filho.

— Você prefere menino ou menina?

— Não importa — respondeu Paulo. — Para mim o importante é que venha com saúde e que seja inteligente.

— Mas o que Elvira faz para não ter filhos?

— Não sei. Ela sempre vai à casa de uma índia que mora aqui nas redondezas e toma um remédio feito de ervas. Diz que o remédio não a deixa engravidar. Quando sentir vontade de ser mãe, ela me falou que é só parar de tomar.

— Meu amigo, você, como marido, não tem o direito de obrigá-la a parar de tomar o tal remédio? Se se casou com ela, não é mais que sua obrigação dar-lhe um filho.

— Também acho, mas temo que ela vá embora. Ela sempre diz que, se um dia ela engravidar, irá embora e eu nunca mais a verei.

— E você acredita nela?

— Sim, acredito. Ela é teimosa; não volta atrás quando diz algo. Por isso não quero perturbá-la. Quando achar que deve, ela me dará um filho.

— Mudando de assunto, Paulo, você conhece a Maria do Carmo, filha do Justino, o lenhador?

— Conheço. O que tem ela?

— Ninguém sabe, mas estou me encontrando com ela. Não estou apaixonado, mas ela tem um fogo tão grande que me leva às nuvens.

— Renato, pensei que você tivesse desistido dessas aventuras, e que não mais trairia Caroline.

— Juro que tentei, amigo. Mas sinto falta de um colo de mulher diferente, e, quando essa mulher é como a Maria do Carmo, confesso que perco a cabeça.

— Pensei que tivesse tomado juízo, Renato. Mas vejo que continua o mesmo. Quando vai tomar jeito?

— Assim que acabar mulher no mundo.

— Cuidado! Logo agora que seu casamento está indo tão bem, você vai estragar tudo de novo?

— Não, meu amigo. Já faz três anos que estamos juntos, e nunca ninguém desconfiou. Estou contando a você porque é meu amigo, e confio em você.

— Não vou contar a ninguém. Só quero que saiba que algo assim pode fazê-lo perder sua felicidade.

— Não! Eu não permitirei!

— E se ela engravidar, como é que você vai sair dessa enrascada?

— Acho que em um caso assim falaria com Elvira para saber se essa índia faz o tal remédio para a Maria do Carmo.

Paulo meneou a cabeça e nada disse. Renato mudou de assunto e, após um tempo, foi embora.

18

Um acidente e uma morte

Alceu continuava a freqüentar a casa de Donato, mesmo passados seis meses. Dava a desculpa de que era fazendeiro e precisava de sugestões. Aproveitava todas as ocasiões para poder falar com Caroline.

Caroline, por sua vez, evitava-o de todas as formas, principalmente quando ele chegava com a esposa. Ela recolhia o filho ao quarto, e só saíam quando tinham certeza de que Alceu havia ido embora. Para tal façanha, ela contava com o apoio de dona Aurora, que dizia, não só ao marido como ao filho, que não confiava naquele homem. Renato respondia sorrindo:

— Deixe de bobagem, minha mãe. Alceu Mendonça é um homem de bem. Além de tudo, é humilde. Sempre vem nos pedir sugestões sobre plantio, colheita e outras coisas.

— Não sei não — respondia dona Aurora. — Para mim esse homem só chegou aqui para acabar com nossa paz; só vocês não querem ver.

O tempo seguia seu rumo, entre as visitas de Alceu e a aventura de Renato com a filha do lenhador.

Certo dia Ageu, contando com seis anos, saiu em seu potro para dar umas voltas. Renato o olhava, mas, a certa altura, o menino perdeu o equilíbrio e caiu, batendo com a cabeça fortemente em uma pedra. Renato, desesperado, correu até o local, encontrando o garoto desacordado. Gritou por ajuda e carregou Ageu, levando-o ao interior da casa-grande. Ao mesmo tempo, mandou que fossem chamar o médico da vila para examiná-lo.

Ageu continuava desacordado, e sangrava muito pelo nariz. Dona Aurora, em desespero, tentou colocar um pano com sal para ver se conseguia estancar o sangue. Nesse meio-tempo, doutor Júlio chegou. Assim que examinou Ageu, explicou:

— O garoto não pode ficar aqui. Precisa ser internado. Acho bom agirem bem depressa e o levarem a um hospital da capital. Lá eles terão o necessário para atendê-lo.

— Doutor, mas como podemos levar Ageu à capital? O trem só parte amanhã.

— Você tem automóvel. Faça isso o mais rápido possível. Seu filho corre risco de vida. Não pare na estrada, a não ser para abastecer o carro. Leve esta carta ao médico para que o atenda; vá logo, o tempo urge.

Renato e Caroline pegaram o garoto e o colocaram no automóvel cuidadosamente. Em seguida, Renato pisou firme no acelerador, e assim se manteve, a fim de que o veículo chegasse rapidamente à capital.

A viagem durou quatro horas. Contudo, se tivessem ido de trem, teria durado seis. Foram à casa de saúde e encontraram o doutor Guilhermino, que prontamente socorreu a criança. Fizeram os exames e foi constatado que Ageu perdera muito sangue. Por isso não conseguia recuperar os sentidos, e se encontrava pálido e gélido. Preocupado, Renato perguntou:

— E agora, doutor, o que devemos fazer?
— Você é o pai da criança, não é?
— Sim, sou.
— Teremos então de fazer uma transfusão de sangue. O senhor poderá ser o doador. Se ele é seu filho, não haverá problema algum.
— Pois vamos fazer logo essa transfusão! — concordou Renato.

Caroline, ao ouvir o que o médico dizia, ficou pálida. Renato não era o pai biológico da criança... Assustada, perguntou:
— E se o sangue for diferente, o que poderá acontecer?
— Poderá haver uma rejeição, e a criança vir a falecer em poucas horas.

Caroline, desesperada, gritou para Renato:
— Você não pode dar seu sangue para Ageu! Ele não é seu filho.

Se não fosse o médico por ali, Renato tinha desabado no chão. Com a ajuda da enfermeira e do doutor, amparando-se na parede, ainda comentou, confuso:
— Deixe de bobagem. Ageu é meu filho e eu darei meu sangue para salvar sua vida.
— Não faça isso, Renato. O pai de Ageu é Alceu Mendonça. Nós nos conhecemos quando fiquei três meses na casa de meus pais.

Renato, aturdido com a notícia, questionou o médico:
— Já que estamos nessa situação, o que devemos fazer, doutor?
— Se é assim, o melhor é procurar o pai da criança. Assim poderemos dar seqüência à transfusão.

Renato saiu rapidamente do hospital, enquanto Caroline chorava copiosamente, sentada em um dos bancos espalhados pela casa de saúde. Renato mandou um telegrama pedindo que Alceu comparecesse à casa de saúde para ajudá-los com uma questão a respeito da saúde de Ageu. Dizia na missiva que sua presença era indispensável. Ao voltar, não quis conversar com a esposa. Até aquele momento, jamais sentira tanta repulsa por alguém. Mas a criança não tinha nada com isso. Não queria que o garoto morresse. Caroline quisesse ou não, Ageu era seu filho.

Assim que Alceu recebeu o telegrama de Renato, ficou aflito. Ageu era o único elo que o ligava à única mulher que realmente amara. Prontamente pegou seu automóvel e seguiu à capital, dizendo à mulher que havia um assunto importante para resolver.

Com algumas dificuldades, Alceu chegou à casa de saúde. Caroline, totalmente constrangida, sequer o fitava. Renato, sentindo um desprezo enorme por aquelas duas criaturas, falou:

— Já que é o pai de meu filho, você tem como obrigação doar seu sangue para ele. Entretanto, que fique clara uma coisa: Ageu é *meu* filho, e depois que isso acabar você nunca mais vai voltar a vê-lo.

— Farei qualquer coisa para salvá-lo. E nunca mais voltarei a vê-lo, fique tranquilo.

Renato encaminhou Alceu ao consultório do doutor Guilhermino. O médico levou-o agilmente para a coleta de sangue. Enquanto o sangue de Alceu era retirado, doutor Guilhermino, ao observar a dor na fisionomia de Renato, contemporizou:

— Meu amigo, não desprezes a criança por um erro da mãe. Se até aqui você o teve como filho, faça com que ele continue sendo seu filho amado do coração. Quanto à sua esposa, não a rejeite. Acha que ela já não está sendo castigada demais por sua leviandade?

— O senhor tem razão, doutor. Não a repudiarei. Mas as coisas serão diferentes do que vêm sendo até aqui. Quanto ao garoto, eu o amo. Ele sempre será meu filho. Mas a mãe dele nunca mais terá meu amor. Quero vê-la mendigando carinhos e atenções, mas lhe darei apenas desprezo. Isso é tudo que ela merece.

— Não endureça seus sentimentos, Renato. Dá para ver que é um homem de bom coração. Aja com bondade e seja caridoso. Um dia vai receber sua recompensa.

Depois de duas horas, Alceu saiu da sala cambaleando. Renato, mais uma vez, lhe lançou um olhar de desprezo. Passou toda a noite sentado em um banco da casa de saúde, esperando por notícias. Só no dia seguinte o médico se manifestou, dizendo que a transfusão havia sido um sucesso, e que o menino já estava fora de perigo.

Caroline distendeu o rosto em um sorriso e, com lágrimas nos olhos, se aproximou de Renato:

— Perdoe-me. Nunca imaginei que essa história pudesse tomar esse rumo. Quando cometi aquela loucura, queria me vingar. Você me trocava por qualquer mulher, e isso me humilhava muito.

— Não quero falar disso agora. Vou procurar uma hospedaria para descansar. Quer ir comigo?

— Sim — respondeu ela. — Estou muito cansada.

Alceu se aproximou de Caroline, confessando, ao ver Renato se afastar:

— Lamento que as coisas tenham terminado desse jeito. Mas, na verdade, eu nunca a esqueci.

Renato, apesar de estar longe, conseguiu ouvir o que Alceu dizia. Voltou para dar um tremendo soco no nariz do outro, que começou a sangrar. Alceu tentou revidar, mas Renato era bem mais forte que ele. Novamente, levou outro soco, que o fez cair.

Caroline chorava e pedia ao marido que não fizesse aquilo.

— Parem com isso, vocês dois! Estou muito desgastada para agüentar mais essa situação.

— Se você está desgastada, imagine como eu estou. Primeiro, fui traído; depois, fiquei sabendo que tenho como meu filho o filho de outro — respondeu raivosamente Renato.

— Já chega! Vamos à hospedaria descansar. Essa situação já passou dos limites. Estou muito envergonhada.

Renato saiu na frente; a esposa seguiu-o. Entraram no automóvel, mas no caminho não comentaram nada sobre o assunto. Ao chegarem à hospedaria, Renato pediu quartos separados. Humilhada, Caroline procurou se manter em silêncio e aquiescer, uma vez que o marido devia estar muito agastado com tudo aquilo.

Naquela noite, Renato não conseguiu conciliar o sono. Saber que Ageu não era seu filho de verdade era muito constrangedor e ofensivo. Por outro lado, pensava que, quando o garoto dera os primeiros passos; quando dissera pela primeira vez "pai"; quando cambaleara, vindo em sua direção, ao dar os primeiros passos; quando começara a montar; quando tinha cinco anos e dissera, pela primeira vez, ao olhar Renato com carinho: "Papai, eu te amo!", fora ele realmente o pai de Ageu. Renato começou a chorar, dizendo em voz alta:

— Eu também te amo, filho. Enquanto viver, não deixarei que nada de mau lhe aconteça. Jamais você vai ficar sabendo dessa história sórdida. Juro a você.

Enquanto isso, Caroline, em seu quarto, dava livre curso às lágrimas. Nunca amara Alceu. Tinha se envolvido com ele por pura vingança. E Ageu, pobre garoto, não tinha culpa de nada disso. Ela não iria permitir que Renato desprezasse o filho. Se assim fosse, iria embora com o menino.

O que Caroline nem imaginava era o quanto Renato amava Ageu, e que nunca lhe permitiria ir embora com o garoto, que considerava seu verdadeiro filho.

Renato, em seu quarto, pensava que a vida, talvez, o estivesse castigando. Ele tinha um filho com Luzia, a esposa do desembargador, e nunca poderia assumir a criança como seu filho, e agora tinha um filho, que no entanto era de outro homem.

Deitado naquele aposento, olhando para cima, fez uma sentida prece, deixando extravasar toda a tristeza que havia em seu coração. As lágrimas corriam livremente, lavando seu rosto. Em seguida sentiu-se muito melhor. Ageu era de fato seu filho. Quanto à Caroline, iria desprezá-la até mesmo em seu leito de morte.

Aquela noite foi difícil para Renato, que mal conseguiu pregar os olhos. Em sua mente passava um turbilhão de pensamentos. Ser traído pela esposa o incomodava muito. Decidiu que primeiro cuidaria do pequeno Ageu, depois decidiria o que faria com Caroline.

Caroline, no outro quarto, continuava a chorar amargamente a dor do arrependimento. Querendo confortar a si própria, pensava: "Sei muito bem que errei, mas o que está feito, está feito. Isso não pode ser mudado. Se acaso Renato não me quiser mais, voltarei para a casa de meus pais com Ageu, e ele jamais voltará a nos ver".

Renato levantou-se cedo no dia seguinte. Pretendia ir à casa de saúde saber mais notícias do pequeno Ageu. Não esperou por Caroline. Toda vez que lembrava da esposa, vinha-lhe um sentimento muito forte de repulsa por aquela mulher, adúltera e traidora, que não tivera piedade em lhe impingir um filho que não era seu.

Ao chegar à casa de saúde, perguntou à enfermeira sobre o pequeno Ageu. A enfermeira lhe explicou que quem poderia lhe dar informações mais precisas era o doutor Guilhermino, que acompanhara o garoto a maior parte do tempo. Renato perguntou:

— Onde posso encontrar o doutor Guilhermino?

— Ele está atendendo no consultório dois. Espere um momento que vou informá-lo de que o senhor quer falar com ele.

Renato sentou-se em um banco e pacientemente ficou a esperar o retorno da enfermeira. Após alguns minutos, ela voltou.

— Senhor Renato, o doutor o aguarda no consultório dois. O que ele tem a lhe dizer é bem rápido.

— Obrigado, enfermeira!

Renato saiu em direção ao consultório

— Bom dia, doutor. Sei que o incomodo, mas meu coração está aflito. Desde ontem não tenho notícias de meu filho.

— Acalme-se, Renato — falou o médico. — O menino está bem e não corre mais nenhum risco de vida. O sangue daquele outro cavalheiro foi providencial.

Ao ouvi-lo mencionar Alceu, Renato sentiu emoções desencontradas, tais como rancor e raiva, tanto de Caroline como de seu ex-amante. Ao mesmo tempo, sentia-se aliviado pelo fato de o garoto estar fora de perigo.

O médico continuou:

— Como se trata de um menino forte e saudável, creio que a recuperação será ligeira. Ele ficará mais uns dois dias aqui, depois pode voltar para casa.

Renato abaixou a cabeça e não escondeu do médico as lágrimas de emoção que lhe escorriam pelo rosto.

Doutor Guilhermino, sabendo da situação daquele pai, sensibilizou-se e aconselhou-o com ternura:

— Sei como se sente. Contudo, o importante é que você é o pai de Ageu. Assim ele o vê. E ele não tem culpa pelas faltas da mãe. Não destrua a ilusão do garoto. Para ele, você é o pai que ele sempre conheceu e amou.

— Sei, doutor. Para mim, ele também é meu filho. Mas agora não consigo mais prever o que farei daqui por diante. Uma esposa adúltera é pior do que doença contagiosa. Ela destrói a vida da gente aos poucos. O filho será meu, mas ela eu não posso aceitar mais como esposa. Sempre procurei ser um bom marido, e olha o que ganhei: um filho bastardo!

— Nunca mais diga isso! Seu filho não é bastardo; ele tem pai e mãe, e você é o pai dele — respondeu o médico com firmeza.

Renato pôs-se a chorar convulsivamente. Seu coração doía, e ele tinha de agüentar a dor, pois em poucas horas iria ver o pequeno Ageu.

Ao sair do consultório, encontrou com Caroline que, aflita, queria saber notícias de Ageu. O marido friamente informou:

— Seu filho está bem; não corre mais risco de vida.

— Não fale assim, Renato. O filho não é só meu; é seu também. Ele o vê como pai.

— Por favor, não vamos conversar sobre isso agora. No momento oportuno veremos o que fazer de nossas vidas.

— Se é assim que quer, vou resolver minha vida agora. Quando Ageu tiver alta hospitalar, eu o levarei para a casa de meus pais. Quanto a meus pertences, mandarei que um criado os busque.

Renato sentiu o chão lhe faltar sob os pés. Com voz trêmula, respondeu:

— Você não levará meu filho embora. Eu o estou criando, e é a mim que ele vê como pai. Se quiser voltar para a casa de seus pais, não a proibirei. Mas Ageu não sai da fazenda, nem que para isso eu tenha de mover céus e terras.

— Mas, se não me quer, como vai querer um filho que não é seu?

— Eu quero meu filho, disso tenho certeza. Quanto a você... Embora eu tenha faltado com muitas coisas em nosso casamento, era você que eu amava. Agora tudo que julguei construir nesses anos todos está destruído.

— Renato, me dê uma chance. Errei, mas foi só uma vez. Antes e depois disso, sempre lhe fui fiel. Você não... Vive tendo suas aventuras, das quais tenho conhecimento pela boca das criadas da fazenda. Como acha que me sinto? Quando fiz o que fiz, foi com sacrifício, pois estava cega de ódio. Só pensava em você.

Renato teve um momento de consciência, e pôde refletir sobre o quanto tinha errado. Desde o começo de seu casamento havia sido infiel. Mesmo naquele momento ele mantinha Maria como amante, embora a esposa não suspeitasse. Tentando conciliar a situação, disse à Caroline:

— Está bem. Esqueçamos este assunto. Ageu é meu filho; é assim que o vejo. Continuaremos casados, e ninguém deverá saber desse segredo, nem mesmo meus pais. Quanto ao canalha do Alceu Mendonça, eu a proíbo de vê-lo novamente. Doravante ele será meu pior inimigo. Só não peça que eu seja o mesmo para você. Vai ser impossível. Eu a tratarei como uma estranha, e jamais vou voltar a me deitar com você.

— Ora, se diz que me perdoa, esqueçamos também este assunto, e continuemos a ser felizes como estávamos.

— Não posso dizer que a perdôo, pois perdoar é esquecer. Por agora, posso lhe oferecer apenas isso.

Caroline, sentindo-se a pior das mulheres, começou a chorar baixinho. Daquele momento em diante estava claro que Caroline jamais seria feliz ao lado do marido. Antes Renato se envolvia com outras mulheres, mas sempre procurara ser discreto a fim de que os boatos não chegassem aos ouvidos da esposa. Agora, entretanto, só Deus poderia saber o que a aguardava.

Após algumas horas, a enfermeira, vendo o casal sentado no banco, perguntou-lhe:

— Com licença. Vocês são os pais do pequeno Ageu?

— Sim — respondeu Renato, aflito.

— Podem entrar. Ele acordou e quer vê-los. Procurem não chorar perto da criança. Ele pode pensar que seu estado é mais grave do que realmente é.

Ageu estava sozinho e observava os desenhos do lençol. Ao vê-los, sorriu de pura alegria:

— Papai, mamãe! O que faço aqui?

— Bem, meu filho, você caiu do cavalo. Foi preciso trazê-lo à casa de saúde.

— Por que meu braço tem esses curativos?

— Foi o único meio que arrumaram de dar remédios a você enquanto dormia e não conseguia tomar nada — respondeu Renato, tentando conter a emoção.

— Mamãe, por que a senhora está tão quieta?
— Porque você está conversando com papai, ora.
— Ah!, pensei que estivesse brava comigo porque caí do cavalo.
— Não, filho! Jamais ficaria brava com você por causa disso.
— Papai, não vejo a hora de voltar para casa pra gente brincar de esconder. Só você sabe brincar de esconder comigo.
— Assim que sarar, brincaremos.
— Eu o amo, papai. Você é o melhor pai do mundo.

Caroline então caiu em pranto desconsolado. Ao vê-la chorar, Ageu, inocentemente, completou:

— Não fique com ciúme, mãe. Você também é a melhor mãe do mundo.

Renato beijou ternamente a fronte do filho. O pequeno agarrou o pescoço do pai e lhe sussurrou aos ouvidos:

— Papai, não conte pra mamãe, mas eu gosto mais de você do que dela.

Renato sorriu, emocionado, e percebeu que o filho estava sonolento. Saiu do quarto, deixando Caroline velar pelo sono do menino. Lembrou-se das palavras do pequeno Ageu, e pensou com segurança: "Este é meu filho. Nem mesmo a mãe vai poder tirá-lo de mim".

Após uns dias, Ageu recebeu alta. Com alegria, Renato recebeu a notícia de que poderia voltar à fazenda. Estava havia dias fora de casa, e tinha muitos assuntos pendentes. Na volta, Renato conversava alegremente com o pequeno Ageu, mas mal trocava palavras com Caroline. O menino notou que havia algo errado. Perguntou aos dois:

— O que está acontecendo com vocês? Parecem que estão brigados.

— Não é nada disso, filho — respondeu Renato. — Sua mãe está um pouco cansada, só isso. Não é mesmo, querida?

— Sim, estou cansada. Não vejo a hora de chegarmos em casa.

Não foi difícil persuadir o menino. Ele estava encantado com a paisagem que se descortinava à sua frente.

Chegaram à fazenda após algumas horas de viagem. Renato mandou que a criada colocasse o menino na cama. Ele tinha ainda de ficar em repouso.

Caroline tomou outras providências. Mandou a criada chamar a sogra para que conversassem. Dona Aurora entrou no quarto e Caroline, ao vê-la, começou a chorar. Com dificuldade, conseguiu relatar a ela o que tinha ocorrido.

A sogra ouvia penalizada o relato de Caroline.

— Sempre temi que algo assim viesse a acontecer. Agora que já está feito, tenho de ajudar Renato a aceitar essa situação, sem tomar decisões precipitadas.

— Ele já decidiu, minha sogra. Ele ama o menino como se fosse seu, mas falou-me que nosso casamento será apenas de aparências daqui para diante. Não se deitará mais comigo. Não sei o que farei, pois só Deus sabe o quanto eu o amo.

— Filha, o que não tem remédio, remediado está. Por ora, deixe as coisas assim. Com o tempo, Renato verá que esse detalhe não tem importância. Ele também foi infiel a você.

— Não sei, dona Aurora. Meu marido não percebe que sempre foi injusto comigo. Entretanto, quando fiz o mesmo a ele, e apenas uma vez, ele se sentiu mortalmente ferido.

— Não faça nada. Seja a esposa que sempre foi. Com o correr do tempo, ele vai perceber que está agindo errado, e a perdoará.

— Mas como farei? Ele disse que jamais vai voltar a se deitar comigo, e eu não consigo viver sem seu amor.

— Não se preocupe com isso. Daqui a pouco garanto que você se lembrará de tudo isso somente como um sonho ruim.

— Tomara que esteja certa, dona Aurora. Renato é o amor de minha vida.

Doce Entardecer

A sogra pediu licença e foi ter com o filho. Encontrou-o no gabinete vendo alguns documentos. Batendo à porta, perguntou se poderia entrar.

— Claro, mãe! Pode sim.

Renato ficou surpreso ao ver a mãe ali. Raramente ela ia a seu escritório.

— Filho, estive conversando com Caroline. Ela me contou tudo que aconteceu na capital.

— O que aquela fulaninha lhe contou, exatamente? — perguntou Renato, irado.

— Contou-me tudo, filho... Falou-me que Ageu não é seu filho.

— Maldita! Mil vezes maldita! Eu havia lhe dito para não contar nada a ninguém, e ela conta justamente para a senhora!

— Meu filho, não seja impulsivo. Ageu é meu neto. Nada mudou. Sei que ela está errada em ter se deitado com outro homem, mas você já se perguntou por que ela fez isso?

— Mãe, não há justificativas para o que ela fez. Caroline se mostrou muito leviana. Ela não merece ser minha esposa.

— Filho, você se lembra da primeira vez que ela engravidou? Recorda de como reagiu com a notícia, e o que ocorreu depois?

— Não venha me culpar! O que aconteceu foi um acidente!

— Não estou culpando você, filho, apenas quero que seja sincero ao analisar a situação. Quantas vezes essa pobre criatura ficou sabendo do seu desregramento moral, até mesmo levando Jacira à morte por querer fugir à responsabilidade da paternidade?

— Mãe, não quero discutir com a senhora. Esse é um assunto que *eu* tenho de resolver. Sei que errei, mas sou homem. Ela é mulher, por isso deveria ter se colocado em seu lugar.

— Certo. Se quer ser infeliz, que seja assim. Depois não me diga que não o avisei.

Dona Aurora bateu a porta atrás de si ao sair do gabinete. Não se virou para dar com o filho, que a acompanhava com o olhar.

Renato colocou a cabeça entre as mãos e, angustiado, lembrou-se das coisas que tinha feito. Pensou em Maria do Carmo, a filha do lenhador, e do tempo que vinha se encontrando com ela. Por fim, concluiu: "Não posso julgar Caroline. Só que ela não tinha o direito de ter feito isso comigo. Ela envolveu meu filho nessa história toda. Eu a amo, mas descobri isso tarde demais".

Com o passar das noites, Caroline tentou várias vezes agradar Renato. Contudo, cada vez que se aproximava, ele dizia que ia dormir no chão. Desse modo, passou definitivamente a dormir assim. Nunca mais o marido a procurou para ter um contato mais íntimo. Ela sentia a falta dele, e muitas vezes Renato a ouviu chorar baixinho. Com o restante, ele procurava ser gentil. Mas saía de casa todas as noites. Ora ia à casa de Paulo, ora, na maioria das vezes, ao bordel para se distrair.

Quanto à filha do lenhador, Maria do Carmo, nunca mais a procurara, temendo que engravidasse dele. Bastava-lhe o filho que tinha com Luzia, a esposa do desembargador.

Maciel já contava com dez anos, e ele mantinha distância do menino. Não queria ressuscitar um passado que para ele estava morto.

Caroline não raro esperava o marido chegar, mas isso quase sempre acontecia altas horas da madrugada. Ele cheirava a bebida e normalmente a perfumes baratos, indícios de que estivera com alguma mulher.

Com o tempo, o coronel Donato foi ficando muito debilitado. Seu estado de saúde foi se agravando mais, sua respiração já estava cansada, e as dores no peito eram atrozes. Certo dia, dona Aurora, depois de dar ordens para a criadagem, subiu novamente a seus aposentos e percebeu que o marido não havia se mexido. Ao chamá-lo, notou que ele não mais respirava. A senhora começou a gritar por ajuda, e todos os criados foram até o quarto para ver o que havia acontecido. Um deles, entristecido, falou:

— Sinto muito, sinhá, mas o coronel morreu!

Imediatamente, Renato foi chamado. Chorando, foi ter com o pai morto para se despedir. Em seguida, tomou todas as providências necessárias para o sepultamento. Pessoas influentes da vila compareceram ao enterro do homem mais rico das redondezas. O filho do coronel chorava, desconsolado. Paulo tentava animá-lo a prosseguir, pois agora ele tinha a responsabilidade de continuar a liderar o que o pai havia construído.

Uma semana depois da morte do coronel, dona Aurora fez questão de que se rezasse a missa de sétimo dia na capela da fazenda, à qual todos, inclusive os criados, deveriam comparecer.

Com muitas lágrimas, Renato ouviu o sermão do padre. Ele não via a hora de aquilo terminar. O padre Bento falava de seu pai como se fosse um santo. Embora soubesse que seu pai sempre fora um exemplo de honestidade e retidão, estava longe de ser o santo que o padre insistia em homenagear. Após a missa, o filho do coronel, abatido, foi à casa de Paulo. Este, solícito, convidou:

— Meu amigo, caso sinta vontade, que tal irmos à casa de dona Genoveva? Uma conversa com ela lhe fará bem. Seus ensinamentos são tão abrangentes que o sermão de padre Bento fica sem sentido perto das sábias palavras daquela mulher.

— Acho que tem razão, Paulo. Vamos até lá? Preciso saber em que situação meu pai vai ficar.

Os dois se encaminharam à casa de dona Veva. Ao vê-los ao longe, a bondosa senhora ficou na varanda aguardando. A notícia do coronel chegara aos ouvidos de todos nas redondezas.

— Sejam bem-vindos, meus amigos. Eu queria mesmo falar com Renato. Ontem recebi a visita de um amigo espiritual e ele me contou que seu pai foi auxiliado, que não era para vocês se preocuparem. Assim que houver condições, ele poderá lhes fazer uma visita.

Renato comentou, surpreso:

— Como a senhora pode me dizer que meu pai está bem, e quem é esse amigo espiritual de quem a senhora fala?

— Esse amigo me visita e, como sou médium vidente e audiente, posso me comunicar com ele quando se faz necessário.

— O que é um médium audiente? Vidente eu sei que é quem pode ver espíritos... — indagou Paulo, curioso.

— Médium audiente é uma pessoa que tem sensibilidade para ouvir os espíritos — explicou dona Genoveva.

— Esse amigo da senhora falou como meu pai está? Ele foi sempre um homem de bem — disse Renato.

— Não tema por ele, filho. Ele está bem e logo, logo vai ficar sabendo que o neto que julgava ser seu na verdade não é.

Renato cambaleou e foi segurado por Paulo. Como ele não havia contado a ninguém sobre aquele detalhe, nem mesmo para Paulo, não podia acreditar no que ouvia. Genoveva continuou impassível:

— Renato, esse filho que você tem já é seu companheiro por várias encarnações. A verdadeira paternidade vem do coração, e não de fatores biológicos. Não maltrate sua esposa. Ela sempre foi fiel a você, exceto desta infeliz vez. Além de tudo, ela o ama de verdade.

— Mas não consigo esquecer a traição! E tenho em minha casa uma lembrança diária dela.

— Não a condene — pediu dona Veva —. Procure aceitar os fatos com dignidade. Só assim vai encontrar a felicidade.

— Vou tentar! Juro! Mas no momento não consigo sequer olhá-la, que me lembro imediatamente do que ela fez.

— Renato, pense em como ela se sentia quando você a traía embaraçosamente. Todos comentavam. Já parou para pensar em como ela sofria calada, e mesmo assim o aceitava? Procure perdoar para um dia ser perdoado. Como pedir perdão a Deus pelas nossas faltas, se não somos capazes de perdoar o nosso próximo?

Renato concordou com o que a senhora dizia. Sabia que estava sendo intransigente e caprichoso, e que Caroline, apesar daquele lapso moral, sempre fora uma esposa dedicada e amorosa. Respondeu-lhe, portanto:

— Sei que tem razão, mas o amor que julgava sentir por ela acabou como se o vento o tivesse levado.

— Renato, você nunca amou sua esposa verdadeiramente. Quem ama é capaz de perdoar. Se a amasse, você a teria perdoado pelo erro cometido.

Paulo, que estivera calado até então, não pôde deixar de concordar:

— É verdade, Renato. Na verdade você nunca a amou. Você usa as mulheres a seu bel-prazer.

— Você diz isso porque Elvira sempre foi fiel — respondeu raivosamente o outro — e não lhe impingiu um filho que não é seu.

— Garanto a você que, pelo tanto que a amo, se isso tivesse acontecido comigo, eu a perdoaria. O amor nos leva a perdoar.

— Muito fácil falar... Apenas quem está em minhas condições sabe o que estou passando.

— Renato — completou suavemente dona Veva —, sou obrigada a concordar com Paulo. O amor é a mola propulsora para o perdão. Só quem ama é capaz de perdoar.

— Bem, não vim aqui para falar de meu drama pessoal — falou Renato —, mas, antes, para saber de meu pai. Contudo, esses amigos espirituais da senhora vivem espionando a vida dos outros.

— Eles não espionam, meu filho. Apenas comentam algo, e é sempre no intuito de ajudar. Se trouxeram o assunto a meu conhecimento, foi para ajudá-lo.

Renato sentiu que havia sido inconveniente. Tentou se desculpar:

— Sinto muito pelo que lhe falei. Ando nervoso. Sei que não é desculpa para atitudes grosseiras, e sei também que a senhora só quer meu bem.

— Renato — respondeu-lhe dona Genoveva —, antes de tomar qualquer atitude, entregue seus problemas a Deus. Garanto que nossos amigos espirituais o ajudarão a ser sensato. Lembre-se do que nosso mestre Jesus disse: "Vinde a mim todos os que estão sobrecarregados, e eu vos aliviarei". É com essa finalidade que os amigos espirituais estão atentos a tudo que acontece, a fim de auxiliar os que estão encurvados diante dos fardos que a vida lhes impõe. Recorra a Deus em prece, e sentirá toda a diferença.

— Farei isso, dona Genoveva. Peço mais uma vez que me perdoe pelas palavras rudes. — E, voltando-se para o amigo, completou: — Vamos embora, Paulo? Preciso tomar algumas providências na fazenda ainda hoje.

Enquanto estavam no automóvel, Renato perguntou:

— Você foi sincero ao dizer que, se fosse com Elvira, a perdoaria?

— Sim, fui. Eu a amo. Ainda que ela incorresse em falta, eu a perdoaria apenas para não perdê-la.

— Pois então, Paulo, o que me falta na vida é um amor como o seu. Você é feliz, tem a mulher que ama, e ela lhe é fiel.

— Gostaria muito que você encontrasse a mulher de seus sonhos. Se não a encontrou, procure fazer quem o ama feliz, pelo menos por seu filho.

— Acho que devo fazer isso mesmo. Ageu é a pessoa mais importante na minha vida.

Paulo sentiu-se satisfeito com a decisão do amigo.

19

Decadência moral de Renato

Renato chegou à fazenda e foi ter com a mãe, sentada em uma poltrona. Observou como as cãs de dona Aurora estavam brancas. Aproximando-se vagarosamente, comentou, com carinho:

— Mãe, sabemos o quanto papai faz falta. Mas temos de ser fortes. Ele sempre foi um bom homem. Sendo assim, Deus reservou-lhe um bom lugar, com certeza.

— Filho, não tenho mais nada para fazer aqui. Gostaria de ir com ele. Você já é um homem, com a própria família para tomar conta. E eu? A mim só restam recordações dos bons tempos que vivi ao lado de seu pai.

— Mãe, as recordações devem ser guardadas no coração. Mas devemos seguir adiante e ser felizes o tempo que nos resta.

— Seja você feliz, meu filho, perdoando sua esposa. A mim, a felicidade abandonou quando seu pai partiu.

Renato, ao fitar a mãe, pensou: "Como ela ama papai! Um amor de uma vida inteira. Eles, sim, eram um casal perfeito. Sempre viveram um para o outro. Devo perdoar mesmo Caroline. Se um dia eu faltar, queria uma esposa que sentisse minha falta assim". Acordando subitamente de suas divagações, pediu licença à mãe e foi ao quarto falar com Caroline. Encontrou-a parada em frente da janela, olhos perdidos no horizonte.

— Caroline — chamou-a —, precisamos conversar. É chegada a hora de resolvermos nossa situação.

Renato, ao observar atentamente a esposa, deu-se conta do quanto tinha emagrecido. Trazia olheiras profundas no semblante. Com ternura, falou-lhe:

— Sei que tenho sido intransigente com você. Mas tenho pensado muito. Decidi que não vou jogar fora meu casamento. De hoje em diante, voltarei à minha cama e não lhe faltarei com as obrigações de marido.

— Meu querido, não sabe como me faz feliz assim. Nunca deixei de amá-lo, nem por um dia. A vingança que planejei virou-se contra mim. Espero que entenda, e que possamos ser felizes.

Caroline enlaçou-o pelo pescoço, procurando que o marido lhe desse um fervoroso beijo nos lábios. Renato o fez, mas em sua mente havia a imagem da traição da esposa. Arrumou uma desculpa rapidamente a fim de sair do quarto.

Caroline sabia que aquelas palavras bonitas tinham sido usadas só para agradá-la, mas ela mantinha, ainda, a esperança de reconquistar o marido, fazendo-o esquecer do passado.

À noite, Renato fez um esforço sobre-humano para dormir com Caroline. Para ele, ela não era mais digna do seu amor, e deitar-se com ela era participar de toda a sujeira que ela havia lhe preparado. Entretanto, cumpriu o que havia combinado, mas sem ser amável e delicado como fazia antigamente, fato que a deixou pior do que estava.

— Por que agiste assim comigo? Você sempre foi tão cavalheiro...

— Eu a tratei como gosta de ser tratada. Se não fosse assim, não teria me traído com o primeiro que aparecesse.

Caroline, sentindo-se humilhada, desabafou:

— Não precisa fazer todo esse esforço para se deitar comigo. Não o quero mais como marido. Voltemos a obedecer os protocolos sociais, e você pode passar a dormir no quarto de hóspedes. Não sou como as meretrizes com as quais está acostumado. O amor que eu julgava sentir hoje acabou. A humilhação que me fizeste passar só me fez sentir repulsa por você. Durma com quem quiser que não vou me importar. Para mim, você é como Alceu: um monte de esterco.

Renato não esperava por essa reação. Boquiaberto, viu Caroline pegar todas as suas roupas e jogá-las para fora do quarto. Arrependido, ele entendeu que, embora a esposa houvesse tido um caso, ela mantinha sua dignidade, e ele tinha passado dos limites.

Após esse dia, a esposa não mais lhe dirigia a palavra. Quanto mais ele tentava, mais ela se fechava.

Certa manhã, ele olhou para ela e disse:

— Vou à vila. Você quer que eu traga algo para você?

— Se precisar, peço que Honório me leve ou me traga. Acho bom mesmo você ir à vila, e ficar lá até a hora que lhe aprouver. Sua presença nesta casa é completamente dispensável.

"Como Caroline pode me odiar tanto", pensava Renato. Nesse ritmo de rancor, o casamento foi reduzido a nada, de modo que Renato muitas vezes dormia na vila e aparecia somente na manhã seguinte. Às vezes chegava a levar meretrizes até a própria casa para lhe fazer companhia.

Dona Aurora reprovava as atitudes do filho, mas, como já estava idosa, não se sentia com forças para fazer parar aquela situação. Todo dia, ao entardecer, Renato ia à vila. A esposa ignorava suas atitudes, mantendo ainda, contudo, a dignidade. Permanecia fiel, embora o amor que sentia por Renato parecesse ter terminado.

Renato caiu em um desregramento moral tão grande que fechava o bordel e pagava a sua conta, e também a de vários outros clientes. Embora fizesse essas extravagâncias, como tinha um tino muito afinado para negócios, aumentava ano a ano a fortuna que seu pai havia lhe deixado.

Caroline resolveu visitar os pais novamente. Informou apenas à sogra de que partiria dali a dois dias. Renato, ao saber, ficou muito bravo. Entrando no quarto de maneira impetuosa, esbravejou:

— Onde pensa que vai sem meu consentimento? Fiquei sabendo que você pretendia ir à capital, mas ainda sou seu marido, sabia?

— Engana-se, meu amigo. Há muito deixou de ser meu marido. Se assim fosse, teria me respeitado. A partir de hoje me considero viúva. E quem manda em mim sou eu. Se se opuser, ficarei na casa de meus pais. Você me desrespeita dentro de minha própria casa! Ademais, não temos nada mais que nos una; nem mesmo Ageu é seu filho.

Renato empalideceu. Sentiu-se mortalmente ferido. Tamanho foi seu choque, que, inesperadamente, se pôs a chorar. Em soluços, pediu:

— Caroline, por favor, tentemos uma reconciliação. Sei que, se você errou, a culpa foi minha. Eu ainda a amo.

— Tarde demais, Renato. Agora quem não o ama mais sou eu. Para mim está bom como está. Você é um cretino que me causa asco. Agora saia do meu quarto! Pretendo descansar porque amanhã tenho de começar a fazer as malas.

Renato saiu do quarto completamente destruído emocionalmente. Embora fosse um bom pai para Ageu, tinha se portado como um canalha com a esposa e pagava por isso.

O desregramento moral de Renato era tão grande que por várias vezes tinha convidado Paulo a acompanhá-lo.

Certa vez, tinha conseguido ludibriar o amigo mais uma vez e o levado à vila, altas horas da noite. Apesar de Elvira tê-lo lembrado do que havia acontecido da última vez que Renato o convidara a ir à vila à noite, Paulo lhe afirmou que nada temesse, pois ele lhe era extremamente fiel, e sempre seria.

Quando chegaram à vila, contudo, Renato, mais uma vez, levou o amigo a um bordel. Paulo disse que não entraria, ao que Renato replicou:

— De que lhe vale ser fiel, amigo? Uma hora ou outra Elvira apronta uma com você, e então será tarde para se arrepender.

— Ainda que ela me traia, não farei isso com ela. Eu a amo muito. Não quero que ela tenha motivos para queixa.

— Sinto muito dizer-lhe isso, Paulo, mas você é muito piegas. Não deve confiar nas mulheres. Na hora em que afirmam que nos amam, estão, também, nos traindo.

— Você tem uma maneira de pensar completamente diferente da minha. Não vou entrar. O que diria a Elvira? Como ela ia encarar um fato desses? Da outra vez que me aprontou uma dessas, tive o maior trabalho para conseguir me explicar.

— Se veio comigo, ficará comigo. Somos amigos ou não? Não precisa ficar com mulher nenhuma; basta fazer-me companhia.

Paulo, sensibilizado pela penúria emocional do amigo, resolveu segui-lo. Assim que adentrou o bordel, quase sufocou com o cheiro de charutos e o forte odor de álcool. O que mais o deixou intrigado, no entanto, foi o fato de as mulheres se oferecerem aos homens como se fossem uma mercadoria.

Renato pediu um minuto a Paulo e se dirigiu ao fundo do local a fim de conversar com uma dama da noite. Em seguida, voltou para a mesa onde Paulo estava sentado. Renato insistiu para que o amigo bebesse. Mas Paulo não quis. Desejava permanecer atento a tudo que acontecia.

Uma das moças se aproximou e chamou Paulo para uma conversa. Ele respondeu:

— Não me leve a mal... Mas não tenho nada a lhe dizer. Sequer a conheço.

Renato, sentado ao lado, comentou:

— Nunca pensei que fosse tão grosso. Como pode se recusar a falar com uma dama?

Paulo, sentindo-se constrangido, seguiu a moça, que o levou para o andar de cima. Fazendo-o entrar em um quarto, ela fechou a porta atrás de si e guardou a chave entre os seios. Olhando-a inocentemente, Paulo inquiriu:

— Você disse que queria conversar. Pois bem, o que quer falar para mim?

— Nada, meu amigo. Apenas quero que sinta o prazer que uma mulher pode dar a um homem.

Enquanto dizia isso, a moça se despia, e Paulo, cada vez mais envergonhado, virou de costas, pedindo-lhe que parasse com aquilo.

A moça riu com o constrangimento de Paulo. Sentiu pena dele. Como estava só com os seios descobertos, voltou a se vestir e então lhe disse:

— Pode se virar. Já estou vestida.

— Por que fez isso comigo?

— Ora... meu amigo Renato me pagou para fazer isso.

— Ele não devia fazer isso comigo! Que espécie de amigo ele é, sabendo que sou casado e que amo minha esposa?!

— Você é feliz com sua esposa? — perguntou a moça.

— Sou como poucos homens são. Por esse motivo, não farei nada com você nem com ninguém. Você é bela e jovem, mas deveria procurar uma vida melhor.

A moça viu o quanto Paulo era um bom rapaz.

— Nunca nenhum cliente me falou assim. Querem apenas nos usar e depois, satisfeitos, jogam o dinheiro, como se estivessem pagando uma fortuna.

— Renato já lhe pagou pelo serviço?

— Sim, o dinheiro está comigo. Vou ter de devolvê-lo. Você é o homem mais digno que já passou por aqui.

— Não, não o devolva. Fique com ele. Mas lembre-se: seja digna para que ninguém fale de você.

A moça, abrindo a porta do quarto, recomendou:

— Tenha mais cuidado com seu amigo Renato. Ele é um fracassado no casamento e quer destruir o seu também. Não o acompanhe para não se meter em situações constrangedoras.

— Obrigado. Vou tomar mais cuidado. Saia deste lugar, lembre-se. Viva decentemente; só assim poderá encontrar sua felicidade.

Paulo encontrou Renato com uma dama sentada em seu colo. Olhando-o com rancor, disse-lhe:

— Pode ficar aí. Vou embora. O que você fez foi lamentável. Você provou que não é meu amigo.

— Não brincou um pouco com Lucile? Ela é a mais cara — respondeu o amigo, com voz pastosa pelo efeito da bebida.

— Não, Renato, não brinquei com ninguém. Não sou como você. Nossa amizade acaba aqui. Se pensa que me tornarei alguém como você, está enganado. Jamais trairia minha esposa, com quem sou muito feliz.

Paulo se afastou sem olhar para trás. Renato deixou o dinheiro da conta sobre a mesa e saiu correndo atrás do amigo. Conseguiu alcançá-lo.

— Paulo, desculpe a brincadeira. Só queria testar se você conseguia se manter fiel ou se era pura demagogia.

— Não bastou da primeira vez que me fez isso? Não era brincadeira. Você é um homem decadente e acha que todos são assim também. Mas se engana. Sou feliz e ninguém vai destruir minha felicidade. Tenho Elvira, por isso não preciso de mais ninguém.

— Desculpe, amigo. Não pensei que fosse ficar tão contrariado. Você me magoou ao dizer que eu sou um homem decadente. Não sou isso de que me acusa. Tenho dinheiro e boa situação financeira.

— Não disse que está decaindo financeira ou socialmente, mas sim moralmente Um homem que tem coragem de visitar meretrizes não tem amor por si próprio. Por isso, meu amigo, acho que você deve se esmerar no código de moral de Jesus para ser considerado um homem de verdade. Você já me fez isso uma vez, e eu o perdoei. A segunda não dá para perdoar. Você me enoja com essa atitude.

Renato sentiu o peso das verdades ditas pelo amigo. Sem conseguir conter as lágrimas, pediu:

— Por favor, Paulo, não deixe de ser meu amigo por essa estupidez. Juro que nunca mais vou fazer isso. Você é meu único amigo, alguém que tenho certeza que se preocupa com meu bem-estar, e que não se interessa pelo dinheiro que tenho.

Paulo tinha bom coração. Abraçou o amigo, e sugeriu:

— Esqueçamos este incidente. Sei que se arrependeu. Mas acho ainda que você tem de ir à casa de dona Genoveva para descobrir o real sentido da vida.

Paulo entrou no automóvel do amigo e logo os dois chegaram ao sítio. Renato deixou o amigo e seguiu para a fazenda. Sua mãe e sua esposa estavam sozinhas.

Paulo, ao chegar, encontrou Elvira muito brava. A esposa perguntou-lhe, em tom colérico:

— Onde você esteve com Renato para chegar a uma hora dessas em casa, Paulo? Sabe que não confio nele. Seu amigo é muito boêmio. Se um dia se atrever a acompanhá-lo nas noitadas, eu vou embora. Chega aquela vez em que já brigamos por causa de algo parecido.

Paulo, sem jeito, abaixou a cabeça. Como não conseguia esconder nada de Elvira, passou a contar tudo que havia acontecido aquela noite. Elvira ficou furiosa. Disse a Paulo em seguida:

— Acho bom ele não aparecer aqui tão cedo; caso contrário, sou capaz de jogar água fervendo nele. Aquele miserável, cafajeste, imoral.

— Chega, Elvira. Contei-lhe a verdade, mas não fiz o que Renato queria que eu fizesse. Não sei por que essa zanga toda.

— Você me contou uma história. Eu preciso saber até que ponto ela é verdadeira. Um homem ficar às voltas com uma mulher semidespida e nada acontecer... acho isso impossível!

— Elvira, assim você me ofende. Sempre lhe fui fiel. Somente Deus sabe o quanto eu a amo. Não me deitaria com nenhuma outra mulher. Não julgue todos os homens por Renato, que é um pobre infeliz à procura ninguém sabe do quê!

A moça sentiu sinceridade nas palavras do marido. Olhando-o firmemente, pediu-lhe desculpas. Não havia motivos para desconfiar dele.

Assim que se deitaram, Paulo, com a consciência tranqüila, embora amuado com a desconfiança de Elvira, logo adormeceu. Ela, entretanto, ficou virando na cama, pensando em Renato e em tudo que lhe diria assim que voltasse a visitá-los.

Ao acordar na manhã seguinte, Paulo mal trocou algumas palavras com Elvira. Pensava que ela não tinha direito de duvidar de sua fidelidade, e que um dia perceberia a injustiça que fizera.

Dona Eunice sabia o que havia ocorrido. De seu quarto não pôde deixar de escutar os gritos da nora. Ouvindo que seu filho caíra em uma cilada armada pelo próprio amigo, a bondosa senhora elevou seus pensamentos a Deus em uma prece a fim de pedir ajuda tanto a Paulo quanto a Renato, cada vez mais perdido e desregrado.

Dona Eunice se levantou e fez tudo como de costume. Acendeu o fogão, enquanto Paulo enchia as talhas d'água. Elvira permanecia no quarto. Assim que ela se levantou, Paulo se despediu da mãe e, acenando para a esposa, saiu para mais um dia de trabalho.

O coração de Elvira se apertou quando notou o desprezo do marido. Abaixou a cabeça sobre a mesa e se pôs a chorar. A moça desabafou com dona Eunice.

— A senhora não sabe o que aquele canalha do Renato fez ontem à noite! Levou Paulo a uma casa de meretrizes, mas Paulo disse que não se deitou com a rapariga.

— Nem precisa contar o resto, filha. Não pude deixar de ouvir a conversa de vocês. Seu tom estava bastante alterado. Também pude ouvir as explicações de Paulo. Raciocine, Elvira: você acha que se Paulo houvesse se deitado com uma meretriz ele teria lhe contado onde estava? Não acha que seria mais fácil inventar uma desculpa qualquer? Não quero defender cegamente meu filho, mas talvez você tenha se precipitado em discutir com ele. Ainda mais que ele falava a verdade... Os olhos são os espelhos d'alma. Se tivesse observado bem os olhos de seu marido, veria que ele não estava mentindo. Você foi injusta com ele. Não acha melhor deixar o orgulho para trás e tentar resolver essa situação que se formou entre vocês? Paulo chega a ser cândido de tão transparente que é. Acerte essa situação. Não quero vê-los nesse clima de indiferença. Também não quero vê-la sofrer.

Elvira parou de chorar, e tomou uma resolução:

— Vou atrás dele, dona Eunice. Agora, quanto a Renato, ele não perde por esperar!

Vendo a nora se afastar, com um sorriso, a bondosa senhora disse a si mesma: "Agora eles fazem as pazes e tudo volta a ser como antes. Contudo, não posso permitir que ela faça desfeita a Renato. Ele é para mim como um filho. Sua presença nesta casa sempre será bem-vinda. Tenho de agir com cautela para não me indispor com Elvira. Estamos nos dando tão bem..."

Elvira foi ao encontro de Paulo, que carpia uma parte do sítio onde pretendia plantar. Ainda demonstrava indiferença no olhar. A moça, entretanto, que sempre fora impulsiva, chamou-o.

— Precisamos conversar. Não acho justo que briguemos por causa de um irresponsável como Renato.

— Nada mais tenho a dizer sobre o episódio de ontem. O que me doeu foi o fato de você não ter confiado em mim e achado que eu seria capaz de me deitar com uma messalina.

— Perdoe-me, meu amor. Sei que você é fiel. Vamos esquecer isso. Voltemos a ser felizes como sempre fomos.

Como Elvira sabia envolver Paulo em seus encantos, aproximou-se do marido, beijando-lhe os lábios, e sussurrou em seus ouvidos:

— Eu te amo. Você é o melhor homem que uma mulher poderia desejar.

Paulo, sentindo-se envaidecido com as palavras da mulher, deixou-se envolver por ela e ali mesmo entregaram-se aos prazeres do amor.

Ao voltar para a casa, Elvira sentia-se feliz. Dona Eunice sabia, pela expressão da nora, que o casal tinha feito as pazes.

Ao longe, as duas ouviram um barulho de trote de cavalo. Olhando pela janela, constataram se tratar de Renato que, sorrindo, cumprimentou:

— Bom dia! Onde posso encontrar Paulo?

— Antes de procurar meu marido — vociferou Elvira —, quero falar com você. Eu sempre o tive como um irmão, mas o que fez passou dos limites. Como pôde ser tão leviano tentando acabar com meu casamento?

Renato, que entendeu prontamente do que se tratava, justificou-se:

— Por favor, Elvira, não se zangue. Foi uma brincadeira. Você tem de orgulhar de seu marido, na verdade. Ele é o homem mais fiel que já conheci. Não faça nada para magoá-lo. Ele a ama de uma maneira que nunca imaginei ser possível.

Elvira sentiu que não deveria ser tão dura com Renato. Contudo, deixou um aviso:

— Desta vez, paramos por aqui. Mas, se houver uma próxima, eu vou jogar água fervendo em você.

Renato deu uma gargalhada e bateu no peito:.

— Minha culpa! Minha culpa! Minha máxima culpa! Não farei mais isso, eu juro.

Ao falar de modo tão dramático, tanto dona Eunice, que se encontrava apreensiva com o desfecho da situação, quanto a própria Elvira desataram a rir dos gracejos de Renato.

Renato comentou com as duas:

— Preciso saber quando vocês vão à casa de dona Genoveva. Paulo me disse coisas ontem que me fizeram pensar. Ele falou que estou decaindo moralmente, e isso eu não posso permitir. Tenho certeza de que Deus me ajudará.

— Isso, filho, é assim que você deve pensar. Uma vida de devassidão só traz infelicidade e desilusão. Você tem tudo para ser um homem feliz. Não o é por sua causa — completou dona Eunice.

— Preciso mudar meu proceder. A cada dia que passa, tenho me tornado mais e mais infeliz. Pior é que tenho trazido infelicidade para quem convive comigo.

— Comece a freqüentar o grupo de estudo de dona Genoveva. Você vai entender o pleno sentido da vida estudando mais. Vamos lá ao entardecer. Será um prazer tê-lo conosco — disse dona Eunice.

— Está bem. Assim que o sol se pôr virei buscá-los. Não quero chegar sozinho.

Renato voltou para as tarefas diárias da fazenda. Ao chegar para o almoço, avistou Caroline na sala com um bordado nas mãos. Fitando-a, sentiu uma grande culpa por seu casamento ser o fracasso que era. Ao se aproximar, perguntou, para puxar conversa:

— O almoço já está pronto, Caroline?

— Sim. Está à mesa.

— E você, não vem almoçar comigo?

— Não, estou sem fome. Mas Ageu está sentado à mesa com dona Aurora à sua espera.

— Por favor, venha almoçar conosco.

— Já disse que não. Não me obrigue a fazer uma coisa que não quero.

Renato nada mais disse. Foi para o interior da casa e entrou na sala de jantar. A mesa estava posta, e a mãe e o filho o aguardavam, assim como Caroline havia dito. Ao ver Renato, dona Aurora deu ordens para que o almoço fosse servido.

— Papai, mamãe não vai almoçar conosco? — perguntou Ageu.

— Não, filho. Sua mãe falou que não estava com fome.

— Engraçado... Quando o senhor não está aqui, ela sempre almoça conosco.

Com aquelas palavras inocentes, Renato compreendeu o motivo da falta de apetite de Caroline. Meio desconcertado, falou ao filho:

— Não se preocupe, Ageu. Assim que mamãe tiver fome, ela virá.

— Você não brinca mais comigo, papai. O que está acontecendo?

— Papai está trabalhando muito, meu filho. Mas prometo que brincaremos pelo menos uma vez por semana.

Como dona Aurora sabia que Renato estava mentindo, falou:

— Renato, por favor, assim que almoçarmos, me espere no gabinete. Quero conversar com você.

— Está bem, mamãe. Mas agora quero experimentar essa carne assada, que pelo jeito está divina.

Almoçaram com gosto. Renato não demonstrava preocupação, e conversava sobre assuntos banais tanto com sua mãe como com seu filho. Após a refeição, dona Aurora se dirigiu ao gabinete do filho a fim de esperá-lo. Ele, no entanto, antes de ir ter com a mãe, carregou Ageu nas costas, fingindo ser um cavalinho. Depois pediu licença. Ao entrar no escritório, Renato se assustou ao ver a mãe sentada na cadeira que antes era de seu pai. Com autoridade, ela mandou:

— Meu filho, sente-se!

Renato prontamente se sentou na cadeira em frente da mãe e, com ar surpreso, perguntou:

— O que está acontecendo, minha mãe? Pelo que eu saiba, os negócios estão indo muito bem. Tanto que estou comprando outra fazenda lá pelos lados do rio Aracauã. Não se preocupe com dinheiro. Graças a Deus, temos mais do que o suficiente para vivermos confortavelmente até o fim de nossos dias.

— Filho, não estou preocupada com nossa situação financeira. Sei que você é um excelente administrador, mas o que realmente está me preocupando é sua vida pessoal, meu filho, que não está nada bem. Vejo você sair quase todas as noites, e muitas vezes encontro com mulheres saindo daqui ao amanhecer. O que é isso, filho? A cada dia que passa parece que você se perde mais! Não vê que sua conduta o está destruindo? Primeiro pelas bebidas, segundo com estas mulheres desclassificadas com as quais mantém relacionamento. Acho, meu filho, que está na hora de você colocar a cabeça no lugar e tentar reatar seu casamento. Nós bem sabemos que você teve sua parcela de culpa para esse desgaste matrimonial. Nunca me meti em seus assuntos particulares, mas agora vejo que você está passando dos limites.

Dona Aurora fez uma pausa para tomar fôlego, depois continuou:

— Você condenou tanto Caroline que esqueceu de julgar a si próprio. Não queira destruir sua vida. Se fizer isso, vai estar destruindo todos nós. Ageu pode não ser seu filho biológico, mas é do coração. Quanto a Caroline, ela nunca mais lhe deu motivos para que desconfiasse dela.

— Mãe, tentei uma reconciliação com Caroline, mas ela me repudia.

— O que fez para ela o repudiar assim?

— Pelo que vejo, ela andou conversando com a senhora sobre nossos problemas íntimos.

— Agora vejo que não conhece a mulher que tem, meu filho. Caroline nunca reclamou de nada. Sua conduta tem sido irrepreensível. Quanto ao erro do passado, ela se condena, sim. Por que não a perdoa?

— Mãe, não tenho de perdoar nada. Ela sim, porque cometi uma violência sem tamanho, e me falou em seguida que jamais me aceitaria como marido novamente. Ela nem sequer me olha. Eu gostaria tanto de reatar nossa relação, mas vejo que, cada vez mais, isso é impossível.

— Filho, mude seu proceder enquanto é tempo. Se continuar a levar a vida da forma que vem levando, fatalmente ela irá embora e levará nosso Ageu com ela.

— Nunca vou permitir isso! Ageu é meu filho; ela não pode levá-lo daqui.

— Pode sim. Você, sendo bacharel em direito, sabe muito bem que, embora tenhamos bens, ela é a mãe. Além do mais, os pais dela também possuem bens, de modo que poderiam dar uma vida confortável à criança. Por mais que ela tenha errado, vem se comportando bem; você, entretanto, tem uma conduta cada vez mais duvidosa. Também por isso, como deve saber, você perderia com facilidade a guarda de seu filho para Caroline.

Renato assustou-se com o que a mãe dizia. Sim, ela estava correta. Seu desregramento chegara a tal ponto que seria prejudicado aos olhos da lei em um caso assim. Com lágrimas nos olhos, respondeu:

— Mãe, vou conversar com minha esposa. Nunca mais trarei mulher nenhuma aqui em casa. Também não vou mais freqüentar o bordel.

— Filho, se digo tudo isso é para seu bem. Sei que está sofrendo. Contudo, se sofre, é por sua culpa mesmo. Caroline foi apenas uma vítima de suas leviandades.

Dona Aurora então se levantou e pediu licença. Retirou-se, alegando estar cansada. Antes de sair, porém, ainda aconselhou:

— Procure dar um jeito em sua vida. Garanto que seu pai, onde estiver, se encontra muito triste com você.

Depois que a mãe se afastou, Renato deu livre curso a suas lágrimas. Disse em voz alta:

— Meu Deus, me ajude. Tenho feito tudo errado e prejudicado as pessoas que mais amo neste mundo. Por que tenho a infelicidade como minha companheira?

Renato não saiu mais do gabinete durante a tarde. Quando Honório o procurou, ele disse que só resolveria os problemas no dia seguinte. Só saiu do escritório no horário marcado com Paulo, a fim de irem à casa de dona Genoveva.

No caminho para a casa de dona Veva, dona Eunice percebeu que Renato se encontrava muito triste. Sem querer ser indiscreta, nada perguntou.

A dona da casa os esperava com mais cinco pessoas da capital. Apresentou-os uma a uma aos recém-chegados:

— Fico satisfeita em recebê-los em minha casa. Hoje tenho visitas que vieram da capital. São espíritas que trabalham há um bom tempo no centro espírita Luz da Verdade. São médiuns, e nos conhecemos do centro espírita. Convidei-os para fazermos uma reunião diferente. Estes são Pedro, Júlio, Carmosina, Alvorinda e Rubem. — Apontando os recém-chegados, completou: — Estes são meus vizinhos de cerca, que vêm toda semana para estudarmos *O Livro dos Espíritos* e buscarmos um pouco de conhecimento da vida espiritual.

Os visitantes da capital eram tão simpáticos que, rapidamente, travaram amizade com Renato e a família de Paulo sem mostrar constrangimentos. Antes de a reunião começar, os presentes estavam familiarizados. Quando o relógio bateu oito horas, dona Genoveva falou:

— Todos são muito bem-vindos. Hoje a reunião será um pouco diferente. Assim que a palestra terminar, haverá uma segunda parte, que consiste no intercâmbio com espíritos sofredores que precisam de esclarecimentos tanto quanto nós.

— Como pode ser esse intercâmbio? — perguntou Renato curioso.

— Bem, esperemos para ver — respondeu Pedro, o mais falante do grupo.

Dona Veva havia colocado uma toalha branca de renda portuguesa na mesa. Em volta havia várias cadeiras, e a reunião seria feita na sala de jantar. Rubem iniciou com uma prece, que foi feita com muita emoção.

— Senhor, é com grande alegria que estamos aqui neste recinto para agradecer a oportunidade de estarmos presentes, para sermos úteis a outrem. Faça, Senhor, de nós o Vosso instrumento, para ajudarmos aqueles que tanto necessitam de ajuda, assim como nós mesmos. Faça, Senhor, que a nossa reunião seja produtiva, sendo que todos possamos ficar serenos a fim de sermos ajudados e ajudar os irmãos desencarnados que desconhecessem seu estado. Por isso, Senhor, sejamos humildes de coração, a fim de que sejamos o barro nas mãos do grande oleiro, que sois Vós, Senhor.

Em seguida, deu seqüência com a prece que todos conheciam ali:

— Pai nosso que estais nos céus, santificado seja Vosso belo nome, venha a nós o Vosso reino de bondade, e seja feita a Vossa vontade, assim na terra como em toda a parte.

O pão nosso de cada dia, Senhor, dai-nos hoje. Perdoai nossas dívidas, assim como nós perdoamos nossos devedores, e não nos deixeis cair em tentação, mas, antes, livrai-nos do mal, que assim seja, amém!

Em seguida, Pedro tomou a palavra.

— Meus irmãos, Jesus disse: "vinde a mim todos os que sofreis e que estais sobrecarregados, e eu vos aliviarei. Tomai meu jugo sobre vós, e aprendei de mim que sou brando e humilde de coração, e encontrareis o repouso para as vossas almas; porque meu jugo é suave e meu fardo é leve". Este trecho foi retirado do Evangelho de São Mateus, capítulo onze, versículos vinte e oito a trinta.

Pedro prosseguiu:

— Todos nós que vivemos no planeta Terra somos assediados por muitos problemas. Vivemos em um mundo de expiação e provas, sabendo que já vivemos muitas vezes no plano terrestre. Por meio da bendita reencarnação, e de cada uma delas, tiramos experiências valiosas que levaremos conosco após deixarmos o corpo físico. Porém, irmãos, temos muitos problemas: ora financeiros, ora com saúde, ora conflitos em família e transtornos no lar. Enfim, somos assediados por uma infinidade de problemas. Nesses momentos, o que devemos fazer? Será que devemos entrar em desespero, e como muitos têm feito, nos entregar ao suicídio para fugir dos problemas atuais?

Pedro fez uma pausa para reflexão dos amigos. E continuou:

— Não, meus irmãos. Devemos aumentar nossa fé. Em tais momentos, devemos elevar nossos pensamentos a Deus e apresentar nossos problemas a Ele, porque, quando pensamos que somos fracos, aí é que Deus nos torna poderosos. Sei que às vezes desanimamos diante das dificuldades, mas nunca devemos nos esquecer que Deus está atento a tudo que ocorre. Por isso, além da ajuda de Deus, temos a ajuda de nossos amigos espirituais, que trabalham dia e noite a nosso favor. Tenhamos, irmãos, uma fé inabalável, e a perseverança deve ser constante em nós, a fim de conseguirmos ser vencedores em um mundo turbulento. Assim como Jesus disse "Eu venci o mundo", se tivermos uma fé do tamanho de um grão de mostarda, garanto que um dia poderemos dizer: "Graças a Deus, venci o mundo também".

Em seguida, Rubem convidou todos novamente a uma prece final. Após, pediu aos presentes que continuassem em silêncio, pois haveria a segunda parte da reunião.

Pedro se sentou à cabeceira da mesa, e fez uma segunda prece. Renato e a família de Paulo estavam ansiosos para ver o que iria acontecer. Pedro mandou que acendessem uma luz azul que ficava na parede do lado direito, a fim de tornar o ambiente tranqüilo, enquanto as outras luzes eram apagadas.

Depois desses ajustes, Pedro voltou a tomar a palavra.

— Sabemos que muitos irmãos estão aqui nesta noite para ter esclarecimentos, portanto, eles poderão, com a ajuda da equipe espiritual que aqui se apresenta, usar um dos médiuns aqui da mesa, exceto Renato e a família de Paulo. Quanto aos demais, todos somos sensitivos e poderemos servi-los nesta comunicação.

De repente, Júlio se mexeu na cadeira, e disse:

— Por que estou aqui? Quem são essas pessoas que não conheço?

— Não se preocupe, meu irmão. Se está aqui esta noite, é para saber de algumas coisas que estão fugindo de seu conhecimento.

— Que tipo de conhecimento?

— Antes, meu irmão, diga-me: com quem estava?

— Estava com aquele almofadinha. Ele é como eu: gosta de bebidas e de mulheres.

— De quem se trata, amigo?

— O nome dele é Renato.

— O que fazia ao lado dele?

— Estávamos nos divertindo um pouco, pois ele gosta de freqüentar lugares cheios de mulheres e de beber as melhores bebidas, que antes eu desconhecia.

— Meu amigo, você já não faz parte deste mundo. Você fez a viagem e não se deu conta disso.

— Que viagem é essa?

— A viagem que todos faremos um dia, para outra dimensão.

— Não estou entendendo — respondeu a entidade.

— Meu irmão, você desencarnou, ou seja, morreu.

Neste momento a entidade soltou uma gargalhada.

— Pensei que o senhor fosse um homem sério, mas vejo que gosta de anedotas. Estou mais vivo que nunca. Se estivesse morto, como estaria falando com você agora?

— Você vai à casa de meu amigo, fala com ele, e o que ele lhe responde?

— Nada, porque é um orgulhoso. Só fala com a família. Eu sempre fui pobre, então não conversávamos. Mas agora ele me tem por companhia, e estamos nos divertindo muito.

— Amigo, se o irmão aqui presente não lhe responde, não é porque seja orgulhoso; ele não o vê. Para ele, você é invisível.

— Então é por isso que fico vagando pela casa e todos me ignoram?

— É, meu irmão. Você está falando agora por meio de um corpo que não lhe pertence. Se duvidar de minhas palavras, dê um passo para trás e veja como você está se comunicando conosco.

— Não, eu sou muito diferente. O interessante é que falo algo e ele repete justamente o que estou dizendo.

— Irmão, está na hora de você encontrar a felicidade, e não ficar a esmo andando de um lugar a outro, sem que ninguém o veja. Você tem que aprender, estudar e viver num mundo melhor, onde não só receberá ajuda como também terá paz.

Renato, curioso, comentou:

— O que ele está fazendo comigo, sendo que nem o conheço?

— Irmão — explicou Pedro —, ele estava fazendo com que você caísse em degradação moral. Enquanto estava na carne, ele vivia dessa maneira. Por isso, amigo, acho que você tem de procurar ajuda espiritual. Por ora, deixemos esse irmão falar e depois ser ajudado.

Sendo assim, o irmão Pedro pediu à entidade que aceitasse a ajuda que lhe era ofertada, e seguisse o irmão que estava à sua frente. A entidade chorou por um tempo e depois se manifestou:

— Não gostaria de perturbar o companheiro, mas eu sabia que tudo que eu queria que ele fizesse, ele fazia. Só não sabia que isso o prejudicava.

— Irmão — falou Pedro —, vá com esse amigo que se encontra perto de você e seja feliz com os conhecimentos das leis morais de Jesus, sabendo que você terá uma outra oportunidade de viver no planeta Terra por meio da reencarnação. Agora vá!

Pedro proferiu sentida prece a fim de ajudar aquele irmão necessitado e deu por encerrada a sessão. Ao término, Renato se aproximou de Pedro e perguntou:

— O que ele fazia a meu lado?

— Irmão, como sabemos, existe a lei da afinidade. Como talvez seja dado a certos desregramentos, atraiu para junto de si essa entidade, que cada vez mais o introduzia à imoralidade e aos vícios.

Renato então se lembrou das várias vezes que decidira ficar em casa e descansar, mas, subitamente, se sentia impulsionado a ir à casa de mulheres. Quis esclarecer com Pedro:

— Por que eles fazem isso se nem sequer nos conhecemos?

— Irmão, eles não se importam se o conhecem ou não. Na verdade, quando uma pessoa desencarna, ela não muda, apenas seu estado se altera; ela continua sendo a mesma pessoa. Por isso, se alguém é dado a bebidas, vai atrair algum desencarnado que, enquanto estava no mundo, era também dado a bebidas; se alguém é dado aos prazeres carnais, não raro vai atrair para junto de si irmãos que também eram dados a determinados prazeres. Temos de ter cuidado, Renato, com nossos pensamentos. Eles são fontes de energia, e por meio deles vamos atrair irmãos que se afinam conosco. É imperioso manter elevado nosso padrão vibratório, pois dessa forma vamos atrair irmãos que tenham sentimentos elevados também. Se este irmão se aproximou de você foi porque se identificou com a sua maneira de ser. Não acha que está na hora de mudar não só as suas atitudes, mas também os seus pensamentos? À medida que vamos nos aprofundando nos conhecimentos espirituais, somos exortados todo o tempo a fazer uma reforma íntima, ou seja, procurar corrigir nossos defeitos e transformá-los em virtudes, a começar pelos nossos pensamentos, que se refletirão também em nossa conduta.

— Nunca imaginei que nossos pensamentos tivessem tanta força! Acho que, daqui por diante, mudarei minha maneira de pensar para não mais atrair espíritos desse nível para o meu lado — disse Renato, mais para si próprio do que para os outros.

— Para isso — continuou Rubem —, é importante que procuremos fazer uma faxina interna, uma verdadeira reforma, para que tenhamos sempre ao nosso lado irmãos que realmente tenham a capacidade de nos ajudar. Nós somos os únicos que podemos fazer essa reforma. Sempre que algo ruim nos vier à cabeça, devemos elevar os nossos pensamentos a algo edificante.

— É comum sermos tomados por determinados pensamentos — completou Pedro —, e eles nos causarem mal-estar. Ou sermos tomados por pensamentos edificantes, tais como ajudar alguém que esteja necessitando de auxílio. Muitas vezes essa ajuda pode ser tanto material quanto apenas uma palavra de consolo.

Rubem aproveitou a pausa do amigo para explicar:

— Podemos ilustrar os maus pensamentos como os corvos, que se agrupam no céu à procura de carne em adiantado estado de putrefação. Essas aves se aprazem no fedor produzido. A carne em putrefação são nossos pensamentos, que vão atrair corvos, ou, para que entendamos, irmãos que se afinam com nossa maneira de pensar, e procuram tirar proveito disso.

— Por sua vez — emendou Pedro —, quando os pensamentos são edificantes, são como as águas frescas de um riacho, que vão atrair belos pássaros para se servir delas. Para melhor entendimento: quando somos acometidos por pensamentos benéficos, vamos atrair, da mesma maneira, irmãos que vivem no bem para nos auxiliar, encorajando-nos a praticar o bem em toda a amplitude. Isso quer dizer que quem escolhe as nossas companhias somos nós mesmos, por meio de nossos pensamentos e de nossas ações. Somos o que pensamos!

— Quando percebemos que vamos sucumbir a pensamentos menos dignos, devemos fazer uma prece, pedindo ajuda a Deus, que em seguida receberemos boas intuições dos amigos espirituais — disse Rubem.

Dona Eunice falou para Renato:

— Isso dá certo. Eu mesma tenho feito isso. Notei que minha vida está muito melhor. Antes não me dava bem com minha nora. Hoje, graças a Jesus, as coisas estão bem diferentes. Percebo que, ao fazermos nossa parte, sentimos que alguém nos ajuda.

Dona Genoveva ajuntou:

— Meu amigo, quando temos Jesus e nossos irmãos da espiritualidade maior como nossos amigos, só temos a lucrar. O auxílio vem da maneira que não esperamos.

Elvira e Paulo nada disseram, mas ficaram surpresos com o conteúdo da reunião. Quando foram embora, Renato estava eufórico. Prometeu que daquele momento em diante as coisas seriam diferentes. Ele iria aprender a se defender das forças ocultas.

Depois de deixar Paulo e sua família em casa, Renato chegou à fazenda e foi direto para o quarto de Caroline. Com voz suave, chamou-a:

— Caroline, precisamos conversar!

— Agora não dá! Já é muito tarde e estou com muito sono.

— Acorde! — ordenou Renato.

Caroline sentou-se na cama com a fisionomia fechada e, debochadamente, falou:

— Está bem! Diga o que você quer. Fale logo, já que me acordou. Espero que seja importante; se não for, eu o colocarei da porta para fora.

— Caroline, fiz muita coisa errada. Primeiro, ao rejeitar nosso filho; depois, por desrespeitá-la; em seguida, por não reconhecer que, se você incorreu em erro, o único responsável fui eu. Quero reatar nosso casamento. Farei tudo diferente, prometo.

— O que o fez mudar de idéia, acordando-me a estas horas?

— Minha cara, o que me fez mudar de idéia foi o fato de saber que muitas vezes fazemos coisas que não queremos porque espíritos desencarnados nos usam para fazer o que eles gostariam de fazer e não podem; por mais que não tenhamos um corpo de carne, aprendi também que nosso espírito é eterno e, quando morremos, o corpo volta ao laboratório da Terra, mas o espírito segue outros mundos. Como o próprio Jesus disse, na casa do pai há muitas moradas, o que mostra que o planeta Terra não é tudo que há; e que, assim como a Terra existe, também há outros mundos aonde os espíritos vão quando estão em sua forma real, que é a espiritual. Quando morremos, deixamos de ser seres materiais, e passamos a um corpo perispiritual. Por isso, querida, quando Deus nos colocou nessa jornada para seguirmos juntos, é porque tínhamos algo a aprender. O planeta Terra é uma escola, e, se estamos aqui, é para aprender. O que você acha de conhecer as maravilhas do mundo espiritual comigo, e sermos felizes aproveitando cada dia aqui na Terra para edificarmos a nossa fé?

Caroline sentiu grande sinceridade nas palavras do marido, embora fosse praticamente inacreditável vê-lo falar daquele jeito. Atônita, perguntou:

— De onde tirou essas idéias, Renato? Pelo jeito não bebeu nada hoje.

— Não bebi e não vou beber mais. Quero ser feliz, mas só posso conquistá-la se você estiver a meu lado.

— Agora é tarde, Renato. Não imagina o quanto o amei. Mas meu amor acabou naquela noite, em que fui humilhada em demasia por você.

— Por favor, vamos esquecer esses fatos desastrosos de nosso casamento. Tenho Ageu como meu verdadeiro filho, e além do mais eu a amo. Embora tenha errado bastante, ainda acredito que possamos ser felizes.

— Não, Renato. Não dá mais. Você abriu no meu coração muitas feridas, que ainda sangram. Não posso esquecer; penso todos os dias na humilhação que me fez passar.

Renato, chorando, caiu aos pés da cama. Clamou em voz alta:

— Meu Deus! Ajude-me a conseguir o perdão da pessoa que mais magoei no mundo. Juro que nunca mais farei nada de errado.

Caroline permaneceu impassível e, com voz fria, respondeu ao marido:

— Sinto muito, Renato. Agora é tarde...

— Minha querida, tente me perdoar. Quem sabe ainda podemos ser felizes juntos...

— Sonhei com isso quando o pequeno Ageu se acidentou. Àquela época, você foi incapaz de me perdoar. Agora, após tanto tempo, vem pedir meu perdão?

— Acredito ser possível ainda retomar nossa união.

Resoluto, Renato levantou-se e deixou o quarto, desejando boa-noite.

Caroline permaneceu sentada na cama. Lembrando do olhar compungido do marido, deixou que uma lágrima lhe escorresse pelas faces, e, falando baixinho, comentou consigo:

— Era o que eu mais queria. Mas meu orgulho não vai permitir que eu o perdoe depois de tudo que me fez, tratando-me como uma meretriz. Ainda o amo, Renato, porém jurei que nunca mais me deitaria com você.

Renato se dirigiu a seu quarto e jogou-se no leito com a mesma roupa que estava. Ao pensar no que havia aprendido naquela noite, chorou por um tempo e, após fazer uma prece sincera, adormeceu.

Caroline, por outro lado, não conseguia dormir. Naquela noite ela pôde ver que seu marido não era tão ruim como sempre acreditara. Ele queria uma chance para recomeçar o casamento deles. Refletiu sobre tudo que o marido havia falado sobre Jesus e a continuidade da vida após a morte. Pediu orientação a Deus por meio da prece. Veio-lhe em resposta, como se lhe sussurrassem aos ouvidos: "PERDOA! Só quem perdoa será perdoado pelo Pai".

20

Uma separação

Era quase manhã quando Caroline tomou uma decisão. Foi ao quarto do marido e o encontrou dormindo com botas e tudo. Vendo-o assim, não pôde se furtar de sentir pena daquele que a havia humilhado tanto.

— Renato, acorde!

Renato acordou assustado. Com voz sonolenta, perguntou:

— O que aconteceu a nosso filho?

— Com Ageu não aconteceu nada. Pensei muito em tudo que me disse esta noite. Eu me disponho a começarmos uma nova vida juntos, mas não permitirei mais ser trocada por mulheres de baixa moral, e muito menos que você chegue bêbado em casa. Isso, além de me dar nojo, faz que eu me afaste de você. Quanto ao que houve da última vez, em nossos momentos íntimos, não quero sequer que você cogite cometer tamanha atrocidade novamente. Se me quiser, vai ter de ser nessas condições!

O marido, olhando boquiaberto para Caroline, indagou:

— Você ainda me ama?

Caroline olhou fixamente para Renato e demorou a responder. Depois de alguns minutos, finalmente respondeu:

— Sim, Renato. Apesar de tudo que me fez, eu o amo. Se não o amasse, não estaria aqui neste momento.

Enlaçando a mulher, Renato deu-lhe um suave beijo nos lábios. Depois a encaminhou para a cama, onde esqueceram da muralha que os separava. Caroline entregou-se por inteiro ao marido, pois ainda o amava.

As horas foram passando e o casal ainda se encontrava no quarto. Ouviram então um corre-corre e a voz de Jandira, carregada de preocupação. Renato saiu do quarto a fim de ver o que ocorria.

— Que foi, Jandira?

— Bem, seu Renato, a dona Caroline sumiu. A cama estava desarrumada, mas ela não estava mais lá. O pequeno Ageu está em desespero porque nunca fica sem a mãe.

Renato, pausadamente, perguntou:

— Que horas são?

— Já está quase na hora do almoço, e ainda não temos notícias de dona Caroline.

Renato, como gostava de ser brincalhão, comentou:

— Ela deve ter ido embora. Não devemos nos preocupar com ela.

Caroline sorria dentro do quarto ao ouvir as palavras da criada. Assustada com o avançar das horas, esperou que Renato fechasse a porta, e lhe indagou:

— E agora, amor? O que direi a todos?

— Diga que estava com seu marido, oras. O que tem isso de mais?

Rindo, Renato se aproximou e beijou-a ardorosamente nos lábios. Com sinceridade, expressou:

— Você é a mulher de minha vida. Eu a amo muito. Ademais, quero ter outro filho com você.

Caroline, entre surpresa e preocupada, perguntou:

— Se eu tiver outro filho com você, como irá tratar o pequeno Ageu?

— Como sempre, Caroline. Eu o amo como filho. Nada mudará; você não pode duvidar disso.

— Não, meu amor, não duvido. Só quero que tudo continue como está até agora.

— Nada vai mudar, eu juro. Peço-lhe que, a partir de hoje, esteja mais presente na minha vida. Sairemos juntos, e você vai comigo à casa de dona Genoveva para entender o porquê de minha mudança e como esses novos conhecimentos me ajudaram a mudar meu modo de ser.

— Sim, querido, sempre vou acompanhá-lo, aonde quer que vá. Se um dia souber, entretanto, que voltou a me trair — emendou a esposa, cenho franzido —, não vou perdoá-lo. Se acontecer, não tem volta. Vou para a casa de meus pais.

— Amor, não diga essas coisas. Eu lhe fiz uma promessa. Vou cumprir meus propósitos.

O casal ouviu alguém bater à porta. Era dona Aurora. Renato foi atendê-la.

— Filho, Caroline não se encontra em casa, e todos estão preocupados com ela. Mas sei que ela está aqui com você. Não minta para mim. Apenas me diga: por que vocês ainda não saíram do quarto?

— Mãe, estou em lua-de-mel. Diga a todos que vamos ficar aqui o dia inteiro. Hoje não queremos ser perturbados.

Dona Aurora, sorrindo, respondeu satisfeita:

— Graças a Deus vocês estão se entendendo novamente. Minhas orações foram atendidas. Vocês não imaginam a felicidade que isso me dá.

— Está bem, mãe. Diga a dona Jandira que prepare o almoço e o traga aqui, pois almoçaremos no quarto.

Durante todo aquele dia, Renato e Caroline não saíram do quarto; foi somente no dia seguinte que o fizeram. A fisionomia do casal era de muita felicidade.

Como Renato era acostumado a ir todos os dias à casa de Paulo, e não aparecera por um dia inteiro, o amigo resolveu ir à fazenda ver se havia algo errado. Ao chegar à casa-grande, foi recebido por dona Aurora. Em sua simplicidade, disse à boa mulher:

— Dona Aurora, Renato vai a minha casa todos os dias. Como não foi ontem, vim saber se ele está bem de saúde. Como é muito querido em minha casa, minha mãe está preocupada com ele.

Antes que dona Aurora pudesse responder, Renato e Caroline, de mãos dadas, foram recebê-lo. Com um largo sorriso, convidou:

— Meu amigo, fique para o almoço!

— Não, seu canastrão — respondeu Paulo, brincando. — Você não apareceu em casa, e minha mãe ficou preocupada.

— Como você pode ver, estou ótimo. Reconciliei-me com minha esposa e estou muito feliz. Ontem nem trabalhei, porque fiquei "ocupado" o dia todo.

Dona Aurora, chocada, falou:

— Renato, que modos são estes! Não está vendo que, além de seu amigo, há mais duas mulheres aqui?

— Desculpe, mãe. Estou tão feliz que não consigo deixar de fazer brincadeiras.

Paulo, como era tímido, ficou também ruborizado com as fanfarronices do amigo, mas não disse nada.

Dona Aurora indagou:

— Você é tão bom com meu filho. Diga-me o porquê de não nos visitar com mais assiduidade.

— Sinto muito, dona Aurora. Mas minha mãe é muito pacata, e Elvira fica a ajudá-la o dia inteiro. Nosso único momento de entretenimento são as visitas de Renato.

— Diga a dona Eunice que hoje eu e minha esposa faremos uma visita a vocês. Peça que coloque mais água no feijão porque ficaremos para o jantar, não é, querida?

— Se quer assim, iremos. Não se preocupe que ajudaremos no que ela precisar, Paulo — disse Caroline.

O rapaz, satisfeito, falou:

— Está combinado! Vamos esperá-los. Mamãe vai ficar muito feliz em recebê-los.

Paulo se despediu e, na volta, sentiu certo alívio ao pensar: "As coisas para Renato estão bem melhores, graças à ajuda espiritual. Tomara que Deus coloque um pouco de juízo naquela cabeça vazia". Paulo chegou ao sítio e deu as últimas notícias a dona Eunice e a Elvira.

Dona Eunice ficou satisfeita em saber que Renato havia se reconciliado com a esposa, e que viriam jantar em sua humilde casa naquela noite. Elvira, ao contrário, não gostou muito. Sua relação com Caroline era extremamente protocolada, e as palavras eram ditas falsamente.

À parte tudo isso, no horário marcado, chegavam Renato e Caroline de automóvel, porém trouxeram tantas coisas que dona Eunice ficou encabulada. Renato disse à bondosa senhora que queria comer carne na brasa, e Caroline foi tão gentil que acabou conquistando o coração de dona Eunice. A moça gostava sinceramente da mãe de Paulo, e também do rapaz. Quanto a Elvira... ela sentia certo ciúme do anterior relacionamento dos dois. A esposa de Renato não acreditava que ambos se queriam como irmãos. Contudo, naquela noite, Elvira se transformou. Chegou mesmo a confidenciar certas coisas a Caroline, uma vez que Paulo insistira em que fossem amigas. Elvira tratou o casal com atenção e cortesia, embora achasse Caroline antipática e muito formal.

Paulo e Renato conversavam alegremente sobre a espiritualidade. Quando se deram conta, todos participavam da conversa, que girava em torno dos assédios dos espíritos. Caroline gostava de ouvir sobre o assunto, mas em seu íntimo achava que tudo era fantasia. Julgava que quem tinha morrido jamais voltaria para se comunicar com os vivos. Mas uma coisa ela não podia negar: Renato voltara para ela de corpo e alma. Ela era discreta; ouvia o que conversavam, porém pouco se metia nos assuntos. Gostava de ver o marido entusiasmado. Depois do jantar, continuaram a conversar.

Caroline, a certa altura, falou ao marido:

— Meu querido, acho melhor irmos embora. Já é tarde, e tenho certeza de que todos aqui vão levantar cedo.

Renato concordou, e aproveitou para contar mais uma piada, a fim de fecharem a noite com risadas. Ninguém contava uma anedota como ele. Despediram-se e, ao entrarem no automóvel, dona Eunice questionou:

— Renato, amanhã é a reunião na casa de dona Genoveva. Você vai?

— Sim, dona Eunice. Iremos. Caroline também está interessada em saber o que tem de especial nessas reuniões.

No íntimo, Caroline sorriu. Mas não deixou de concordar com o marido em fazer parte das reuniões na casa da tal mulher.

Depois que eles foram embora, a bondosa senhora falou a Paulo e a Elvira:

— Que Deus o ajude. Acho que agora se emenda. Também, com os conhecimentos que está adquirindo, se não conseguir ser feliz desta vez, a culpa vai ser só dele.

— Realmente — respondeu Elvira. — Gosto muito de Renato. Sua decadência era evidente; mas, com a ajuda de Jesus, e de nossos irmãos espirituais, ele aprenderá sobre o valor da família.

Assim que terminaram de arrumar a cozinha, Paulo disse às duas mulheres:

— Acho que já está na hora de irmos para cama. Amanhã terei de levantar cedo — e, fazendo um toque discreto no braço de Elvira, deu a entender que havia algo mais.

Elvira sabia as reais intenções do marido. Despediu-se logo da sogra, e assim a noite terminou tranqüila tanto para a família de Renato como para a de Paulo.

Renato, ao chegar à fazenda, comentou com Caroline:

— Acho que estou lhe devendo algo desde o dia em que nos casamos.

Caroline, sem entender, perguntou:

— O que é que está me devendo?

Renato a pegou nos braços e subiu as escadas, levando-a até seus aposentos. A esposa jamais pensara que Renato fosse tão romântico. Sua felicidade era visível, pois as risadas dele preenchiam o ambiente com harmonia e tranqüilidade.

Na semi-escuridão, o casal não viu dona Aurora que, ao ver aquela cena, com lágrimas nos olhos, pensou: "Que bom que eles estão felizes. Eu também fui muito feliz com Donato".

Dona Aurora, por sua vez, não viu também o vulto de Donato que se aproximava e parava a seu lado, transmitindo-lhe segurança e tranqüilidade. A certa hora, teve a sensação de não estar sozinha na sala. A emoção tomou conta de seu coração e ela chorou sentidamente, antes de se recolher a seus aposentos.

Os dias que sucederam eram de felicidade para Renato e Caroline. Durante o dia, ele ia até a casa do amigo Paulo para a conversa rotineira. Em uma dessas visitas, Renato se aproximou de Elvira para lhe contar:

— Ontem encontrei sua mãe na vila. Ela disse que seu primo Manoel estava vindo para cá, a pretexto de descansar. Ele é bacharel e, segundo sua mãe, tem trabalhado muito.

— Manoel não é meu primo — respondeu-lhe a moça. — Minha mãe sempre disse isso para ser aceita no círculo social da família de Manoel dos Reis, uma família ilustre da capital.

— Então vocês conhecem a família dos Reis da capital?

— Sim, minha mãe é muito amiga da mãe dele.

— Pelo que eu saiba — continuou Renato —, ele ainda não se casou e está procurando alguém à altura.

— Renato, diga-me, minha mãe perguntou de mim ou de como estou vivendo?

Sentindo o interesse da amiga, respondeu:

— Sim, ela perguntou de você. Falou que, tão logo possa, virá fazer-lhe uma visita.

Elvira percebeu que o amigo não falava a verdade.

— Por favor, Renato, odeio quando alguém sente pena de mim. Sei que você está mentindo. Ela não perguntou nada, não é? Para ela pouco interessa se estou viva ou morta.

Renato, envergonhado, abaixou a cabeça, e nada comentou.

Dona Eunice se aproximou dos dois. Com seu cordial sorriso, convidou:

— Você vai entrar ou não? O café já está pronto!

Dona Eunice viu que a nora estava com lágrimas nos olhos, mas não quis tocar no assunto para não feri-la.

Ao entrar, Renato pensou: "Dona Eunice é uma mulher maravilhosa. Se não fosse a chegada dela, não sabia o que iria dizer a Elvira. Deveria eu ter lhe contado a verdade, que a mãe dela me disse que não tem mais filha desde que Elvira tinha resolvido sair da casa deles?"

Elvira ficou amuada o dia inteiro. Dona Eunice procurou agir com discrição, deixando que a nora falasse assim que sentisse a vontade.

À noite, antes de dormirem, Paulo observou que a esposa estava triste.

— O que houve, amor? De manhã você estava bem e agora você está tão triste! É minha mãe novamente?

— Não, Paulo. De maneira nenhuma. Sua mãe tem se mostrado a mãe que nunca tive. O problema é que Renato encontrou com minha mãe na vila, e ela nem sequer perguntou de mim. Falou apenas que meu primo Manoel está para chegar à capital a fim de descansar em sua casa.

— Não fique assim, Elvira. A sua família sou eu, e nossos filhos, quando nascerem. Antes de ficar ressentida com ela, procure entender que ela é um espírito que está em nível diferente do seu. Não espere que ela aja diferente. Tente entender... Se um dia ela precisar de você, faça o que puder, de todo seu coração. Quem sabe ela não perceberá, ainda, o erro que vem cometendo, e procure mudar essa situação?

— Meu querido, acho que você tem razão. Não vou me preocupar com quem não se preocupa comigo. Não devo mais pensar nisso.

— Isso mesmo, meu amor. Pense em quanto eu a amo. Sou capaz de fazer qualquer coisa por você.

Elvira deixou-se ficar sobre o peito do marido. Ouvindo as batidas de seu coração, logo adormeceu.

No dia seguinte, Elvira estava bem novamente. Não pensava mais sobre a conversa que tivera com Renato no dia anterior.

Depois de uma semana, Elvira estava sozinha com a sogra. Ouviu um ronco de um automóvel e, pensando se tratar de Renato, não deu muita importância ao fato. Mas, de repente, ouviu um ruído de buzina. Dona Eunice foi atender, curiosa. Ninguém os visitava, além de Renato e, mais recentemente, também sua esposa. Avistou um rapaz alto, moreno, bem trajado, com um sorriso de dentes alvos como a neve. Tinha uma educação que nem mesmo Renato, que era o moço mais rico da região, possuía. Ao se aproximar, curvando-se lentamente, se apresentou:

— Boa tarde, senhora. Eu me chamo Manoel dos Reis. Sou primo de Elvira, e vim visitá-la.

Dona Eunice sentiu o coração se oprimir, mas procurou agir dentro dos padrões da boa educação. Respondeu-lhe:

— Muito prazer, seu Manoel. Sinto informar que Elvira não se encontra em casa. Ela está na roça com o marido.

— Ah, que pena! Vim da capital sentindo tanta saudade... Se a senhora não se importar, poderia ficar esperando por ela aqui fora?

— Por favor, seu Manoel, de maneira nenhuma. Entre, por favor. Farei um café enquanto espera por Elvira, minha nora.

Manoel olhava a casa com certa curiosidade, e em silêncio pensava: "Em que lugar Elvira foi se meter! Viver com uma mulher vulgar dessas, que eu não escolheria nem para camareira. E que causa paupérrima! Chega a me dar asco. Aquela beldade que é Elvira perdida num pardieiro como este. Que pena! Se ela cooperar, lhe darei uma vida de rainha. Depois de meu casamento com Elisabete, ela será minha amante. Muito melhor ser minha amante do que esposa desse caipira neste fim de mundo".

Dona Eunice trouxe uma xícara de café para o visitante. Olhando-o furtivamente, pensou: "Esse rapaz é primo de Elvira, mas tem algo nele que não me agrada. Preciso alertar Paulo quanto à amizade de Elvira com este sujeito. Seu olhar me diz que ele não é boa coisa".

Após certo tempo, Elvira entrou sorrindo, enlaçada na cintura pelo marido. Quando avistou o automóvel, comentou com o marido:

— Aposto que aquele exibido do Renato comprou um automóvel novo e veio nos mostrar.

— Deixe de ser maldosa. Renato nunca fez isso. Aliás, pelo que ele tem, é até humilde, se formos considerar.

Elvira sorriu e, abraçada ao marido, entrou e deu de cara com Manoel. Tentando parecer natural, apresentou-o ao marido. Paulo estendeu a mão para Manoel que, disfarçadamente, pegou um lenço do bolso e em seguida a limpou, enquanto conversava com Elvira. Paulo, a princípio, achou aquela atitude grosseira, mas analisou o estado de sua roupa em comparação com as do rapaz, e ficou envergonhado. Pediu licença e foi cuidar da aparência para se apresentar um pouco melhor. Afinal, aquele era o primo da esposa.

Doce Entardecer

Elvira conversava animadamente com Manoel, enquanto Paulo e Eunice ficaram a um lado da sala, praticamente deixados de lado. Vez por outra, Manoel fitava Paulo com ares de superioridade, o que o deixava se sentindo mal diante daquele homem elegante. Na hora do jantar, apenas, Manoel resolveu se despedir. Ao fazê-lo, Paulo sentiu em seu íntimo grande alívio. Não gostara daquele homem. Só o admitira ali porque era parente da esposa.

No dia seguinte Manoel voltou ao sítio para conversar com Elvira. Entretanto, escolheu uma hora em que Paulo não estava; havia somente as duas mulheres em casa. A moça se supreendeu com a nova visita de Manoel, mas o tratou com educação e cortesia, mostrando-lhe parte do sítio, que era muito bonito, embora fosse simples.

Enquanto Elvira havia saído para passear no sítio, dona Eunice, preocupada e inquieta, resolveu fazer uma prece pedindo a ajuda dos irmãos da espiritualidade.

Elvira ficou horas conversando com Manoel. Em determinado ponto da conversa, ele falou:

— Prima, diga-me: como suporta tanta pobreza?

— Vou ser sincera com você. Embora a casa seja simples, e eu não tenha mais o círculo de amigos que tinha antes, sou muito feliz. Tenho um marido que amo de verdade, como nunca imaginei amar alguém. Depois, tenho uma sogra que faz mais por mim o que minha própria mãe não fez. Sou feliz, primo, acredite.

— Não creio que esteja sendo sincera. Seu marido é um caipira ignorante; tenho certeza de que ele não é homem para você.

— Manoel, não admito que fale assim de Paulo. Ele é tudo que sempre sonhei.

— Mesmo sem dinheiro, e vivendo em completa indigência?

— Que Paulo não tem dinheiro, isso não é novidade para ninguém. Mas que vivemos em indigência, isso não é verdade.

Aqui temos tudo de que realmente precisamos para sobreviver, sem exageros, é claro.

— Bem se diz que o homem é um animal condicional, pois se acostuma com tudo. Pelo jeito você se acostumou com a pobreza. Fazer o quê? Cada um vive como quer.

Elvira, sentindo-se ofendida, prosseguiu:

— Tenho certeza de que se eu tivesse me casado com um homem rico, não seria tão feliz como sou com Paulo. Tem mais: não admito que fale de meu marido assim para mim, ou para quem quer que seja. Eu o amo, e para mim isso basta. Se quiser continuar a me visitar, vai ter de respeitar Paulo. Caso contrário, não vou mais recebê-lo aqui para ouvir críticas sobre meu marido e minha forma de viver.

Manoel, que sabia ter ido longe demais, desculpou-se:

— Perdoe-me. Não queria ofendê-la. Particularmente, não tenho nada contra seu marido. Mudemos de assunto. Não quero que se zangue comigo.

— Acho bom, porque essa é a família que verdadeiramente me ama, e não aquela que queria me vender a qualquer preço, bastasse que o pretendente fosse rico.

— Estive conversando com sua mãe. Ela me disse que haverá um baile na casa dos César Camargo, o delegado da vila. Por acaso não gostaria de ir comigo? Se desejar, pode levar seu marido.

— Ah, faz tanto tempo que não vou a um baile! Sinto saudades das recepções às quais ia. Mas, para dar uma resposta, preciso perguntar a meu marido primeiro. — Olhando para o céu, a moça deu-se conta do horário. — Não pensei que íamos ficar tanto tempo conversando. Acho que Paulo já chegou do trabalho. Não gosto que ele não me encontre em casa.

— Está bem, vamos voltar. Aproveite para lhe falar sobre o baile na casa do doutor César Camargo. Quem sabe ele concorde em ir.

Chegando ao casebre, como Elvira previra, Paulo havia chegado do trabalho. Sem encontrar a esposa, perguntou à mãe:

— Onde está Elvira?

— Ela saiu com o primo pelas cercanias do sítio. Pensei que estivesse com você.

— Não, mãe, nem a vi. Mas o que esse rapaz veio fazer novamente em nossa casa?

— Não sei, filho, mas sinto que ele não é confiável. Se continuar a rodear nossa Elvira, alguma coisa de ruim poderá acontecer.

— Confesso que também não gostei dele. Contudo, o que posso fazer, se ele é primo de minha esposa? Se não fosse um parente, não permitiria que ele viesse visitá-la.

— Tenha paciência, Paulo. Eles já estão chegando. Procure ser educado para não se indispor com Elvira.

Elvira entrou no casebre sorridente. Passando os braços pelo pescoço do marido, e esquecendo que havia mais gente por ali, deu-lhe um sonoro beijo nos lábios, demonstrando todo seu amor. Manoel pensou: "Vai ser difícil... Ela é realmente apaixonada pelo marido".

Elvira convidou Manoel a entrar. Pausadamente, começou a conversar com o marido:

— Manoel nos convidou para ir ao baile na casa do doutor César Camargo. O que me diz?

— Depois resolveremos isso, Elvira. Agora acho que você tem de ajudar minha mãe na cozinha.

Manoel percebeu que Paulo queria que ele fosse embora. Gentilmente, comentou:

— Está na hora de ir à vila. Sua mãe deve estar me esperando para o jantar.

— Você está hospedado na casa de meus pais?

— Sim. Dona Clotilde me convidou para ficar em sua casa, e eu aceitei de bom grado.

— Como anda a situação financeira de meu pai?

— Estava um pouco ruim, mas eu paguei os impostos atrasados e algumas dívidas de jogo. Agora as finanças vão bem melhor.

— Por que fez isso, Manoel?

— Porque tenho sua mãe como se fosse minha. Considero os dois como meus próprios pais.

Elvira estranhou aquela atitude. Sempre soube que Manoel era muquirana e que não gostava de gastar dinheiro desnecessariamente. Procurou, contudo, não pensar naquele assunto, e se despediu do primo.

Vendo Manoel se afastar, Paulo falou energicamente à esposa:

— Onde você esteve com seu primo?

— Fomos ao riacho para ele conhecer o sítio.

— Quero que saiba que eu não gosto dele. Não quero vê-la com ele sozinha por aí!

— Não vai me dizer que você está com ciúmes de Manoel!

— Não sei se é ciúmes, só não gostei dele. Você é minha esposa, e me deve respeito.

— Se é briga que você quer, então briga é o que vai ter. Eu não iria ao baile sem você mas, já que está se comportando como um caipira ignorante, resolvi agora que vou ao baile com ele, ainda que você não me acompanhe.

Paulo, sentindo-se impotente, ficou mudo diante das palavras de Elvira. Não falou mais nada sobre o assunto.

No dia seguinte, Manoel, novamente, foi à casa de Elvira a fim de se certificar da ida ao baile. Alegremente a ouviu dizer que o marido não poderia ir.

O primo saiu e retornou duas horas depois, trazendo uma caixa grande que continha um belíssimo vestido azul-celeste, e um lindo par de sapatos brancos.

Elvira levou adiante o que havia prometido. Arrumou-se para o baile com a roupa que o primo trouxera. Paulo, ao vê-la pronta, ficou cego de ódio, mas não lhe disse nada a fim de não se indispor mais com a esposa. Desde que o primo aparecera, ela estava diferente, e Paulo temia perdê-la.

O primo chegou e Paulo, com o coração oprimido, deitado na rede que armara na sala, viu a esposa sair ao lado do galante jovem. A esposa ia feliz. Era a primeira vez que iria a um baile depois que tinha se casado. No trajeto, Manoel parou o carro em um determinado ponto da estrada, e sussurrou a seu ouvido:

— Você está deslumbrante. Eu sempre a amei. Por favor, não recuse meu amor. Se fizer isso, darei um fim a minha existência.

Elvira, sentindo-se penalizada, falou ao primo:

— Estou indo com você ao baile, mas não pense que me esqueci de meu compromisso com meu marido. Se nutre algum sentimento por mim, trate de perder as esperanças. Eu já tenho dono.

— Que conversa é essa? Ninguém é de ninguém. Ele é seu marido, apenas, e não seu dono. Não seja tola de acreditar em fantasias como esta.

Manoel forçou-a até que, a custo, conseguiu roubar um beijo dos lábios de Elvira. Ela, que a princípio o repeliu, aceitou-o, deixando se envolver e ser amada por ele.

Depois daquele momento insano de amor, ela voltou a si, e deu-se conta do que tinha feito. Com lágrimas nos olhos, disse-lhe:

— Por que você apareceu em minha vida depois de tantos anos? Você acabou de me destruir. Paulo jamais vai me perdoar esta traição.

— Não se preocupe com ele. Lembre-se de que nasceu para brilhar nos salões, e não para ficar trancafiada em uma casa paupérrima, no meio do mato.

— Eu amo meu marido.

— Não sei não... Se o amasse tanto assim, não se entregaria a mim de maneira tão ardente.

— Por favor, cale-se. Não quero mais ficar aqui. Leve-me para casa. Preciso pensar em tudo que aconteceu.

Manoel fez o que Elvira pediu. Ao chegar ao sítio, sussurrou:

— Voltarei amanhã. Quero reviver esta noite. Você gostou tanto quanto eu.

Elvira nada disse. Entrou em casa e, ao adentrar o quarto, avistou o marido dormindo a sono alto. Após vestir a roupa de dormir, aconchegou-se em seu peito, e deixou que algumas lágrimas caíssem.

Quando Paulo acordou, fez questão de chamar Elvira.

— Meu amor, levanta! Daqui a pouco vou trabalhar; vamos tomar café.

— Não quero tomar café — gritou ela, mal-humorada. — Deixe-me dormir.

Paulo fez o que a esposa pediu. Foi tomar café com a mãe.

— Mãe, não vi a que horas Elvira chegou do baile. Pelo jeito foi tarde, porque ela está irritada. Não sei a que horas vai se levantar.

— Filho, não deixe mais sua esposa sair com esse primo dela. Ele não é um boa coisa.

— Também acho, mãe. Mas Elvira não admite que eu fale mal dele. Farei o que ela quer, mas um dia terei a oportunidade de colocá-lo daqui para fora.

Paulo se despediu de sua mãe e foi cumprir com suas obrigações. Ficou deitada na cama, mas acordada. Não conseguia deixar de pensar no que tinha ocorrido na noite anterior. Ela sentia um misto de arrependimento e vontade de repetir o acontecido. Se desesperava, então, caindo em pranto. Elvira sabia que, daquele dia em diante, seu casamento não seria mais o mesmo.

Um pouco mais tarde, dona Eunice foi ao quarto da nora a fim de perguntar se ela se sentia bem. De dentro do quarto, Elvira respondeu:

— Estou indisposta. Sinto fortes dores de cabeça.

A moça respondera assim apenas para não ser perturbada. Queria ficar sozinha.

Como dona Eunice era uma pessoa discreta, não quis aborrecer a nora com perguntas, e deixou-a ficar como queria.

Na hora do almoço, Paulo voltou. Vendo que Elvira ainda não tinha se levantado, perguntou-lhe se estava bem, e obteve a mesma resposta que dona Eunice tivera. Paulo era um homem de pouca conversa, por isso deixou a esposa repousar naquele dia. Dona Eunice, entretanto, tinha certeza de que o mal-estar estava relacionado ao baile da noite anterior. Porém, para não aborrecer o filho, aguardou o desenrolar dos fatos.

À tarde Manoel novamente foi à casa de Paulo, com o pretexto de levar algumas roupas de Elvira que estavam em poder de sua mãe. Assim que ouviu o ruído do automóvel, Elvira se levantou e arrumou-se a fim de esperar Manoel. Tão esbaforida estava que nem se deu conta de que a sogra percebia sua súbita melhora.

Assim que Manoel lhe trouxe a grande quantidade de roupas, Elvira não cabia em si de tanta felicidade. Havia pedido à mãe que as mandasse, mas ela se recusara tão furiosamente à época!

Manoel tentava ser gentil, como habitualmente.

— Prima, o que acha de fazermos um passeio?

Elvira pensou um pouco, e resolveu:

— Façamos o passeio. Senti-me indisposta o dia todo, mas acho que um passeio me faria bem agora.

Dona Eunice objetou:

— Filha, não acho prudente que você saia a estas horas. Sua dor de cabeça pode voltar.

— Não se preocupe, dona Eunice. Se a dor voltar, retorno em seguida.

Dona Eunice não queria se indispor com Elvira. Deixou que a nora usasse o bom senso.

Assim que saíram de casa, Manoel confessou, em um arroubo de paixão:

— Pedi a sua mãe que me desse as suas roupas só para poder vê-la. O que aconteceu ontem não me sai do pensamento.

— Por favor, não falemos mais nisso. Ontem fui fraca e deixei-me levar pelos seus encantos. Mas eu amo meu marido. Jamais viveria sem ele. Vamos esquecer tudo que ocorreu.

Gargalhando sarcasticamente, Manoel falou:

— Ora, Elvira... Não me venha com essa história de esposa fiel e dedicada, porque isso você não é. Se amasse tanto seu marido como diz, não teria se entregado a mim como o fez.

— Por favor, não diga isso! Amo Paulo; esse é um fato incontestável.

Manoel olhou para os lados para ver se não via ninguém. Puxou então Elvira pela cintura e lhe deu um ardoroso beijo, que foi prontamente correspondido. Mais uma vez, Elvira se esqueceu de tudo, entregando-se a ele.

Depois que as emoções serenaram, a moça, chorando, pediu a Manoel que não a procurasse mais. Ela havia sido feliz até aquele momento, e não queria jamais perder o marido. Manoel, com sutileza, sugeriu:

— Eu a desejo, assim como você me deseja. Ninguém precisa ficar sabendo do que há entre nós. Vamos agir normalmente, e no futuro veremos o que fazer de nossas vidas.

Elvira, assustada, disse:

— Não tenho nada a decidir. Minha vida já tem um rumo. Quero ficar com Paulo. Não posso sequer pensar em perdê-lo.

— Se é assim tão feliz, por que se entrega a mim com tanta facilidade?

— Não sei... — respondeu a moça, angustiada. — Por favor, acho melhor você não me procurar mais. Siga sua vida, como estou seguindo a minha.

— Não! Não a deixarei, ainda que me peça. Eu a desejo como nunca desejei outra mulher. Você vai ter de aceitar isso.

Elvira novamente se entregou ao pranto.

— Acho que está na hora de voltarmos. Vi que sua sogra não é nada ingênua. A partir de hoje, não virei mais aqui. Encontraremo-nos no riacho que faz fundo à fazenda de coronel Renato.

— Não, espere! Não vou! Entre você e meu marido, fico com Paulo.

— Não seja teimosa! Vou esperá-la às duas da tarde.

— Não vou me encontrar com você!

— Vou estar esperando.

Elvira, com os olhos vermelhos, voltou para casa. Paulo ainda não havia chegado, mas dona Eunice não deixou de perceber que a nora tinha chorado. Manoel, com cinismo, despediu-se:

— Obrigado pelo passeio, prima. Sua companhia sempre me faz bem.

Elvira nada respondeu. Quando ele se foi, a moça sentiu-se aliviada. Dona Eunice, contudo, a partir daquele momento, não teve mais dúvidas de que havia algo errado naquelas visitas. Mas procurou tratar a nora com carinho. Ofereceu-lhe bolinhos com café, e tentou puxar conversa:

— Você irá hoje à casa de dona Genoveva, minha filha?

— Acho que não. Prefiro ficar em casa; tenho de costurar umas calças de Paulo.

— Eu já costurei enquanto você passeava com seu primo.

— Ainda assim, não tenho vontade de ir. Espero que a senhora entenda.

— Sim, filha, entendo. É no silêncio que se pensa melhor sobre nossas atitudes, procurando corrigi-las, se necessário.

— O que a senhora quer dizer com isso?

— Pense, filha. Pense, e entenderá o que quero dizer.

A bondosa senhora se retirou da cozinha, deixando Elvira com a consciência pesada. "Até onde ela sabe o que está acontecendo?", pensava ela.

Mais tarde Paulo chegou. Preocupado, foi ter com esposa, a fim de ver se estava melhor. Aproximou-se dela, tentando dar-lhe um beijo. Elvira, contudo, se esquivou, dizendo que ele estava cheirando a suor. Paulo, indignado, retrucou:

— O que está acontecendo com você? Nunca se importou com isso. Muitas vezes se deitou comigo e nunca reclamou do meu cheiro.

— Não está acontecendo nada! Peço que me deixe em paz.

Paulo, ressentido, banhou-se e novamente tentou lhe dar um beijo. Mas a esposa se esquivou mesmo assim, rogando-lhe que a deixasse em paz. "Algo está acontecendo", foi a conclusão a que Paulo chegou. Elvira nunca o evitara antes.

No dia seguinte, sem se conter, Elvira foi ao encontro de Manoel. Novamente, se entregou aos arroubos de paixão do rapaz.

O tempo foi passando. Elvira continuava a evitar Paulo, e se encontrava às escondidas com Manoel.

Certa vez, dona Eunice, que percebia a olhos vistos que a nora já não era a mesma, preocupada com o fato de Elvira sair todos os dias no mesmo horário, sem que o filho soubesse, foi à casa de dona Veva sozinha e lhe contou o que a estava preocupando. A amiga, com serenidade, lhe respondeu:

— Nice, se isso de que suspeita está mesmo acontecendo, acho de bom-tom que não se meta com isso. A verdade é como a luz. Quando menos esperamos, ela aparece. Infelizmente, sua nora é jovem, e deve estar iludida. O primo a cobre de presentes, e lhe dá até dinheiro. Porém, quem corre atrás de ilusões corre atrás do vento. Nunca alcançará os objetivos sonhados. Façamos preces pela sua nora e pelo seu filho. Tenho certeza de que nossos amigos da espiritualidade vão nos ajudar.

— Temo, minha amiga, a reação de meu filho caso ele venha a descobrir qualquer deslize de Elvira. Ele a ama muito. Tenho certeza de que algo assim iria destruí-lo.

— Não pense assim, Nice. Paulo é um homem forte. Tenha a fé necessária em que, se algo vier à tona, ele terá o amparo da espiritualidade para suportar tamanha dor.

— Tem razão, Genoveva. Deus é nosso amparo, e é Nele que devemos depositar toda a nossa confiança.

Sendo assim, todas as tardes Eunice e Genoveva faziam preces em favor dos envolvidos.

Um dia, Honório cavalgava pelos arredores da fazenda perto do riacho quando viu duas pessoas se beijando. O empregado da fazenda de Renato desceu do cavalo e foi a pé para ver de quem se tratava. Quando fixou o olhar, viu se tratar de Elvira, a esposa de Paulo, amigo de seu patrão. Honório ficou espreitando o casal por um tempo, e pôde ver quando os dois se entregaram ao prazer do amor. Com indignação, pois sabia que Paulo, seu marido, não merecia aquela traição, e sem se deixar ser visto, foi correndo até Renato.

— Patrão, tenho algo a lhe contar. Sei que não vai gostar de saber, mas não posso esconder, estando envolvido nessa sujeira o seu melhor amigo.

— O que está acontecendo com Paulo? — perguntou Renato preocupado.

Honório pôs-se a relatar tudo que vira no riacho, até mesmo o colóquio amoroso. Renato ficou estupefato. O amigo havia feito confidências a ele, que sabia da distância de Elvira, e do fato de ela não aceitar mais Paulo como marido. Renato chegara a cogitar tal idéia, mas a tinha descartado rapidamente, afinal, sabia o quanto Elvira amava Paulo.

Ficou nesses pensamentos, enquanto se lembrava, também, da vez que a moça lhe dissera que Manoel não era seu primo de fato. Ela enganava descaradamente seu amigo. Paulo, por sua vez, vivia entristecido. Tinha confessado ao amigo que não ligava mais para os assuntos do sítio, e estava desinteressado de tudo. Saindo de suas divagações, gritou, em voz alta:

— Desgraçada! Se alguma coisa acontecer com Paulo, ela terá de acertar as contas comigo. Vadia!

Agradeceu Honório pela confiança, e começou a elaborar um plano. Paulo tinha de descobrir aquilo, e ver com os próprios olhos. Ele não poderia mostrar que sabia da situação. O patrão proibiu Honório de contar a alguém sobre o que tinha visto. Mandou apenas que sondasse os horários dos encontros.

Depois de alguns dias, Honório contou a Renato os detalhes.

— Eles sempre se encontram à tarde, entre duas e duas e meia, patrão.

— Ótimo! Agora sei o que farei.

No dia seguinte, Renato foi ao sítio de Paulo por volta de uma da tarde. Paulo estava sentado sobre um monte de feno, olhando para o nada. O amigo conversou com ele como se não soubesse de nada. Seguindo com o plano, prosseguiu:

— Paulo, tenho uma vaca mocha, e quero dá-la de presente a você.

— Obrigado, Renato. Assim que tiver tempo, vou buscá-la.

— O problema é que ela está perto do riacho. Vamos buscá-la agora. Não terei tempo de ir mais tarde.

— Não tenho vontade de sair, Renato — confessou Paulo, desanimadamente.

— Está bem. Sem não quer ver a vaca, eu a darei a Honório, que não se importará em buscá-la na mesma hora.

Ouvindo as palavras enérgicas de Renato, o outro, de um salto, respondeu:

— Está bem, vamos até lá!

Renato olhou discretamente o relógio que trazia no bolso do colete. Viu que faltavam dez minutos para o encontro dos dois. Então falou ao amigo:

— Espere um pouco que irei à sua casa tomar o café de dona Eunice. Em seguida iremos. A vaca está lá a manhã toda; não vai morrer se ficar mais meia hora.

Paulo concordou. Antes de chegarem ao casebre, o amigo desabafou, com voz melancólica:

— Não sei o que está acontecendo com Elvira. Ela nunca me tratou como vem me tratando nos últimos tempos. Às vezes chego a pensar que tem nojo de mim. Por várias noites me tem feito dormir no chão, dizendo que não tomo banho direito e que estou cheirando a suor. Fui à vila e comprei uma água-de-colônia, mas ainda assim ela tem me evitado. Acho que não me ama mais. Às vezes vejo arrependimento em seus olhos. Tenho certeza de que é porque lhe falta a boa vida que levava! Agora para ela é só o primo que existe. Ele a leva a recepções, a bailes, e está sempre lhe trazendo presentes. Quando os dois estão juntos, ignoram-me completamente, como se eu não estivesse ali.

— Não fique assim. Isso é crise de casal; logo passa.

— Você acredita mesmo nisso?

— Claro, amigo. Lembra da crise que enfrentei com Caroline? Graças a Deus hoje vivemos muito bem. Ah, estava esquecendo de dizer... ela está grávida novamente. Serei pai pela terceira vez.

— Por que pela terceira vez? Não é seu segundo filho?

— Lembra do filho de Luzia, a esposa do desembargador?

— Sim, lembro — respondeu Paulo.

— Pois então. O filho dela é meu. Há Ageu, e agora o mais novo, que logo chegará.

— Você é feliz. Elvira nunca quis me dar um filho. Já lhe pedi um, mas ela se recusa ferozmente dizendo que não vai estragar o corpo gerando e amamentando uma criança.

— Não se preocupe. Um dia ela vai mudar de idéia. Vou à sua casa, roubar um cafezinho, e volto em dez minutos.

Enquanto se afastava, Renato pensava: "Meu Deus, será que faço a coisa certa? Mas não posso deixar meu amigo ser passado para trás dessa maneira. Quem sabe, com essa descoberta, o casamento dos dois volte ao normal?". O moço chegou com a fisionomia um tanto abatida. Como não conseguia guardar algo só para si, compartilhou seu segredo com dona Eunice. A senhora, com lágrimas nos olhos, pediu:

— Não faça isso! Você vai destruir a vida de meu filho!

— Dona Eunice, Paulo vai ficar sabendo uma hora ou outra. É melhor que seja agora. Assim ele já enfrenta o que tem de enfrentar e pronto. Fique tranqüila que estarei com ele e não o deixarei fazer besteira.

Dona Eunice, desesperada, foi ao quarto fazer suas preces. Sabia que Renato tinha razão: uma hora ou outra aquilo viria à tona. Paulo não era mais criança; ele teria ajuda espiritual, e superaria aquilo.

Passados quinze minutos, Renato encontrou com Paulo, que estava no mesmo lugar, com os olhos perdidos no vazio, e os pensamentos longe.

Os dois seguiram para o riacho. Renato sabia que Elvira havia saído fazia mais de meia hora. Fingindo ser o mesmo de sempre, Renato contava anedotas para animar o amigo. Contudo, em seu íntimo, corria um mar revolto de incertezas. Ao se aproximarem do riacho, Renato disse ao amigo:

— Olhe que coisa! Um casal namorando a esta hora!

Paulo se virou para registrar o que o amigo tinha visto. Perplexo, não pôde acreditar: Elvira estava aos beijos com Manoel! Sentiu tanto ódio que saiu com passos decididos ao encontro dos dois.

Elvira, ao ver o marido, foi do rubor à palidez. Paulo vociferou, transfigurado:

— Sua vadia! Então esse é o motivo do cheiro de suor que tanto a enoja, não é verdade?

— Cale a boca! — falou Manoel, tentando acalmar a fúria de Paulo. — Não estávamos fazendo nada de mal.

— Nada de mal? — esbravejou Renato. — Você estava quase se deitando com ela, e diz que não fazia nada de mal, seu canalha?

Paulo puxou Elvira para junto de si. Encarando-a, falou com fúria contida:

— Agora chega. Vamos conversar lá em casa.

— Não, ela não vai sair daqui. Estamos juntos. Você não vai poder fazer nada para impedir isso.

— Cale-se, Manoel — respondeu Elvira. — Você só está complicando ainda mais a minha situação.

— O quê? Vai negar que tem se deitado comigo por mais de dois meses?

Paulo, boquiaberto, apertava o braço de Elvira. Manoel, enfurecido, se atirou sobre o Paulo, dando-lhe um soco no estômago. Mas não contava que Renato iria interferir. Ele puxou Manoel para si e lhe deu uma surra daquelas. Se não fosse por Paulo, que o segurou em certo momento, teria matado o infeliz.

Manoel, cambaleante, levantou-se e foi até a estrada, onde se encontrava seu automóvel. Foi embora rapidamente, enquanto Paulo não conseguia esconder as lágrimas. Renato continuou:

— Vamos pegar a vaca que lhe dei; ela não pode ficar aqui presa.

— Não quero saber de vaca nenhuma, Renato. Vou levar essa messalina para casa e ver o que farei com ela.

— Não vai me fazer nada, oras. De hoje em diante, não sou mais sua esposa. Vou-me embora e nunca mais me verá.

— Não! Mas você não vai mesmo embora assim... Do jeito que é, vai estar logo freqüentando um bordel. Aliás, aquele ambiente combina bem com você.

Dizendo isso, Paulo puxou Elvira pelos braços. Andava tão depressa, e com tanto ódio, que às vezes a moça caía, mas ele continuava a puxá-la. Até mesmo pelos cabelos. Elvira chegou em casa em completo desalinho.

Renato acompanhou o amigo durante o trajeto, tentando acalmá-lo, mas isso era impossível. Paulo estava fora de si. Em vários momentos bateu em Elvira. Ao se aproximarem do casebre, dona Eunice, ao ver o estado da nora, repreendeu o filho:

— Pare com isso, Paulo! Não vê que pode machucá-la?

— Se eu a machucar, vou estar dentro dos meus direitos. Essa vadia estava aos deleites com o primo, e eu aqui fazendo papel de idiota, me humilhando, perguntando por várias vezes o que eu tinha lhe feito. Sempre fui fiel, e ela fez justamente o contrário comigo. Vai ser muito difícil perdoá-la. Mas ela terá a vida inteira para se arrepender desta traição.

Elvira, chorando, trancou-se no quarto, passando o ferrolho na porta. Do lado de fora, Paulo gritava como um louco:

— Abra essa porta! Se não abrir, vou derrubá-la, e o castigo será pior.

Renato sentiu certo remorso ao constatar o desespero do amigo. Mas achava que Elvira não podia ficar assim às escondidas, traindo um homem que lhe devotara a vida.

Dona Eunice chorava e pedia ao filho que se acalmasse. Renato tirou Paulo da casa para conversarem lá fora.

Dona Eunice, quando viu que Paulo havia saído, bateu com jeito na porta, pedindo à nora que a abrisse. Elvira prontamente atendeu:

— A senhora também vai me julgar? — falou, colocando apenas o rosto à mostra.

— Não, filha, porque, na verdade, já sabia há algum tempo o que estava acontecendo. Seja sincera: você ama qual dos dois?

— Na verdade, amo Paulo. Mas Manoel parecia me enfeitiçar. Quando dava por mim, já estava em seus braços.

— Vamos fazer de tudo para que Paulo a perdoe. Mas antes quero me certificar de seus sentimentos. Como diz amar meu filho, mas se sente enfeitiçada por outro, pode ser que o que sinta por Paulo seja apenas uma ilusão. Peça a Jesus que ilumine seu caminho. A ilusão é como uma flor frágil, que logo fenece. Se descobrir que ama de fato meu filho, terá em mim uma aliada, acredite. Se Paulo quiser ficar com você, jamais vou permitir que ele a humilhe, tocando nesse assunto, porque perdoar é esquecer.

— Dona Eunice, quando cheguei aqui fiz muitas vezes a senhora chorar, mas hoje, depois de tudo o que ocorreu, pude ver quem realmente são meus amigos. Nunca vou perdoar Renato. Sei que isso foi armação dele.

— Minha filha, você não deve ter ressentimentos contra Renato. No fundo, você também sabia que um dia alguém viria a descobrir, não é? Ademais, acredito que, se Renato não estivesse presente, as coisas poderiam ter se dado de maneira pior.

— Pior? Veja o que Paulo me fez! Bateu-me e me humilhou, arrastando-me até aqui como se eu fosse um animal. E Renato deu uma surra em Manoel.

— Quando digo que poderia ser pior, Elvira, falo que Paulo poderia, em um acesso de loucura, ter matado tanto você quanto seu primo.

— Isso nunca aconteceria, dona Eunice. Paulo não chegaria a tanto.

— Filha, um homem ciumento é como touro bravo. Não podemos prever sua reação. Conhecendo bem meu filho, sei que é um homem manso e de bom coração. Mas você o feriu em seus mais caros sentimentos.

— Dona Eunice, não gostaria de deixar Paulo. Juro à senhora que jamais voltarei a traí-lo. Creia, estou arrependida do que fiz. Será que ele vai poder me perdoar?

— Elvira, tem certeza do que diz? Renato disse que, na hora em que Paulo estava bravo, você dizia não amá-lo, porque era como uma fera enjaulada, e que amava de fato seu primo. É verdade?

— Sim, disse isso mesmo. Na hora senti tanta raiva de Paulo que a única coisa que poderia fazer para feri-lo o bastante era dizer que eu amava Manoel. Mas isso é mentira; Deus sabe o que sinto.

— No momento, filha, o que você pode fazer para atenuar a situação é confiar em Deus e entregar-Lhe seus problemas por meio da prece. Desse modo, o tempo passa, e as coisas começam a se ajeitar. Confie em Deus.

Elvira caiu em prantos e permitiu a entrada da sogra em seu quarto. Aninhou sua cabeça no colo de dona Eunice, que a amparou e lhe deu carinho e compreensão. Elvira passou a gostar ainda mais da sogra depois desse episódio.

Paulo se acalmou um pouco e voltou a entrar em casa. Sua fisionomia trazia toda a dor de ter sido traído. Eunice tentou conversar com o filho, mas o silêncio de Paulo era tão feroz que ela viu não ser aquele o momento ideal para falar com ele. O rapaz, sentando-se à mesa, chorou como só uma criança poderia chorar. Dona Eunice lhe fez um chá a fim de que se acalmasse.

— Chore, filho. As lágrimas suavizam a dor que vai em seu coração. Pense bem no que fará para não se arrepender depois.

— Mãe, ela não tinha o direito de ter feito isso comigo. Sempre fui fiel a ela. Mesmo quando Renato me levou a um bordel, não me deitei com uma moça que ficou seminua à minha frente. Quando cheguei aqui, a primeira coisa que fiz foi contar a ela. Achava estranhas mesmo as visitas diárias daquele malfadado primo, mas não dizia nada para não vê-la infeliz. O que ela fez... Ela me traiu da maneira mais sórdida que alguém pode trair. Não vou decidir nada agora. Depois de me acalmar vou ver o que farei. No momento, não quero vê-la. A senhora acredita que, ultimamente, ela me fazia dormir no chão dizendo que eu estava cheirando a suor? Fui à vila e tirei o dinheiro dos ovos para comprar água-de-colônia somente para agradá-la. Mas eu poderia usar o perfume mais caro, que, ainda assim, ela ia achar que eu estava fedendo. O primo é muito mais cheiroso, claro, porque não trabalha duro como eu.

— Filho, não pense no que passou. Trate de se acalmar. Em breve terá de tomar uma decisão importante.

— Que decisão, mãe?

— Ora, meu filho, se fica com ela ou não!

— Isso eu já decidi. Ela fica, mas agora vai conhecer um Paulo que a fará se arrepender de tê-lo traído. Muita coisa deixei de fazer por amor a ela; mas de hoje em diante farei, sem medo. Sempre fui um homem passivo. Mas ele morreu quando a vi nos braços do primo. Sei que a falha de ser alguém que aceitava tudo também foi minha. Deixe estar... Elvira terá agora um marido. E, se não se emendar, eu lhe surrarei sem piedade. Daqui ela não sai. Pelo jeito, se me separar dela, será uma prostituta que se venderá por qualquer centavo.

Dona Eunice, horrorizada com as palavras do filho, pois nunca pensara que ele pudesse ser tão violento, pensava na dor que ele deveria estar sentindo. Em silêncio, foi fazer o jantar. Renato já tinha ido embora fazia tempo, e Paulo ainda permanecia na cozinha.

Naquela noite, Paulo entrou no quarto e viu Elvira ainda com os braços roxos e o rosto esfolado, mas nem assim se apiedou dela. Não falou nada, apenas deitou-se a seu lado na cama. A esposa tentou falar com ele, mas permanecer calado era a coisa mais fácil do mundo para Paulo. Ele não era muito dado a conversas. Elvira entendeu que não era o momento de conversar.

Mal sabia ela que tristes momentos ainda a aguardavam.

21

A transformação de Paulo

No dia seguinte, Paulo levantou-se e fez tudo como de costume. Depois pegou seu cavalo e foi à vila. Quando Elvira acordou e ficou sabendo que o marido tinha ido à vila, temeu pela vida de Manoel. Contudo, depois de fazer uma prece, ela logo se acalmou.

Paulo foi à venda, uma vez que pretendia beber um pouco para afogar as mágoas. Como tinha conta lá, não foi difícil conseguir comprar cachaça.

Ao chegar em casa, mal se sustentava nas pernas. Foi com o auxílio da mãe que ele conseguiu descer do cavalo. A mãe, ao ver o garrafão de cachaça que ele trazia na garupa, ficou desconcertada. O filho nunca fora dado a bebida.

Pela primeira vez a esposa viu Paulo bêbado. Mesmo assim, ele não queria conversar com ela. O único com quem falava era Renato naqueles dias, que tinha paciência para ouvir suas mágoas.

Paulo começou a beber todos os dias, e já não trabalhava mais no sítio. A pequena roça de milho que tinha foi tomada pelo mato, e dona Eunice tinha de buscar água e carpir em volta da casa.

Elvira emagrecera muito, de dor e de remorso. Caíra em si tempos depois sobre o erro cometido. Paulo não merecia tal traição.

Certo dia, Paulo foi à venda e seu Joaquim, o dono, confidenciou-lhe:

— Paulo, eu o conheço desde moleque, por isso acho que tem de saber o que o doutor Manoel anda falando pelas redondezas.

— O aquele desgraçado está dizendo, homem?

— Bem — titubeou o homem, mas depois desembestou a contar —, ele anda dizendo que mantinha um caso com sua esposa, que você não é homem para ela, e que ele a levará para ser sua amante na capital, pois está de casamento marcado, e mulher fogosa como Elvira não é fácil de encontrar.

Paulo sentiu o coração ferver. Ficou pálido. Num impulso, foi até a casa dos pais de Elvira. Sabia que Manoel estava hospedado lá.

Paulo, enlouquecido, tanto batia a sineta como gritava:

— Seu filho de uma cadela, saia! Venha dizer na minha cara o que anda dizendo por aí!

Manoel, ouvindo toda aquela gritaria, foi conferir o que tinha acontecido. O rapaz, ao ver o outro completamente alcoolizado, gritou-lhe:

— Saia daqui, seu mendigo. Não temos pão hoje!

Paulo sentiu a raiva aumentar. Como o outro se encontrava à porta, foi até ele e o agarrou pelo pescoço. Entretanto, como estava bêbado, se tornou uma presa fácil para Manoel, que desforrou a surra que tinha tomado de Renato.

Dona Clotilde foi ter com eles, tal era a gritaria em sua porta. Vendo Paulo, sorriu:

— Vai, cão imundo, ficar com os restos dos outros. Tudo que lhe aconteceu ainda foi pouco.

Manoel pegou Paulo pela camisa rasgada e enxotou-o para fora dali. Com um sorriso irônico, completou:

— Você não é homem para ela. Eu sou. Além de ter dinheiro e um bom nome, tenho um diploma que me faz doutor. Sua esposa só foi mulher de verdade em meus braços. Como foi bom...

Paulo, na névoa de embriaguez em que se encontrava, começou a se dar conta da besteira que tinha feito ao ir à casa da mãe de Elvira. Aquelas ofensas lhe doíam muito mais que os ferimentos da briga.

Paulo passou na venda e bebeu mais. Somente tarde da noite é que foi embora, ainda porque seu Joaquim não queria mais lhe vender bebida.

Chegando em casa, dona Eunice, ao ver a situação em que se encontrava o filho, começou a chorar. Elvira, ao vê-lo todo machucado, logo concluiu que se tratava de uma briga entre ele e Manoel.

Desesperada, dona Eunice saiu em busca de ajuda. Foi à fazenda de Renato que, surpreso, e já pronto para ir dormir, deu com o semblante desfigurado da bondosa senhora. Pediu que entrasse e lhe contasse o que havia ocorrido de tão grave.

Dona Eunice, em toda sua simplicidade, relatou a maneira que Paulo chegara em casa. Como era tarde, Renato resolveu acompanhá-la na volta, assim poderia ver Paulo. Ao chegar, encontrou-o caído ao chão da sala, dormindo. O sangue que saíra de seu nariz já havia coagulado, e em seu peito havia muitos arranhões. A roupa estava toda rasgada. Enquanto Renato ajudava dona Eunice a colocá-lo na cama, o rapaz dizia, com voz pastosa:

— Meu amigo, aquele desgraçado fez isso comigo. Ainda por cima está contando para todo mundo o que ele fez com Elvira, fazendo-me passar por otário. Odeio aquele sujeito. Ele entrou na minha casa só para me destruir. Disse que quer levar Elvira para a capital e mantê-la como amante, pois está de casamento marcado.

Depois destas palavras cheias de rancor, virou-se de lado e adormeceu, sucumbindo ao efeito de tanta bebida.

Renato sabia que Paulo não estava mentindo. No dia seguinte ele tomaria suas providências em favor do amigo.

Dona Eunice ainda estava aflita. Elvira chorava desconsoladamente ao ver no que se transformara o marido depois de tê-lo traído.

Renato se despediu confortando dona Eunice.

— Fique tranqüila. Eu mesmo irei calar a boca daquele fofoqueiro. Do mesmo jeito que chegou, ele vai embora ligeiro daqui. Ainda sou o coronel por essas áreas.

No dia seguinte, Renato pediu que alguns homens o acompanhassem à vila. Disse que ele faria o serviço, que não atirassem, só se fosse necessário.

O grupo chegou à venda de seu Joaquim e começou a perguntar o que havia ocorrido no dia anterior. O dono, como gostava de conversa, contou tudo: os falatórios de Manoel, que culminaram na surra de Paulo; a embriaguez e Paulo; e incluiu também as palavras de dona Clotilde, em defesa de Manoel. Naquele momento Renato sentiu tanta raiva que, lívido, dirigiu-se à casa do doutor Silveira para ter uma conversa com Manoel. O hóspede dos Silveira, assim que atendeu Renato, começou a esbravejar:

— Não tenho nada para falar com você. Vá embora. O que fiz àquele mendigo, também faço com você.

— Então venha, seu cachorro. Eu o aguardo!

Dona Clotilde interferiu, aflita:

— Meu Deus, vocês são homens de bem. Não é de bom-tom ficarem brigando como moleques de rua.

— Por que a senhora não disse isso ontem, quando Paulo veio conversar com Manoel? — perguntou Renato, a voz carregada de ira.

— Por favor — pediu ela —, não quero falar sobre esse assunto. Manoel só deu a lição que Paulo merecia.

— Dona Clotilde, por acaso a senhora não tem vergonha de falar dessa maneira? Ofereceu sua filha a esse homem em troca de benefícios financeiros, e ainda chama o próprio genro de mendigo! Como pode falar que alguém é mendigo? A senhora é a mulher mais desclassificada que conheço. E, pelo sofrimento que provocou em meu amigo, vou processar hoje mesmo todas as notas que seu marido me deve. Tenha certeza quanto a isso.

— Não se preocupe — falou ela com altivez. — Manoel nos emprestará o dinheiro, e saldaremos a dívida amanhã.

— Não posso arcar com essa despesa, dona Clotilde — respondeu Manoel, exasperado. — Não tenho mais dinheiro para esses fins!

Renato, aproveitando o momento de distração de Manoel, pegou-o pelo colarinho da camisa e o jogou ao chão, dando uma surra tão grande no rapaz que suas roupas engomadas se tornaram fiapos. Dona Clotilde sentia a situação sair do controle, uma vez que haiva confiado em Manoel. Este lhe dissera que quitaria todas as dívidas da família se tivesse Elvira como amante.

Os homens de Renato não se meteram. Ele era mais forte que Manoel, por isso levava a melhor. Finalmente, Renato fez seu ultimato:

— Manoel, você vai embora hoje! Se eu souber que amanhã você ainda se encontra aqui, eu mesmo o colocarei no trem a pontapés, fato que causará vergonha indescritível ao doutor Silveira na cidade.

Manoel sabia que Renato falava sério, e que ele era o novo coronel da região, com a morte de seu pai. Tratou de rapidamente acatar o aviso.

Renato passou no sítio ao voltar da vila para contar os novos fatos a Paulo.

— Não se preocupe, meu irmão — disse ao amigo. — O sangue que aquele canalha tirou de você custou muito caro a ele. Também vou dar um jeito naquela mercenária da mãe de Elvira. Eu a deixarei na rua da amargura. Tudo que lhe aconteceu tinha o dedo daquela mulher; o dedo não, a mão inteira!

— Seja como for, meu amigo, Elvira poderia ter evitado toda essa situação. Se isso ocorreu, foi porque ela permitiu.

— Não pense nisso, Paulo. Se realmente ama Elvira, trate de esquecer tudo. Vocês se amam, disso não se pode duvidar.

— Já não tenho tanta certeza — falou Paulo, melancólico. — Se minha esposa me amasse, não teria me traído com aquele crápula, fazendo-me passar por otário.

— Esqueça, Paulo. Bem, se não conseguir, coloque-a daqui para fora e tente refazer sua vida.

— Não, isso não! Jamais conseguiria viver sem Elvira. Nunca amei alguém como a amo. Por isso não a deixarei partir. Se um dia isso acontecer, pode escrever: minha vida acaba.

— Então trate de refazer a vida com a mulher que ama, oras. E ponha uma pedra nesse assunto. Se eu amasse alguém como você ama Elvira, por mais traído que me sentisse, eu a perdoaria. Só teria o cuidado de vigiá-la para ter certeza de não ser traído novamente.

— Não diga uma coisa dessas, Renato. Amar do modo que amo é sufocante. Se ela me trair novamente, ou eu a mato, ou me suicido.

— Não fale bobagens, Paulo. Elvira está sofrendo bem mais que você. Aquele canalha a difamou na vila, fazendo com que as pessoas a vejam como as moças do bordel.

— Quanto sofrimento! Mas se algum dia alguém falar mal de Elvira, eu lhe darei uma lição. Ela errou, mas quem nunca o fez?

— Isso mesmo — juntou dona Eunice, que chegava à conversa naquele momento. — Assim é que se fala. Todos erramos, e ninguém tem o direito de julgar ninguém.

Paulo deu curso livre a suas lágrimas, externando toda a dor que corroía seu íntimo.

Renato indagou, para tentar tirar o amigo daquele estado:

— O que você acha de buscar a vaca da qual lhe falei?
— Não quero ir agora. Amanhã, talvez. Mas hoje não.
— Tudo bem. Faça como quiser. A vaca é sua, e a vida continua. O sítio está em suas mãos. Quanto tempo você vai ficar sentado olhando o vazio? Não vai resolver nada essa sua atitude. Acho que é hora de reagir, e reassumir seu casamento.
— Vou pensar no assunto. Agora quero ficar sozinho para ver o que farei daqui por diante.
— Entendido. Já vou indo. Mas não esqueça do que eu lhe disse.

Renato se afastou sentindo uma piedade incontida de seu amigo. Porém, em seus pensamentos, buscava Jesus, pedindo-lhe que ajudasse Paulo em hora tão crucial de sua vida.

Paulo ficou sentado ali, no mesmo lugar, por mais duas horas. Quando escureceu, adentrou sua casa. Viu a mãe no fogão, e então perguntou:

— Mãe, onde está Elvira?
— No quarto. Não saiu de lá para nada. Fica com as janelas fechadas e, se levo algo para ela comer, ela não aceita. Diz que prefere morrer, pois nem ela própria se perdoa pela falta cometida.

Paulo pela primeira vez sentiu pena da esposa. Contudo, sentia o coração sangrar. Por enquanto, não conseguiria remediar essa situação.

Elvira ouviu Paulo perguntar dela e sentiu o coração apertar. Permaneceu deitada, esperando que o marido fosse até seu quarto, mas isso não aconteceu. Em silêncio, ela chorou como uma criança chora ao se sentir perdida.

Paulo, que já era magro, emagrecera ainda mais. A barba, que sempre fazia questão de manter aparada, foi crescendo em demasia. Ele não se alimentava direito, nem tomava banho regularmente. Dona Eunice sentia pena daqueles dois seres que amava, vítimas de entidades maldosas. Quando a bondosa senhora sentia que seu peito estava prestes a explodir, ia à casa da amiga Genoveva em busca de consolo.

O sítio não era mais bem cuidado como antes. Paulo o abandonara completamente. Na horta havia tanto mato que se confundia com as hortaliças. A vaca que Renato lhe dera, Paulo nunca foi buscar, e os serviços mais leves era dona Eunice quem fazia.

Elvira também mudara muito. Não saía mais do quarto e emagrecera tanto que as roupas não mais lhe serviam. E Paulo levava aquele mutismo adiante, sem nunca mais ter conversado com a esposa.

Manoel voltara para a capital, e depois de dois meses ouviu-se a notícia de que havia se casado com uma moça rica da cidade. Renato contou a notícia a Paulo, e Elvira não pôde deixar de ouvir, porque se encontrava ali perto. Sentindo-se usada, deu margem ao ódio que sentia por aquele que havia destruído a sua vida.

Dona Eunice ia todas as semanas à casa de dona Veva e, juntas, pediam proteção espiritual para o jovem casal.

Paulo continuava a beber. Desleixado como estava, não se importava com mais nada. Dormia na rede, e falava apenas o necessário com sua mãe.

Certo dia, Elvira notou que seu corpo estava estranho. Os seios estavam maiores, e já fazia três meses que não tinha mais as regulares regras. Sentia enjôo e, como não comia, vomitava aquela água que vinha de seu estômago.

Dona Eunice percebeu que a barriga da nora estava começando a crescer.

Assim passou mais um bocado de tempo, ínfimo se comparado ao horizonte da infinita jornada de cada alma.

— Minha filha, você não está nada bem. Mas não se preocupe com sua saúde; você está grávida, apenas.

Ao ouvir aquelas palavras, Elvira teve um triste ataque de nervos. Sabia que o filho que trazia no ventre não pertencia a Paulo, e sim a

Manoel. Enquanto estava se encontrando com o primo, não tinha se deitado com o marido. Chorando, ela berrava:

— E agora? O que faço? Talvez esse filho não seja de Paulo. Se ele souber, me manda embora.

— Filha, esse é um fato que você não poderá esconder por muito tempo. Acho que você devia contar logo a seu marido sobre essa gravidez.

— De forma nenhuma! Prefiro morrer a magoar ainda mais Paulo. Vou decidir ainda o que fazer.

— O que pretende dizer com isso, filha?

— Não sei, dona Eunice, ainda não sei.

Naquela noite Elvira não conseguiu conciliar o sono. Lembrou-se da índia Sebastiana e seus remédios de ervas.

Na manhã seguinte, Elvira se levantou sem que ninguém percebesse. Foi a pé à vila à procura da índia Sebastiana a fim de resolver seu problema. Em seu íntimo, contudo, vinha o medo de que lhe acontecesse o que ocorrera à pobre Jacira.

Dona Eunice, ao se levantar, não se deu conta de que Elvira não estava mais em casa. Paulo continuava a dormir na rede que colocara na pequena sala.

Com o passar das horas, Paulo se levantou e foi andar um pouco nas cercanias do pequeno sítio.

Dona Eunice decidiu ver se Elvira estava bem quando, de repente, levou um susto. A nora não se encontrava em casa. Imediatamente, saiu à procura do filho. Em rápidas palavras, contou-lhe o que estava acontecendo, até mesmo confessou-lhe a suspeita de a esposa estar grávida.

Paulo, branco como uma folha de papel, gritou:

— Minha mãe, por que a senhora não me contou antes?

— Nunca me meti na sua vida conjugal. Não seria agora que o faria. Só estou contando a você porque a situação exigiu.

Paulo se pôs a chorar. Enxugando as lágrimas com as costas das mãos, disse à dona Eunice:

— Mãe, perdi Elvira. Sinto que desta vez é para sempre. Ela fugiu de mim, e com isso perdi o interesse pela vida.

— Não, meu filho. Se a ama, vá atrás dela, e a traga de volta!

— Não posso fazer isso. Ela nunca quis ter um filho comigo, e agora engravida de outro. Não, minha mãe, não farei isso. Sou um homem que tem brios. Quero esquecê-la de uma vez por todas.

— Filho, esta difícil decisão é só sua. Vou para o meu quarto fazer uma prece em favor de nossa Elvira, que deve estar desesperada.

Elvira procurou a índia. Ao encontrá-la, contou-lhe seu drama. Sebastiana lhe disse que o remédio ficaria caro. Elvira, tirando do dedo um anel de ouro e rubi, entregou-o à índia, que, após avaliá-lo, deu-lhe uma beberagem com ervas. Disse que em sete dias a criança seria expulsa de seu ventre.

A moça não voltou para casa. Tomou aquele remédio que Sebastiana lhe entregara e ficou no mato todos aqueles dias.

No sexto dia, fraca como estava, pois não tinha comido mais nada, só tomado a beberagem, começou a sentir dores no baixo-ventre. Notou que sangrava e, com fortes dores, seu organismo expeliu o feto. Toda suja, foi se lavar em um ribeirão próximo.

Assim que Renato soubera da fuga de Elvira, mandou que seus homens a procurassem. Tinha sido informado de que ela não embarcara no trem, portanto deveria estar em algum lugar das redondezas. As buscas foram incessantes, até que Dino, um dos empregados da fazenda de Renato, encontrou-a caída no mato, com o vestido sujo de sangue. Renato mandou que a trouxessem ao casebre, e que chamassem prontamente o doutor Júlio. Ao chegar, o médico constatou:

— Ela cometeu um pecado muito grande. Abortou uma criança. Com a perda de sangue e fraqueza por falta de alimento, sua pulsação está muito fraca.

Paulo, assim que soube que a esposa tinha sido encontrada, correu para o sítio. Seu estado era deplorável; suas roupas estavam sujas e ele cheirava a bebida. Com os olhos rasos d'água, perguntou ao amigo como ela estava. Renato foi taxativo:

— Meu amigo, sua condição é grave. Ela praticou um aborto, e está há vários dias sem comer. Se ela morrer, a culpa é sua. Você não foi capaz de perdoá-la, por isso ela chegou a tal estado de desespero.

— Como pode me dizer isso? Eu nem sabia que ela estava grávida.

— Mas ela deve ter imaginado que, se nem a traição você perdoou, quanto mais o fato de engravidar de outro homem. Você, indiretamente, se tornou um assassino, uma vez que ficou preso tão-só à sua dor de homem traído, sem se importar com o sofrimento dela.

Paulo concordou em seu íntimo com o amigo. Ele havia sido realmente egoísta e sem coração. Na hora em que a esposa mais precisara dele, ele a havia deixado entregue à própria sorte, deixando-a partir. E agora ele corria o risco de se separar de Elvira definitivamente. Sem agüentar, ele chorava copiosamente.

— Ela não pode morrer, Renato. Se algo lhe acontecer, eu também irei embora deste mundo.

— Está vendo como é egoísta? Mais uma vez fica preso só à sua dor. Pensa em dar cabo da própria vida sem lembrar de sua mãe, que também vai sofrer por Elvira, porque a considera como uma filha.

Renato tomou uma decisão: levaria Elvira para sua casa na fazenda. Ela estava precisando de certo conforto devido às condições em que se encontrava.

Embora Caroline não gostasse muito da outra moça, não se opôs. Não queria desagradar ao marido. Mas achava, no íntimo, que todo aquele cuidado que Renato estava lhe dispensando era um exagero.

Renato, alheio ao ciúme da esposa, continuou a conversa com Paulo. Queria que o amigo entendesse que todos estavam sujeitos a erros, e que Elvira não era uma exceção.

Pela primeira vez, Paulo pensou na mãe, e em como ela estava trabalhando no sítio, fazendo o possível para mantê-lo em ordem. Ela também devia estar sofrendo com tudo aquilo. Paulo considerou as palavras de Renato e refletiu que estava, realmente, preso ao próprio sofrimento. Daquele momento em diante, Paulo decidiu que não iria mais beber. Se Elvira se recuperasse, ele voltaria a levar a vida normalmente.

Passados dois dias, Elvira começou a dar mostras de melhora. A criada de dona Aurora penalizou-se tanto com a situação da moça que a tratava com atenção redobrada, sem deixar que nada lhe faltasse. Obrigava-a mesmo a comer.

Elvira, ainda que gradativamente, parecia se recuperar.

Dona Clotilde, ao saber do que ocorrera, sentiu certa culpa. Tudo que acontecera fora um plano bem elaborado. Manoel havia prometido que, se Elvira se tornasse sua amante, mandaria uma quantia razoável por mês, e isso garantiria o conforto a que estava habituada.

Quanto ao doutor Silveira, quando ficou sabendo do estado delicado de saúde da filha, foi visitá-la. Renato, no entanto, proibiu sua entrada na fazenda, dizendo-lhe que, se Elvira estava naquela situação, também ele era culpado, pois mais uma vez tentara vender a filha a outro homem. Silveira, desconhecendo o trato de Clotilde com Manoel, sentiu-se indignado. Nunca fora tão ofendido em toda a sua vida.

Ao sair das terras de Renato, Silveira refletiu a respeito de se, realmente, dona Clotilde não tinha nada a ver com a decadência da filha.

Ao chegar em casa, nervoso, encontrou Clotilde bordando calmamente em uma poltrona. O marido, à queima-roupa, lhe inquiriu:

— Clotilde, diga-me por que Renato brigou com Manoel.

— Ora, não se faça de ingênuo. Você sabe muito bem o que a leviana de sua filha andou fazendo. Renato, como amigo do marido pobre-diabo dela, veio em defesa de sua honra.

— Mas você fez algum trato com Manoel? Vamos, diga!

Em tom colérico, pegou o bordado que Clotilde trazia nas mãos e o atirou longe. Clotilde nunca vira o marido tão alterado. Sentindo medo de ele descobrir por outra pessoa, passou a contar o que havia combinado com Manoel. Ao concluir, Silveira a olhava como se fosse uma desconhecida. Tornou, em tom amargurado:

— Você não só destruiu a vida de nossa filha como também a minha. Eu havia dito a você que, se tivéssemos o necessário para nosso sustento, estaria de bom tamanho. Mas você não... Quer luxo, riqueza, nem que para isso precise sacrificar a vida da própria filha. Eu fui contra o casamento de Elvira, como sabe, mas sempre estive a par da sua vida. As notícias não poderiam ter sido melhores, você sabia? Ela estava feliz, porque o marido a tratava como uma rainha. Mas você não se importou com nada disso. Destruiu sem titubear a vida de dois jovens que eram felizes, tudo por causa da sua maldita ambição. Hoje me senti como um cão quando fui enxotado da fazenda do falecido coronel Donato. Mas, pelo menos, fui enxotado inocentemente. Eu agora a ponho fora de minha vida também; não só de minha vida, mas também de minha casa. Se quiser luxo, venda-se, faça o que quiser, pois a partir de hoje eu a desprezo, e o farei para sempre.

— Você não pode fazer isso comigo! Estamos casados há trinta e dois anos. Se quer se livrar de mim, paciência; não vou embora.

— Se não for embora, você vai viver aqui como criada. Não temos dinheiro para pagar uma, então você vai assumir todas as tarefas de casa. E também vai passar a dormir no quarto da criada, pois eu não a quero mais como minha esposa, sua mercenária, cafetina da própria filha. Eu a odeio por ter feito isso!

Silveira subiu as escadas da casa com passos decididos, pegou todos os pertences de Clotilde e jogou-os no corredor. Em seguida, foi pessoalmente dispensar a criada.

Clotilde se sentia humilhada, mas em seu coração trazia apenas o ódio pelo marido e por Manoel, que não havia cumprido o trato que fizera com ela, dando-lhe apenas uma parte do dinheiro prometido.

Depois daquele dia, Silveira começou a exercer algumas funções como advogado, e conseguiu ganhar algum dinheiro. Após certo tempo, resgatou as notas promissórias que envolviam a hipoteca da casa, que estavam em poder de Renato. Entretanto, ao contrário do que dona Clotilde pensava, Silveira nunca mais se deitara com ela, falando-lhe apenas o necessário, e Clotilde já não era mais aquela mulher autoritária e orgulhosa de outrora, uma vez que se via obrigada a ver seu marido levar meretrizes para a casa sem nada poder dizer.

Passado algum tempo, a saúde de Elvira se restabeleceu, mas ela temia voltar para a casa do marido. Embora soubesse que Paulo passava a maior parte do tempo na casa de Renato, esperando que ela o recebesse, Elvira temia o momento do encontro, achando que não era hora ainda de falar com o marido.

Certo dia, Paulo, cansado de a esposa o ficar evitando, subiu as escadas em desespero e entrou no quarto onde Elvira estava, encontrando-a de pé em frente da janela. A moça, quando avistou o marido, sentiu um frio percorrer-lhe a espinha e, em tom baixo, perguntou:

— Paulo, o que faz aqui?

— Vim vê-la. Faz dois meses que não a vejo; quero saber quando você voltará para casa.

— Não vou voltar. Estou pensando o que farei daqui por diante. Não tenho direito de continuar prejudicando você como venho fazendo.

— Não faça isso, Elvira. Eu a amo, e você sabe disso. Sei que errei ao olhar apenas para meu próprio umbigo. Vamos nos dar uma nova chance. Meu sentimento por você não mudou; se for embora, não sei o que farei de minha vida.

Dizendo isso, Paulo começou a chorar e suplicar que Elvira o perdoasse. A esposa, ao olhá-lo, sentiu certo desconforto ao notar o quanto ele havia mudado, e o quanto estava desleixado e sujo. Contraditoriamente, percebeu que ainda o amava, e que quem tinha de perdir perdão era ela. Num movimento brusco, correu em direção ao marido e jogou-se em seus braços.

— Paulo, me perdoe por tudo que o fiz passar. Você é o único homem de minha vida. Nem eu sei o que ocorreu; se você puder me perdoar, gostaria muito de voltar para nossa casa.

Paulo, exultante, esqueceu das mágoas passadas e beijou a esposa.

— Diga-me, aquele filho que carregava era meu?

— Não sei. Durante aquele tempo tivemos poucos momentos juntos. Não ia suportar a dúvida, por isso abortei.

— Você não devia ter feito isso. Eu criaria aquela criança como se fosse meu filho.

Juntos choraram. Elvira decidiu naquele momento que era tempo de voltar para casa.

Renato, quando soube que os dois estavam juntos novamente, abriu uma garrafa de vinho para comemorar. Dizia, em tom de felicidade:

— Vamos comemorar! Embora o destino quisesse separá-los, Deus não permitiu. A partir de hoje, vocês vão levar uma nova vida juntos.

Encheu as taças e deu uma a Elvira, e outra a Caroline. Quando foi dar a taça de Paulo, o moço o impediu.

— No lugar de vinho, vou beber água. Fiz um juramento: se Elvira melhorasse, eu nunca mais colocaria bebida alcoólica na boca.

Elvira não conseguiu conter a emoção e deixou que lágrimas de alegria corressem por sua face.

Renato se prontificou a levá-los para casa. Não encontraram dona Eunice, que por certo havia ido à casa da amiga Genoveva. As duas faziam preces diariamente. Dona Eunice nunca havia sentido tanta fé como naqueles dias turbulentos.

Paulo banhou-se, aparou a barba, mudou de roupa, usou a água-de-colônia que havia comprado na vila e, com entusiasmo, convidou Elvira:

— Vamos à casa de dona Genoveva? Certamente ela vai ficar feliz em nos ver.

Elvira consentiu, e Renato foi levá-los, só para observar a surpresa que a boa mulher teria. Ao chegar, viu dona Eunice sentada no banco perto da mesa da cozinha. Fingindo-se triste, cumprimentou:

— Boa tarde, dona Eunice. Vim trazer-lhe uma notícia.

— Que notícia — perguntou a mãe de Paulo, assustada. — Aconteceu algo com meu filho e Elvira? Conte-me!

— Veja com seus próprios olhos.

Renato então deu espaço ao casal. Ao vê-los juntos, dona Eunice sentiu tanta alegria que se levantou correndo e abraçou fortemente os dois. Notou que Paulo estava bem cuidado, e seu entusiasmo aumentou. — Filhos, não sabem o quanto pedi a Deus por este momento.

Elvira e Paulo, abraçando a bondosa senhora, riam e choravam ao mesmo tempo. Renato também se juntou a eles, e falou a dona Genoveva:

— Obrigado por nos ajudar com suas preces. Terá em mim um eterno amigo. Pode contar comigo para o que precisar.

Dona Genoveva, também levada pela emoção, disse-lhe:

— Não, meu amigo, não me agradeça! Agradeça a Deus por ajudar Paulo a perdoar a esposa, e assim recomeçar uma vida juntos.

Satisfeito, Renato comentou:

— Bem, preciso voltar para casa. Caroline está um tanto enciumada de Elvira. Agora tenho de colocar as coisas nos devidos lugares.

— Deus o abençoe, Renato — agradeceu dona Eunice. — A caridade que acaba de praticar certamente será recompensada pelo Alto.

Aqueles espíritos, em nova jornada espiritual, ficaram ali por mais um tempo, aproveitando a harmonia daquele momento. Tinham vencido mais uma batalha daquela reencarnação bendita.

Renato voltou para a casa de Paulo, e todos eram só sorrisos. Dona Eunice pediu:

— Renato, vá a sua casa e busque sua esposa. Hoje vou fazer um jantar especial, para meu filho do coração e sua esposa.

Renato comentou que traria também sua mãe. Em um momento como aquele, ele não a queria de fora.

— Dona Eunice, trarei também aquele licor de jenipapo que a senhora gosta.

Renato se despediu e, tão logo pôde, Elvira chamou Paulo ao quarto.

— Meu bem, as coisas serão como antes? Seremos felizes como éramos?

— Sim, Elvira. Eu a amo muito, e nunca mais quero que toque nesse assunto. Para mim, é algo morto e enterrado. Mas, antes, diga a verdade: você realmente amou Manoel, como me disse?

— Não, Paulo, nunca o amei. Não sei o que me deu para me deixar envolver dessa maneira.

— Está bem! Graças a Deus, esse assunto acabou. Vamos levar nossa vida, mas eu gostaria realmente de ter um filho.

— Teremos quantos você quiser.

Paulo sorriu para a esposa. Contudo, sem que pudesse deter sua mente, veio-lhe a imagem do colóquio amoroso entre a esposa e Manoel. Ele se conteve, felizmente, e conseguiu disfarçar seus pensamentos.

No jantar todos estavam felizes. Renato contava anedotas, enquanto dona Eunice bebia prazerosamente o licor de jenipapo. Elvira passou o tempo todo de mãos dadas com o marido. Paulo a olhava furtivamente para ver se a felicidade que ela demonstrava era verdadeira ou não.

A vida de ambos pareceu voltar ao normal. Porém, nos momentos íntimos, Paulo se deixava envolver por pensamentos ciumentos, e dizia que se sentia indisposto. A princípio, Elvira nada percebeu. Com o passar do tempo, no entanto, percebeu que o marido a evitava, e se sentiu rejeitada. A cada dia ela ficava mais triste. Deixou de ser a moça alegre, que ia ter com o marido na roça e fazia travessuras para chamar a sua atenção. Passou a ser uma mulher calada, que tentava se esmerar nos assuntos domésticos.

Depois de um ano, Elvira deu-lhe a notícia tão esperada:

— Amor, estou grávida!

Paulo, ainda que quisesse comemorar aquele momento, não conseguiu evitar de pensar: "Será que este filho é realmente meu? Ela não sai de casa e, quando vai à vila, minha mãe a acompanha. Acho que ela está falando a verdade". Depois dessas constatações, afastou os maus pensamentos, considerando-os fantasias, e respondeu, alegremente:

— Hoje você me fez o homem mais feliz do mundo!

O casal ainda comemorava quando ouviram Renato chegar aos gritos em seu alazão. Dona Eunice, preocupada, correu em sua direção para se inteirar do porquê de tamanha aflição.

— O que aconteceu, meu filho? Por que grita assim?

— Por favor, venha à minha casa. Acho que Caroline vai ter nosso filho, mas não pára de sair água dela. Estou desesperado.

Dona Eunice sorriu, acalmando-o:

— Já chamou o médico, filho?

— Sim. Mandei Honório ir buscá-lo na vila. Mas gostaria que a senhora viesse vê-la. Acho que fiz besteira.

— O que você fez?

— Não posso lhe faltar com respeito; aceite minhas desculpas.

Dona Eunice, entendendo o que ele queria dizer, procurou acalmá-lo.

— Deixe de bobagem. Quando a bolsa rompe é sinal de que o nascimento está próximo. Não tem nada a ver com o que você esteve fazendo. Não sei por que todo esse escândalo.

— Vamos à minha casa mesmo assim. Minha mãe está velha; acho que a senhora é a pessoa mais indicada para estar presente neste momento.

— Mas eu nunca fui parteira. Se estiver com Caroline, vou atrapalhar o médico.

— Por favor, venha comigo.

— Como quer que eu o acompanhe? Na garupa de seu cavalo?

Renato ponderou a besteira que estava pedindo. Prometeu voltar em seguida com o automóvel. Assim que ele saiu, dona Eunice deu risada. O desespero de Renato era algo engraçado de ver. Via-se que ele não entendia nada sobre nascimento de criança. Não demorou muito e estava de volta para buscar dona Eunice.

Ao chegarem à fazenda, o médico já se encontrava examinando Caroline que, de tempo em tempo, gritava de dores ferrenhas. Dona Eunice, ao observar o estado da moça, apenas pediu que se acalmasse, porque logo a criança nasceria, e ela sentiria alegria de dar à luz mais um ser que vinha ao mundo.

Caroline chorava e gritava ao mesmo tempo. Renato, desesperado, e sem poder fazer nada, mexia nervosamente nas cortinas do lado de fora do quarto. Dona Aurora, também com ele, falou ao filho:

— Não se desespere. Tudo vai dar certo, você vai ver.

— Que Deus a ouça, mamãe. Que Deus a ouça.

Ao final de três horas de angústia, Caroline gritou pela última vez. Ao sentir um súbito silêncio, Renato, sem saber o que ocorria, e temendo que a esposa tivesse vindo a falecer, correu até o quarto. Mesmo sem autorização, entrou. Deu com o médico segurando a criança enquanto Caroline, muito cansada, fitava a criança que o médico carregava.

Doutor Júlio, ao perceber a aflição de Renato, apenas lhe disse:

— Parabéns, papai. Você acaba de ter uma linda menina.

Renato, ao fitar a criança ainda envolta no cordão umbilical, correu para fora do quarto porque passava mal. Dona Eunice ajudou o médico a terminar de lidar com Caroline. Esta, ao ver o rosto da criança, com lágrimas nos olhos, falou com firmeza:

— Ela vai se chamar Maria Eugênia. Esta menina é fruto do amor que sinto por Renato.

Finalizando os procedimentos, o médico permitiu que Renato entrasse e visse a esposa e o bebê. Renato, ainda temeroso de que viesse a passar mal, disse a doutor Júlio:

— Vou vê-las amanhã. Não quero voltar a sentir o mal-estar que senti.

— Não seja tão banana, homem. Sua esposa o espera. Desta vez, não verá nada de mais.

Ao entrar no quarto, viu Caroline adormecida, com a criança envolta em panos a seu lado. Sentiu tanta emoção que começou a chorar.

— Descanse, querida — disse em voz alta. — Hoje me sinto um homem realizado. Tenho a mulher que amo, e dois filhos lindos.

Ele não teve coragem de carregar a pequenina, mas ficou alisando sua face com carinho.

Paulo e Elvira vieram ter com o amigo para saber se tudo tinha corrido bem. O pai coruja ainda se encontrava no quarto.

Dona Aurora convidou-os a entrar e pediu que fossem ao quarto de Caroline. Renato e dona Eunice estavam com ela.

Paulo subiu as escadas e bateu à porta. Renato mandou que entrassem. Comovidamente, falou aos amigos:

— Vejam, queridos, minha filha!

Elvira se aproximou e tomou a criança em seus braços. Fitando-a fixamente, disse que era uma bela menina.

O pai, embevecido, respondeu:

— É linda. Tem os mesmos traços de Caroline. Estou tão feliz, que dá vontade de sair dando pulos de felicidade.

Paulo perguntou ao amigo:

— Qual nome terá a menina?

— Vai se chamar Maria Eugênia. Será a princesa desta casa. E Caroline, a rainha, claro — completou rapidamente Renato.

Paulo deu uma notícia que deixou o amigo surpreso:

— Pois daqui a alguns meses, a mesma felicidade vai entrar em minha casa. Elvira também está grávida.

— Não acredito. Desta vez então virá seu herdeiro?

Paulo balançou a cabeça, e completou:

— Não, amigo, não terei um herdeiro. Não tenho nada para deixar a meu filho, a não ser um pedaço de terra.

Renato alegremente propôs ao amigo:

— Paulo, façamos o seguinte: você e Elvira batizarão Maria Eugênia, e nós batizaremos seu filho quando nascer. Dessa maneira, seremos compadres duas vezes.

Paulo aceitou a sugestão do amigo, e deixaram para acertar os detalhes mais tarde.

Grande felicidade envolvia os corações dos dois casais.

22

Juvenal — quem é ele de verdade?

Certo dia, chegou à fazenda de Renato Juvenal, seu conhecido da capital. Ele era um homem de porte forte, moreno de natureza. Seus cabelos, dos quais Juvenal se orgulhava muito, eram encaracolados. Era um homem de trinta e dois anos, embora aparentasse menos. Outra característica que formava seu caráter era a arrogância; embora não fosse de família tradicional, fazia questão de andar sempre elegantemente trajado.

Renato, assim que recebeu a carta do amigo dizendo que viria lhe fazer uma visita, mandou que a criada arrumasse o quarto de hóspede. Fazia questão que Juvenal se hospedasse em sua casa.

Juvenal ficou encantado com o tamanho da propriedade de Renato. Fez o possível para bajular o amigo, uma vez que tinha intenção de muito lucrar com aquela amizade. Juvenal não tinha escrúpulos. Na capital, era malvisto pelas pessoas. Devia grandes somas de dinheiro, e decidira sair de lá e se esconder um tempo na fazenda, até a poeira de suas dívidas baixar.

Renato, de sua parte, não conhecia aquela fama do rapaz, muito menos o motivo que o levara àquele fim de mundo.

Caroline não gostou de Juvenal, mas Renato, que há muito não via o amigo, tinha prazer em tê-lo em sua companhia, e mostrava-lhe todos os dias um pouco da região. Levou-o certo dia à casa de Paulo. Elvira, ao conhecer Juvenal, não se sentiu à vontade e pediu licença para se recolher.

Dona Eunice percebeu, pelo olhar do rapaz, que ele não tinha boa índole. Assim que os dois homens voltaram à fazenda, comentou com o filho:

— Paulo, não gostei deste rapaz. Ele tem um olhar que o trai, porque o mostra bem diferente do que aparenta ser.

— Mãe, eu tive a mesma impressão. Fiquei com vontade de pedir a Renato que não o trouxesse mais aqui. Aliás, quando ele me falou desse amigo, eu já havia lhe pedido isso. Passou tanto tempo, que ele deve ter esquecido.

— Não podemos fazer isso, filho. Renato sempre se portou decentemente dentro de nossa humilde casa. Além do mais, provou que realmente é nosso amigo.

— Pois bem, minha mãe. Não pediremos nada a Renato. Vamos deixar que Juvenal perceba por si só que não gostamos dele, e deixe de acompanhar Renato até nossa casa. Não vou tratá-lo com cortesia.

Dona Eunice nada respondeu, mas estava certa de que o filho tinha razão. Ela procurava entender o porquê daquela repulsa pelo rapaz, que de fato nada lhe fizera.

Depois da primeira visita à casa de Paulo, Juvenal sempre pedia que voltassem. Renato, para não desagradar ao amigo, o que considerava falta de educação, levava Juvenal.

Paulo sentia cada vez mais que o rapaz não estava bem-intencionado. Como alguém podia insistir em visitá-lo, sendo tratado com descaso? Paulo ficava bem atento às reações de Elvira. A esposa, contudo, cada vez que Renato chegava acompanhado do amigo, se retirava discretamente e ficava no quarto enquanto ele não fosse embora.

O tempo foi passando, e nada de Juvenal ir embora. Caroline começou a implicar com a permanência do rapaz em sua casa. Dona Aurora também não tinha simpatizado com Juvenal, e o próprio Renato estava cansado daquela visita prolongada. Fazia dois meses que o amigo se hospedara na fazenda.

Certo dia, pressionado por Caroline, Renato chamou o amigo para uma conversa:

— Juvenal, o que tenho a lhe dizer é muito desagradável. Porém, sou obrigado a fazer isso, porque Caroline e minha mãe não se sentem à vontade com sua presença em minha casa. Elas me dizem que estão perdendo a privacidade que tinham, e querem que você parta.

— Como elas podem dizer isso de mim? Eu as trato com cortesia e atenção, e nunca lhes faltei com respeito.

— Juvenal, entenda, minha mãe é uma pessoa excêntrica e gosta do ambiente familiar sem pessoas de fora. Para ser sincero, minha esposa reclamou que na semana passada estava ela amamentando nossa filha no quarto, e que tinha esquecido a porta aberta. Quando olhou em direção à porta, ela o viu lançando um olhar estranho em sua direção. Se quer saber a verdade, achei isso uma falta de respeito, e também quero que vá embora. Minha família para mim é tudo. Ageu também reclamou que, em uma brincadeira, você displicentemente passou a mão em seu traseiro. Bem, quero parar por aqui para não embaraçá-lo mais.

— Não se preocupe. Irei agora mesmo. Porém, não posso me calar: tudo que disseram a meu respeito não é verdade, e, com o tempo, você vai me pedir desculpas.

— Que assim seja! Essas coisas que me disseram me aborreceram bastante. Eu pagarei para você uma pensão na vila por dois meses. Até lá, você decide o que vai fazer de sua vida.

— Meu amigo, o batizado de sua filha está próximo. Posso pelo menos ir à igreja para assistir ao evento que todos estão comentando?

— Sim, pode. Mas não o convidarei para o almoço. Nele você não será bem recebido.

Juvenal subiu ao quarto de hóspedes sentindo o ódio brotar no peito. Para dar vazão a ele, ia usar aquele amigo caipira de Renato. Pensando assim, Juvenal deixou a fazenda. Todos voltaram a ser alegres como antes, sem a presença desarmoniosa de Juvenal. Caroline voltou a sentar-se toda noite ao piano, evento ao qual sempre estava presente a família de Paulo.

Entretanto, para Juvenal, a ofensa tinha sido muito grande. Desde que conhecera Elvira, ficara com a esposa de Paulo na cabeça, não porque estivesse apaixonado por ela, apenas porque ficara sabendo na venda o que havia ocorrido entre ela e Manoel. Com esses fatos em mente, passara a alimentar a esperança de que, depois que ela desse à luz, passaria a cortejá-la discretamente. Em seu quarto de pensão, pensava: "Aquela diaba é uma mulher muito bonita, e pelo que fiquei sabendo ela é mulher de qualquer um. Por que não ser minha também?"

No tempo que passou na vila, Juvenal começou a fazer negócios escusos, enganando uns e outros, e com isso conseguia dinheiro para sobreviver. Certa vez fora às terras do senhor José Carlos e comprara dez cabeças de gado. Como era muito falante, tinha conseguido ludibriar o homem, dizendo que dali a dois dias levaria o dinheiro. O homem ficara esperando, e de fato Juvenal apareceu e pagou-o corretamente. O senhor José Carlos não sabia, entretanto, que Juvenal já tinha vendido os bois em outras terras pelo dobro do preço que tinha pago. Gradativamente Juvenal conseguiu juntar certo dinheiro fazendo negociações desse tipo.

Assim chegou o tão esperado domingo em que Maria Eugênia, filha de Renato, ia ser batizada. Juvenal foi à igreja e, ao ver Elvira, sentiu o coração estremecer. Embora ela estivesse no quinto mês de gravidez, ele pensava: "Tenho paciência. Essa potranca será minha, assim como foi do outro". O moço assistiu ao rito de batismo da criança e saiu rapidamente para não ser visto por Elvira. Ele sentira que ela não havia gostado muito dele, por isso queria deixar para conquistá-la no momento oportuno.

À vontade na vila, em pouco tempo Juvenal mostrou-se como era na verdade: bebia em demasia, brigava com todos e gostava muito dos prazeres da carne, sendo que muitas vezes, bêbado, dizia gracinhas às mulheres casadas que passavam em frente da venda. Um dia, alterado pelo álcool, resolveu pagar a conta e dar umas voltas a pé a fim de ver se a tontura melhorava. No caminho encontrou dona Zulmira, mulher de aproximadamente vinte e nove anos, que levava o filho pequeno pela mão a seu lado. Ao vê-la, o moço se aproximou e perguntou, sem rodeios:

— A senhora tem um filho muito bonito. Como ele se chama?

— Pedro, e tem três anos.

— O marido da senhora que é um homem de sorte... Além de ter um belo menino, tem também uma bela esposa. Garanto que, com a senhora, ele vai às nuvens.

Dona Zulmira pegou a criança no colo e tratou de se afastar, sem nada dizer. Juvenal achou graça da situação, anestesiado que estava pela bebida.

Entretanto, a situação não teve fim aí. Zulmira tinha chegado em casa chorando e contara ao marido, João, o que havia acontecido. João tinha fama de ser o homem mais valente da vila, por isso não deixou o fato passar despercebido. Tratou de resolver o assunto imediatamente. Procurou por toda a parte Juvenal, indo até mesmo à venda, mas ficou sabendo que ele havia ido à pensão onde estava hospedado.

João foi à pensão e descobriu o quarto em que Juvenal estava. Entrou mesmo sem saber se ele se encontrava lá ou não. Por sorte, encontrou-o sentado na cama.

— Você disse que sou um homem de sorte. Agora quero que me explique por quê — esbravejou João.

— Como ousa entrar assim no meu quarto e vir gritar comigo?

— Sou marido de Zulmira, aquela a quem você fez gracejos na rua. Agora, responda rápido, homem: quem ela levará às nuvens, hein?

Juvenal, com a voz ainda pastosa por causa do álcool, começou a gaguejar:

— Calma! Não disse nada de mais a ela. Apenas falei que tinha um filho lindo, e que você era um homem de sorte. Não vejo motivo para tanto barulho.

— Você lhe disse que ela me leva às nuvens, seu canalha. Quem vai levá-lo às nuvens sou eu. E não terei piedade.

Então João pegou Juvenal e arrancou-o da cama. Surrou tanto o rapaz que o deixou caído ao chão, sem se mexer. Havia tanto sangue em seu rosto que ele não sabia se vinha da boca ou do nariz. O rosto começava a ficar roxo, tal o estudo de agressão. Enquanto apanhava, o ódio por João aumentava, e Juvenal prometia a si mesmo: "Você vai acabar boiando no rio, disso pode ter certeza. Você não sabe com quem mexeu; isso vai lhe custar muito caro".

Juvenal era uma pessoa extremamente vingativa. Quando alguém lhe aprontava alguma, ele marcava como se marca boi.

Depois de uns dias, o rapaz voltou à rotina normal, embora ainda permanecesse com o rosto bem machucado. De sua mente, contudo, não saíam os pensamentos da vingança que praticaria contra João, marido de Zulmira. Ele passou alguns dias vigiando João. Sabendo que ele era bem mais forte, voltou à capital e comprou uma pistola. Quando deixou a pensão, o próprio dono da hospedaria deu graças aos céus. Entretanto, a alegria de Isaías, o hospedeiro, não durou muito. Em cinco dias Juvenal estava de volta, e escondeu a arma de tal maneira que ninguém a viu.

Uma noite, sabendo que João estava na venda, Juvenal foi até lá. Avistou o pobre-diabo embriagado e lhe perguntou, cheio de falsidade:

— O que acha de jogar uma partida de canastra?

— Não costumo me sentar com canalhas como você. Fique longe de mim e de minha família.

O ódio frio e implacável de Juvenal aumentou. Ficou a observar seu desafeto estrategicamente e esperou que ele se retirasse da venda. Saiu em seguida e esperou que o homem entrasse em um atalho que daria em sua casa. Vendo que não havia ninguém por perto, aproximou-se:

— Quem é o canalha ao qual se referia na venda? — perguntou-lhe, com olhos brilhando de ira.

— O canalha é você. Acaso quer levar outra surra? Desta vez não vou ser complacente. Eu o mato.

— Não, meu amigo, quem vai matá-lo sou eu. Vou mandá-lo para o inferno.

Juvenal sacou a arma que estava na cintura e deu um tiro que pegou na testa de João. O homem caiu, ficando estirado no chão em meio a uma poça de sangue. Olhando o corpo inerte, Juvenal ainda cuspiu em seu rosto ensangüentado, perguntando-lhe em voz alta:

— Agora você será valente no inferno, desgraçado!

Caindo em si, o rapaz tratou de sair rapidamente do local do crime. Não podia ser visto por ninguém.

No dia seguinte, a notícia da morte de João, pessoa que todos respeitavam na vila, correu. A esposa, quando soube do ocorrido, ficara abismada. O primeiro pensamento que lhe passou pela mente era que o forasteiro que estava hospedado na vila podia tê-lo matado, mas, pelo que soubera, ele tentara fazer amizade com João; o marido é que recusara a simpatia de Juvenal.

A notícia chegou aos ouvidos de Renato, que ficou consternado ao saber da morte de João. Ele fora empregado da fazenda e sempre se portara muito bem, tornando-se assim um sujeito muito querido de todos, especialmente do coronel Donato, que o respeitava muito por seu modo de ser honesto e respeitador. João só saíra da fazenda porque tinha o sonho de montar seu próprio negócio na vila como sapateiro, ofício que aprendera com o pai. Tanto Donato como Renato sentiram falta do homem de confiança que tinham, e Renato, sempre que ia à vila e podia, conversava com João.

Renato não gostou daquilo. Havia na vila um assassino que tinha de ser descoberto. O novo coronel mandou que seus homens fizessem as investigações do caso, e logo ficou sabendo que João havia batido em Juvenal, e que na noite do crime Juvenal tentara se aproximar de João, mas ele recusara.

Quando Caroline ouviu o relato de Bentinho, um dos empregados da fazenda, falou:

— Tenho certeza de que Juvenal teve algo a ver com isso. Ele não me parece homem de receber uma surra e estender a mão para fazer amizade. Tenho certeza de que o assassino é ele. Maldita a hora em que ele veio para estes lados!

— Não queria concordar com você — respondeu o marido —, mas acho que tem razão. Porém, nunca vi Juvenal com uma arma enquanto esteve hospedado aqui.

Foi Bentinho quem continuou a relatar os fatos:

— Bom, o que eu soube é que, antes da morte de João, Juvenal foi para a capital e ficou por lá uma semana. Quem sabe ele trouxe a pistola com esse intuito de se vingar do pobre coitado.

— Foi isso mesmo — concordou Caroline. — Juvenal leva uma surra e em seguida vai à capital, mas não fica lá; volta. Com que fim teria ido? Claro que foi comprar uma arma, só para dar fim à vida do pobre do João!

— Não se esqueça, minha querida, que infelizmente não temos como provar. Entretanto, vou ficar de olho nele. Se algo que envolva Juvenal acontecer, eu o mandarei embora da vila. Eu o trouxe e eu o levarei. Sem que ele perceba, manterei falsamente minha amizade com ele. Vou dar um jeito de acompanhá-lo à pensão para ver se ele porta uma arma em seu quarto.

— Tenha cuidado, querido. Juvenal é um homem perigoso. Notei que, no dia do batizado de Maria Eugênia, ele estava de olho em Elvira, esposa de Paulo. Peça a Paulo que tome cuidado e não receba Juvenal em sua casa.

— Eu avisarei. Pobre dele se se meter com eles. Juvenal desconhece meu poder vingativo. Ele vai se arrepender se tocar em um fio de cabelo que seja de alguém daquela família! Sei que você sempre teve ciúmes de Elvira, mas, acredite, ela é para mim como uma irmã. Eles fazem parte da minha família. Se algo acontecer, vou dar um jeito pessoalmente naquele sujeitinho.

Caroline viu, pelo brilho no olhar do marido, o quanto ele apreciava Paulo e a família. Apesar de suas falhas, Renato, sempre quando se aproximava de alguém, demonstrava sinceridade. Até mesmo com Juvenal fora assim.

Na casa de Paulo as coisas iam bem. Ele tinha voltado a trabalhar com mais vontade e seu casamento com Elvira estava dando certo. Paulo tentava esquecer o que havia ocorrido, e todas as semanas eles freqüentavam a casa de dona Genoveva a fim de estudar juntos *O Livro dos Espíritos* e *O Evangelho Segundo o Espiritismo*. O rapaz dizia que a fé tinha salvado seu casamento.

Elvira, apesar de não ser mais a moça alegre de antes, se esforçava para ser uma boa esposa, e seu relacionamento com dona Eunice a cada dia que passava se tornava melhor.

Certo dia, Elvira se encontrava bordando quando de repente ouviu o ruído de um automóvel. A princípio pensou que fosse Renato, mas, sem conseguir identificar quem chegava, ficou parada na soleira da porta até que o veículo se aproximou numa distância suficiente para que ela soubesse de quem se tratava.

— Pai, o senhor aqui?

Silveira, sem jeito, fitou a filha. Fazia tanto tempo que não a via! Subitamente o remorso pareceu sufocar seu peito, e então disse-lhe, com sinceridade:

— O que me traz aqui, filha, é a saudade que sinto de você. Como fiquei sabendo que estava esperando um bebê, quis saber se precisa de algo.

Elvira notou a fisionomia abatida do pai.

— O que o fez mudar de idéia após tanto tempo, meu pai? — perguntou a moça, curiosa.

— Não vou mentir para você. Fiquei sabendo do que sua mãe fez. Eu não sabia de nada, quero que esteja certa disso. A vida dela, depois do que descobri, se tornou um verdadeiro inferno. Dispensei a criada, e agora é ela quem cuida da casa. Deixei de jogar e estou até ganhando um dinheirinho. Saldei minhas dívidas com Renato e hoje, filha, me arrependo de não tê-la apoiado quando decidiu se casar com Paulo. Ele me surpreendeu com a atitude que tomou em relação a você. Decidi que vou mandar seu piano de volta e me disponho a ajudá-los no que for preciso. Agora percebo o quanto fui manipulado por sua mãe, e como me omiti durante todos esses anos. Peço, filha, que me perdoe, porque errei muito e não quero persistir no erro.

Elvira, surpresa com a atitude do pai, respondeu, em tom orgulhoso:

— Pai, não se preocupe comigo. Estou bem; tenho uma família de verdade. Dona Eunice é muito mais que a Clotilde foi para mim. Apoiou-me nos momentos mais difíceis de minha vida. Além disso, tenho um marido que me ama. Como pode ver, não tenho luxo, mas tenho aqui algo que nunca tive enquanto vivi na companhia de vocês: ternura. Acho que a preocupação do senhor veio um pouco tarde; não estou precisando de nada. Quanto ao piano, foi a primeira coisa que pedi à Clotilde, porém ela me negou. Agora quem não quer mais sou eu. Que ela faça bom proveito dele. Daquela casa não quero nada. Aquela mercenária só pensa em dinheiro, tanto que me colocou à venda duas vezes. Ela errou muito comigo e, por enquanto, não tenho condições de perdoá-la. Quanto ao senhor, quando quiser vir me ver, será bem recebido. Ela, entretanto, é bom que não me apareça por aqui. Não posso nem cogitar a idéia de recebê-la em minha casa.

Elvira tomou fôlego, deu um suspiro amargurado, e continuou:

— Sei que estou sendo radical, mas com ela não há mais maneira de entendimento. Ela quase destruiu meu casamento. Graças a Deus, e a minha segunda mãe, que se chama Eunice, isso não aconteceu. Entretanto, ela quase levou à aniquilação total o homem mais honrado que já conheci, que é meu marido.

— Sei disso, filha. Em virtude desse modo interesseiro de ver a vida é que nosso casamento acabou. Para mim, sua mãe se tornou uma criada, à qual mal dirijo a palavra.

— Obrigada pela compreensão, pai. Dentro de três meses, seu neto vai nascer. Se quiser vir conhecê-lo, venha sem receios. Garanto que vai gostar de conhecer dona Eunice e Paulo, meu marido.

— Está certo, minha filha. Mas, se precisar de alguma coisa, diga-me que terei o maior gosto em ajudá-la. Agora preciso ir. Qualquer dia voltarei para conversarmos melhor. Tenho de ir à capital resolver um processo. Procure manter a calma, pois não quero que nada de ruim aconteça a meu neto.

— Fique tranqüilo, pai; estou bem.

— Então vou indo. Não esqueça de dizer a Renato que sempre lhe serei grato por tudo que tem feito por você.

O doutor Silveira entrou no automóvel e mandou um beijo de longe para a filha. O veículo foi se afastando vagarosamente, e Elvira, ao acompanhá-lo com o olhar, pensou em quanto seu pai realmente sempre fora influenciado pela mãe.

Assim que dona Eunice voltou da casa da amiga, Elvira com entusiasmo narrou a visita que recebera à sogra. A bondosa senhora disse-lhe:

— Sempre soube que um dia eles entenderiam e voltariam atrás.

— Acredito que a senhora não esteja entendendo. Quem veio foi só meu pai; aquela mulher que se diz minha mãe quis me vender. Eu não a perdôo. Quase perdi Paulo e minha reputação foi manchada, graças à ambição desmedida daquela mercenária.

— Elvira — contemporizou Eunice —, temos aprendido que o perdão é muito importante, não apenas a quem cometeu a ofensa como a quem a sofreu. Se se perdoar, vai se sentir melhor e, ao se lembrar dela, não sentirá raiva ou rancor. Antes, sentirá pena. Você sabe que todos estamos aqui no plano terrestre em diferentes graus de evolução. O único caminho que tem é perdoar, a fim de que se livre logo dessas amarras amargas que a prendem a ela.

— Concordo, dona Eunice. No entanto, essa mulher me feriu muito. Não posso esquecer... O fato de pensar em alguém que tinha como mãe combinar uma coisa tão sórdida com aquele crápula, plano que quase destruiu minha vida, faz meu estômago revirar. Deus me deu outra mãe, que é a senhora, e dessa mãe eu não abro mão por nada — confessou Elvira, abraçando a sogra e ternamente beijando-a na face.

Eunice, olhos rasos d'água, abraçou a nora e respondeu:

— Querida, você é a mulher que meu filho ama; portanto, é minha filha também. Sinto-me lisonjeada em saber que me tem como mãe.

— Estou sendo sincera. A senhora sabe que falo a verdade.

Paulo interrompeu-as entrando na cozinha.

— Estou vendo que perco terreno no coração de minha mãe. Já não sou o único — comentou Paulo, fazendo um gracejo.

— Não seja egoísta, meu filho. Você me trouxe uma filha, e eu os amo da mesma maneira. Pode até soar falso, porém é a verdade mais pura de meu coração: você não poderia ter encontrado melhor pessoa com quem se casar.

Elvira lembrou pesarosa:

— Por que não reparei nesse carinho todo antes?

— Sempre há tempo — falou Paulo. — Ainda bem que reparou logo, assim poderá conviver com *nossa* mãe em tempo integral.

Os três riram da brincadeira de Paulo. Juntando-se, se enlaçaram num único abraço.

23

O ciúme de Paulo

O tempo não volta, dizem. Paulo não conseguia mais ser o mesmo com Elvira depois do fatídico ocorrido. Embora continuasse a tratá-la com atenção e cortesia, muitas coisas que faziam antes não tinham mais espontaneidade em fazer. Elvira se mostrava agora mais madura. Mas em seu íntimo nada mudara. Paulo continuava a amar a esposa da mesma maneira. A idéia de um dia poder ficar sem ela fazia seu peito apertar.

Certa noite, Paulo acordou sobressaltado. Como estava banhado em suor, Elvira, assustada, perguntou:

— O que aconteceu? Você quase me matou de susto!

Paulo, ainda sem poder falar, fitou a esposa e, abraçando-a, disse em tom desesperado:

— Elvira, se um dia você morrer, uma parte de mim será enterrada com você!

— Que conversa é essa, Paulo? Não vou morrer!

— Tive um sonho em que você morria na hora do parto. Por favor, diga que nunca vai me deixar.

— Meu amor, você sabe que não. Há muitas mulheres que têm filhos, e a maioria não morre no parto.

— Eu tive uma tia que morreu no parto. Não sobreviveu nem ela, nem a criança.

— Fique tranqüilo que isso não acontecerá comigo nem com nosso filho. Acalme-se e trate de dormir. Daqui a pouco você tem de levantar para trabalhar.

Paulo beijou ternamente a testa de Elvira. Colocou sua cabeça em seu peito e ficou a lhe alisar o cabelo até que ela adormeceu. Paulo, porém, insone, não conseguia parar de pensar no sonho que o deixara tão abalado.

Na manhã seguinte, trazia olheiras profundas e estava um tanto mal-humorado. Toda vez que ficava sem dormir, Paulo tinha crise de humor. Dona Eunice, conhecendo o filho, não lhe fazia perguntas nessas ocasiões a fim de não o irritar ainda mais.

Paulo tomou um café preto e rapidamente saiu para cumprir algumas obrigações. Quando Elvira levantou e contou o que tinha ocorrido durante a noite, dona Eunice falou com cumplicidade:

— Elvira, você é privilegiada por ter um marido assim, que a ama tanto. Se visse o semblante dele hoje, diria até que está doente.

— Mas como meu marido pode sofrer por algo que ainda não aconteceu?

— Preocupação, filha. Ele sempre foi assim. Às vezes temo que esse sentimento que ele nutre por você venha a prejudicá-lo.

— Não se preocupe, sogrinha querida — falou brincando a nora —, eu também o amo, e não vou fazer mais nada para prejudicar nosso Paulo. Ele é a razão de minha vida.

Os dias foram correndo, e o momento do parto chegou. Elvira gritava muito, e logo Renato mandou que Honório fosse chamar o médico na cidade. A criança estava prestes a nascer quando o médico chegou, com o auxílio de dona Eunice.

Elvira mal se continha de alegria em dar a Paulo um filho varão. O marido ficou mais feliz ainda em saber que a esposa passava bem.

Horas depois de Elvira ter dado à luz, Paulo entrou no quarto e observou a esposa amamentar o pequeno menino. Elvira, com um sorriso, perguntou:

— Que nome daremos a ele? Lembra que deixei esse detalhe por sua conta?

— É mesmo. Vamos chamá-lo de Osvaldo. Desse modo, poderemos chamá-lo de Valdo de maneira mais carinhosa — concluiu Paulo, satisfeito.

— Nome lindo — concordou Elvira. — Veja como ele é parecido com você. Tem olhos grandes e cílios compridos como os seus. As unhas parecem muito com as suas.

Paulo, todo vaidoso em saber que o filho se parecia com ele, não cabia em si de tanto contentamento.

Entretanto, conforme Valdo ia crescendo, Paulo começou a nutrir certo ciúme pela criança. Tudo que Elvira ia fazer, pensava primeiro no filho. O marido achava que estava sendo posto de lado, e esse sentimento influenciou o afeto de Paulo por Valdo. Ele gostava do menino, mas fazia questão de permanecer longe. Elvira já dava atenção demais à criança, bem como a mãe, que ficara radiante com a chegada do primeiro neto.

Com os mimos da mãe e da avó, Paulo foi ficando cada dia mais calado. Quando o menino chorava, irritado, não tinha paciência com ele.

Elvira percebera e sofria com a desatenção de Paulo com o filho. Certo dia, teve uma conversa séria com ele.

— Paulo, você nunca está presente. Acho mesmo que tem evitado nosso filho. Contudo, quando faz isso, mais do que ele, é a mim que você magoa.

— Ora, deixe de besteira. Não estou fazendo nada. Só chego cansado e quero dormir.

Elvira sabia que o marido estava dando uma desculpa.

— Paulo, amo muito você, mas, se tiver de escolher entre você ou meu filho, vou escolher Valdo, porque ele é completamente dependente de mim. Se não mudar sua postura, tenho de deixar esta casa. Prefiro um filho sem pai e feliz a um com pai e infeliz, sendo destratado. Pense nisso. Minha decisão está em suas mãos.

— Não, Elvira! Não quero que você vá embora. Você não tem idéia de como eu a amo. Valdo também é um pedaço de mim. Não deixarei que leve meu filho para longe de mim.

— Bem, se não quer que nosso filho e eu saiamos desta casa, acho melhor começar a ser um pai de verdade.

Elvira falava sério. Nos dias seguintes, Paulo se esforçou para mudar, tentando ser atencioso com o bebê e disfarçando o ciúme que sentia da esposa. Mas Elvira sabia que aquele comportamento era falso, e isso a incomodava muito.

Paulo começou a carregar a criança a partir da conversa que tivera com Elvira. Porém, ao entregá-lo à esposa para ser amamentado, pensava: "Como uma coisa tão pequenina pode chamar tanto a atenção de todos, fazendo com que minha esposa o prefira a mim... Fazer o quê? Tenho de me conformar. Ele é tanto meu filho quanto dela, e tenho de amá-lo e protegê-lo".

Eunice achava que com o tempo o ciúme de Paulo ia melhorar. Mas o próprio tempo provava que ela estava se enganando, porque o ciúme só aumentava.

Valdo era mais novo que Maria Eugênia. Como Renato estava sempre no sítio, os dois foram crescendo praticamente em companhia um do outro.

A morte de João tinha sido esquecida. Ninguém mais tocava no assunto. Renato e Caroline, tendo praticamente certeza de quem era o assassino, mas sem poder fazer nada de fato, acharam como maneira de ajudar a viúva oferecer-lhe uma casa na fazenda e dar-lhe trabalhos domésticos a cumprir para que ela ganhasse algum dinheiro para sobreviver.

Renato era pródigo com Zulmira, e a auxiliava em tudo, até mesmo na educação de seu filho.

Zulmira, apesar da falta que sentia do marido, era esforçada, e assim também rapidamente conquistou a simpatia de Caroline, que sempre a presenteava com roupas, tanto para ela quanto para o menino. Embora a casa de Zulmira fosse simples, nada lhe faltava. Todos na fazenda faziam questão de visitá-la, por isso raramente ela estava sozinha.

Juvenal, tanto quanto podia, ia ter com Renato, fingindo ser amigo do dono da fazenda. Mas Renato não fazia idéia do ódio que Juvenal nutria também por ele, uma vez que fora desprezado na ocasião do batizado de Maria Eugênia. Sempre que chegava à casa-grande, era destratado por Caroline, que lhe devotava hostilidade escancarada. Ainda assim, o rapaz continuava a visitá-los.

Juvenal tinha segundas intenções: estava interessado em Zulmira. Desde que a vira pela primeira vez, sentira um forte desejo por ela.

Certa noite, quando Zulmira saía da casa-grande, pegou um caminho mais curto que estava acostumada a percorrer para chegar mais rápido em sua casa. Seu filho ficava com sua mãe, e a pressa de encontrar o menino era grande. Tanta que sequer percebeu um vulto aguardando sua passagem. Quando se deu conta, deparou com Juvenal sob uma árvore. Com mãos fortes, ele a segurou.

— Hoje você será minha! Não sabe como tenho esperado por isso. Aquele homem não a merecia!

— Largue-me, por favor! Tenho de chegar em casa. Meu filho está com minha mãe, e estou muito preocupada.

— Você vai, mas antes será minha. Tenho tanto desejo por você que não consigo resistir.

— Se fizer algo comigo, juro que contarei ao coronel Renato

— Você não contará a ninguém, pois eu a matarei assim como matei seu marido.

Ignorando a expressão de horror de Zulmira ao ouvir aquilo, puxou-a para junto de si e deu vazão a seu instinto selvagem, enquanto a moça chorava e lhe pedia que não fizesse aquilo. Depois que seus desejos insanos estavam satisfeitos, ele a pegou pelo pescoço e a enforcou sem compaixão, só a deixando quando sentiu seu corpo completamente desfalecido. Deixou-a jogada ali, seminua, e foi embora.

Quis o destino, entretanto, que Honório estivesse por ali na hora em que Juvenal, envolto em sombras da noite, deixava a fazenda, tomando o rumo da estrada.

Renato estava jantando com a família quando dona Amália, mãe de Zulmira, foi procurá-la, uma vez que a moça não havia chegado no horário de sempre. Constatando que ela havia desaparecido, imediatamente Renato mandou chamar Honório.

Dessa maneira, iniciou-se a busca por Zulmira, que teve vários voluntários prestativos, levando lampiões e archotes. Foi Honório quem encontrou a moça, seminua e desfalecida. A impressão que o empregado teve foi de que estivesse morta.

Renato deu ordens para encaminhá-la com urgência à casa-grande e chamar doutor Júlio. O médico, após examiná-la, viu que Zulmira ainda respirava, e estava em estado de choque. Constatou também que sofrera abuso sexual; provalmente o maníaco havia pensado que ela estivesse morta quando a deixara.

O médico administrou um calmante forte para a vítima, que a faria despertar apenas no dia seguinte, e só então ela poderia dizer quem lhe causara aquela atrocidade.

Renato, com grande ansiedade, esperava que ela acordasse. Isso só aconteceu no final da tarde do dia seguinte. Ao despertar, Zulmira chorava convulsivamente. Depois de ter se acalmado um pouco, ela contou ao patrão quem havia feito aquilo com ela, e que também fora responsável pela morte de seu marido.

Renato, ao saber que Juvenal fora o responsável por aquela violência, indignou-se, ainda mais por saber que abrigara em sua casa um ser odioso como aquele.

— Serpente como esta temos de esmagar sem compaixão! — falou, irado. De toda essa raiva surgiu a idéia: mandaria os colonos espalhar a notícia de que Zulmira tinha morrido, só para não assustar o assassino e permitir que ele não fugisse.

Ao saber que Zulmira havia morrido, Juvenal sentiu alívio. Ninguém jamais iria saber que ele tinha acabado com ela e com o marido. O moço agia normalmente e continuava a visitar Renato. Sempre que o viam chegar, alguém mandava Zulmira se esconder.

Renato o tratava com deferência, chamando-o de amigo. Quando podia, ia à vila e o convidava para ir à venda, onde o embebedava, na esperança de vê-lo confessar os crimes cometidos. Juvenal, esperto como era, nem mesmo bêbado se punha a falar sobre isso. Renato, olhos estreitados, fitava o outro com ódio, mas o rapaz nem percebia. E, toda vez que Renato tentava abordar o assunto do assassinato de Zulmira, Juvenal apenas comentava que um dia o assassino apareceria. Renato concordava, mas começou a notar que Juvenal não o encarava nos olhos enquanto falava. Isso aumentou a ira do novo coronel, que o considerava mais um inseto que qualquer outra coisa.

Dias depois, Renato mandou Zaqueu, um empregado da fazenda, vigiar Juvenal. Quando ele aprontasse a próxima, tinha ordens de atirar sem piedade. Renato responderia o processo como mandante. Juvenal, apesar de ser arguto, não se deu conta de que estava sendo vigiado. Continuou levando sua vida normalmente, espoliando os incautos e tirando proveito dos que tinham uma boa soma de dinheiro. Várias pessoas na vila não gostavam de Juvenal. Ele era arrogante, e seu comportamento denotava claramente seu caráter.

Durante dias Renato não soube de nada que desabonasse Juvenal. Sem ter provas de imediato para banir o moço dali, avisou Paulo sobre o interesse que Caroline tinha notado no olhar de Juvenal quando encarava Elvira. Paulo, por sua vez, alertou a esposa para que ficasse longe de Juvenal; ele, de opinião própria, já não tinha gostado dele desde o primeiro momento em que o vira.

Aparentemente precavidos contra Juvenal, restava a insatisfação de Renato, entretanto. Ele queria dar uma lição naquele vil assassino. Numa das conversas que tinha com Paulo, tocou no assunto:

— Pretendo levar Juvenal à venda e pagar-lhe tudo que desejar. Quero embebedá-lo e depois fingirei que estou bêbado também. Em seguida, o convidarei para passearmos juntos de automóvel; levarei-o para o lado da biquinha, e lá quem vai nos esperar será Zulmira, que fingirá ser uma aparição. Quando ele a olhar, direi que não vejo nada. Depois peço a Honório que traga Zulmira de volta à fazenda. Quero ver o desespero do patife ao ver o fantasma da mulher que ele julga ter matado.

Dona Eunice comentou:

— Meu filho, para que fazer isso? Basta o que ele próprio criou para si; tudo que fez se voltará contra ele próprio. Devemos sentir pena dessa pobre criatura. Ele não sabe o que faz, mas ainda assim acumula dívidas no presente. O futuro pode não ser nada bom para ele. Portanto, desista desse plano e deixe as coisas nas mãos de Deus.

— Sinto muito, dona Eunice, mas não vou desistir. Quero dar uma lição naquele patife. Por enquanto estou sendo tolerante com ele, mas, se um dia ele fizer algo contra minha família, ou com qualquer um de vocês, eu não responderei por mim. Quero que ele vá embora, antes que eu acabe perdendo a cabeça por alguma besteira.

— Filho, a decisão é sua. Foi por isso que Deus deu a cada um de nós o livre-arbítrio. Somos donos de nossas ações.

Paulo não se furtou de dar uma sonora gargalhada ao ouvir o plano de Renato.

Numa noite enluarada, Renato saiu de casa dizendo que ia à venda. Todos em sua casa conheciam seus planos, porém Zulmira estava temerosa em ver novamente o homem que tanto a havia prejudicado. Mas o dono da fazenda era muito persuasivo, então conseguiu que ela concordasse. Finalmente, foram ao encontro de Juvenal.

Juvenal estava jogando com alguns homens na venda quando Renato chegou. Observando de longe que o amigo estava sendo desonesto no jogo, desafiou:

— Para aquele que ganhar, pagarei todas as despesas desta noite!

— Pois então você vai pagar as minhas despesas — respondeu Juvenal.

Depois de meia hora, a partida terminou. Como Juvenal estava trapaceando no jogo, realmente ganhou. E Renato lhe pagou mais e mais bebida. Sentindo-se importante por estar bebendo com o novo coronel das redondezas, gastava sem piedade o dinheiro do amigo.

Renato fingia estar bêbado, e o próprio dono da venda lhe disse:

— Acho que vocês beberam demais. Não é melhor voltarem para casa? Há salteadores nas estradas.

— Não se preocupe — comentou Renato. — Se alguém vier nos molestar, olhe o que está reservado para ele. — Renato mostrou a arma que trazia na cintura. Com um sorriso, Juvenal também mostrou a sua, todo orgulhoso.

Renato então pensou: "Foi com esta arma que ele matou o pobre do João". Fingindo entusiasmo com o que estava vendo, o novo coronel olhou para o dono da venda, e lhe contou:

— Este sim é meu amigo. Pensa como eu, e não teme o perigo!

Juvenal sentiu-se embevecido com as palavras de Renato, que em seguida o convidou para darem umas voltas a fim de curar a bebedeira. O outro aceitou e, entrando no automóvel de Renato, começou a falar sobre mulheres, assunto pelo qual Renato se interessou bastante. Ele poderia confessar algo seguindo aquele rumo de conversa. Propôs a Juvenal:

— Não estou nada bem. O que acha de irmos à biquinha para nos lavarmos um pouco? Se Caroline me vir nesse estado me colocará para fora do quarto.

— Ótima idéia! Vamos até lá. Estou precisando me refrescar um pouco também.

A biquinha, como era chamada, tinha mato dos dois lados, e no centro, bem abaixo, havia uma grande pedra onde as mulheres lavavam roupas, e um cano de onde saía uma corrente forte de água. Muitos bêbados iam à noite ao local para receber água na cabeça com o intuito de melhorar a bebedeira. Para descer lá, era necessário fazê-lo quase abaixado, uma vez que o lugar era íngreme. As samambaias raras que havia no local davam um aspecto paradisíaco, e a água era abundante.

Finalmente os dois chegaram à bica. Juvenal, homem impetuoso, foi tirando a roupa e entrando embaixo do cano, cuja água, ao cair, parecia uma descarga; Renato entrou também, mas logo colocou a roupa dizendo que estava bem. Juvenal ficou brincando na água, ébrio, quando notou uma luz de vela. Uma mulher enrolada em um lençol branco dizia-lhe em tom assustador:

— Juvenal! Juvenal! Estou aqui porque preciso acertar as contas com você!

Ao ver aquilo, o moço sentiu as pernas bambearem. Gaguejando, falou a Renato, sentado na pedra:

— Meu amigo, você está vendo o que estou vendo?

— Mas o que você está vendo, homem?

— Olhe para aquela mulher com a vela na mão!

— Que mulher? Não vejo mulher nenhuma!

— Aquela mulher que está a me chamar.

— Você está ficando louco — falou Renato, meneando a cabeça e fazendo troça de Juvenal.

— Não estou louco. O que quer comigo, espírito de outro mundo?

— Quero que saiba que vai pagar pela morte de meu marido e pela minha, abusando de mim e me deixando jogada no meio do caminho.

— Zulmira, é você? Vá para o inferno junto com seu marido. Lá é seu lugar!

— Não, não vou. Se for, você vai comigo.

Naquele momento, Renato fingiu ver e ouvir o que o pseudofantasma estava dizendo:

— Mas o que você tem a ver com a morte de Zulmira?

— Não tenho nada. Vamos embora daqui.

Zulmira apagou a luz e se escondeu entre arbustos com Honório. Com satisfação, viu quando Juvenal saiu correndo, desesperado, esquecendo todas as roupas na grande pedra. Honório riu com gosto ao ver o rapaz seguir completamente nu para a vila. Renato, que já havia se vestido, saiu correndo também.

Na vila, Renato comentou com Juvenal:

— Meu amigo, que triste situação a sua. Sem roupas, como chegará à pensão?

— Não sei. Estou com medo de fechar os olhos e ver novamente aquele espírito me culpando.

— Juvenal, o que você tem a ver com a morte de Zulmira e do marido dela?

— Nada. Juro que aquele espírito é um demônio. Acredite em mim: não tenho nada com isso.

Renato se despediu, dizendo que já era tarde e precisava voltar para casa. Deu a Juvenal um lenço de cabelo de Caroline que, "coincidentemente", achara no automóvel, para que Juvenal tapasse as partes íntimas.

No caminho para a fazenda, Renato mal conseguia dirigir, de tanto que gargalhava ao se lembrar da cena, da vergonha da nudez e de como saíra correndo o arrogante Juvenal da biquinha, todo nu.

Renato parabenizou Zulmira no dia seguinte, contando-lhe que fora uma verdadeira atriz. Dera um susto merecido em Juvenal. A moça, no entanto, quando vira o homem que a havia violentado e tentado matar de maneira tão sórdida, sentiu ímpetos de esganá-lo com as próprias mãos, e seu ódio era conhecido por todos daquela casa.

Depois do incidente, Juvenal começou a ir à igreja e confessar, a fim de ficar livre do assédio dos espíritos de outros mundos. Sabendo dessa nova conduta do rapaz, Renato achou ainda mais divertido contar a história da biquinha, rindo do amigo valentão que, na hora do aperto, mais parecia um rato. Por isso, sempre que a contava, aumentava um pouco para tornar o fato mais engraçado.

Renato e Caroline começaram a freqüentar a casa de dona Genoveva com mais freqüência. Caroline, embora não acreditasse muito nos ensinamentos dos livros espíritas que a boa mulher transmitia, se sentia muito bem ao lado da dona da casa.

Em certa visita, Caroline resolveu ser franca com a bondosa senhora. Confessou-lhe que não conseguia acreditar que os seres humanos pudessem viver mais de uma vez na terra. Com simplicidade, questionou:

— Dona Genoveva, como pode o homem ter vivido mais de uma vez na terra se ele não se lembra do passado? Que proveito teríamos nós com esse fato, se ficamos alienados em relação ao que passou?

Dona Genoveva fitou fixamente os olhos da moça. Gostava de pessoas sinceras assim. Ela freqüentava sua casa havia algum tempo, mas nunca tivera coragem de dizer o que realmente pensava. De modo simpático, a boa mulher começou a explicar:

— Bom, minha filha, o conhecimento da reencarnação é muito antigo. O próprio Sócrates, o filósofo, mostrava que sabia um pouco sobre essa lei justa de Deus. Mas esse conceito não é novo. Nos primórdios da Igreja Católica, essa lei já era aceita, embora tivesse mudado no Segundo Concílio de Constantinopla. Foi nosso divino mestre Jesus quem mais deu alusão a ela. Isso está descrito no Evangelho de São Mateus, capítulo dezessete, versículos dez a treze. É uma lei justa. Todos temos de passar pelas diversas situações que um espírito precisa a fim de progredir espiritualmente. Sendo assim, todos os espíritos experimentam a opulência, a pobreza, a doença, e assim por diante. Não seria justo por parte de Deus que o espírito só conhecesse um lado da moeda, não é mesmo? Para sabermos o que é ser rico, devemos passar por essa experiência; assim também acontece com a pobreza.

— Mas para que serve o esquecimento do passado?

— Para um espírito que ainda está na infância espiritual, é muito fácil cometer determinadas atrocidades, como assassinato, roubo, desvios morais, enfim, toda sorte de ilusões — explicou dona Genoveva. — Mas, quando esse espírito volta à pátria espiritual, dependendo de seu estado, logo lhe vêm lembranças de outras vidas, e não é incomum um espírito nutrir sentimento de culpa. Entretanto, Deus, em sua infinita bondade e misericórdia, permite que o espírito volte à Terra e recomece, dando-lhe a chance do esquecimento, com a probabilidade de fazer tudo diferente. Já imaginou se, em outra vida, você se lembrasse que foi algoz de seu filho? Como você se sentiria?

— Muito mal — balbuciou Caroline, interessada na conversa e na resposta convincente de dona Genoveva.

— Pois é... o esquecimento do passado é uma dádiva divina, que nos dá a chance do recomeço. Lembre-se, Caroline, que a cada existência na Terra há uma prova diferente, um aprendizado novo.

O esquecimento nos faz recomeçar, com a ajuda de Deus, e consertar alguns erros do passado.

— Mas, se nós não conhecemos os erros do passado, como poderemos corrigi-los?

— Filha, a vida é justa e todos nós sabemos que existe a lei de causa e efeito. Por que acha que existem muitos que nascem mutilados, outros que nascem com problemas mentais, ou as diferenças sociais?

— Pelo que a senhora está explicando, refere-se aos fatos do passado.

— Justamente. Sendo assim, a pessoa pode resgatar débitos antigos. A explicação para o nascimento de uma criança sem braços, ou débil, está toda no pretérito daquele espírito encarnado.

— Dona Genoveva, isso que me conta é fantástico! Sempre achei a vida injusta quando reflito a respeito de uns terem tanto, e outros nada. Se tomarmos o que me diz como base, nada fica ao acaso.

Renato nada dizia, mas estava feliz em ver a esposa começando a acreditar na doutrina que dona Genoveva pregava, e que em tudo tinha um real sentido.

— Mas por que insistimos em fazer o mal? — perguntou Caroline, querendo entender.

— Filha, o bem se distingue do mal assim: tudo que estiver de acordo com a lei de Deus é o bem; o mal é tudo que dela se afasta. Assim, fazer o bem é se conformar com a lei de Deus, e fazer o mal é infringir a lei, o que mais cedo ou mais tarde trará conseqüências. Por isso, devemos procurar fazer o bem, ajudar a todos, porque sabemos que fora da caridade não há salvação, e que seremos ricamente abençoados por Deus pelo bem praticado. Nunca julgue ou condene alguém que estiver no erro. Devemos pensar é em como auxiliar a pessoa e reerguê-la moralmente.

— Se todos pensassem assim, o mundo seria diferente e nós não veríamos tantas coisas erradas — completou Caroline.

— Cada coisa a seu tempo — refletiu dona Veva. — No momento vivemos assim, mas um dia será diferente. O homem colocará em prática os ensinamentos de Jesus e praticará o amor em todas as modalidades.

Renato voltou a falar:

— É por isso que gosto de vir aqui. Além de aprender, me sinto tão bem ao lado da senhora que às vezes chego a pensar que só aqui existe paz.

— Filho, para sermos felizes em um mundo turbulento é necessário que nos aproximemos de Deus e pratiquemos o evangelho de Jesus. Tenha certeza de que, ao fazer isso, atrairá amigos para si amigos da mais alta escol, que o ajudarão a ter serenidade nos momentos difíceis.

Mudando totalmente de assunto ao olhar para o fogão de dona Genoveva, Renato, com seu jeito brincalhão, repreendeu a dona da casa:

— Já faz mais de hora que estamos aqui, e a senhora ainda não nos serviu nenhum cafezinho.

— O que não falta é café nesta casa — respondeu a bondosa senhora, rindo. — Ainda tenho uma novidade: pus uns pães caseiros no forno de barro para assar. Devem estar prontos.

Caroline corou com a petulância do marido, o que aumentou a vontade de rir da dona da casa.

Após tomarem café, resolveram se retirar. Iriam ainda fazer uma visita a Paulo.

Acharam-no rachando lenha. O sol estava se pondo.

— Se vai queimar, por que rachar? — perguntou Renato, antes mesmo de cumprimentar o amigo. — Coloque essas toras no fogo, assim evitará todo esse trabalho.

— Não diga besteiras, amigo — saudou Paulo, rindo. — Quando cortamos a madeira, ela rende muito mais e também é mais fácil de pegar fogo.

— Só estava brincando um pouco.
— De onde vocês vêm? — perguntou Paulo.
— Estava às voltas com dona Genoveva. Conversamos bastante. Caroline não acreditava nos ensinamentos de Kardec, mas, depois do que dona Genoveva falou, acho que ela vai começar a mudar de idéia.
— Que bom. Desde que começamos a tomar contato com a doutrina kardecista, nossa vida mudou, e para melhor. Elvira hoje vê em minha mãe aquela com que sempre sonhou. E, se não fosse esse bendito conhecimento, quando aconteceu toda aquela tragédia comigo e com Elvira, acredito que teria dado fim à minha vida.
— Minha vida também mudou muito — concordou Renato.
— Sem dizer que dona Genoveva é uma pessoa espontânea, que faz as coisas de coração.

Neste momento Elvira chamou Renato e Paulo para tomarem café na cozinha. Caroline estava sentada ao redor da mesa, e a conversa das três mulheres era bastante agradável. O casal ficou por mais um tempo, até que se despediram. Caroline estava preocupada com Maria Eugênia, que ficara aos cuidados da babá.

Com enorme surpresa, contudo, um grito vindo do quarto de Paulo assustou todos os presentes. Valdo estava ali brincando no berço que Renato dera de presente. Correndo, Paulo e Elvira chegaram ao quarto e encontraram uma cobra enrolada, pronta para dor o bote, ainda no chão. Em desespero, Paulo pegou uma foice que estava por perto e matou a cobra que assustara a criança.

O susto fez Elvira desmaiar. Dona Eunice não sabia se socorria o neto ou a nora.

Renato pegou Elvira nos braços e tentava revivê-la. Enquanto isso, a avó pegou Valdo para que o menino se acalmasse.

Ao voltar a si, Elvira proferiu veementemente:
— Aqui não fico mais nem um minuto. Como posso ficar sossegada ao deixar meu filho no berço e saber que a qualquer momento ele poderá ser picado por uma cobra?

— Não exagere, Elvira — falou Paulo. — No tempo em que esteve aqui, quando foi que viu uma cobra? A última vez que eu próprio vi uma foi quando meu pai ainda era vivo.

— Paulo, não quero mais conversar sobre isso — respondeu Elvira com firmeza. — Pode tratar de alugar uma casa na vila. Aqui não fico nem mais um segundo.

— Elvira, entenda, como alugarei uma casa na vila, se não tenho meios para isso?

— O problema é seu. Eu não fico mais aqui. E, quando mudarmos, dona Eunice irá conosco.

A bondosa senhora se manifestou:

— Filha, se se mudarem daqui, sentirei muito, mas eu não vou não. Vivo aqui há mais de quarenta anos e quero morrer nesta casa, onde sempre fui feliz.

— Mas, dona Eunice, se está começando a aparecer cobra por aqui, a senhora sabe o quanto se torna perigoso viver onde só tem mato?

— Nunca fui picada por cobra, filha — respondeu dona Eunice. — Quanto ao pequeno Valdo, ele também não. Chegamos a tempo. Será que você não está exagerando um pouco?

Paulo, vendo o desespero no semblante de Elvira, tentou contemporizar:

— Não se preocupe, querida. Amanhã mesmo faço uma limpeza no terreno. Se houver algum ninho de cobra por aqui, acabarei com ele. Portanto, não vai ser necessário mudarmos para a vila. E, como já lhe disse, não tenho dinheiro para pagar o aluguel.

Renato e Caroline perceberam que aquele era o momento de se retirar. A família tinha coisas íntimas para acertar depois daquele fato, por isso se despediram rapidamente.

Vendo-os se afastar, Elvira retomou o assunto:

— Querido, não se preocupe com o dinheiro. Posso trabalhar para ajudá-lo. Se for preciso, lavo roupas para fora para auxiliá-lo com a renda.

— Você está sendo muito intransigente, por isso me obriga a dizer o real motivo de não querer morar na vila: Manoel, quando esteve aqui, fez questão de contar para todos na venda o que houve entre vocês. Renato precisou expulsá-lo para a capital a fim de que se calasse. Tentou, ao fazê-lo, abafar o caso. Mas o fato é que alguns não acreditaram na versão de Renato, e ainda comentam o assunto.

Elvira ficou com os olhos marejados de lágrimas ao ouvir aquilo. Ignorava que tal se dera. A raiva pelo ex-amante aumentou sobremaneira. Se pudesse, o esmagaria com as próprias mãos.

— Paulo, diga que não é verdade. Se for, nunca mais irei à vila. Conheço a maledicência daquela gente, e não quero ser alvo de conversa.

— Sinto muito, Elvira, mas é a pura verdade. Lembra daquele dia que apanhei de Manoel em frente da casa de sua mãe? Foi por esse motivo. Fui tirar satisfações com ele. Após ouvir grandes desaforos de sua mãe, Manoel me surrou. Fez isso só porque me encontrava bêbado. Se estive são, queria ver aquele patife encostar um dedo sequer em mim...

Elvira, que desconhecia o ocorrido, conscientizou-se do quanto Paulo havia sido humilhado por sua causa. A raiva que nutria pelo ex-amante cristalizou-se naquele momento em um ódio ferrenho. Ela jurou que um dia se vingaria dele.

Elvira correu ao quarto e chorou amargamente. Fora usada por um canalha, e o pior era que ela havia sido traída pela própria mãe! Dona Clotilde preferia vê-la como amante de um homem rico a tê-la casada decentemente com Paulo.

Paulo foi ter com Elvira. Sabia o desgosto que devia estar passando com aquelas revelações. Sentiu-se apiedado e, sentando a seu lado na cama, começou a dizer:

— Querida, não quis magoá-la. Fiz o que pude para esconder isso de você, mas, como insistia em ir à vila, fui obrigado a lhe contar. Vamos esquecer essa história de mudarmos para lá. Sei que se aborrecerá com as mulheres faladeiras daquele lugar.

— Entendo, amor. Quanto a Manoel, é verdade que nunca o amei, mas agora o odeio. Juro, perante Deus, que jamais vou lhe causar mais aborrecimentos. Serei sempre fiel a você, ainda que me custe a vida.

Paulo, sentindo-se emocionado com a declaração da esposa, percebeu seu amor aumentar dentro do peito. Tomou seu rosto nas mãos e, com carinho, beijou-lhe os lábios.

— Elvira, meu bem, sei que se arrependeu e jamais fará isso novamente. Eu a perdôo de coração; por isso, esse assunto nesta casa, a partir de hoje, está proibido.

— Paulo, amo você como nunca imaginei amar alguém. Vou amá-lo assim mesmo depois de morta.

— Também te amo!

Após a conversa, Elvira mudou de idéia e nunca mais falou em se mudar para a vila. Entretanto, com o passar dos dias, Elvira já não era mais a mesma. Seu olhar jazia perdido, e sua fisionomia era a expressão da mais pura tristeza. Paulo fazia de tudo para animá-la, mas Elvira estava alheia aos acontecimentos. Quando Valdo fazia algum gracejo, ela sequer notava.

Dona Eunice estava muito preocupada com aquela situação. Por isso, tentava compensar o neto com mais agrados. O alheamento de Elvira denotava que ela estava presa a um sentimento destrutivo, o que atualmente tem o nome de depressão.

Ao se lembrar de Manoel, a moça sentia o coração se oprimir. Os sentimentos de desprezo em relação a ele eram tão fortes e tão vingativos que formulava em sua mente planos de aniquilar com ele lentamente.

Seu casamento já não era mais o mesmo fazia tempo. A paixão dos primeiros tempos tinha ido embora, e Elvira vivia arrumando desculpas para não estar a sós com o marido. Paulo estava se cansando daquela situação. Ele fora obrigado a lhe dizer o que acontecera com sua reputação na vila; não podia esconder o fato por mais tempo.

Certo dia, Paulo conversava com Renato, e aproveitou para desabafar com o amigo:

— Você sabe o quanto amo Elvira, não é, Renato? Mas depois que lhe contei sobre o que se passou com Manoel, e os comentários que fez a respeito de sua reputação na vila, ela não é mais a mesma. Está sempre com os pensamentos envoltos no passado, e nem para mim ela dá mais atenção. Se fosse só comigo, eu entenderia, mas ela não se importa mais nem com Valdo. Não sei o que fazer.

— Paulo, ela era uma jovem cuja família era muito respeitada na vila; gozava de reputação boa. Não é fácil para ela ter de agüentar tudo isso, ainda mais ouvindo da boca do próprio marido. Acredito que, nesse caso, a melhor solução é ter paciência. Pense em como ela deve estar sofrendo e procure ajudá-la. Ela nunca precisou tanto de você como agora. Seja não só paciente, mas também altruísta. Deixe o seu sentimento de fora; só assim compreenderá a amargura que vai no coração de Elvira.

— Você tem razão, Renato. Ultimamente só penso em mim, no quanto *eu* estou infeliz com isso. Preciso mudar meu tratamento com Elvira e mostrar-lhe que, além de marido, sou também seu amigo.

— Se fizer isso, será mais que apenas um amigo; será o ponto de apoio que ela precisa.

Depois da conversa, Paulo começou a pensar mais em Elvira. Toda vez que a via com os olhos compungidos, dizia-lhe meigamente:

— Amor, quando eu lhe contei o que ocorria, acredite, não o fiz para feri-la, e sim para poupá-la de maiores aborrecimentos.

— Eu sei, Paulo. Não o acuso de nada. Apenas tenho vontade de ficar só e refletir sobre o erro que cometi ao me deixar levar por um canalha como Manoel, e pensar também na raiva que sinto de minha mãe por ter contribuído com minha desgraça.

— Esqueça isso! Procuremos ser felizes, como sempre fomos. Esqueçamos o que passou. Eu continuo a amá-la como sempre. Acho que tudo isso aconteceu porque tínhamos algo a aprender com os fatos, e posso garantir que aprendemos, embora a duras penas.

— Aprender o que, Paulo? Essa desdita que tive foi apenas dor e sofrimento.

— Meu bem, se não aprendemos pelo amor, o fazemos pela dor. Infelizmente, você escolheu o pior caminho. Mas estarei aqui para apoiá-la no que for preciso.

Elvira sentiu o quanto o marido a amava. Fitando-o ternamente, respondeu:

— Sei que o magoei muito, mas jamais amei outro homem que não fosse você.

Paulo, tomado por carinho e amor, envolveu a esposa em um forte abraço.

O amor ia, pouco a pouco, quebrando as barreiras necessárias, e traçando novos rumos.

24

A vingança de Juvenal

As coisas na casa de Paulo e Renato caminhavam relativamente bem.

Juvenal foi à fazenda de Renato certo dia, pretextando estar com saudade do amigo. Renato tentou arranjar uma desculpa para não deixar que o amigo entrasse, mas, diante de tanta insistência, o dono da propriedade concordou em irem juntos fazer uma visita a Paulo.

Paulo não gostou nada de ter Juvenal em sua casa. Só concordou por respeito a Renato, e por isso tentou ser cortês. Elvira, entretanto, assim que viu o rapaz se aproximando do casebre, correu ao quarto para não ter de agüentar a presença de Juvenal. Ela sabia que ele não tinha bom caráter.

O forasteiro ficou todo o tempo olhando para os lados a fim de ver se conseguia avistar Elvira. Como não a viu, arguto, também nada comentou para não levantar suspeitas.

Logo despediu-se, e prometeu voltar outra hora.

Elvira tinha consciência do que Juvenal realmente queria, e ficou brava com o marido por recebê-lo, uma vez que havia deixado bem claro que não gostava dele. A presença de Juvenal lhe fazia mal. Paulo concordou com a esposa, mas explicou-lhe que não podia fazer tamanha desfeita a Renato, que era seu único amigo. O casal conversou mais um tanto, quando Elvira resolveu contar ao marido uma novidade:

— Amor, acho que teremos uma surpresa nesta casa muito em breve. Suspeito que esteja esperando um outro filho.

Paulo sentiu um aperto no coração ao ouvir a notícia, mas disfarçou uma alegria que estava longe de sentir. Sabia que, com a chegada de um novo bebê, a esposa passaria a lhe dispensar todas as atenções, e ele ficaria novamente em segundo plano.

— Que bom! — Tentou aparentar felicidade. — Tomara que venha uma menina. Se assim for, a chamaremos de Manuela.

— Manuela não! Não suporto esse nome.

— Desculpe, Elvira. É que sempre achei Manuela um nome muito bonito.

— Se não se importar, queria chamá-la de Ana Maria. Era o nome de uma professora de quem gostava muito no colégio.

— E se for menino, que nome dará? — perguntou Paulo.

— Se for menino, você pode escolher o nome. Sei que terá bom gosto nesse caso.

Paulo, sorrindo para a esposa, colocou-se a pensar. Finalmente decidiu:

— Se for menino, eu o chamarei de Pedro. Meu avô se chamava assim. Quando me lembro dele, sinto muitas saudades. Ele era tão bom quanto minha mãe.

— Está bem — concordou Elvira. — Fica decidido. Por enquanto, deixemos esse assunto de lado. Só saberemos qual nome dar na hora do nascimento, não é mesmo?

Paulo beijou a testa da esposa e foi ter com a mãe a fim de anunciar a notícia. Dona Eunice, entretanto, já sabia, e não cabia em si de tanta felicidade. Agora tinha certeza de que o temporal que se abatera sobre sua casa nos últimos tempos havia se dissipado de vez, e que novamente a paz retornaria a seu lar.

Ao entardecer, Renato passou pelo casebre. Era seu costume aparecer todos os dias nesse mesmo horário, e agora ia sempre acompanhado da esposa.

Naquele dia soube da notícia, e se prontificou a ser também o padrinho da criança por nascer. Decidiu que deixaria uma soma de dinheiro para seus dois afilhados.

Paulo, como sempre fora muito calado, concordava quase todas as vezes com o amigo. Na verdade, ele não tinha coragem de dizer não a Renato, alguém que muito o auxiliara na vida. Era-lhe muito grato.

Renato decidiu ir sozinho à venda de seu Elias após a visita à casa de Paulo para tomar um aperitivo e conversar um pouco com os freqüentadores do lugar.

Ao chegar, encontrou com Olavo, que estava do lado de fora do balcão tomando uma dose de cachaça. Renato, como era muito conhecido, logo travou conversa agradável com o outro. Vários homens se juntaram aos dois, e a conversa tomou o rumo da política.

Renato começou o assunto:

— Foi uma pena Rodrigues Alves ser reeleito. Infelizmente, ele faleceu antes mesmo de tomar posse. Agora temos Delfim Moreira, que assumiu o poder e fez nova eleição, tendo como candidatos Epitácio Pessoa e Rui Barbosa. Mas no governo de Epitácio Pessoa muitas coisas foram construídas: vias férreas e obras contra a seca do Nordeste. Talvez nada aconteça por acaso; se Rodrigues Alves não tivesse morrido em janeiro de 1919, talvez essas melhorias não tivessem acontecido.

Juvenal, que entrara na venda naquele momento, aproximou-se de Renato. Com olhos maliciosos, pediu uma dose de cachaça ao dono da venda, e dissimulando alegria falou a Renato:

— Vejo que o amigo está interessado em política. Isso muito me surpreende, pois nunca o vi falar sobre política dessa maneira.

Renato, sem ignorar a nota de falsidade que registrou no comentário do amigo, apenas comentou:

— Há muitas coisas que não conhece a meu respeito, Juvenal. Fique mais um pouco para me conhecer melhor.

Juvenal, olhando para o balcão, sussurrou:

— Sei o que você conhece muito bem: mulheres casadas.

— O que você está tentando dizer? — retrucou Renato, com a voz alterada.

— Estava tentando dizer que o amigo conhece muitas coisas porque viveu na capital durante grande tempo.

Renato, já um pouco irritado, não quis esticar o assunto. Sabia que Juvenal tentara dizer algo, mas voltara atrás. Ignorou o comentário, portanto, e continuou a falar, mandando uma mensagem velada a Juvenal:

— O amigo sabia que a esposa de meu compadre Paulo está novamente grávida?

Juvenal, boquiaberto, meneou a cabeça. Em tom jocoso, perguntou:

— Mas é o pai desta vez?

Renato, esquecendo completamente que estava em estabelecimento público, pegou Juvenal pelo pescoço e o jogou sobre o balcão. Embora o novo coronel estivesse bêbado, ainda assim conseguiria surrar Juvenal, se quisesse.

— Tome cuidado com o que fala — ameaçou ele. — Nesta vila, só fica quem eu quero. Se achar que você não é mais bem-vindo, o tirarei daqui a pontapés.

— Você não pode fazer isso! Embora seja rico, não é dono absoluto de tudo. Ficarei enquanto achar conveniente.

— Se fosse você, não contaria com isso. Eu sou o coronel destas paragens, e você é um joão-ninguém, que muitas vezes dependeu de meu dinheiro até para beber e comer. Não admito que fale assim de meus compadres, e isso serve para todos aqui. Se algum dia ouvir comentários maledicentes sobre minha comadre, Elvira, farei a mesma ameaça que faço agora com Juvenal. Não duvidem; influência é o que não me falta.

Todos se calaram, e Juvenal resolveu voltar rapidamente à pensão. Seu ódio por Renato aumentara vertiginosamente.

Na venda, os homens ficaram ao lado de Renato, principalmente porque na vila sua vontade era lei. Quem ousaria se indispor contra ele? As pessoas sabiam que os prejuízos seriam enormes caso ele fosse contrariado, porque a maioria dependia do trabalho que Renato oferecia para que eles sobrevivessem.

Renato, vendo Juvenal se afastar, falou ao dono da venda:

— Faça as contas dos prejuízos que lhe pagarei. Não sou homem de ficar devendo. Se alguém aqui ficou do lado dele é só dizer; enfrento já o maldito que quiser me contrariar.

Os homens da venda ficaram mudos. Até mesmo Olavo. Intimamente, pensou que Juvenal fora imprudente em tentar enfrentar assim Renato. Além do mais, os homens ali haviam gostado da atitude de Renato porque não suportavam a empáfia de Juvenal, que tratava todos como se fossem caipiras ignorantes.

Após uma hora de conversa na venda, Olavo comentou com Renato:

— Amigo, gostei de o amigo ter botado para correr daqui aquele sujeitinho. Na vila ninguém gosta dele. Dizem mesmo que foi ele quem matou João. Infelizmente, ninguém tem provas.

— Fique tranquilo que o dele está guardado. Sei que ele anda com os olhos espichados em cima de minha comadre Elvira. Mas, se ele se meter com ela, a briga não vai ser com Paulo. Antes, será comigo, pois eu os estimo como se fossem da minha própria família.

Olavo, sem jeito, confidenciou:

— Bem, se é assim, devo lhe contar algo que ouvi aqui há duas semanas. Antes, porém, jure que não falará a ninguém que fui eu quem lhe contou a história.

— Fale de uma vez, homem. Este seu pavor me deixa nervoso. Não sou fofoqueiro. Sei quando devo falar e quando devo ficar calado.

— Pois bem — começou Olavo —, quinta-feira retrasada eu estava aqui com o Cícero quando chegou aqui o sujeitinho metido. Ele disse que precisava arranjar urgentemente uma mulher, porque não era homem de ficar sem mulher. Até aí, todos riram e acharam divertido. Porém, de repente ele olhou para os litros na prateleira e disse como se estivesse falando consigo: "Aquele ignorante não vai ficar com a melhor parte do bolo. Eu também preciso experimentar". Jurandir, que estava ao lado, em sua simplicidade perguntou: "Sobre o que está falando?". Mas o sujeito não respondeu nada. Ficou na venda bebendo até mal conseguir se sustentar nas pernas. Depois disso, acho que criou coragem e confessou que o bolo que desejava experimentar era Elvira. Falou que ela era uma mundana que se fazia de santa, mas que na verdade era mulher de todo mundo.

— Desgraçado! É isso que ele anda fazendo por aqui, então? Destruindo a reputação de minha comadre, dizendo que ela é mulher de todos!

— Ainda tem mais — continuou Olavo. — Ele mencionou que o outro não ficou com ela porque ele não a quis, pois a usou até cansar. Falou que se o marido não se importou com o outro, também não vai se importar com ele.

Renato, tomado de ira, esbravejou:

— Isso não fica assim. Já lhe passei um corretivo, mas agora vou ter de mandá-lo embora mesmo. Jamais vou permitir que ele exponha meu amigo, praticamente meu irmão, ao ridículo como vem fazendo. Elvira não é nem nunca foi tal tipo de mulher. A tal traição não aconteceu. Manoel se apaixonou por ela, mas ela nunca o aceitou, por isso ele espalhou esse boato. Quanto a esse cafajeste, sei o que fazer com ele.

Renato não havia achado outra maneira de contornar a situação. Desde que soubera do ocorrido, vinha tentando espalhar esse boato que, embora fosse mentira, tinha o intuito de amenizar a horrenda condição em que a reputação da comadre e amiga se encontrava.

— Por favor, não diga que lhe contei. Disseram que ele é perigoso... Não posso me meter em encrenca; tenho cinco filhos para criar.

— Não se preocupe. Vou manter seu nome em sigilo. Mas aquele ordinário me paga. Ele vai ver só!

Renato, saindo da venda, foi imediatamente à pensão onde Juvenal estava hospedado. Ao entrar, pediu a Amadeu, o hospedeiro, que chamasse Juvenal. Ele precisava ter uma conversa com o moço, de homem para homem.

Amadeu, amedrontado, obedeceu prontamente às ordens de Renato. Voltou trazendo consigo Juvenal, que ainda tinha algumas marcas dos apertões no pescoço que Renato lhe dera na venda.

Sem rodeios, o novo coronel começou a gritar:

— Ouça bem, seu cretino: você não tem mais nada a fazer aqui. Embarque no trem rumo à capital amanhã, ao meio-dia. Não quero ver mais sua cara aqui nas redondezas.

— Não vou embora — disse Juvenal, de modo desafiador. — Tenho negócios aqui, e você não manda na vila. Pelo que sei, o único lugar do qual é dono é a sua fazenda, e olhe lá... Está tão largada, que para mim parece não ter dono.

— Muito bem. Se quer ficar, então fique. Mas estou atento a tudo que está fazendo. Se arrumar mais alguma encrenca, se verá comigo. Não tente me enganar, porque tenho fontes seguras que me informam o que você faz diariamente. Se continuar aqui, talvez venha a se arrepender.

— Sei que é o homem mais rico da região, mas não tenho medo de você. Se eu tiver de dar fim a alguém, pode muito bem ser em você.

— O que você está dizendo, patife? Trata-se de uma ameça?

— Encare como quiser. Sou um homem, e um homem não foge da raia.

Renato, sem conseguir se conter, pegou Juvenal pelo pescoço novamente, e desta vez o esbofeteou tanto, que o dono da pensão teve de se interpor.

Largando Juvenal caído ao chão, Renato se virou para Amadeu.

— Desculpe-me — falou com voz entrecortada, cansado da briga. — Não queria fazer isso. Acho melhor, contudo, você não hospedar mais esse cafajeste num lugar familiar como este. Vou reembolsá-lo quanto aos danos, fique tranqüilo.

O dono da pensão nada retrucou. Embora Renato tivesse quebrado alguns móveis, ele havia gostado da atitude do coronel. Juvenal não era bem querido por ninguém na vila, e seus hóspedes tinham verdadeira repulsa por ele. Além do mais, Juvenal era tido, e temido, como um homem perigoso, uma vez que a suspeita do assassinato de João, e da suposta morte de Zulmira, pairava sobre ele.

Juvenal, ainda no chão, pensou rancorosamente: "Ninguém faz isso com Juvenal Machado Cordeiro. Tenho de arranjar um jeito de me vingar desse almofadinha. Ele vai ver que comigo não se brinca". Com esses pensamentos, levantou-se do chão sem perceber os vultos escuros que lhe diziam ao ouvido: "Isso mesmo! Não deixe barato o que aquele riquinho fez com você. Olhe para o seu rosto, todo deformado de tanto apanhar! Como sairá pela vila sem que alguém comente o que lhe aconteceu? Acho bom ir às escondidas à fazenda daquele sujeito metido e forçar a esposa dele a se deitar com você.

Não há maior humilhação para um homem do que ver a própria mulher envolvida em uma situação dessas".

Juvenal, embora desconhecesse conscientemente o que ocorria, registrou a sugestão, e por sua mente passou a idéia de estuprar a esposa de Renato. Sabia que seria perigoso, porque, para Renato, o coronel da região, seria muito fácil arranjar vários homens para acabar com sua vida, talvez em plena vila, publicamente. Refletindo mais, continuou a elaborar sua vingança, até que consegui chegar a uma conclusão: "Já sei o que farei! Prefiro mexer com a mulher de Paulo. Vou esperar que Elvira tenha o segundo filho, sem arranjar nenhuma confusão. Espero um tempo, depois mato seus filhos, depois o marido. Sozinha, ela com certeza vai precisar de alguém que a sustente. Assim, posso transformá-la em minha amante. Eu a levarei para a capital, e a obrigarei a se deitar com outros para ganhar algum dinheiro. Com o tempo, posso arranjar mais moças, alugo uma casa e coloco um bordel em funcionamento. Só assim vou poder ser um homem rico. Homem que é homem de verdade não pensa duas vezes em gastar altas somas com os prazeres da carne".

Tomando posse desses insanos pensamentos, Juvenal sorria sinistramente, sem perceber as entidades satisfeitas que acompanhavam seu processo mental.

Desde aquele dia, Juvenal pouco saía do quarto da pensão. Queria que os hematomas sumissem a fim de que pudesse retornar a seu modo de vida anterior.

A vingança estava planejada. Era só aguardar o momento certo.

Após alguns meses, nasceu o segundo filho de Paulo, que recebeu o nome de Pedro Marins Mattos. Renato e Caroline batizaram a criança.

Embora Elvira fosse toda carinhosa e cheia de cuidados com o bebê, daquela vez Paulo não implicou tanto com a vinda da criança. O coração de Paulo havia se transformado, uma vez que Valdo vivia atrás do pai porque o adorava. Paulo agradecia a Deus pelos rebentos que tinha.

Renato não tivera mais filhos com Caroline depois de Maria Eugênia.

Quando Pedro nasceu, Valdo contava com quase dois anos, e era só carinho com o pequenino. Desde bebê Valdo freqüentava a casa de dona Genoveva com eles, e a boa mulher lhe contava historinhas sobre Jesus de maneira simples. Quando chegava no episódio da morte de Jesus, o menino sempre chorava dizendo que, se ele estivesse próximo de Jesus, não permitiria que ele morresse daquela maneira. Paulo sorria, cheio de ternura, ao perceber como o coração do menino era bom. Com o tempo, ele voltou a ser o homem alegre de antes. Elvira, entretanto, tornara-se mais calada, taciturna.

Nas noites de verão, Paulo acendia uma fogueira e pedia que todos se sentassem ao redor dela. Então pegava o violão e cantava belas canções. Além de tocar muito bem, também cantava de maneira melodiosa e suave. Havia uma canção que entoava fitando o rosto de Elvira:

Morena, seus olhos
desde a primeira vez que os vi,
encheram meu coração,
de maneira que nunca senti.
Você é minha,
e disso ninguém pode duvidar,
pois, quando a tenho em meus braços,
sinto que sou realmente seu,
e completamente seu!

Elvira, ao ouvir a canção, não conseguia esconder o quanto amava o marido.

Quem gostava daqueles momentos era dona Eunice. Sabia que o filho era muito feliz ao lado da esposa que tinha escolhido.

Renato raramente estava nessas ocasiões. Contudo, quando o fazia, sempre pedia a Paulo que cantasse uma velha canção, da qual gostava muito.

Já fui alegre e contente, e hoje não sou mais ninguém;
já fui consolo dos tristes, e hoje sou triste também.
Até a alma chora, e o coração reclama,
por não poder viver juntos dois corações que se amam.

Paulo cantava, mas em seu íntimo não gostava daquela canção. Ele a achava muito triste, e não se sentia assim. Estava feliz. Com o aumento da família, ele tinha visto como era bom ter uma família e filhos, diferentemente do que dizia a canção.

Juvenal, por sua vez, continuou morando na pensão. Havia meses que pagava; havia meses que não. Embora seu Amadeu tivesse medo, sempre cobrava. Às vezes, Juvenal, a fim de se exibir, pagava adiantado.

Renato, quando ia à vila, procurava não encontrar com Juvenal. A presença dele fazia mal ao coronel, uma vez que ele fora o responsável por ter trazido até ali aquele mau elemento.

O tempo passou e Valdo contava com seis anos. Pedrinho, como era chamado, tinha quatro. Os meninos perguntavam pela avó materna, mas Elvira dizia que ela não gostava da mãe, mas que o avô Silveira era um bom homem.

Doutor Silveira, desde que os meninos tinham nascido, ia sempre à casa de Paulo, onde era bem recebido, tanto pelo genro como por dona Eunice. Sendo assim, as visitas começaram a ser constantes. Silveira esquecia completamente o passado quando ao lado dos netos. Muitas vezes chegou a lhes oferecer uma vivenda que comprara na vila, alegando que queria ficar mais perto dos netos. Paulo educadamente recusava, dizendo que a família se sentia feliz no sítio, e que gostavam da simplicidade da vida no campo. O avô levava roupas, sapatos, doces e muitas outras coisas nas visitas que fazia, e os meninos se acostumaram a chamá-lo de "vozinho".

Dona Eunice perguntava por dona Clotilde, e com os olhos baixos ele respondia:

— Hoje vejo como fui fraco. Deixei que Clotilde tomasse conta de tudo, e ela programava festas suntuosas quando, na verdade, não tínhamos mais condições de arcar com aquilo. Mas eu fechava os olhos. Contudo, o fato de ter prejudicado minha filha a tornou, a meus olhos, uma verdadeira estranha. Ela sabe que venho visitar minha filha e meus netos; porém, quando comento algo com ela, ela diz não conhecer nenhuma Elvira, e muito menos reconhecer o fato de que tem netos. Com isso, minha repulsa por ela aumenta. Mal conversamos. Graças a Deus, muitas das dívidas que contraí consegui saldar. Não jogo mais, e tudo que faço hoje é pensar em vocês. Dona Eunice, eu lhe sou muito grato por ter feito de minha filha a sua própria. Fazer tanto por ela é mais que ter feito por mim. Sei que a senhora me entende.

Dona Eunice balançou a cabeça, em sinal de anuência. Gostava da sinceridade daquele homem, e ficava feliz em ver a alegria das crianças quando viam o avô chegar. Ela sempre o tratava com respeito e cortesia.

Às vezes, Paulo esperava que Elvira se deitasse. Lentamente, pegava o violão, que já havia deixado na cozinha, e chamava os meninos. Então iam os três, pé ante pé, juntos, cantar na janela para Elvira, que ora se emocionava, ora ralhava com as crianças. Ela dizia que o sereno estava frio, e que eles poderiam ficar doentes. Toda vez que isso acontecia, dona Eunice dava sonoras gargalhadas. Paulo incluía os filhos em todas as suas manifestações de amor por Elvira.

⁖

Certo dia, dona Eunice avistou um automóvel diferente chegar. Ao ver Juvenal, com desprezo, apressou-se em avisar:
— Sinto informar, mas Paulo está na vila. O senhor sabe que não fica bem para uma mulher receber um homem quando o varão da casa não se encontra.
— Não se preocupe. Se Paulo não está, minha visita será breve. Diga a Paulo que, quando estiver por aqui, pretendo falar com ele.

Sem ter saído do carro, ligou novamente o automóvel e partiu. O veículo que dirigia não era dele, e sim de um homem chamado doutor Sérgio, juiz da capital. Ele havia feito muita amizade com a família do juiz, embora a esposa do doutor Sérgio não gostasse dele. Mas doutor Sérgio não via mal nenhum em receber Juvenal em sua casa.

Gradativamente, Juvenal tinha começado a cortejar a filha do juiz, Marieta. Ela não tinha muitos atrativos físicos, mas, com a atenção que Juvenal lhe devotava, em pouco tempo caiu de amores por ele.

Juvenal estava disposto a se casar com a moça. Sabia que os pais dela eram ricos e que tinham várias propriedades na capital, além de uma bela vivenda na vila, onde costumavam passar férias. Juvenal começou então a namorar Marieta. A moça, apaixonada, fazia tudo que o namorado queria. Juvenal, contudo, não tentara uma relação mais íntima com a moça. Temia cair no desagrado do futuro sogro, que, além de dinheiro, sempre lhe emprestava o automóvel.

Renato, ao saber do romance de Juvenal, resolveu visitar o doutor Sérgio a fim de lhe contar sobre o caráter do rapaz. O juiz, porém, estava tão encantado com as gentilezas de Juvenal que não levou em consideração os fatos que Renato mencionara.

Vendo que suas palavras eram inúteis para aquele senhor, resolveu deixar o assunto nas mãos do juiz. Não pôde deixar de sentir pena, contudo, da pobre Marieta.

Como fazia a corte à namorada, Juvenal não morava mais na pensão. Mudou-se para uma vivenda que o sogro havia lhe dado de presente.

Com todos esses ajustes promovidos pela família de Marieta, Juvenal não era mais o pobretão que muitos diziam. Alguns ignorantes, inclusive, começaram a chamá-lo de doutor Juvenal. O que ninguém sabia era que Juvenal mantinha aceso o sentimento de vingança contra Renato. Quando pensava em Elvira, então, o desejo redobrava. Na verdade, as entidades que o acompanhavam lhe acentuavam o desejo.

Juvenal havia começado a planejar a vingança fazia tempo; agora era tempo de agir. Por isso tinha ido ao casebre onde Paulo morava naquele dia. Mas fazia tempo que ficava à espreita nos arredores do sítio, conferindo quem entrava e quem saía da casa.

Certa feita, vendo Paulo e Renato saírem do sítio, Juvenal, que havia deixado o carro na vila e ido a cavalo, entrou no lugar e ficou próximo à porteira. Avistou o pequeno Valdo, que ficava sempre a esperar o pai quando ele saía do sítio. O rapaz tentou travar uma conversa com o garoto.

— O que você faz aí, menino?

— Meu nome não é menino. Eu me chamo Osvaldo e estou esperando meu pai, que foi à vila com meu tio Renato.

— Você gosta de nadar?

— Não, minha mãe sempre diz que é muito perigoso, por isso não chego perto do lago.

— O que acha de brincarmos no lago enquanto seu pai e seu tio não chegam? Depois falo com seu pai. Preciso muito conversar com ele.

— Não posso. Meu pai sempre me diz que não é para acompanhar estranhos.

Juvenal perdeu a paciência. Arrancou um lenço do bolso e, tampando a boca de Valdo, colocou-o nas costas. Ao chegar perto do lago, jogou o menino na água, segurando sua cabeça lá dentro é só a largando quando viu o garoto completamente desfalecido. Tirou o lenço da boca dele, torceu-o e guardou-o no bolso, saindo sorrateiramente. Voltou para a árvore onde tinha atrelado seu cavalo. Montou e, sem que ninguém o visse, tornou à vivenda. Tomou banho cantando alegremente. Sabia do desespero que tomaria Renato quando Paulo lhe contasse, e antegozava os momentos de prazer que teria com Elvira.

Quando Paulo e Renato chegaram, estranharam a ausência do pequeno Valdo, pois esperar o pai já havia se tornado um costume. Entrando em casa, Paulo perguntou a Elvira:

— Por que Valdo não ficou me esperando na porteira?

— Mas ele estava na porteira esperando por você. Logo que saiu, ele disse que iria ficar lá aguardando sua volta.

— Mas ele não estava lá — respondeu Paulo, com uma nota de preocupação na voz.

— Calma, gente — considerou Renato. — Talvez o menino esteja brincando por aí e logo, logo chega.

— Não é do feitio dele, Renato — respondeu Elvira, também denotando preocupação no semblante.

Dona Eunice saiu à procura do menino, mas não o encontrou. Renato, sentindo que poderia haver algo errado, foi a fazenda e voltou com três homens, que saíram à procura de Valdo. Anoiteceu, e tanto Paulo como Elvira estavam em desespero. O garoto nunca ficara tanto tempo longe de casa.

No dia seguinte, Juvenal, dissimuladamente, foi ao sítio para tratar de assuntos relacionados a negócios. Ao chegar, pode constatar o sofrimento de Elvira. Paulo não se encontrava em casa. A moça lhe falou sobre o desaparecimento do filho. Juvenal, falsamente, se prontificou a ajudar nas buscas. Juntou-se a Paulo e a Renato e, com ares de compaixão, comentou:

— O que me trouxe aqui são assuntos de negócios, Paulo. Mas, como estão preocupados com o desaparecimento do menino, gostaria de auxiliá-los nas buscas.

— Não precisamos — recusou Renato rispidamente. — Tenho um grande número de homens trabalhando nisso.

— Faço questão — insistiu Juvenal. — Esqueçamos das desavenças do passado. Garanto que estão superadas. Trabalharemos juntos. Quem sabe o menino não tenha saído e se perdeu por aí?

— Não! — falou Paulo. — Valdo nunca saiu sozinho; essa hipótese é completamente absurda.

— Ora, também estou preocupado agora. Quero ajudar, gostem ou não. Sou cristão, e é nessa hora que costumamos mostrar o amor ao próximo.

Paulo e Renato se entreolharam, mas ficaram calados. Juvenal tomou a direção oposta à deles e andou por mais de meio dia, fingindo procurar. Em certo momento resolveu acompanhar Renato e o persuadiu a ir perto do lago. Renato, embora sem acreditar muito que o garoto pudesse estar lá, seguiu-o. Ao longe, avistou Valdo, que boiava parcialmente no lago. Seu corpo estava de pé na água, ficando visível somente o cabelo, que estava à mostra. Vendo aquilo, Renato rapidamente pulou na água e tirou o garoto. Viu que suas faces estavam inchadas, e os olhos jaziam semi-abertos. Mas o que mais marcou, e nunca sairia da mente de quem o viu naquele momento, exceto Juvenal, é claro, era a expressão de terror estampada na face do garoto.

Tirando Valdo pelo lado esquerdo do lago, Renato chorou sentidamente. Amava o menino como se fosse seu filho. Juvenal, perto dos dois, fingia um desespero que estava longe de sentir. Em seu íntimo, sentia prazer pela vitória conquistada: estava vendo Renato sofrer, o que já era um ótimo começo.

O padrinho do menino ainda tentava, com desespero, fazer respiração boca-a-boca para tentar reanimar Valdo, mas o corpo, inchado, beirava a rigidez. Renato não se conformava, entretanto. Nunca confessara a ninguém, mas, entre os dois filhos de Paulo, Valdo era seu xodó, e o garoto o tinha como um segundo pai, uma vez que Renato lhe fazia coisas que nem mesmo Paulo fazia. Sem ter mais esperanças, carregou a criança até a casa humilde de Paulo. Elvira, ao ver o filho naquele estado, desmaiou. Dona Eunice, sempre contida, também não agüentou aquele momento, e começou a passar mal.

Renato deu ordens para que chamassem o doutor Júlio a fim de que atendesse as duas. Quanto a Paulo, ficou parado, congelado, sem conseguir derramar uma lágrima sequer. Por dentro, algo estava destruído para sempre.

Os presentes chegaram à conclusão de que Valdo tinha ido brincar perto do lago e acabara caindo, uma vez que estava com a mesma roupa do dia anterior. Renato chegou a agradecer Juvenal por ter ajudado nas buscas.

Daquele dia em diante, a vida de todos sofreu uma grande transformação. Paulo, num acesso de dor, tinha quebrado o violão, e Elvira passara dias dormindo, sob efeito de forte sedativo. Dona Eunice não ligava mais para limpar a casa, por isso Renato resolveu mandar uma de suas criadas cuidar do serviço doméstico da humilde casa de seu irmão do coração.

Juvenal passou a visitar a família de Paulo com mais freqüência. Era bem recebido porque, para todos, ele tinha sido o responsável por descobrir o local onde Valdo estava.

A vida de Renato também sofrera mudanças. Nutria verdadeiro amor pelo menino. Quando ele crescesse, tinha planos de mandá-lo estudar na capital para ser um grande advogado.

Aqueles corações sangravam irremediavelmente pela perda do pequeno Osvaldo.

Os dias foram correndo. Elvira emagrecera tanto que todos começaram a achar que ela estava doente. Suas olheiras eram profundas, e todo dia ela ia ao cemitério da vila visitar o túmulo do pequeno garoto. Paulo a acompanhava e tentava consolá-la.

Paulo não ia mais à casa de dona Genoveva. Após a morte de Valdo, ele se revoltara contra Deus.

— Que justiça divina é essa que permite que um inocente morra dessa maneira? Nunca mais quero ouvir falar em Deus, e muito menos em espíritos. O que vou fazer lá? Aprender sobre um Deus que não teve compaixão em tirar Valdo de nós? Deus não é tão bom assim como ela nos ensina. Se assim fosse, trataria de proteger nosso filho.

Elvira, porém, fez o contrário. Começou a freqüentar a casa de dona Genoveva com mais assiduidade, pois nas palestras sobre a vida além da vida ela se sentia confortada em saber que Valdo estava vivo em algum lugar, e que certamente estaria bem.

Dona Eunice a acompanhava às reuniões. A fé das duas mulheres se tornou forte, e a perseverança as fazia sentir que Deus não erra nunca, e que nada acontece por acaso.

Juvenal fez as pazes com Renato, mas Paulo ainda não gostava quando ele aparecia em sua casa. Sua intuição lhe dizia que ele não era digno de confiança. No entanto, quando reclamava com a mãe ou com Elvira, elas o chamavam de ingrato. Sendo assim, Paulo começou a ficar calado e permitir as visitas de Juvenal.

Apesar das visitas à casa de dona Veva, que a princípio lhe haviam trazido conforto, Elvira caíra em forte depressão. Não conseguia fazer mais nada. Era-lhe custoso até mesmo tomar banho ou pentear os cabelos.

Paulo, a cada dia que passava, ficava mais preocupado com o estado da esposa. Certo dia, foi à casa de dona Genoveva pedir ajuda para Elvira. Em poucas palavras, contou o que ocorria. A boa mulher, depois de ouvir tudo, respondeu:

— Faz duas semanas que ela não vem mais às reuniões. Isso me deixou preocupada. Pedirei ajuda do Alto para que a ampare e reequilibre. Não é fácil essa prova de coragem à qual Elvira foi submetida. Mas ela há de entender que tudo tem sua razão de ser.

— A senhora acha mesmo que há uma finalidade para essa morte estúpida de Valdo?

— Querido, nada acontece sem um fundamento. Até mesmo uma folha que cai da árvore tem a permissão de Deus para fazê-lo. Ele não dá um fardo maior que o que possamos carregar. Se essa tragédia se abateu sobre vocês, foi porque têm a capacidade de agüentar. Sobretudo, vivemos em um mundo de expiação e provas, portanto encare os fatos da vida com força e resignação, sem se queixar. Um dia vocês vão ter com Valdo, e verão que a morte não existe. O que ocorre é a morte física, mas o espírito é eterno. É momento de o seu filho receber emanações de amor e de paz para que fique bem onde se encontra agora. A queixa e lamentos de vocês o atrapalharão, e ele se perturbará com o sofrimento de vocês se não mudarem de atitude.

A bondosa senhora passou a mão nos ombros de Paulo, como lhe dando forças. Depois, continuou:

— Faça uma prece para ele. Fale a ele que o que mais desejam é que ele procure viver bem em seu novo lar; diga-lhe que, embora sintam a falta dele, estão felizes em saber que ele se encontra em boa condição.

Pela primeira vez desde a morte do filho, Paulo conseguiu chorar. Chegava a invejar Renato, que tinha se acabado em lágrimas desde que ocorrera o episódio.

Dona Genoveva, acariciando seus cabelos, disse ternamente:

— Chore, filho. Solte essa dor que está represada em seu coração. As lágrimas lhe farão bem. Confie em Deus e na vida. Erramos muitas vezes, mas Deus não erra nunca. Há tantas coisas no momento que não entendemos! Contudo, se tivermos paciência, no momento certo vamos entender o motivo de tanto sofrimento.

Paulo chorou por quase trinta minutos, após os quais se sentia bem melhor. Finalmente, confessou:

— Sabe, dona Genoveva, quando aconteceu isso com meu filho, pensei que fosse enlouquecer de dor. Muitas vezes me rebelei contra a bondade de Deus, mas agora, conversando com a senhora, pude entender que muitas coisas que acontecem servem para o nosso aprimoramento moral e espiritual. Vou tentar, de hoje em diante, fazer tudo que estiver a meu alcance para ajudar tanto Elvira como minha mãe.

— Paulo, o remédio para curar essa dor está escrito nos evangelhos. Faça uma forcinha para não perderem uma reunião sequer, a fim de que o sangue que escorre de seus corações logo estanque.

Paulo saiu renovado da casa de dona Genoveva. Pela primeira vez considerou a possibilidade de o filho realmente estar vivo em outra dimensão. Se ele havia partido, não haveria de ficar entristecido por causa da tristeza de seu pai. Ele não atrapalharia o filho em seu caminho espiritual.

Com o conhecimento sobre a vida espiritual, e a ação do tempo, que cura todas as dores, a vida da família estava voltando quase ao normal. Paulo voltou a tomar conta do sítio. Dona Eunice, depois do choque da morte do neto, realmente não voltara a fazer os serviços domésticos, e a criada de Renato continuou no sítio. Elvira ajudava, mas às vezes ia ao quarto chorar a saudade do filho querido.

Dois anos correram da morte do pequeno Valdo quando Pedrinho resolveu pescar no lago, embora seus pais houvessem ordenado que ele não fosse àquele lugar. O menino, desobedecendo à ordem dos pais, pegou seus apetrechos de pesca, sentou-se no barranco, colocou a isca na vara e ficou sentado observando a calmaria do lago. Repentinamente, viu Juvenal se aproximar. Como estava habituado a sua presença, não se importou.

— Você não acha melhor nadar um pouco em vez de pescar? — convidou Juvenal. — Está muito calor, e até eu estou com vontade de dar uns mergulhos.

— Não. Meus pais me proibiram terminantemente de vir até aqui. Se souberem que entrei na água então... Vou levar uma surra da qual jamais me esquecerei.

— Não se importe tanto com o que eles dizem. Eu o estou convidando. Sei nadar. Se algo lhe acontecer, eu o tiro da água.

— Nunca! Jamais farei algo para enganar meus pais. Acho que vou é voltar para casa.

Enquanto tinham essa conversa, Renato chegou ao casebre. Cumprimentou dona Eunice e perguntou por Pedro. A avó não soube explicar onde ele estava, e foi à cerca que Paulo estava arrumando. Preocupadamente, ela falou:

— Filho, Pedrinho sumiu. Percebi que sua vara de pescar não está atrás da porta. Acho que ele foi ao lago.

Paulo levantou-se de um salto e correu em direção ao lago. Quanto mais corria, mais sentia suas pernas fraquejarem. Ao chegar próximo do lago, pôde ver Juvenal com o menino na água, tentando afogá-lo. Pulou rapidamente e puxou o menino para junto do barranco. Juvenal, ainda na água, deu um soco no pescoço de Paulo, que perdeu os sentidos momentaneamente e caiu no lago.

Pedrinho, consciente, viu Juvenal pegar um pedaço de madeira que estava por perto e arremeter contra o pai, que ainda estava meio tonto com o golpe. O outro batia com o pedaço de madeira, principalmente na cabeça de Paulo. O menino correu para casa gritando. Vendo Renato, gritou, esbaforido:

— Tio, vá até a lagoa. Juvenal está matando meu pai!

Renato montou em seu cavalo e correu em direção à lagoa. Entretanto, ao chegar lá, Paulo se encontrava caído, sangrando muito e com ferimentos profundos na cabeça. Ao ver a cena, o coronel ficou tão furioso que deu uma surra em Juvenal, que acabou por levar dois de seus dentes. Juvenal conseguiu fugir e saiu correndo dali. Renato, por sua vez, levou Paulo ao sítio e mandou Honório ir correndo chamar o doutor Júlio.

Elvira, ao ver o marido naquele estado, se desesperou e quase desmaiou diante de tanta tragédia. Dona Eunice, sem agüentar tudo aquilo, teve um colapso e caiu.

Quando o médico chegou, não havia mais nada a fazer em relação a Paulo. Ele já havia desencarnado. O medicou também acudiu dona Eunice que, debilitada, conseguiu acordar aos poucos.

Renato chorava copiosamente a morte de seu irmão de coração. Com ódio no coração, mandou que treze de seus homens procurassem por Juvenal. Ele haveria de responder por seus crimes.

No velório de Paulo, todos os vizinhos de terras foram lhe prestar uma última homenagem. A cena era tétrica, uma vez que a cabeça de Paulo estava enfaixada, pois Juvenal arrancara-lhe parte do crânio. Horrorizados, os vizinhos comentavam:

— Desgraçado, por que ele fez isso a um rapaz tão bom?

— Vamos encontrar o sujeitinho e fazer o mesmo com ele!

A revolta era geral. Renato, como num clarão, lembrou-se da morte estranha de Valdo, e não foi difícil chegar à conclusão de que Juvenal havia matado também Valdo. Segundo o que Pedrinho contara, ele o tentara afogá-lo no lago e o pai tinha chegado na hora, e acabara morrendo em seu lugar.

Renato não se conformava. Sentia extremamente culpado, porque fora ele quem recebera Juvenal pela primeira vez naquela terra de gente boa e humilde. O amigo chorou a morte de Paulo desconsoladamente. Enquanto isso, Caroline tentava consolar Elvira, que ora gritava, ora chorava no ombro da amiga.

Paulo foi enterrado ao lado do filho, e todos da vila acompanharam o féretro. Na hora em que o caixão descia para sua última morada, começou a chover fortemente, e todos correram à procura de abrigo. Só restaram Renato, Elvira e dona Eunice, alheios à água torrencial que descia do céu.

Renato, naquele momento de dor, tomou uma séria decisão: quando encontrasse Juvenal, ele próprio daria naquele diabo em forma de gente a surra que merecia. Mas não iria matá-lo. Ele o entregaria à justiça na capital. Certamente apodreceria na cadeia, pois Renato faria questão de ser o advogado de acusação. Nunca tinha exercido a profissão de bacharel desde que saíra do curso, mas neste caso fazia questão.

25

O julgamento

Juvenal chegou correndo à vivenda onde estava morando nos últimos tempos. Enquanto pegava mudas de roupas para sumir dali, seu futuro sogro, o juiz, apareceu para uma visita. O rapaz tentou arranjar uma desculpa, e lhe disse que precisava ir às pressas à capital. Havia negócios importantes para fechar que o aguardavam. Assim que terminasse de resolvê-los, ele voltaria.

Doutor Sérgio, como era homem de perspicácia, embora tivesse sido ludibriado pelo caráter falso do futuro genro, desta feita sabia que algo havia acontecido. Resolveu que iria atrasar a saída do genro; sentia-se no direito da dúvida, uma vez que o aceitara para entrar na família.

Juvenal desconhecia, porém, o fato de que dois homens de Renato o aguardavam do lado de fora. Só não tinham entrado porque, no mesmo momento, aparecera o doutor Sérgio. Assim que o juiz saísse, entretanto, eles entrariam e levariam Juvenal até Renato.

O juiz ficou com Juvenal por pouco mais de uma hora. Vendo que o rapaz realmente estava agitado, deixou-o ir e se colocou a caminho de casa.

Foi o doutor Sérgio sair e imediatamente Honório cercou a casa. Como se encontrava armado até os dentes, resolveu entrar sorrateiramente, enquanto Justino ficou esperando do lado de fora.

Ao ver Honório armado, Juvenal começou a tremer feito vara verde. Percebendo que o homem atiraria diante de qualquer reação, decidiu cooperar.

Honório esbravejou:

— Seu canalha, chegou a hora de pagar pelo que fez!

— O que vocês vão fazer comigo?

— Para ser sincero, eu mesmo não farei nada. Quem vai fazer é o coronel Renato. Ele vai lhe dar uma lição da qual você jamais vai se esquecer.

Enquanto Honório falava, Juvenal pensava em uma forma de fugir daqueles homens. O empregado da fazenda percebeu seu intento. Por isso, aconselhou-o calmamente:

— Se fosse você, não pensaria em fugir. O coronel Renato mandou pôr todos os seus homens no seu encalço. Aqui dentro só há nós dois, mas lá fora estão mais dez.

Juvenal abaixou a cabeça e resolveu se entregar. Sabia que não ia conseguir fugir. Renato era muito influente no local, e todos ficariam ao lado dele.

Honório colocou a espingarda nas costas de Juvenal e ordenou:

— Vamos andando! O coronel Renato não gosta de esperar!

— Onde vocês vão me levar?

— À fazenda de Renato. Ele está a sua espera. Agora não faça mais perguntas. Tudo que quiser saber, pergunte depois ao coronel.

Como havia chovido, Juvenal escorregou na lama ao andar e caiu. A pontapés, Honório fez com que se levantasse. Justino pegou uma corda e amarrou as mãos de Juvenal, de maneira a deixar suas mãos imobilizadas e tornar seu caminhar trôpego.

Depois de três horas andando, Juvenal finalmente chegou à fazenda de Renato, completamente sujo, porque caíra diversas vezes durante a caminhada. Justino, revoltadíssimo com as atrocidades de Juvenal, várias vezes disparou tiros no ar, apenas para amedrontar Juvenal.

Renato pensava em Paulo e na saudade que ele deixara, quando viu os três homens se aproximando. O novo coronel não pôde conter o ódio que sentia. Na mesma hora mandou que os homens da fazenda comparecessem à frente da casa-grande.

Em pouco tempo, todos os empregados de Renato estavam lá. Ao ver Juvenal, sentiram a revolta aumentar. Gritavam:

— Lincha! Vamos linchar o desgraçado que acabou com a vida de um homem de bem!

Renato, ao ver a multidão naquele estado, falou:

— Meus amigos, nós não vamos fazer nada contra esse patife. Se o matarmos agora, ele não sofrerá as duras penas que lhe estão reservadas. Decidi que vou levá-lo pessoalmente à capital, e que serei o advogado de acusação. Quero ver este infeliz apodrecer na cadeia!

Porém, ao encarar Juvenal, sentiu um ódio tão insano que mandou amarrarem-no com mais força. Começou então a torturá-lo, primeiro a pontapés, depois arremessando grandes pedras, que eram miradas para atingir a cabeça do infeliz.

A multidão, ensandecida, começou a pegar arame farpado e a surrá-lo. Renato então intercedeu:

— Por favor, acalmem-se! Se continuarmos a fazer isso, esse desgraçado vai morrer, e eu ainda arcarei com as conseqüências. Agora chega. Lancem-no na antiga senzala e amarrem bem seus pés com as correntes. Não lhe dêem nem água nem comida, pois para mim este infeliz vale menos que as sujeiras que saem do seu corpo.

Assim foi feito. Juvenal, todo ensangüentado, foi lançado na senzala desativada, todo amarrado por correntes. Sua cabeça ferida, bem como os ferimentos feitos com arame farpado, estavam todos abertos, e não paravam de sangrar.

No dia seguinte, Renato mandou que colocassem sal de gado em um barril, e que o enchessem de água para colocar Juvenal dentro, a fim de curar os ferimentos.

Sentindo um prazer sádico, Honório quis se incumbir da tarefa. Colocou Juvenal de uma só vez no barril. Assim que o rapaz sentiu a salmora penetrar-lhe os ferimentos, começou a gritar violentamente e pedir que o matassem.

Honório, sorrindo, respondeu:

— Não seja frouxo, homem! Um banho sempre faz bem. Ainda mais para uma viagem à capital. Não é bom ir fedendo...

— Cale a boca, seu subalterno desgraçado!

— Se falar isso mais uma vez, vou colocar mais sal na água.

Ao adentrar a senzala, Renato percebeu o desespero em que Juvenal se encontrava. Com sarcasmo, comentou:

— Honório, você é um excelente preparador de banhos. Acredito que depois deste banho relaxante ele vai conseguir descansar; mas não se trata do descanso eterno, porque quero vê-lo descansar com muito sofrimento.

Quando viu que Juvenal se encontrava trespassado de dor, Renato mandou que o tirassem do barril e colocassem roupas decentes nele, uma vez que iriam até a capital. Escolheu Justino e Honório para irem com ele, a fim de evitar uma eventual fuga.

O sofrimento de Juvenal, contudo, não atenuou a dor de Renato. Chorava ainda a falta do amigo e de Valdo, e se propusera a tocar o sítio para dona Eunice. Prometeu às mulheres da casa que nada lhes faltaria, nem ao pequeno Pedro.

Naquele dia, o trem atrasou. Passou pouco mais de duas da tarde. Renato e seus homens comiam, enquanto Juvenal, salivando, observava aquele ritual de tortura. A ordem do coronel era que ninguém lhe desse de comer.

Juvenal, em seu íntimo, prometeu que, assim que saísse dali, Renato seria o próximo a morrer.

Renato embarcou no trem e todos ficaram encarando a figura abatida de Juvenal. Um dos passageiros do trem entrou em defesa de Juvenal:

— Custo a acreditar que ainda existam pessoas dessa natureza, que tratam seu irmão como um animal.

Ao ouvir tais palavras, Renato retrucou em tom áspero e voz alta:

— É muito fácil me julgar. Acham que o que faço é uma monstruosidade? O que todos ignoram aqui é o porquê de esse elemento receber tal tratamento. Querem saber? Primeiro, ele matou um ex-empregado meu da fazenda, chamado João, um homem de princípios e muito trabalhador. Como a viúva ficou com um filho para criar, dei a ela trabalho em minha fazenda. E o que ele fez? Além de abusar da integridade física da moça, matou-a friamente. Como se não bastasse, afogou no lago uma criança de sete anos, filho de meu melhor amigo. Quando estava afogando, tempos depois, o irmão do garoto que morrera em seus braços, o pai o viu e se atirou contra ele em defesa do filho. Este indivíduo aqui, do qual todos estão apiedados, matou o pai, que era como um irmão para mim, a pauladas. Eu o levo agora à capital para ser julgado. Quero que responda por seus atos.

O homem ouviu o relato de Renato. Sua expressão foi se transformando ao longo da história, e ele também se revoltou com tamanha maldade. Juvenal se tornou o principal assunto do trem.

Ao chegarem à capital, Renato, acompanhado de seus homens, levaram Juvenal à cadeia pública, e entregaram Juvenal à justiça.

Diante dos fatos e das testemunhas que Renato havia levado com ele, Juvenal ficou detido, e a promotoria lhe arranjou um advogado do Estado.

Renato apresentou-se como bacharel, e se ofereceu para ser advogado de acusação.

Juvenal foi lançado em uma pequena cela e, como estava ferido, as chagas começaram a infeccionar. Vendo que aquele ser monstruoso poderia morrer, pediu ao promotor público que lhe trouxesse um médico. O preso, ao ver a presença de um doutor, recusou-se a se tratar. Porém, Renato lhe disse que, caso não cooperasse, ficaria mais tempo preso, apenas, porque a morte não o atingiria, visto se tratar de um homem jovem e de saúde impecável.

Diante desse fato, Juvenal aceitou a presença do médico. Começou o tratamento, primeiro com antibióticos, em seguida com curativos diários. Logo se restabeleceu. Quando estava em condições, foi dado início ao julgamento.

Renato, usando toga, se levantou quando o juiz se apresentou. Com uma surpresa enorme estampada em seu rosto, viu aparecer ali o doutor Sérgio Sampaio, o mesmo que seria sogro de Juvenal.

Ao ver seu futuro sogro, Juvenal ficou aliviado. Claro, estava salvo! Eles sempre tinham se dado bem. Com certeza o juiz faria tudo para libertá-lo. O juiz começou a leitura dos laudos. Olhando os presentes, proferiu:

— Doravante se dará início ao julgamento do réu Juvenal do Amaral, e passo a palavra ao advogado de acusação.

Renato, permanecendo em pé, começou a falar:

— Excelentíssimo juiz, estamos reunidos neste tribunal para falar de um homem cujo nome é Juvenal do Amaral, idade trinta e um anos, morador de uma vivenda na vila do Sapoti, sem trabalho fixo e de moral duvidosa. Atesto que o presente réu assassinou a sangue-frio João dos Santos com uma cartucheira, que está aqui em meu poder, e que mais tarde molestou sexualmente a senhora Zulmira, viúva do senhor João dos Santos, desejando matá-la em seguida. Se não bastasse, afogou Osvaldo Marins Mattos, de sete anos, no lago nas terras da vítima. Após, tentou matar Pedro Marins Mattos, de seis anos, mas, como seu pai chegou na hora, ele se voltou cegamente contra o ele, matando-o com pauladas na cabeça. Para o Excelentíssimo juiz, trago as testemunhas do fato.

A platéia que estava assistindo ao julgamento exclamou em uníssono:

— Oh, que monstro!

O juiz bateu o martelo para impor respeito e pediu que fizessem silêncio.

Renato continuou a dizer:

— Peço ao excelentíssimo juiz que, antes de trazer as testemunhas, eu possa interrogar o réu, para ouvirmos a versão dele sobre os fatos.

Juvenal fitou o juiz, e em seguida lançou um olhar de sarcasmo na direção de Renato. O juiz Sérgio proferiu, alto e bom som:

— Ordem concedida!

Juvenal tornou o olhar com assombro para o doutor Sérgio, seu futuro sogro. Não esperava aquela atitude. Ele sempre se mostrara seu amigo.

Renato então começou:

— Qual o nome completo do réu? E sua idade?

— Chamo-me Juvenal Machado Cordeiro. E tenho trinta e dois anos.

— Qual sua profissão?

— Trabalho com venda e compra de gado.

— Por favor, diga a data de nascimento e o local onde nasceu.

— Nasci dia vinte e oito de setembro de mil oitocentos e oitenta e oito, aqui mesmo na capital.

— Atualmente o senhor reside onde?

— Moro na vivenda próximo à vila do Sapoti.

— Com que dinheiro o senhor conseguiu comprar essa vivenda?

— Protesto, Meritíssimo. O dinheiro com o qual meu cliente comprou a vivenda não entra em questão — falou o advogado de defesa de Juvenal.

O juiz aceitou o protesto porque sabia perfeitamente bem que ele era o dono da vivenda. Se o júri descobrisse aquilo, poderia se voltar contra ele.

— Protesto aceito! O senhor advogado de acusação vá direto aos fatos.

Renato olhou para o advogado de defesa e com superioridade mudou o rumo da interrogação.

— O senhor Juvenal Machado Cordeiro conhecia o senhor João Leite?

— Não!

— Então por que brigaram na pensão onde o senhor residia?

— Ele foi tomar satisfação comigo achando que eu havia me engraçado com sua esposa e seu filho.

— O senhor conhecia a esposa do senhor João Leite?

— Não, senhor. Eu a vi uma vez perto da venda, e conversei com ela como se conversa com qualquer mulher de respeito.

— O que o senhor disse a ela que a ofendeu tanto?

— Nada! Apenas lhe disse que tinha um filho lindo.

— Foi só por isso que o senhor João foi ter com o senhor na pensão?

— Sim; ele achou que eu tinha faltado com respeito.

— Mas o senhor não disse nada à esposa do senhor João que o levasse a pensar assim?

— Não! — respondeu Juvenal secamente.

— O senhor conhecia também a família do senhor Paulo Marins Mattos?

— Sim. Tinha como hábito ir ao sítio e lhe fazer visitas de cortesia.

— O senhor nega que tenha algo a ver com a morte do pequeno Osvaldo Marins Mattos?

— Sim! Não tive nada a ver com o acidente que vitimou o menino.

— Então como o senhor explica o fato de ser pego tentando afogar o segundo filho do senhor Paulo? E como explica o fato de, tendo o pai da criança chegado na hora correta, atingir violentamente sua cabeça a pauladas?

Juvenal permaneceu calado, sem responder à pergunta.

Renato prosseguiu:

— O senhor nega esse fato também?

Juvenal permaneceu calado. O juiz Sérgio olhou para o réu e sentiu veracidade nas palavras de Renato. Ordenou então:

— O réu deve responder à pergunta do promotor.

— Não, eu não nego que tenha matado Paulo. Mas com seu filho nada fiz.

— O que o senhor tem a dizer sobre o abuso sexual sofrido por dona Zulmira, esposa do falecido João Leite?

— Não tenho nada a dizer sobre isso. Só soube da morte dela dias depois.

— Muito bem — respondeu Renato. Primeiro fitou o juiz, depois calmamente voltou o olhar para o júri. Com suavidade na voz, disse:

— Não tenho mais nada a perguntar. Passo agora a palavra ao colega da defesa.

O advogado de defesa de Juvenal era um homem com pouco mais de quarenta anos, que não havia desenvolvido uma boa carreira profissional. Temeroso, olhou para o juiz, depois iniciou:

— Meritíssimo, caros colegas do júri e colega de acusação, estou aqui para que se faça cumprir a lei, a justiça e a ordem. Meu cliente não fugiu à responsabilidade de ter matado o senhor Paulo Marins Mattos, mas, quanto às outras acusações, espero que os senhores do júri pensem e analisem. Só porque meu cliente matou um homem, quer dizer que ele tenha cometido todos os desatinos apresentados pelo colega de acusação? Não acho que um rapaz que tenha morado cerca de vinte e sete anos na capital, sem apresentar nenhum delito, venha a causar tantas perturbações em uma vila, que nem eu mesmo conheço. Investiguei a vida do réu e descobri que sempre foi um bom rapaz, cumpridor de seus deveres, que perdeu os pais muito cedo, e que sempre trabalhou, inclusive como vendedor de jornais, mostrando caráter reto e personalidade firme.

— Protesto, Meritíssimo! — gritou Renato.

— Protesto aceito — ordenou o juiz.

— Pelo que sei, o nobre colega de defesa não conhece muito bem a vida do réu. Eu o conheci aqui na capital, cerca de nove anos atrás, e ele aliciava meninas para trabalhar no prostíbulo que ele mantinha em segredo. Além do mais, abusava das pobres moças que chegavam de outros estados, prometendo lhes dar casa e comida. Em troca, tinham de trabalhar para ele. Acaso é mentira, senhor Juvenal Machado Cordeiro?

— Não, senhor juiz. Quando fiquei desempregado, fui obrigado a fazer tal trabalho. Eu precisava comer, vestir e morar.

— Então o senhor não desmente que mantinha certo conforto por possuir um prostíbulo?

— Não, senhor!

O advogado de defesa fustigou Juvenal com o olhar. Ele tinha sido enganado. Desconhecia o fato de o cliente ter sido dono de um bordel. De fato, muitas meninas que vinham à capital para mudar de vida eram aliciadas para se tornarem meretrizes.

O advogado de defesa, já sem argumento, encarou o juiz.

— Não tenho mais nada a dizer, Meritíssimo.

Renato havia arrancado na frente de seu colega de defesa. Respeitosamente, pediu ao juiz:

— Senhor Meritíssimo, gostaria que o senhor ordenasse a chamada de testemunhas para o devido interrogatório.

O juiz Sérgio, surpreso com o que havia sido exposto sobre Juvenal, imediatamente ordenou:

— Que entre a primeira testemunha!

No tribunal adentrou uma mulher que aparentava ter entre trinta e trinta e cinco anos. Ela tinha trinta e um.

Renato começou o interrogatório:

— Por favor, diga o nome completo da senhora, profissão e onde mora.

— Eu me chamo Zulmira Querubina Leite, nasci na vila do Sapoti e trabalho como doméstica para manter meu filho e minha mãe.

Juvenal começou a tremer no banco dos réus tal folha sacudida pelo vento. Julgava que Zulmira estivesse mesmo morta. Permaneceu calado; queria ouvir exatamente o que ela ia contar.

Zulmira começou a narrar, com riqueza de detalhes, como Juvenal a tinha abordado, e com que palavras lhe contara que havia matado João, e prosseguiu contando todo o abuso sexual que havia cometido.

O doutor Sérgio lançou um olhar de desprezo para Juvenal. Não pensava que ele fosse capaz de tanta baixeza.

O advogado de defesa alegou que não tinha perguntas a fazer.

Em seguida entrou Honório. Ele contou o que sabia sobre o ocorrido com Juvenal. Assim, uma a uma, todas as testemunhas foram ouvidas, sendo poupados apenas Pedro, filho de Paulo, que não agüentava mais falar sobre o assunto. Ficara traumatizado porque tinha presenciado a morte do pai.

O julgamento durou cerca de dez horas. Depois de um breve recesso, o juiz Sérgio Sampaio deu o veredicto final.

— São de conhecimento público — iniciou — os crimes que o réu praticou na vila do Sapoti. Sendo certificada sua veracidade, dou o veredicto final: o réu Juvenal Machado Cordeiro foi considerado pelo júri popular culpado! Deve permanecer em cárcere privado. Por ser do conhecimento de todos que se trata de um indivíduo de alta periculosidade, está condenado a permanecer em reclusão por vinte e dois anos e nove meses, sem direito a recorrer da sentença.

Renato estava radiante. Desde que se formara, era a primeira vez que exercia a profissão, e começara muito bem.

Juvenal, ao avistar Renato abraçando alguns jurados, gritou, colérico:

— Fique ciente de que você será o próximo. Não ficarei na cadeia por muito tempo. — Rindo, saiu escoltado por dois soldados, que permaneceram a seu lado o tempo todo.

Renato foi o último a sair do tribunal. Quando olhou para as paredes do tribunal, deixou que uma lágrima caísse, pois, apesar de ganhar a causa, perdera seu único amigo. Por maior que fosse o tempo que Juvenal passaria na cadeia, seu amigo não voltaria, nem seu filho, Valdo, seu afilhado, que queria como a um filho.

Dois dias depois Renato voltou para a vila. Antes de ir para casa, passou no sítio. Deu-se conta de quanta coisa havia mudado por ali. Não saía mais fumaça da chaminé, que mostrava que o fogão estava aceso. Elvira quase sempre estava em seu quarto, chorando a morte do marido e do filho. A criada que fora incumbida de cuidar da casa não acendia o fogão porque nenhuma das duas mulheres se alimentava. Quanto a Pedrinho, estava sempre ausente, sentado em cima de alguma pedra, com o olhar perdido no horizonte.

Renato ficou estarrecido em ver como a morte de Paulo abatera as criaturas daquela casa. Em silêncio, foi entrando. A criada anunciou que dona Eunice não estava nada bem. O coronel, enérgico, perguntou:

— Se ela não está bem, por que você não mandou chamar o doutor Júlio na vila?

— Disse isso a ela, mas dona Eunice recusou dizendo que a vida havia perdido o sentido para ela, e que ela queria morrer.

— Meus Deus, quanta desgraça! Tenho de arranjar um jeito de ajudá-las. Financeiramente, apesar da vida simples, sei que nada lhes falta. Mas, emocionalmente, que posso lhes dar? Mal posso comigo, de tanta tristeza.

A criada não comentou, mas o abatimento do patrão era visível. Ele emagrecera bastante durante toda aquela tragédia, e trazia olheiras profundas em seu rosto.

Renato entrou no quarto de dona Eunice. Falou com ternura:

— Minha mãe querida, a senhora precisa ser forte. Paulo partiu, mas tenho certeza de que, pela pessoa que foi, está muito melhor que nós.

A pobre mulher desabou a chorar com aquelas palavras. Sentia-se completamente infeliz.

Renato passou a narrar o que aconteceu no tribunal e a pena que Juvenal pegara. Dona Eunice, entretanto, sentia-se alheia aos fatos. Com lágrimas nos olhos, disse ao rapaz:

— Pouco me importa o tempo que Juvenal terá de ficar preso. Nada trará meu neto e meu filho de volta. Tenho pedido em minhas preces por ele, para que abandone o mau caminho e se torne uma pessoa boa. Como sabemos, cada um vai responder por seus atos.

Renato sentiu grande admiração por dona Eunice, que se portara com dignidade durante toda a tragédia. Abraçando-a, falou:

— A senhora está certa. Nada vai trazer Paulo de volta. Mas tenho certeza de que, de onde estiver, vai velar por nós aqui na Terra. Diga-me, como está Elvira?

— Ah, meu filho, essa está totalmente destruída. Você sabe o quanto os dois se amavam. Acredito que ela não está mais em seu juízo perfeito. Ela fala que Paulo vai voltar logo. Temo que precisaremos interná-la em um sanatório para doentes mentais.

— Não, dona Eunice, não acredito que isso seja necessário. Ela sofreu duas perdas muito grandes, e está desorientada. Com o tempo ela vai se recuperar. Agora deixe-me falar uma coisa para a senhora. Meus homens vão continuar a trabalhar aqui, e nada vai lhes faltar nesta casa. Portanto, estou me colocando à disposição para o que mais for preciso.

— Obrigada, filho, mas julgo não ser necessário se preocupar conosco. O mais precioso já perdemos, que foi parte de nossa família. Só peço a Deus que abrevie meus dias a fim de que eu possa me encontrar logo com Paulo e com Valdo.

— A senhora não pode dizer uma coisa dessas! Esquece-se de que Elvira se tornou totalmente dependente da senhora?

— Ela é moça, e ainda pode reconstruir sua vida. A mim não é possível. Estou velha e cansada. O que me resta agora é fazer a viagem que todos nós faremos um dia.

Renato, com lágrimas nos olhos, despediu-se e voltou à fazenda a fim de ver a esposa e os filhos. Chegou em casa exausto e com o coração oprimido. Pensava em Valdo e em Paulo, e em como aquele homem horrendo tivera coragem de praticar tamanha maldade.

Caroline, percebendo o abatimento do marido, absteve-se de fazer perguntas. Renato demonstrava uma tristeza de dar dó a qualquer pessoa. Perguntou à esposa sobre os dois filhos.

— Estão andando a cavalo pela fazenda — respondeu Caroline.

— Não quero que eles saiam sem companhia. Não sabemos quem poderá se esconder por aí. Temo que ocorra com eles o que se deu com Paulo e seu filho.

— Por Deus, Renato, não diga isso! Aquele assassino vai responder por todos os seus crimes, e tanto a fazenda como a vila sempre foram bem tranqüilas.

— Você tem razão, Caroline. Sinto-me tão infeliz que nada nesse momento pode alegrar minha alma. Ao pensar em Paulo, sinto-me culpado. Quem trouxe aquele canalha para cá fui eu. E colocá-lo na prisão não fez com que me sentisse melhor.

Renato passou a narrar à esposa o que tinha acontecido no julgamento de Juvenal e a sentença que o criminoso recebera. Caroline o ouvia sentindo uma ponta de orgulho do marido. Fora sua primeira causa, e ela achava que ele poderia se projetar em excelente carreira no campo do direito. Mas o marido não via assim. Ao se lembrar do sofrimento de Eunice e Elvira, sentia-se impotente em amenizar a dor daquelas duas criaturas, que ele se sentia no dever de proteger e amparar.

Renato perguntou pela mãe, e com tristeza soube que dona Aurora não estava se sentindo bem nos últimos dias. A morte de Paulo abalara também sua estrutura emocional, que já não era tão forte. Foi ter com a mãe, e contou novamente tudo sobre Juvenal.

— Muito bem, filho. Aquele sujeito destruiu uma família inteira. Pensar em termos recebido aquele assassino em nossa própria casa me dá asco. Tenho vontade de cuspir-lhe na face a fim de mostrar toda a repugnância que sinto.

— Não seja rancorosa, mãe. Agora Juvenal vai ter tempo de sobra para pensar em todos os seus crimes. Ele vai pagar por todos os crimes que cometeu.

— Você tem razão. Mas, se seu pai ainda estivesse vivo, jamais permitiria que aquele sujeito pisasse em nossas terras novamente.

— Mãe, não pensemos nisso. Dei o melhor de mim para que Juvenal ficasse preso, e consegui. Sei que isso não trará Paulo e Valdo de volta, mas impedirá por um bom tempo que ele cometa novos crimes.

Dona Aurora, enquanto ouvia o filho, foi surpreendida por uma forte dor no peito. Renato, ao perceber que os lábios da mãe ficavam arroxeados, mandou buscar o médico na vila. O doutor Júlio, sempre presente nos momentos de dor e agonia, constatou que dona Aurora já estava morta.

Renato perguntou ao médico, aflito:

— Doutor Júlio, o que na verdade ocorreu com minha mãe?

— Creio que ela sofreu uma forte crise emocional. Seu coração, que já estava fraco, não resistiu e parou, provocando-lhe morte praticamente instantânea.

Renato, mais uma vez, chorou pela morte de quem amava. Tomou as devidas providências para o velório e o sepultamento da mãe. Recebeu as condolências dos amigos e familiares que tinham vindo da capital com uma tristeza funda no peito. O féretro saiu para a derradeira morada, que ficava ao lado da do coronel Donato.

Depois do enterro de dona Aurora, Renato recebeu alguns familiares que iriam embora somente no dia seguinte. Porém, não quis conversar com ninguém. Estava abatido pela sucessão de mortes em curto espaço de tempo, e nunca mais voltaria a ser o mesmo depois de tudo aquilo.

Com a sucessão de semanas, meses e anos, Renato cumpriu com o que prometera: não deixava nada faltar a Elvira e a sua sogra. Mas começou a notar que Elvira sofria de problemas de ordem emocional. Ora falava sozinha, ora falava como se Paulo conversasse com ela, ora preparava um prato de comida dizendo que logo Paulo chegaria para jantar. Dona Eunice estava cada vez mais preocupada com a situação da nora. Ela nem sequer cuidava de Pedrinho, que às vezes chegava a ficar sem tomar banho, nem se preocupava com a alimentação do filho.

A criada que cuidava da casa fazia o que podia para compensar a ausência da mãe. E, quando Pedrinho perguntava sobre seu pai, ela dizia que ele agora estava no céu, junto com o irmão, Valdo.

26

O desencarne de Paulo

Paulo acordou em um lugar completamente desconhecido para ele. Sentia fortes dores de cabeça. Observou que se encontrava em uma cama confortável, e o quarto em que estava tinha as paredes alvas, contrastando com as cortinas azul-celeste que cobriam a janela.

Ele tentou se levantar, mas não conseguiu. Além da dor, sentiu forte tontura, o que o fez recostar a cabeça no travesseiro. Entrou neste momento em seu quarto um jovem moreno, entroncado, com cabelos negros como a noite, e com um sorriso amigável. Aparentava aproximadamente trinta anos, e gentilmente se apresentou a Paulo:

— Como está se sentindo, Paulo?

Paulo era muito introvertido. Por isso, respondeu com poucas palavras:

— Não me sinto bem. Sinto muita dor de cabeça e tontura.

— Antes de começarmos a conversar, deixe que me apresente. Eu me chamo Ernesto de Oliveira, e trabalho neste posto de atendimento.

— Você é enfermeiro? — perguntou Paulo.

— Sim, posso dizer que sim. Vou chamar o responsável para lhe dar um passe. Assim a dor de cabeça vai amenizar. Volte a dormir. O sono lhe restabelecerá a saúde.

Paulo não entendeu nada, mas, mesmo assim, permaneceu calado. Enquanto o moço se afastava, ele pensava: "Meu Deus, onde estou? Será que aquele rapaz vai me trazer um médico?" O rapaz voltou com um outro homem, que também fez questão de se apresentar:

— Eu me chamo Marco Aurélio, e estamos aqui para ajudá-lo a se recuperar.

Ernesto se colocou ao lado do leito, e o homem que entrou permaneceu com os olhos cerrados e com as mãos espalmadas sobre a cabeça de Paulo. O enfermo sentiu uma sonolência, e não viu o que aconteceu depois. Ora dormia, ora acordava. Mas sentia que, quanto mais dormia, melhor ficava. Suas dores estavam quase extintas, e a tontura também. Paulo pensava: "Preciso me recuperar logo. Tenho de voltar para casa. Como será que minha mãe está se arranjando sem mim? Como deve estar Elvira? Ah, meu Deus, eu a amo tanto! Tenho certeza de que está sofrendo a minha ausência".

Paulo se lembrava da agressão que sofrera, porém não sentia ódio de Juvenal. Antes, sentia pena. Segundo os conhecimentos adquiridos na casa de dona Genoveva, um dia ele se arrependeria muito das atitudes erradas que tomara. Estava distraído com esses pensamentos quando entrou em seu quarto o mesmo rapaz que se apresentara como Ernesto. Disse-lhe, em tom amigável:

— Muito bem, meu amigo, é assim que se pensa. O perdão é algo grandioso; não é, como os seres encarnados consideram, uma fraqueza.

— O que você quer dizer com isso?

— É muito simples. Você não vive mais no mundo terreno. Agora faz parte de um dos mundos que Deus nos reservou.

— Como assim, Ernesto? — indagou Paulo, confuso.

— Para dizer em palavras simples, a fim de que possa entender: você morreu com a agressão sofrida. Porém, como você já ouviu falar, o que morreu foi seu corpo de carne. Seu espírito, contudo, continua vivo, porque o espírito é eterno.

— Não consigo acreditar nisso. Estou bem já; permita que Elvira, minha esposa, venha me fazer uma visita. Neste momento, o que mais quero é vê-la.

— Agora não é possível. Elvira continua a viver em seu invólucro carnal, enquanto você perdeu o seu.

Paulo achava que o rapaz estava mentindo, por isso resolveu se calar. Mas Ernesto continuou:

— Paulo, aceite sua nova condição. Não pense que estou mentindo. Todos nós fizemos essa viagem, e agora foi você.

— Ora, se estou morto, como farei para cuidar de minha esposa, minha mãe e meu filho?

— Não se preocupe. Deus, que tudo sabe e tudo vê, não as deixará desamparadas. Confie Nele e procure se restabelecer para que não se sinta angustiado.

Dizendo isso, Ernesto partiu, deixando Paulo a sós com suas reflexões.

Paulo pensava em todos que deixara. Lembrava-se do último golpe que lhe fora desferido por Juvenal e o momento em que o largara na água. Sua mente tinha registrado a imagem de ver seu próprio sangue se misturar com a água do lago. O rapaz disse a si mesmo: "Creio que Ernesto tem razão. Não seria possível eu sobreviver depois de Juvenal ter me ferido tanto e me jogado na água. Mas como sobreviverei sem Elvira?" Com os pensamentos ligados a Elvira, Paulo ouviu em seu íntimo a voz da esposa, que o chamava insistentemente. Após essa sensação, ele não pôde mais se sentir tranqüilo. Os lamentos da esposa o incomodavam muito. Paulo tinha vontade de voltar para junto de sua família, mesmo que eles não pudessem vê-lo.

Com o passar dos dias, a angústia de Paulo foi aumentando, e em uma certa manhã ele comentou com Ernesto, quando este foi visitá-lo:

— Já estou bem. Acho que é hora de eu voltar para perto de minha família.

— Meu amigo, confie em Jesus, nosso mestre, e procure aproveitar para aprender no tempo em que estiver aqui. Quando estiver equilibrado, não só poderá visitá-los, como ajudá-los no que for preciso.

— Não, eu não posso ficar aqui. Agradeço tudo que fizeram por mim, mas sinto que minha esposa está me chamando. Não poder ficar perto dela está provocando grande angústia no meu ser.

— Em vez de você ficar assim com as chamadas de sua esposa, mande-lhe mensagens de paz. Em prece, peça a Deus que a ajude, assim como você também está recebendo ajuda.

— Se estou morto, gostaria de ver meu filho, Osvaldo. Ele também foi vítima de Juvenal.

— No momento isso não é possível. Ele desencarnou cedo, e agora está em um educandário para crianças aprendendo sobre o evangelho de Jesus em todas as suas formas.

— E meu pai? Onde está? Ele morreu quando eu tinha apenas catorze anos.

— Pelo que soube, seu pai está em uma colônia, não muito longe daqui. Talvez ele venha visitá-lo.

Ernesto se despediu. Sentado na cama, Paulo pensava em como a vida era estranha. Num momento, estava com a mãe e a mulher que amava; em outro, se encontrava separado delas por uma cortina que guardava o que, para ele, era um mistério.

Ao virar-se para a porta, viu entrar em seu quarto uma mulher alta, de cabelos pretos e um tanto crespos. Com um sorriso, ela lhe perguntou:

— Como está se sentindo, Paulo?

— Estou bem. Mas a senhora me conhece?

— Sim. Eu o acompanhava enquanto vivia no corpo de carne. Na Terra há uma pessoa que me é muito querida.

— De quem a senhora está falando?

— De um amigo seu, Renato. Ele me é muito caro.

— A senhora conversa comigo como se me conhecesse, mas eu nem mesmo sei seu nome.

— Desculpe-me a distração. Meu nome é Diva Aguiar. Gosto de ser chamada assim. Foi meu nome em minha última existência. Vivi no Brasil por volta de 1856.

— Então, dona Diva, eu gostaria de visitar minha esposa. Eu a amo muito. No entanto, segundo me disseram, não poderei ir agora.

— Filho, o único remédio é ter paciência. Se se envolver no trabalho, logo terá permissão de visitar sua família. Se desejar, posso acompanhá-lo.

— A senhora está falando sério?

— Por que eu haveria de mentir? Gosto de você, e minha única intenção é ajudá-lo.

Um homem adentrou o quarto, interrompendo a conversa. Falou para dona Diva:

— Irmã, acho que está na hora de irmos para a Terra. Seu protegido passa por problemas.

Sem nada dizer, Diva acompanhou o homem, pedindo licença a Paulo para se retirar. Paulo pensou: "Protegido? Quem será essa pessoa?" Como aquelas indagações sempre lhe causavam angústia, resolveu fazer o que Diva Aguiar havia sugerido. Gradativamente melhorando, depois de alguns dias Paulo se levantou e foi até a janela. Pôde observar um lindo jardim do lado de fora. Havia várias pessoas sentadas em bancos ou mexendo nas flores. O rapaz gostou do que viu. A paisagem o fazia se lembrar do sítio. Claro que o sítio não era tão belo quanto aquele lugar, mas para Paulo o humilde sítio tinha um quê especial: ali fora feliz, primeiro ao lado dos pais; depois, da mulher que amava.

As visitas de Diva se tornaram diárias, de modo que os dois puderam fazer uma bela amizade. Ela, entretanto, nada falava de seu passado, e Paulo, discreto, não ousava lhe perguntar.

Assim que Paulo se recuperou, dona Diva lhe arranjou um curso. Era sobre como viver desencarnado e como funcionava a vida fora do corpo. Ela lhe dizia constantemente:

— Paciência! Resignação! Disciplina! Estes são os ingredientes para se viver bem nas várias moradas do Pai.

Paulo se esforçava para aprender. Contudo, sua timidez muitas vezes serviu de empecilho para que fizesse novas amizades. Ernesto entendia a reserva de Paulo, e se tornou seu melhor amigo.

Às vezes Paulo sentia uma saudade doída da companheira. Não falava a Ernesto sobre esse sentimento; escolheu Diva para desabafar, porque ela diversas vezes tinha mostrado empatia em relação ao sofrimento do pobre rapaz.

Certo dia, Paulo foi chamado pela amiga a fim de visitarem uma pessoa que estava internada no anexo feminino. Ao chegar lá, surpreendeu-se ao encontrar dona Aurora. Emocionada, ela o abraçou como a um filho.

— Dona Aurora, como isso aconteceu? Não vá me dizer que Juvenal também a prejudicou!

De certo modo sim, filho. Desde que Juvenal praticou aquela iniquidade contra você e sua família, muitas coisas mudaram em casa.

Dona Aurora passou então a narrar tudo que havia acontecido depois de ele ter desencarnado. O rapaz ouvia calado, e não conseguiu esconder as lágrimas que corriam por suas faces. Ficou sabendo da condição de saúde da mãe, e também do sofrimento de Elvira. Dona Diva se interpôs na conversa:

— Meus irmãos, o que passou lhes serviu de experiência. Deus nunca desampara ninguém, por isso é melhor aprender a ser feliz aqui nesta morada. Quanto à senhora, dona Aurora, ficará aqui neste anexo por um tempo; após, verá o que vai fazer. Quero lhe alertar, contudo, que o trabalho é irmão da redenção. Paulo já está apto a trabalhar; a senhora ainda tem de se recuperar. Depois, se quiser, poderá fazer um dos cursos que temos aqui.

Paulo ficou ali por mais algum tempo. Em seguida, acompanhou Diva ao jardim, onde lhe fez várias perguntas. Ela, pacientemente, respondia a cada uma. Paulo se abriu com ela, e lhe contou toda a sua vida, até mesmo a traição que sofrera. Diva ouvia com atenção. No final do relato, depois de um breve silêncio, comentou:

— Amigo, creio que está na hora de esquecer esse episódio de sua última existência. O amor que une você a Elvira vem de várias encarnações.

— Se nos amávamos antes, por que não me lembro?

— Após um tempo aqui, vai começar a lembrar do passado. Então entenderá por que muitas coisas aconteceram.

— Não me conformo de ter partido tão jovem. Tenho só trinta e sete anos; poderia ter vivido muito mais!

— Filho, entenda: nada ocorre sem que Deus o permita. Temos a hora de chegar e a hora de partir. Aceite esse fato. Nada poderá ser mudado. Procure viver da melhor maneira possível, e tente cultivar a fé inabalável no criador. Só isso poderá auxiliá-lo.

— Eu tento, mas acabo pensando nos que deixei na terra, como minha mãe, minha esposa e meu filho.

— Deus nunca desamparou ninguém. Fique tranqüilo. Ele também não vai desampará-lo.

— Como você deve saber, não sou de muita conversa. Porém, de vez em quando tenho vontade de dizer tantas coisas... Só que, em geral, elas ficam presas em minha garganta.

— Filho, sei o que o perturba tanto. É a falta que sente de Elvira, não é mesmo?

— Como sabe, se nunca disse a ninguém?

— Quando nos encontramos desencarnados, conseguimos assimilar os pensamentos do outro. Não se sinta ofendido, portanto. Consegui assimilar do seu sentimento a falta que sua companheira lhe faz.

— É verdade. Eu a amo tanto que às vezes chego a pensar que ficar sem ela foi a pior coisa que poderia ter me acontecido. Sua presença me faz bem, não consigo traduzir em palavras.

— Nem precisa — respondeu Diva. — O amor, quando é verdadeiro, ultrapassa os obstáculos. Nem mesmo o tempo é capaz de fazer com que ele se apague. E tem mais: Elvira o ama da mesma maneira, ou seja, um faz parte do outro. Essa separação é temporária, Paulo. Quando ela retornar ao plano espiritual, vocês poderão desfrutar da companhia um do outro.

— É isso mesmo. Ela é meu raio de sol, a luz que ilumina minha vida, o canto que alegra meu viver. Poder reencontrá-la é tudo que mais desejo na vida — confessou Paulo com voz emocionada.

Ernesto se aproximou dos dois. Sorrindo, saudou-os:

— Que a paz de Deus que envolve todo o pensamento continue convosco.

— Que assim seja meu irmão — disse Dona Diva.

— Paulo, vim aqui para saber se está gostando do curso.

— Sim, e muito.

— Pois bem — falou Ernesto. — Amanhã o irmão Jairo vai lhe oferecer uma viagem. Se quiser vir conosco, poderá fazê-lo. Estou contado a você porque ele me deu autorização para isso. Desde que você chegou aqui, não fez muitas amizades. A solidão é benéfica por alguma horas, mas se for por um tempo longo poderá ser prejudicial.

— Sim, eu irei — concordou Paulo com um sorriso. Sentia em Ernesto e em Diva uma confiança inabalável.

— Vá, Paulo. Garanto que voltará trazendo novas notícias — comentou Diva.

Ernesto se despediu, e deixou Paulo na presença de Diva.

— O que você gosta de fazer, Paulo?

Paulo pensou e, um pouco ressabiado, respondeu:

— Sempre gostei de música. Enquanto vivia na Terra, tinha um violão. Nele eu tocava cantigas e cantava também.

— O que acha de ter um violão?

— Como? Tocar um violão aqui? Não acredito no que me diz.

— Sim, filho. Por que não? A Terra é uma cópia imperfeita das moradas que o Pai nos oferece.

— Se é assim, adoraria ter um. Sinto falta de cantar e tocar. Quando me sentia sozinho, sempre entoava uma música, e conseguia espantar a solidão.

— Amanhã lhe arranjarei um. Você também pode ensinar aqueles que têm vontade de aprender. O que acha?

— Não sei... Aprendi a tocar sozinho; não sei se tenho capacidade de ensinar.

— Como saber se não tentar? — perguntou dona Diva.

Paulo passou a apreciar a companhia de Diva. A saudade de Renato já não era tão grande porque fizera mais dois amigos na morada espiritual.

Diva se despediu e Paulo voltou para seu alojamento. Com o coração cheio de gratidão, sentou-se em sua cama e fez uma prece de agradecimento por estar amparado em um lugar onde poderia contar com a ajuda de dois amigos. Na oração, não esqueceu de pedir pela mãe e por Elvira. Sabia o quanto deviam estar sofrendo sua ausência.

No dia seguinte, Ernesto veio encontrar Paulo cantarolando.

— Se quiser ir, o momento é chegado. Todos os que vão estão lá fora; só falta você.

Paulo nunca havia gostado de deixar ninguém esperando por ele. Apressou-se em acompanhar Ernesto. Ao passarem pelo jardim, avistou um veículo bastante diferente dos que havia na terra. Parecia um bonde, como o que vira no tempo em que tinha passado na capital. Só que este parecia uma versão bem mais modernizada. Paulo balbuciou um bom-dia, e logo a caravana partiu.

No caminho, Paulo perguntou a Ernesto aonde estavam indo. Com um sorriso matreiro, Ernesto lhe respondeu:

— Vou lhe fazer uma surpresa. Mas posso garantir que gostará muito.

Paulo resolveu não fazer mais perguntas. Ficou observando a paisagem que se abria a sua frente. Quando o veículo parou, desceram todos em um belo jardim. Paulo estava admirado com a beleza da construção.

— Quer saber onde estamos, não é? — perguntou Ernesto.

— Sim — respondeu Paulo sorrindo.

— Fim do mistério: estamos no educandário Luz do Caminho. É aqui que permanecem os jovens e as crianças que desencarnam.

Paulo, surpreso, inquiriu:

— Acaso é aqui que meu filho se encontra?

— Sim. Foi por isso que o trouxemos aqui.

Paulo começou a chorar só de imaginar a emoção de reencontrar Valdo. Ernesto o consolou:

— Não chore, amigo. Antes, agradeça a Deus pela graça recebida, pois a todos aqueles que procuram manter um coração puro Deus sempre reserva grandes bênçãos.

Paulo foi com o grupo e pôde ver muitas crianças e jovens. Cada grupo tinha um orientador. Paulo ficou fascinado com a alegria das crianças e dos jovens que estavam divididos em grupos por faixa etária. Alegre, perguntou a Ernesto com ansiedade:

— Gostaria muito de ver Valdo. Não o encontrei em parte alguma.

— Pode ser que ainda esteja na classe. Muitos estão em aula a essa hora.

Paulo explorou o lugar. Conversou com alguns jovens, e todos gostaram dele. Um deles perguntou:

— Acaso o senhor é professor?

— Imagine — respondeu Paulo, embaraçado. — Sou como vocês, ou, melhor, sou menos que vocês; garanto que sabem muito mais coisas que eu.

Os jovens gostavam de receber visitas. Em dado momento, Ernesto se retirou deixando Paulo sozinho com dois jovens, chamados Marcos e Antônio. Como estava entretido na conversa, não percebeu que seu amigo se afastara. Só notou quando viu Ernesto chegar com um menino. Ao perceber de quem se tratava, não conseguiu segurar as lágrimas. Era seu filho Valdo. O menino sentou-se com ele na grama verde e, chorando de emoção, contou ao pai tudo que ocorrera no dia de seu desencarne. Ernesto se aproximou e comentou:

— Eu o trouxe aqui não para falar sobre coisas ruins, mas para um reencontro feliz entre pai e filho que não se vêem há algum tempo.

Paulo sabia o que Ernesto queria dizer. Não era tempo de falar do passado. Sorrindo, não deixava de segurar as mãos do filho. Valdo estava tão feliz que começou a falar sobre o que aprendiam nas horas de aula, e Paulo, entusiasmado, contou também o que estava aprendendo. Ficaram juntos o dia todo. Com lágrimas nos olhos, Paulo se despediu de Valdo, prometendo voltar assim que pudesse.

No caminho de volta, Paulo deixara de ser aquela figura quase taciturna. Entusiasmado, comentava sobre a beleza do lugar. No grupo deles havia uma moça que prestava mais que a costumeira atenção no que Paulo dizia. Ele lhe perguntou:

— Você também gostou do passeio?

— Sim — respondeu a moça. — Sempre que posso vou ao educandário. Para mim, é uma grande alegria ver os jovens e as crianças que lá se encontram.

— Qual é o seu nome? — perguntou Paulo.
— Eu me chamo Bernadete.
— Eu me chamo Paulo. Muito prazer.
— Ora, Paulo, deixei disso. Já nos conhecemos há muito tempo.
— Como assim? Não me lembro de você.
— Mas vai se lembrar. É só ter paciência, que sua memória logo volta. Você vai perceber que este lugar não é estranho. Você esteve aqui várias vezes.

Meio sem jeito, Paulo pediu licença e voltou a conversar com Ernesto.

— Por que não me lembro de minhas existências anteriores?
— Porque para tudo há um tempo determinado. Não se aflija. Sua memória virá quando menos esperar. Tenha paciência.
— Mas essa moça, Bernadete, me olhou de um jeito que me deixou constrangido. Não entendi o porquê.
— Não posso lhe adiantar nada, mas, ao chegar em sua casa, faça uma prece. Depois, mergulhe dentro de si. Quem sabe o espírito da verdade não o fará relembrar de coisas que estão escondidas no escaninho da alma.

Paulo não entendeu muito bem o que Ernesto queria dizer, mas o fato de a moça o olhar com insistência e lhe dizer que já o conhecia o deixara perturbado. Ao chegar ao alojamento, fez como Ernesto havia sugerido. Após alguns momentos, uma lembrança chegou...

Paulo se viu em um castelo da Idade Média. Estava vestido a caráter, e suas pernas eram protegidas por couro de animal, pois o frio naquele local era intenso. Pegou o arco e a flecha que estavam pendurados na parede e, encarando uma mulher, falou:

— Fraulett, hoje vou caçar, portanto não me espere. Vou para o acampamento de caça e ficarei lá alguns dias. Tudo está resolvido, de modo que você não precisa se preocupar com nada. Cuide bem de nosso filho Julien. Quando crescer mais um pouco, ele vai poder me acompanhar nas caçadas.

— Louis, não vá caçar agora. Preciso de você aqui. Tenho me sentido muito só.

— Não queira me prender aqui. Nosso casamento foi apenas um jogo de interesse. Não cobre de mim o amor que não posso lhe dar.

— Então você confessa que vai às caçadas para fugir de minha presença?

— Não estou dizendo nada. Entenda como quiser. Por enquanto, não me pressione. Você, melhor que ninguém, sabe que detesto esse tipo de comportamento. Você é uma senhora respeitada na corte, e todos pensam que somos felizes. Além do mais, não a maltrato. O que mais você pode querer de mim?

— O que eu queria de você era que ficasse um pouco mais comigo e com nosso filho. Mas, já que somos um fardo para você, vá aonde quiser.

— Não gosto de mulher que venha me dar ordens. Eu ia passar só três dias caçando. Agora, não me espere pelos próximos três meses. Antes de partir, avisarei Afonce para que cuide de meus negócios. Foi você quem quis assim.

Louis partiu, enquanto a esposa chorava sentada na cadeira, a um canto da grande sala medieval.

Paulo, voltando ao tempo atual, soube que Bernadete era sua esposa em outra existência. Entendeu também que nunca a tinha amado. Mais constrangido ainda, resolveu tomar distância dela para não ser obrigado a tocar no assunto.

Depois dessas primeiras lembranças de outras existências, Paulo começou a mudar. Sentia necessidade de aprender, por isso começou a acalentar o sonho de ser um professor que pudesse orientar e ajudar os recém-desencarnados.

Diva Aguiar sempre estava ao seu lado, assim como Ernesto, e nos cursos que Paulo fazia, sempre procurava absorver o maior conhecimento para um dia poder ajudar alguém.

Certo dia, Diva e Ernesto vieram ter com o amigo.

— Acho que é hora de você fazer uma visita para os seus que ficaram na terra. O que nos diz? — perguntou Ernesto.

— Para mim seria a maior alegria do mundo. Há quanto tempo venho esperando por essa oportunidade. Sinto saudades de minha mãe, de Elvira e de meu filho.

— Está certo então. Iremos amanhã de manhã. Tranqüilize seu espírito e procure manter a calma e a serenidade. Apenas dessa maneira poderá ajudá-los.

Paulo passou o dia inteiro transbordando de contentamento. Iria novamente ver aquela que era o amor de sua vida. Ansiosamente, aguardou a manhã do próximo dia.

No horário marcado, Paulo, Ernesto e Diva partiram rumo à crosta terrestre. Paulo não cabia em si de tanta alegria. Após a longa separação, iria rever as pessoas que mais amava no mundo. Dona Diva sugeriu que primeiro fossem visitar Renato, e todos concordaram.

Ao chegar à fazenda de Renato, Paulo surpreendeu-se ao rever o amigo. Não era mais o mesmo. Maria Eugênia contava com quase quinze anos, e seu filho, Ageu, se tornara um belo rapaz. Renato não era mais um fanfarrão; de seu semblante, Paulo pôde perceber que sumira toda aquela alegria e entusiasmo de que se lembrava. Agora sempre estava preso aos negócios da fazenda, e no tempo que lhe restava fazia visitas à dona Eunice, que se encontrava bem doente, e a Elvira, que, desde a morte do filho e do marido, começara a apresentar distúrbios mentais.

Renato se encontrava em seu gabinete quando as três entidades chegaram. Com as mãos na cabeça, pensava: "Meu Deus, tenho de arranjar um jeito para ajudar aquelas pobres criaturas. Dona Eunice recusa a presença de meus homens para ajudá-la com o sítio; Elvira só fica olhando a estrada, achando que Paulo viajou e que a qualquer momento voltará. As duas dependem de mim. Paulo sempre foi meu melhor amigo, não posso abandoná-las. Quando nos encontrarmos, um dia, quero lhe dizer que fiz o melhor que pude pela sua família".

Diva ouvia os pensamentos de Renato e ia dizendo palavra por palavra a Paulo. O rapaz sentiu-se desequilibrado com aquela confissão, por isso Ernesto intercedeu:

— Paulo, não fique assim ao saber da situação de sua família. Se não conseguir manter o equilíbrio, seremos obrigados a voltar. A crosta terrestre é muito densa. Se nos desequilibrarmos aqui, poderemos facilmente nos deixar levar por nossos sentimentos.

— Sei disso. Vou procurar manter o equilíbrio. Preciso ir ao sítio para ver pessoalmente o que está ocorrendo. Sinto que devemos ajudar minha mãe e minha esposa.

— Confiança — encorajou Diva. — Não precisa se desesperar. Confiemos em Jesus, que está presente nos momentos mais difíceis de nossa vida.

Paulo se calou e dona Diva se aproximou de Renato. Estendendo as mãos sobre sua cabeça, começou a transmitir fachos de luzes brancas, depois inspirou-o com estas palavras:

— Confie em Deus. As coisas que muitas vezes nos parecem impossíveis não são para Deus. Faça a sua parte, e não se culpe se não puder fazer muita coisa.

Renato assimilou as palavras de Diva. Disse em voz alta:

— Bem, farei o que me for possível. Não posso carregar uma culpa que sei que não tenho. Vou conversar com dona Eunice. Sei que ela não recusará minha ajuda.

Renato levantou-se e foi até seu automóvel. Rapidamente, chegou ao sítio. Sorrindo, adentrou o casebre e foi direto ao quarto de dona Eunice. Ela, na maioria das vezes, estava deitada. Sua saúde piorara depois da morte de Paulo. O amigo da família pôde observar que a casa não estava mais limpa e organizada como antes. Dona Eunice não conversava mais com Elvira, que se mantinha alienada a tudo, e

Doce Entardecer

dizia que Valdo e Paulo poderiam chegar a qualquer momento. Renato tentou esconder a tristeza ao se voltar para a bondosa senhora.

— Dona Eunice, a senhora sabe o quanto a estimo. Por isso vim aqui fazer-lhe uma oferta irrecusável.

Dona Eunice, sem brilho nenhum no olhar, fitou o rapaz. Como permanecesse calada, com a fisionomia completamente envelhecida pelo tempo e pelo sofrimento como que congelada, Renato continuou a falar.

— O que me trouxe aqui é que quero comprar o sítio da senhora.

Paulo ouviu a proposta de Renato e ficou indignado, perdendo completamente o equilíbrio. Falou a Diva e Ernesto:

— Traidor! Sempre pensei que fosse meu amigo. Agora compreendo o que ele queria: nossas terras! Como não estou mais lá, vai se aproveitar da fragilidade de minha mãe e de Elvira para conseguir seu intento.

— Acalme-se, Paulo — falou dona Diva em tom altivo. — Por que não espera para ver o que ele pretende?

— Ele pretende roubar minha mãe. Como se não bastasse o que meus irmãos fizeram!

Ernesto interrompeu-o:

— Vamos ouvir a proposta; depois tiraremos nossas conclusões.

Paulo calou-se. Sentia-se traído. Nunca havia esperado algo assim do amigo.

Em outra dimensão, a conversa dos dois encarnados continuava:

— Eu lhe ofereço quarenta contos de réis pelas terras, e a senhora não precisará se mudar daqui.

— Renato, essas terras não valem tudo isso. Se valerem quinze contos, já estará bem pago.

— Não, dona Eunice. Quero comprá-las por quarenta contos de réis. A única coisa que mudará para a senhora é que meus homens vão trabalhar aqui, e colocarei uma criada para cuidar da casa, já que a senhora se recusou a manter aquela outra que eu lhe havia emprestado. Como as terras serão minhas, a senhora não tem como recusar. E também ficará com o futuro garantido.

Dona Eunice pensou por alguns minutos, depois falou:

— Está bem. Eu vendo para você. Foi nessas terras que perdi tudo que amava: primeiro meu marido, depois meus dois filhos ingratos, e por último minhas jóias preciosas, meu filho e meu neto. Essas terras não significam mais nada para mim.

— Então está certo. Vou preparar os papéis de compra, e a senhora vai receber imediatamente o dinheiro. Preocupa-me também o estado mental de Elvira. Ela não fala coisa com coisa. Por que a senhora não paga um tratamento para ela com um bom especialista?

— Sim, farei isso, assim que estiver com o dinheiro em minhas mãos.

Renato se despediu de dona Eunice e voltou à fazenda. Ao entrar no gabinete, não viu as três entidades que todo o tempo o acompanhavam. Abriu uma gaveta, pegou um papel e preencheu como se fosse um recibo de compra. Foi ao cofre, pegou quarenta e um contos de réis, e novamente voltou à casa de dona Eunice, que estava feliz por vender as terras. Não tinha mais saúde nem disposição para cuidar delas.

Renato levou o recibo de compra, no qual dona Eunice fez alguns rabiscos como assinatura. Deu-lhe o dinheiro, e conversaram por mais algum tempo. Renato levou o recibo com ele. Assim que voltou ao gabinete, pegou o recibo e o queimou. Na verdade, ele não queria as terras. Seu plano era fazer dona Eunice acreditar que tinha lhe vendido o sítio para que aceitasse que seus homens cuidassem das terras, que ainda seriam dela perante a lei.

Paulo ficou emocionado e, ao mesmo tempo, envergonhado por ter duvidado do caráter do amigo. Diva, feliz com a atitude de Renato, alisou-lhe o cabelo, porém Renato sentiu apenas um leve arrepio percorrer seu corpo.

No dia seguinte os homens de Renato foram ao sítio, que supostamente era dele, fazer alguns consertos na casa. Mandou também a criada Maria para lá a fim de fazer os serviços domésticos.

Dona Eunice, como era orgulhosa, disse que logo iria comprar uma casinha na vila, e que sairia do sítio. Renato, absorto em seus pensamentos, quando se deu conta do que dona Eunice dizia, respondeu:

— Não permitirei que a senhora saia daqui. O trato era de que a senhora permaneceria aqui, com Elvira e Pedrinho. Se a senhora sair daqui, me deixará muito magoado.

— Filho, não quero magoá-lo, mas não acho justo continuar aqui sabendo que estas terras não são mais minhas.

— A senhora sempre se portou de forma digna. Espero que cumpra com o combinado.

Paulo se aproximou da mãe e lhe sussurou carinhosamente:

— Mãe, faça como Renato está pedindo. Ele ficou em meu lugar, como se fosse seu filho, e só quer seu bem.

Eunice sentiu a presença de Paulo, e desabou a chorar. Sem ter consciência, respondeu a Renato:

— Está bem. Vou ficar. Mas vou continuar a mandar em minha casa. Não vou permitir que ninguém me contrarie.

Renato, com um sorriso brincalhão, disse a dona Eunice:

— Muito bem. Assim é que se fala. A casa vai continuar sendo da senhora, e ninguém fará o que não desejar. Mesmo para os trabalhos do sítio, direi a meus homens que obedeçam às suas ordens. Se acontecer o contrário, pode me dizer que os mandarei embora.

— Renato, sempre o apreciei muito. Desde que Paulo morreu, eu o vejo como meu filho. E sinto que Paulo não quer que eu saia daqui.

— Então está tudo certo com esse assunto. Agora precisamos resolver a situação de Elvira. Ela não está em seu juízo perfeito, e precisa de assistência médica.

— Também acho. Desde que seu Silveira, pai dela, morreu, nunca tivemos o amparo de sua família. Dona Clotilde, às vezes, recebe apenas o menino.

— Eu a levarei à capital em busca de um especialista. Ela precisa aceitar que Paulo e Valdo não voltarão mais, pelo menos em carne. Pode até ser que estejam por aqui em espírito.

Paulo se aproximou de Renato e lhe disse ao ouvido:

— Sua amizade me é muito cara. Seremos amigos eternamente.

Diva olhou para Renato com carinho, de uma maneira que chamou a atenção de Paulo e Ernesto. Ambos perceberam que Diva nutria um sentimento especial por aquele ser encarnado, mas nada comentaram. Ela, ao captar o pensamento dos dois, esclareceu:

— Renato é para mim mais importante do que imaginam. Ele sempre se portou de maneira nobre, embora tenha seus defeitos. Muitas coisas ele vai aprender em experiências futuras.

Ernesto, como não era muito discreto, deu espaço à sua curiosidade:

— Por que Renato é tão importante para a senhora?

— Meus filhos, esta história é longa. Vem de muito tempo, quando ainda vivíamos na Suécia. Renato se chamava Marck, e era um nobre que fazia parte da fidalguia daqueles tempos.

Então Diva passou a relatar uma outra história, em um outro tempo.

– Eu era uma moça com temperamento um tanto arrebatador, e meus pais também eram nobres suecos. Quando tinha dezessete anos, apaixonei-me pelo mordomo que atendia as exigências de meu pai. Ele também me amava, e sempre nos encontrávamos em alguma parte do castelo. Sem levantar suspeitas, começamos a manter um romance secreto. Papai, entretanto, sempre me quis casada com Marck, mas eu o recusava veementemente porque amava o mordomo. Certo dia houve um baile no qual toda a realeza sueca estava reunida. E, como não podia deixar de ser, Marck estava presente. Eu estava inquieta, uma vez que sabia estar esperando um filho de John, o mordomo. Como estava nervosa, fiquei no jardim chorando quando Marck se aproximou e começou a me fazer a corte. Sempre fui uma pessoa temperamental, por isso lhe disse abertamente que não era para perder tempo comigo, porque eu esperava um filho do criado, e estava pensando no que fazer quando meu pai descobrisse. Marck pensou por alguns minutos. Em seguida, apresentou uma solução para o problema. Disse que, se eu o aceitasse como marido, ele aceitaria meu filho como se fosse seu. Com sinceridade, lhe respondi que poderia até me casar com ele, mas que ele jamais colocaria as mãos em mim, porque eu pertencia a outro. Marck, apaixonado como estava, aceitou nosso trato. Na noite seguinte informamos a meu pai que iríamos nos casar. O casamento teve toda a pompa que um casamento real merecia, embora Marck não estivesse muito feliz naquele dia, tampouco John, que ficara muito bravo com a solução que eu arrumara para nosso problema. Marck foi um cavalheiro. Como combinamos, ele nunca tocou em mim, ainda que soubesse que eu estava às voltas com o mordomo sempre que podia. Ele nunca disse nenhuma palavra a meu pai, e logo August nasceu. Um menino forte e lindo. Como ambos eram louros, todos diziam que se parecia com Marck. De pronto Marck se apegou à criança, de modo que impedia que John se aproximasse do menino. August tinha verdadeira adoração por aquele que considerava como seu pai. Mesmo assim, Marck foi muito discreto. Nunca me procurou para um contato mais íntimo. Ele sabia que eu me encontrava com John, e eu, de minha parte, compreendia o quanto ele sofria com aquela situação. Insisti várias vezes para que ele arranjasse algumas concubinas, mas ele se negava. Desse modo August cresceu, e a cada dia amava mais o homem que tinha como pai. Quando August já contava com doze anos, numa manhã Marck resolveu galopar com ele. Então uma tragédia aconteceu. Marck caiu do cavalo e quebrou o pescoço, falecendo no mesmo instante. August sofreu muito. Numa manhã fui ver a sela que Marck tinha usado para montar. Pude notar que as cintas não tinham arrebentado exatamente; estavam cortadas. Finalmente entendi que John fizera aquilo. Sofri tanto na ocasião que nunca mais me deitei com John. Depois de muitos anos descobri que realmente amava Marck, e que a paixão por John fora apenas uma ilusão. Esta é a história de Marck, que hoje é Renato. Por isso sempre estou a seu lado.

— Como ele reagiu, no plano espiritual, quando descobriu que havia sido assassinado por seu amante? — quis saber Ernesto.

— Da maneira mais digna que um ser pode agir: ele não só me perdoou, mas também a John. Dizia que, em nome das ilusões, se faziam verdadeiras loucuras.

— Ele sabe que a senhora nutre esse sentimento por ele?

— Não sei. Sempre fiz questão de guardar a sete chaves esse segredo. Arrependo-me muito de lhe ter imputado tamanho sofrimento. Mas é com os erros que aprendemos. Aprendi que o amor não é algo desesperador; é, antes de tudo, algo suave, como uma brisa à beira-mar. Quando o amor é sincero, nem mesmo o tempo consegue apagar.

— É exatamente o que sinto em relação a Elvira. Eu a amo, e pretendo ficar um dia com ela.

Depois dessa conversa, dona Diva achou que estava na hora de partirem. Já era tarde, e o programa da viagem não tinha o propósito de demorar. Entretanto, durou três dias.

Paulo sentia-se triste em partir. Queria ver qual seria o desfecho daquela história. O estado de saúde de Elvira muito o preocupava, e sabia que sua mãe estava bem adoentada. O que seria da esposa se a mãe partisse? E seu pequeno Pedro, como ficaria?

Diva percebeu a aflição que ia no coração de Paulo. Confortou-o:

— Meu irmão, quando achamos que não há solução, é neste momento que o amor do Pai se apresenta, e sempre oferece a ajuda certa na hora apropriada. Procure se manter em paz; dessa maneira vai ajudar aquela que ama, emanando-lhe amor e tranqüilidade.

— Vou procurar fazer isso. Porém confesso que estou realmente preocupado com Elvira. Ela não se encontra nada bem.

— Confie em Deus e espere. Todos os problemas que ela enfrenta com sua ausência têm um sentido; ela vai aprender com isso — completou Ernesto.

— Queria ter a fé que vocês têm. Garanto que não me abalaria tanto.

— A fé é algo que conquistamos — explicou dona Diva. — Tire o maior proveito de sua estada no plano, e emane amor e harmonia para os que continuam na Terra.

Paulo se esforçou ao máximo para aprender. Nutria o sonho de dar aulas, por isso se entregou humildemente à tarefa de aprendizado. Confiou em Renato. Tinha certeza de que o amigo não deixaria faltar nada nem à mãe, nem à Elvira.

No plano terrestre, o estado de saúde de Elvira foi piorando a cada dia. Ora ela chorava, ora dizia que Paulo e Valdo estavam chegando. Quase não se alimentava mais; quando o fazia, a refeição era frugal e sem nutrição. Nem de longe a mulher esquálida e de cabelos em desalinho, com vestes sujas, cuja higiene pessoal deixava muito a desejar, lembrava a moça bonita e vistosa de outrora. Não dava sequer mais importância ao filho.

Renato levou-a à capital. Ficara sabendo que havia lá um médico famoso, que prescrevia acertadamente em vários casos. O doutor se chamava João Gomes, e era muito respeitado em sua especialidade. Ao examinar Elvira, logo diagnosticou trauma muito forte que abalara seu estado emocional. Prescreveu-lhe um forte calmante para dormir, uma vez que a moça não dormia direito fazia algum tempo. Após, o médico orientou Renato a colocá-la em um manicômio, pois estava completamente perturbada.

Renato indagou ao médico:

— Acaso o tratamento não pode ser feito em casa mesmo, doutor?

— Poder pode, mas ela tem tendência ao suicídio. Disse-me que quer se encontrar com o marido e com o filho porque os dois viajaram. Em seu íntimo ela sabe que eles morreram, mas seu subconsciente usou a fantasia da viagem como proteção. Se não quiser interná-la, não o faça, mas lembre-se de que todo cuidado é pouco em relação a ela em questão de vigilância.

— Farei o que estiver a meu alcance. Ela foi esposa de meu melhor amigo; sinto-me na obrigação de protegê-la. Quando lhe devo?

— Cobrarei quando o senhor retornar com ela. Como tem direito a retorno, dentro de um mês traga-me a moça de volta para que possa avaliar seu estado emocional.

Renato levou Elvira novamente para casa, e designou uma criada para ficar somente com ela, o tempo todo. Deu ordens expressas à criada para não deixá-la a sós com o filho.

Elvira, após tomar os medicamentos, começou a dormir melhor. Mas acordava todas as noites sobressaltada. Dizia em voz alta, parecendo delirar:

— Você quer que eu morra, não é verdade? Não vou morrer! Quanto a você, volte para o inferno de onde veio.

Dona Eunice presenciou várias dessas crises de Elvira. Certo dia, resolveu pedir a dona Genoveva que viesse lhe dar um passe. Quando a mulher chegou, viu que o quadro de Elvira não era somente uma perturbação mental, mas sim espiritual. A bondosa senhora começou a fazer a prece, pedindo ajuda dos amigos da espiritualidade maior. Elvira, ao ouvir a oração, se lançava no chão, e dizia coisas que somente dona Veva entendia.

— Saia daqui! — gritou Elvira. — Eu não a quero aqui. Ela é minha, e ninguém vai me tirar o prazer de vê-la reduzida a nada, assim como estou.

— Irmão, por que faz isso com a pobre moça? Seja o que for que ela lhe fez no passado, os tempos agora são outros. Perdoe... Só assim o perdão de Jesus pode chegar até você.

— Isso nunca! Ela vai me pagar até o último ceitil o que me fez. A hora da vingança está chegando. Você não sabe o quanto isso me deixa feliz.

— Tenho pena de você, irmão. Pretende fazer como nos dias de Moisés: olho por olho; dente por dente. Isso não vai lhe trazer felicidade como imagina. A verdadeira felicidade está em perdoar para sermos perdoados pelo Pai.

— Não diga bobagem. Nada vai me demover agora. O meu momento triunfal está próximo. Vocês verão como vai acontecer.

Nesse momento, Elvira estremeceu e desmaiou. Dona Genoveva ajudou a colocar a moça na cama. Com tristeza, constatou que ela estava sendo alvo de forte obsessão, e que o espírito que falara por intermédio dela tinha o coração muito endurecido. Somente Deus poderia fazer algo para ajudá-la.

Dona Eunice sentia-se triste. Gostava de Elvira como de uma filha. A mãe de fato, dona Clotilde, nunca tinha vindo visitá-la. Dona Eunice se lembrava bem do que ela havia dito ao saber da situação em que a filha se encontrava. Disse com satisfação:

— É o que ela merece. Se tivesse nos ouvido, não teria se misturado a essa gentalha nem sofrido o que sofreu. Silveira voltou atrás a respeito dela, mas eu jamais vou retroceder. As dificuldades dela não me dizem respeito, assim como as nossas nunca a alcançaram também. Não tenho nada a ver com isso.

— Como a senhora pode ser tão dura, dona Clotilde? — indagou Renato, que a havia procurado em nome de Elvira. — Não se esqueça que a senhora tem uma parcela de culpa em tudo que aconteceu com ela. Lembra-se de quando se juntou com Manoel para fazê-la se tornar amante dele? Digo à senhora, com todas as letras, que, se aquele caso sórdido não tivesse ocorrido, aquele canalha do Juvenal jamais teria feito o que fez com seu genro e neto. Ele a queria para ser uma meretriz em seu bordel na capital.

Dona Clotilde respondeu, indignada:

— Como pode vir até mim e me dizer esse monte de calúnias?

— Não se faça de ingênua, dona Clotilde. A senhora sabe muito bem que Juvenal quis aproveitar da má reputação que Manoel impingiu a Elvira. Digo mais: se houver uma culpada nessa história, só pode ser a senhora. Passar bem, e que Deus tenha misericórdia de sua alma.

Renato virou as costas e saiu da casa de dona Clotilde. Voltando à fazenda, contou tudo a dona Eunice. A bondosa senhora relembrava o fato, que juntava ainda mais tristeza à de ver a nora dizer coisas horríveis, vítima de obsessão. De repente, uma dor aguda lhe atingiu o peito, fazendo com que caísse no meio da cozinha. Ao vê-la, a criada levou-a para a cama e mandou que um dos homens que trabalhavam no sítio fosse chamar Renato. Este veio imediatamente, e deu ordens para chamar o médico que já se tornara um companheiro da família, o doutor Júlio.

Quando Renato chegou ao casebre, a mulher tinha voltado a si, mas seus lábios permaneciam violáceos, e sua voz estava fraca. A bondosa senhora pegou a mão de Renato e lhe pediu:

— Por favor, cuide de Elvira e de meu neto. Não vou ficar com vocês muito tempo. Não deixe o menino com a avó materna; ela vai fazê-lo sofrer. Cuide dos dois por mim, por favor.

— Juro que cuidarei, dona Eunice. Não se trata de uma promessa; é um juramento que faço.

Dona Eunice, que apertava as mãos de Renato, vagarosamente começou a soltá-las. Ela estava partindo.

Renato debruçou sobre o corpo inerte de Eunice, e se pôs a chorar como uma criança. Ao chegar, doutor Júlio apenas atestou a morte da velha senhora.

Renato percebeu, ao olhar fixamente para o rosto de dona Eunice, um leve sorriso. Com lágrimas nos olhos, comentou:

— Olhem, parece que ela está sorrindo. Acho que queria mesmo ir embora.

Renato tomou todas as providências cabíveis ao sepultamento da pobre mulher. Como todos sabiam que Renato tinha comprado as terras de dona Eunice, ele arranjou um documento falso atestando que estava passando as terras em nome de Pedro Marins Mattos. Como Elvira continuava alheia a tudo, nem se deu conta de que a sogra havia morrido.

Envolvidos em toda essa tristeza, os mais chegados enterraram dona Eunice, mãe verdadeira de Paulo; mãe de coração de Renato.

27

Pedrinho e alguns fatos

Renato era pura desolação. Não sabia se internava Elvira e a mantinha trancafiada em um manicômio ou se a deixava como estava. Preocupava-lhe a proximidade dela com Pedrinho. Finalmente decidiu que iria manter Elvira na casa do sítio, com duas criadas, e que uma delas cuidaria apenas do menino.

Pedrinho não era uma criança feliz. Sempre estava calado e, com o passar do tempo, entendeu tudo que havia acontecido aos pais e ao irmão. Também soubera do erro que a mãe praticara, pois, em uma visita à avó na cidade, teve conhecimento, pela boca da própria avó, de que sua mãe não era uma mulher direita, e que o pai havia morrido por causa dela. Apesar de ter se indignado, Pedrinho acreditou no que a avó dissera e passou a odiar a mãe.

O menino, contudo, respeitava muito Renato. Sabia o quanto ele ajudava a família, e prezava seu caráter indulgente, porém rígido, no tocante ao que acreditava ser certo.

Certo dia, Pedrinho foi à fazenda de Renato e trancou-se em seu gabinete. Narrou-lhe então todos os fatos que a avó materna tinha lhe falado. Renato, irado, esbravejou:

— Maldita velha mentirosa! Você não sabe quem é sua avó. — Renato foi obrigado, em seguida, a contar a sua versão dos fatos. Falou até mesmo do conchavo entre a avó e Manoel, que trataram Elvira como se fosse uma mercadoria. Completou dizendo que Manoel manchara a reputação da mãe propositadamente, e narrou tudo sobre Juvenal e seu plano insano de levar Elvira para ser a principal meretriz na capital.

Pedrinho chorou muito, e passou a compreender melhor a mãe. Em seu íntimo, ele pensava: "Como minha mãe pôde ter sido tão leviana a ponto de trair meu pai com um homem qualquer?" Nesse ponto, não perdoava a mãe. Não adiantava Renato defendê-la. Pedrinho permanecia calado por respeito, mas jamais aceitou os fatos como Renato tentava mostrá-los.

Quando dona Clotilde soube que Renato havia passado as terras em nome do neto, ficou radiante. Ela mesma dizia que, com aquelas terras, iria fazer dinheiro. Mas Elvira continuava viva, e dona Clotilde pensava que nada podia fazer enquanto a filha não estivesse fora do caminho.

Elvira estava muito diferente do que fora um dia. Antes, os cabelos eram sedosos e bonitos, agora estavam sujos e maltratados; suas unhas pareciam de gavião, grandes e sujas; em sua face começavam a aparecer os sinais dos tempos, agravados pelos sofrimentos pelos quais passara, e, embora ela não tivesse tanta idade assim, as perdas e a loucura subseqüente a fizeram envelhecer anos. A criada que cuidava dela na verdade tinha receio que Elvira lhe fizesse algo em alguma crise de fúria. Elvira permanecia dizendo que seu marido e seu filho iriam chegar a qualquer momento.

Numa manhã, a criada estava distraída conversando com um dos camaradas que trabalhavam para Renato e não viu quando Elvira saiu pelos fundos do casebre. Ela foi ao lago, olhou para as águas calmas e começou a entrar nele devagar, até o ponto em que não dava mais pé. Como não sabia nadar, afogou-se, e o corpo foi descoberto apenas três dias depois, quando o cadáver boiava na água.

Pedrinho chorou muito a morte da mãe. Dizia que estava completamente sozinho no mundo. Primeiro fora seu irmão que havia morrido; depois o pai; a avó; agora a mãe.

Penalizado com a situação do menino, Renato lhe disse que ele não estava sozinho. Contou-lhe que ele iria morar na fazenda. O menino, completamente perdido como estava, assentiu. No entanto, quando Clotilde soube da morte da filha, não sentiu remorso pelo que fizera, e, além, foi até o casebre para levar o neto embora.

Renato indignou-se com a atitude de dona Clotilde. Não havia tido a dignidade sequer de ver a filha no caixão, e muito menos se interessara em saber dos detalhes de sua morte. Agora bancava a boa avó. Renato ficou muito desconfiado. Disse-lhe francamente, em uma de suas visitas à fazenda à procura do neto:

— Como a senhora tem coragem de vir à minha casa para brigar pela guarda do menino, sendo que nunca se preocupou com ele, e muito menos com sua filha? Acaso foi vê-la no caixão, ou acompanhou o enterro?

— Por favor, não me faça ser indelicada. Pedro é meu neto, e eu o levarei comigo.

— Só se for por cima de meu cadáver — falou Renato. — O menino não vai sair daqui; nem a senhora nem ninguém vai conseguir tal proeza. Pensa que não sei que a senhora se interessa pelas terras do menino? Como sempre foi interesseira, onde houver dinheiro, seus olhos brilham, não é? Mas sou o padrinho de Pedro, e ele não vai sair daqui. Se quiser arrumar um batalhão para tirá-lo daqui, pode tentar, que não voltarei atrás.

— Você não pode fazer isso. Eu sou a avó dele. Quanto a você, não há parentesco entre você e Pedrinho.

— A senhora é uma desavergonhada. Quer reclamar o neto que conheceu esses dias. A senhora veio conhecê-lo quando ele nasceu?

— Você está me insultando. Tenho o sangue de Pedro, e você não é ninguém.

— Está bem. Resolveremos isso na justiça. O que o juiz da capital disser, eu acatarei. Vamos ver quem vai levar a melhor nisso.

Assim, mais uma vez Renato se dirigiu à capital a fim de resolver problemas de origem legal. Procurou o juiz Sérgio e, em uma conversa informal, contou-lhe a história a respeito de Paulo e Elvira, incluindo o fato de dona Clotilde ter cortado relações com a filha por ter se casado com Paulo. Renato fez questão de ser muito sincero com o juiz, e concluiu falando sobre o interesse da mulher nas terras que pertenciam ao menino.

O juiz marcou uma audiência e mandou que o próprio Renato entregasse a dona Clotilde uma citação, dizendo dia e hora que deveria comparecer ao tribunal. Se ela se recusasse, ele daria o ganho de causa a Renato.

Renato retornou à vila feliz. Sabia que o doutor Sérgio era um homem justo, e que em hipótese alguma deixaria Pedro ficar com a avó materna.

No dia e hora marcados, estavam os dois diante do juiz: Renato com um colega seu dos tempos de faculdade como seu advogado, o doutor Marco Aurélio, e a mãe de Elvira com o seu, que não tinha nome nem reputação, chamado Irineu Martins, um velho bêbado conhecido do juiz.

A audiência transcorreu, e o juiz deu ganho de causa a Renato, que ficaria com o menino até ele completar a maioridade, sendo que deveria lhe fornecer estudo e alimentação. Renato se comprometeu a cuidar do menino como se fosse seu filho, e ainda disse que lhe daria uma parte de sua herança.

A mãe de Elvira teve um colapso nervoso com a sentença do juiz. Ao sair do tribunal, falou rancorosamente a Renato:

— Isso não vai ficar assim. Juro que me vingarei de você, mesmo que seja no inferno.

— Se existe inferno eu não sei, mas, se houver, não temo suas ameaças. Uma velha interesseira que negociou a própria filha não terá o amor que eu tenho por Pedrinho.

Renato virou as costas, deixando dona Clotilde trincando os dentes de ódio.

Ao chegar em casa, o coronel deu a notícia a Pedrinho, que também ficou feliz por poder continuar a morar na casa de Renato e Caroline. Ele não queria morar com a avó; sabia que ela não nutria sentimentos verdadeiros por ele. Se ainda fosse para ficar com o avô... Pedrinho lembrava do avô com saudades. Mas da avó não tinha lembranças. Também pudera. Dona Clotilde não fizera parte de sua infância.

28

O desencarne de Elvira

Quando acordou, Elvira estava em um lugar estranho. Ouviam-se por lá vozes e risadas sinistras. O lugar era um lodo só. Mas, como ela não estava em seu juízo perfeito, sentou-se em meio à lama e começou a dizer em voz alta que logo Paulo viria buscá-la. Ora ria, ora chorava; às vezes encontrava com algumas pessoas que nunca tinha visto. Eles passavam em turbas, uns fazendo caretas; outros se aproximavam e lhe puxavam os cabelos. Elvira pensava: "Não sei que lugar é este, mas logo Paulo e Valdo vão estar aqui. Ele nunca me deixou". Então se assustava com algumas risadas. Uns diziam que ela era louca e que não merecia atenção.

Certo dia, Elvira estava recostada em uma pedra, sentindo muito frio e muita fome, quando passou por ela um rapaz de uns trinta anos. Havia uma corda em volta de seu pescoço. Ele perguntou a Elvira:

— Como foi que você se matou?

— Eu não me matei — respondeu Elvira.

— Se não se matou, o que faz aqui?

— Aguardo meu marido, Paulo, vir me buscar.

— Vejo pelas suas vestes, e pela falta de ar que sente, que você se afogou.

Elvira lembrou-se vagamente do lago, de ter entrado nele, e de não ter dado mais pé. Ela não sabia nadar... Subitamente, começou a chorar. Em um raro momento de lucidez, confessou que tinha entrado no lago a fim de se encontrar com o marido. Ele tinha sido abatido a pauladas, e o assassino o jogara no lago. Morrera lá. Ela queria ficar com ele.

— Pelo jeito, você não sabe onde está, não é verdade?

— Não mesmo. Que lugar é este?

— É chamado Vale dos Suicidas. Ou seja, quem tira a vida do próprio corpo vem para cá.

— Mas por quanto tempo?

— Isso não sei. Se soubesse, já teria saído daqui há muito tempo.

— Por que você se matou — perguntou Elvira ao rapaz.

— Porque minha mulher me traiu. Ela foi embora com outro homem e levou meus três filhos com ela. Para mim, a vida já não tinha sentido.

Elvira, em uma crise de angústia, novamente caiu em pranto e começou a chamar Paulo desesperadamente. Ela não podia acreditar que tinha tirado sua vida.

O rapaz calmamente explicou:

— Não adianta gritar. Os seres de luz passam aqui de vez em quando; não é sempre. E, se não forem eles, ninguém mais pode nos tirar deste lugar tenebroso.

Elvira entoou um canto. Havia perdido novamente a lucidez. O canto dizia:

Já fui alegre e contente, e hoje não sou mais ninguém;
já fui consolo dos tristes, e hoje sou triste também.
Até a alma chora, e o coração reclama,
por não poder viver juntos dois corações que se amam.

O rapaz percebeu que Elvira não estava lúcida. Saiu em meio ao lodo caminhando a esmo.

Paulo estava entretido em seus estudos quando Ernesto e Diva se aproximaram. Paulo sorriu e começou a comentar sobre o que estudava. Diva, uma pessoa sempre direta, interrompeu-o e entrou no assunto que a havia trazido até ali.

— Paulo, precisamos conversar. Algo que vai aborrecê-lo muito aconteceu.

Paulo conteve a respiração, aguardando com ansiedade.

Diva tomou a iniciativa.

— Você visitou sua mãe ontem, não foi? O que achou dela?

— Eu a achei bem. Ela está entusiasmada com o lugar e disse que assim que se recuperar quer se encontrar com Valdo no educandário.

— Ótimo. Você sabe que sua mãe e seus filhos estão bem, mas Elvira não. Ontem, no sítio, fiquei sabendo que ela tirou a própria vida, afogando-se no lago.

Paulo ficou lívido. Tinha aprendido com dona Genoveva que quem tirava a vida do corpo carnal ia para o Vale dos Suicidas. Paulo começou a chorar convulsivamente, e Ernesto ficou a consolá-lo. Diva lhe falou, com firmeza:

— Paulo, suas lágrimas de nada resolverão os problemas de Elvira. Em vez de chorar, penalizado, por que não lhe emana luz, e pede a Deus que a ajude?

Paulo viu sentido nas palavras de dona Diva. Imediatamente, tentou se reequilibrar. Com olhar suplicante, perguntou:

— Por favor, diga-me o que devemos fazer para ajudá-la.

— Bem, você já sabe que Elvira não está em seu juízo perfeito. Será mais difícil do que imagina. Para que possamos ajudá-la, ela deve entender o que fez e se arrepender de seu ato.

— Mas como vai se arrepender de algo que nem sabe que fez?

— Meu amigo — aconselhou Diva calmamente —, em vez de se desesperar, você deve incluí-la em suas preces. Somente Deus pode ajudá-la. Entretanto, podemos ficar vigilantes a fim de que se arrependa nos momentos de lucidez.

— Não posso ser feliz se a mulher que amo estiver sofrendo tamanho tormento, naquele lugar tenebroso — desabafou Paulo, em desespero. — Preciso vê-la com urgência. Peço que me levem até ela. Só de pensar nela lá, meu coração começa a sangrar de dor e ansiedade.

— Calma, amigo — falou Ernesto. — Não confia mais na providência divina? Tenha paciência que tudo se resolverá. Esse seu desespero só atrapalha.

Paulo ficou angustiado por dias, pensando em como auxiliar Elvira. Depois de pensar bastante, foi ter com Diva.

— Tomei uma resolução que, acredito, a senhora vai aprovar — começou Paulo.

— Então me conte. Espero que seja uma decisão sensata. Caso contrário, não será aprovada pelo Conselho.

— Resolvi trabalhar no posto de socorro aos necessitados, no Vale dos Suicidas. Só assim poderei fazer algo por Elvira.

— É isso mesmo que você quer?

— Sim — respondeu Paulo decidido. — E nada me fará mudar de idéia.

— Comprometo-me a reunir o Conselho para analisarmos o seu caso.

— Obrigado — agradeceu Paulo.

Passados alguns dias, Paulo ensinava alguns recém-chegados da Terra sobre a moral do Cristo, quando foi interrompido por Ernesto.

— Assim que terminar a aula, haverá uma reunião do Conselho no auditório principal. Vamos esperar por você.

Paulo agradeceu a Ernesto. Ao terminar a aula, dirigiu-se ao auditório. Paulo fez uma prece pedindo ajuda a Deus a fim de que lhe permitissem ajudar a amada. O auditório ficava na parte de baixo de um prédio de quatro andares. Paulo sentiu o coração palpitar ao adentrá-lo. Sabia, entretanto, que deveria mostrar o equilíbrio necessário para aquela missão.

Pôde avistar uma mesa ao chegar. Nela estavam doze entidades vestidas de túnicas brancas. Entre elas, Diva Aguiar, que se sentou próximo a um irmão chamado Jairo.

Paulo foi designado para se sentar numa cadeira um pouco afastada da mesa. O senhor da cabeceira presidiu a reunião. Sem saber de quem se tratava, Paulo indagou a Ernesto o nome do senhor.

— É o irmão Jorge — explicou Ernesto. — É um dos superiores da colônia onde vivemos.

— Como nunca o vi antes?

— Ele é um dos superiores, por isso tem pouco tempo para lazer. É um grande trabalhador. Ele administra a ordem e a disciplina da colônia, e todos os assuntos chegam a suas mãos. Não é um governador prepotente. Tudo aqui é resolvido pelo Conselho, pessoas que ele designou para ajudá-lo no bom andamento do serviço.

— Diva faz parte desse Conselho?

— Sim. Ela é uma irmã lúcida, portanto auxilia em todas as questões. É trabalhadora incansável do bem.

Paulo silenciou e passou a ouvir as palavras do presidente.

Irmão Jorge iniciou a reunião com uma prece. Após, foi-lhe exposto o fato por Diva. A situação era parecida com a de um tribunal, mas o ambiente era descontraído, por isso rapidamente Paulo se ambientou.

— Irmãos — começou dona Diva —, venho firmar no presente momento que o irmão Paulo Marins Mattos está se colocando à disposição para trabalhar no posto de regeneração do umbral. Sabemos que, para isso, lhe serão cobrados alguns requisitos, e espero que os irmãos possam entender seu real motivo.

— O irmão Paulo tem certeza de que quer ser útil no posto de regeneração nas zonas inferiores?

— Sim — respondeu Paulo com convicção.

— Podemos saber o que levou o irmão a tomar tal decisão?

— Quero, antes de tudo, ser útil. Mas também tenho interesse pessoal no assunto. A mulher que foi minha esposa na Terra está presa naquele lugar e precisa de ajuda. Encontra-se completamente fora do juízo normal.

— O irmão sabe que o trabalho lá é árduo e que pouco poderá sair de lá? — perguntou um outro irmão, que Paulo já conhecia. Chamava-se Samuel.

— Sim, sei. Mas preciso ter essa experiência. Pelo que sei, Jesus nunca se importou em auxiliar os que precisavam, estivessem onde estivessem. Li nos evangelhos que Jesus começava de manhã bem cedo e só parava tarde da noite, fazendo-se mister a ajuda ao próximo, independentemente do lugar onde se encontrava o necessitado.

Os membros do Conselho aprovaram a resposta. Paulo dizia as palavras com facilidade, esquecendo sua timidez habitual. Depois de algumas discussões, o irmão Jorge finalmente proferiu:

— Por favor, irmão Paulo, queira esperar fora do recinto a fim de podermos discutir seu caso.

Paulo sentia as pernas tremer ao sair. Fez uma prece agradecendo a Deus por ter falado o que pensava com tanta fluência.

Passaram alguns minutos, então Diva o chamou. Paulo prontamente a seguiu e novamente sentou em seu lugar, esperando o resultado daquela reunião.

O irmão Jorge começou:

— Irmão Paulo, achamos louvável a sua disposição em ajudar aqueles que estão em zonas inferiores, e entendemos seus motivos.

Portanto, o Conselho, unanimemente, achou por bem que o irmão possa realizar tal tarefa. Contudo, irmã Diva Aguiar se dispôs a ajudá-lo a princípio. Se o irmão aceitar sua companhia, poderá cumprir tal tarefa.

Paulo sorriu, e havia lágrimas em seus olhos. Disse a todos os membros do Conselho:

— Irmãos, é com grande alegria que recebo tal notícia. Prometo trabalhar incansavelmente na regeneração daqueles que precisam de ajuda. A companhia de Diva para mim será um privilégio. Não tenho palavras para agradecer, tanto a vocês como a Deus, principalmente, por ter me aceitado numa missão tão importante.

Jorge finalmente deu por encerrada a reunião do Conselho, e Paulo agradeceu um a um a confiança depositada nele. Quando chegou a vez de agradecer irmão Jorge, ele comentou:

— Irmão, não agradeça a nós pelo novo trabalho que tem a cumprir. Antes, agradeça a Deus, que é o grande doador de vida. Graças a Ele o irmão conquistou esse privilégio.

Paulo deixou o auditório radiante. Ia trabalhar onde Elvira estava reclusa, e o amor que sentia por ela faria que ela recuperasse o juízo e aceitasse a ajuda que Deus lhe ofereceria. Curioso, perguntou:

— Diva, como um homem tímido como eu pôde falar de maneira tão fluente?

— A fluência está em seu coração. Quanto se tratou do amor por sua companheira, você não se acovardou e falou o que pensava naturalmente. Parabéns por mais essa conquista.

Paulo se sentiu lisonjeado com as palavras de Diva. Sua timidez era tanta que por vezes dificultava a comunicação com seus alunos.

Foi marcado que Paulo iria no dia seguinte ao Vale dos Suicidas com Diva para uma visita às zonas inferiores. No horário marcado, Paulo sentia o coração aos pulos. Ia ver Elvira, e a emoção era grande, agravada porque não sabia exatamente em que estado ela se encontrava. Diva chegou pontualmente, acompanhada de Ernesto. Os três partiram para as zonas sombrias da Terra.

Conforme adentravam o local, Paulo ficou estupefato com a paisagem que se abria à sua frente. O lugar era malcheiroso, havia árvores ressequidas e contorcidas, e lama era o que mais havia no local. Percebendo Paulo um pouco chocado com aquilo, orientou:

— Meu irmão, continue em prece. Se perder o equilíbrio aqui, não vai poder continuar o trabalho.

Paulo fez o que a orientadora havia solicitado, e logo se sentiu bem. Viu espíritos de todas as espécies. Uns mantinham formas animalescas e andavam em bando; outros, amedrontados, ficavam escondidos atrás de grandes pedras, e muitos dos moradores daquele lugar tinham um cheiro ruim característico, além de cabelos emaranhados e roupas sujas e rasgadas. Alguns se autodenominavam chefes do local; outros obedeciam sem se queixar, ora demonstrando medo, ora ódio; muitos dos que viviam naquele lugar sabiam como voltar à crosta terrestre e se vingar daqueles que julgavam ser os responsáveis pela sua triste situação. Alguns, ainda, choravam e pediam ajuda, pois queriam sair dali.

Paulo se impressionou com um homem que vomitava repetidamente uma espuma esverdeava. Depois chorava e pedia que o ajudassem. Então indagou:

— Se este homem está pedindo ajuda, por que não o auxiliamos e o levamos ao posto de atendimento do umbral?

— Não se deixe levar, Paulo — explicou Diva. — Ele quer se safar dos sofrimentos, mas na verdade não se arrependeu sinceramente de seus atos.

— Como assim?

— Está vendo como ele vomita aquela gosma verde, quase de hora em hora, e se queixa de dores atrozes? É porque ele tomou formicida para se vingar da mulher que o havia traído, deixando-a cheia de culpa na Terra. Parece-lhe arrependimento isso?

Doce Entardecer

— Talvez ele tenha mudado. Que tal nos aproximarmos dele para ver se não se arrependeu de seu mau ato?

— Você poderá fazê-lo, se quiser. Vou ficar olhando.

Quando Paulo se aproximou do homem, ele implorou:

— Por favor, tire-me daqui! Sofro muito; já não agüento mais essas dores que não me abandonam.

Paulo, em sua inexperiência, falou:

— Sabemos que o senhor praticou suicídio. Por acaso se arrependeu de tê-lo feito?

— Nunca! Aquela traidora vai carregar nas costas esse crime que cometeu contra mim. Jamais será feliz com aquele patife com quem me traiu.

— Amigo — falou Paulo —, não acha que está na hora de esquecer tudo isso e começar uma vida nova?

— Quero ajuda e vocês se negam a me dar. Então saiam daqui, e não voltem a me atormentar mais.

Paulo deixou o homem com desapontamento. Queria levá-lo a um lugar melhor, mas ele se mostrava obstinado em não se arrepender.

Paulo perguntou a Diva:

— Não fui muito feliz em minha primeira tentativa. Acho que tenho muito a aprender.

Diva penalizou-se com o desapontamento de seu pupilo. Respondeu-lhe com carinho:

— Meu filho, aqui é lugar amplo para se demonstrar amor pelas criaturas. Mas, para isso, você terá de ver quem na verdade está arrependido dos maus atos.

— Por que alguns têm formas de animais?

Desta vez, Ernesto esclareceu:

— Eles são os que estão perpetrados no mal. Com o tempo, a forma humana vai se animalizando. Aqui há muitos deles. Deus dá a cada um o livre-arbítrio de agir como quiser.

— E quanto a Elvira, que não está em seu juízo perfeito? Como poderemos ajudá-la?

— Deus dá a cada um a chance de se redimir. Tenha fé que com ela não será diferente. Para isso, você deve ter paciência e ser forte. Quando o vir, talvez ela não o reconheça. Mas confie em Deus, e espere.

Diva acompanhou Paulo ao lugar onde Elvira estava. Ela passava horas no mesmo lugar, repetindo que Paulo viria buscá-la. Emocionado ao vê-la, o marido carnal de Elvira ficou estarrecido com a forma com que ela se apresentava. Seus cabelos estavam molhados e suas vestes sujas da lama pegajosa do lugar. Paulo tentou iniciar uma conversa:

— Elvira, meu amor, estou aqui para ajudá-la.

— Quem é você?

— Sou Paulo, aquele que foi seu marido na Terra. Não se lembra?

— Meu Paulo não é assim. É completamente diferente. Eu já o traí uma vez e nunca mais farei isso. Ele é o homem da minha vida.

— Elvira, sou eu. Olhe bem para mim!

— Não, você não é o Paulo. Deve estar a mando de Manoel somente para fazer com que eu seja novamente infeliz com meu marido.

Diva explicou ao pupilo:

— Não insista. Ela não o reconhecerá. Você vai ter de ser paciente. Há momentos em que ela recobra a lucidez. Quem sabe em um desses momentos ela não o reconheça?

— Acho melhor irmos ao posto de socorro — sugeriu Ernesto. — Você precisa conhecer o pessoal com quem trabalhará.

Paulo, desapontado, seguiu os amigos. Andaram um tanto e chegaram a uma enorme construção em estilo vitoriano, com muros altos. Era uma gigantesca construção e havia uma escada que os levava até o *hall*, muito amplo, com móveis em estilo colonial. O tapete era verde e felpudo. Nesse instante, uma mulher veio atendê-los. Seu nome era Joselina. Era uma mulata de dentes alvíssimos, que se exibiram num sorriso largo.

Diva aproximou-se de Joselina e lhe deu um abraço carinhoso.

— Fico feliz em revê-la, Joselina.

— O prazer é todo meu. Sinto sua falta. Quando trabalhávamos juntas, para mim era momento de extremo prazer.

— Joselina, o motivo que me traz aqui é apresentar-lhe um voluntário para o serviço.

— Que Deus seja louvado! Você sabe como temos trabalho nessa área; uma mão amiga é sempre bem-vinda.

— Este é Paulo. Ele vai ser o novo trabalhador do lugar.

Paulo, por ser tímido, deu-lhe um sorriso amigável apenas. Mas tinha gostado muito de Joselina. Além de simpática, havia muita sinceridade em suas palavras.

Diva continuou:

— Eu acompanharei Paulo nos primeiros tempos. Depois voltarei à colônia. Tenho bastante trabalho por lá também.

— A irmã não poderia me dar notícia melhor. Só de pensar que a terei novamente aqui no posto de regeneração, prestando sua ajuda, fico tão feliz que meu coração parece querer explodir. Como você me faz falta, amiga!

— Para mim também será um prazer. Tenho muita saudade de quando trabalhei aqui. Quanto tempo faz que me designaram para outro serviço?

— Não muito. Creio que em torno de uns sessenta e seis anos, ou um pouco menos.

Paulo ouvia a conversa das duas amigas sem se intrometer, e Ernesto fazia o mesmo. Havia estado poucas vezes no posto de regeneração das zonas umbralinas.

Diva, de seu modo direto e sem rodeios, encerrou o diálogo, pedindo a Joselina:

— Minha amiga, creio que se faça necessário mostrar o lugar para Paulo a fim de que vá se ambientando. De amanhã em diante essa será sua nova missão.

Joselina era uma moça extrovertida. Alegremente, disse a Paulo:

— Trabalhadores são sempre bem-vindos, mas antes deixe-me mostrar o posto. Depois veremos onde você vai ficar.

Diva, Ernesto, Paulo e Joselina saíram do *hall* de entrada e se dirigiram a um comprido corredor, onde havia várias portas. Ao mesmo tempo, a moça explicava a Paulo sobre o lugar.

— Paulo, neste corredor ficam os aposentos dos recém-retirados das zonas umbralinas. É um local de recuperação. Em cada aposento há três camas. Quando os irmãos são socorridos, em geral precisam repousar. Ora estão doentes, ora ainda sentem os sintomas que tinham quando ainda viviam na carne. Por isso, é mister que tenham o necessário, como se estivessem na carne, pois normalmente sentem muito frio e fome; isso quando não estão quase desfalecidos.

Paulo observou o longo corredor, que tinha paredes claras, e cujas portas eram de madeira clara, o que tornava o ambiente calmo e alegre. Na rápida passagem, ele olhava curiosamente para o interior dos quartos. Eram semelhantes aos de um hospital. Via que os enfermos estavam convalescendo do mal que haviam adquirido enquanto estavam na carne, ou de ficar muito tempo naquele lugar.

Joselina, de fisionomia rechonchuda, explicava a Paulo que ali era como o trabalho dos enfermeiros na Terra, e que havia também um grupo que ia dia após dia andar pelas zonas umbralinas para trazer alguém arrependido. Quando chegaram no final do corredor, Paulo pôde ver uma grande escada que dava para o andar superior. Sem perguntar, seguiu a bondosa amiga de Diva, que continuou a explicar:

— Neste andar se encontram os que já estão mais recuperados. Eles vão começar a aprender sobre a necessidade espiritual e, principalmente, sobre as zonas mais elevadas, que estão sobre a crosta terrestre. Caminham, passeiam, estudam, mas não saem do posto porque fora dos muros estão perigos de toda sorte. Aqui a supervisão é do Alto, que protege o lugar para ajudar os que realmente precisam de auxílio.

— Quanto tempo eles ficam neste posto de ajuda?

— Bem — colcou Diva —, isso varia de pessoa para pessoa. Não há um tempo específico para ficar aqui.

Paulo andou e encontrou uma mulher que havia conhecido quando era criança. Seu nome era Jesuína, e, pelo que sua mãe contara, aquela senhora era um tanto malévola. Diziam que havia matado o próprio filho de fome. Ao vê-la, Paulo sentiu um arrepio percorrer-lhe a espinha. Mas ele sentiu, em seguida, que ela havia se arrependido de suas maldades. O rapaz a cumprimentou:

— Que prazer vê-la aqui, dona Jesuína. Vejo que a senhora se encontra bem.

— Desculpe-me, mas não me lembro de você.

— Sou Paulo, filho de dona Eunice, que tinha as terras que faziam divisa com as suas.

— Paulo, filho da Nice? Mas como pode ser? A última vez que o vi você era uma criança de colo, e já está aqui?

— Sim. Precisamente faz oito anos que desencarnei. Agora vou começar a trabalhar no posto de socorro.

— Faz oito anos que você está aqui? Quanto tempo então faz que eu fiquei à mercê daquelas criaturas malévolas do lodo?

— Para ser sincero não sei. Mas lembro que a senhora desencarnou quando eu tinha doze anos. Faz um bom tempo que a senhora se encontra aqui.

— Sabe, Paulo, enquanto vivi na terra, não pensava que a vida continuava depois da morte. Esse foi um grande engano. Fui prepotente, e sempre pratiquei muitas maldades. A pior de todas foi deixar meu filho preso com uma corrente presa aos pés. Eu o prendi no tronco de uma árvore, e lá ele ficou por mais de duas semanas. Proibi meu marido João de tirá-lo de lá e de levar água ou comida para ele. Como choveu muito naqueles dias, ele pegou uma gripe muito forte, acompanhada de uma febre alta, à qual não resistiu. Quando o tirei de lá, ele estava molinho; não demorou muito e ele morreu. Meu marido sempre me culpou pela morte da criança.

— Por que a senhora agiu assim?

— Porque havia sumido da carteira do meu marido doze réis, e eu achei que ele havia pegado para brincar. Então lhe dei o castigo. Você não imagina como eu me arrependo por ter feito isso com ele.

— Por onde anda seu filho?

— Pelo que sei, disse que havia me perdoado. Sinto que ele me perdoou. O difícil mesmo é a gente se perdoar. Agi com tamanha maldade com ele que muitas vezes sonho com seu rosto preso junto à árvore.

— O importante é que a senhora se arrependeu de seus maus atos. Deus a perdoou também; caso contrário, a senhora não estaria aqui.

— O irmão Juliano disse a mesma coisa, mas não consigo parar de pensar nisso.

— Minha irmã — falou Paulo —, procure aproveitar a oportunidade que Deus está lhe dando, e refaça a sua vida, semeando amor, bondade e fé.

Enquanto Paulo conversava com Jesuína, os outros o observavam. Quando se despediram, Diva lhe falou:

— Vejo que você está apto para o trabalho. Começou bem fazendo com que aquela pobre criatura entenda e se perdoe.

Paulo permaneceu calado, indo do rubor à palidez, e continuou o reconhecimento do posto de ajuda aos necessitados.

Joselina esperou que Paulo fizesse algumas perguntas; entretanto, Paulo não as fez, por isso a trabalhadora permaneceu explicando como funcionava o lugar. Paulo ficou encantado com a organização do posto. Havia quartos onde os recém-ajudados iam se acomodar, e a casa, em estilo vitoriano, era em forma arredondada. No centro havia um grande pátio onde os que já se sentiam um pouco melhor ficavam, ora conversando e contando as suas experiências, ora se lamentando de seus atos.

Além de Joselina havia mais de cento e cinqüenta trabalhadores, que cooperavam com o bom andamento do lugar. Paulo ficava mais e mais entusiasmado. Elvira logo estaria entre os arrependidos, e seria ajudada.

Após conhecer o posto e alguns dos colegas de trabalho, Paulo perguntou a Joselina:

— Minha irmã, diga-me, ficarei aqui auxiliando no posto ou irei às zonas inferiores para arrebanhar os arrependidos?

Diva tomou a iniciativa e respondeu:

— Tenha paciência, Paulo. Primeiro você vai se ambientar com o trabalho realizado no posto de ajuda; depois, quem sabe, poderá resgatar os que realmente precisam de auxílio.

Paulo nada respondeu, mas ficou triste. Tinha pensado que poderia visitar Elvira quando quisesse. Diva, tomando ciência de seus pensamentos, consolou-o:

— Paulo, por que se apressar? Não sabe que para tudo há um momento certo? Elvira não será uma exceção. Porém, ela só receberá ajuda na hora certa. Nem um minuto antes, nem depois. No momento, você tem de trabalhar aqui para conhecer bem o andamento do lugar. Você pode ajudar Elvira com suas preces.

Paulo ficou constrangido em saber que Diva sabia o que lhe ia ao coração. Ela e Ernesto permaneceram com ele por uns dias; depois retornaram a suas funções.

No começo Paulo sentiu-se frustrado em não poder sair do posto. Entretanto, com o correr dos dias, começou a conversar com alguns recém-auxiliados, e passou a se interessar pelos problemas de cada um.

Joselina estava satisfeita com a presença de Paulo. Além de se mostrar atencioso com quem chegava ao posto, estava sempre disposto a ajudar aqueles que mostravam ter a saúde debilitada. Depois de um tempo, ele pediu à Joselina que lhe deixasse ficar na enfermaria. Auxiliar aqueles irmãos o fazia se sentir útil, e ele podia esquecer suas dores pessoais. A senhora aceitou de bom grado.

O trabalho de Paulo, em pouco tempo, ficou conhecido pelos colegas. Embora fosse alguém que falasse em monossílabos, tinha um carisma que envolvia a todos. Paulo conseguiu granjear a simpatia da maioria dos habitantes do posto de socorro.

Fazia dois anos que Paulo trabalhava no prédio de socorro quando, certo dia, um companheiro de trabalho chamado Jeremias o convidou para irem juntos andar pela zona inferior. Paulo aceitou o convite com alegria. Ao mesmo tempo, sentiu-se apreensivo. Temia ver Elvira; o fato de ela não se lembrar dele era-lhe muito penoso.

Saíram em uma comitiva de cinco pessoas. Jeremias comandava o grupo; havia mais quatro: Roberval, Lucas, Alcides e, claro, Paulo. Puderam ver muitos necessitados. Uns pediam ajuda, outros xingavam, e havia até quem atirasse pedras. Outro tanto dizia que não precisava de ajuda, embora os semblantes em puro sofrimento dissessem o contrário. Eram sujos, maltrapilhos, de cabelos desgrenhados, e outros ainda se portavam como verdadeiros dementes.

Quando o grupo se aproximou de Elvira, Paulo sentiu uma emoção tão grande, que Jeremias o aconselhou:

— Irmão, confie em Jesus. Mantenha a serenidade. Sua prece poderá ajudar Elvira nesse momento tão penoso.

Paulo acatou as instruções do líder do grupo. Ao chegarem próximo de Elvira, Jeremias fez uma prece em voz alta. Paulo o acompanhou em pensamento. Pôde ver os raios brilhantes que saíam de seu peito e envolviam Elvira. Após a oração, a moça pediu:

— Por favor, me ajudem! Não sei quanto tempo estou aqui, mas não agüento mais tanto sofrimento.

Paulo, que estava atrás de todos, tomou a dianteira e, vendo que Elvira estava lúcida, perguntou-lhe:

— Acaso você me conhece agora?

— Sim — respondeu ela. — Paulo, não sabe o quanto esperei por este momento. Ajude-me; não sei bem o que aconteceu e como vim parar aqui.

Jeremias fez uma segunda prece, e mandou que Paulo e os outros a auxiliassem a chegar ao posto de socorro.

Paulo exultava. Daquele dia em diante, Elvira recobraria o bom senso, e eles poderiam ficar juntos.

Elvira foi alojada no primeiro andar do posto, uma vez que estava completamente suja e, de quando em vez, sentia uma falta de ar atroz, que a fazia se lembrar do momento do afogamento.

Joselina tratou-a com carinho e atenção. Havia dias em que Elvira se lembrava das coisas; em outros, ficava completamente alienada aos fatos. Porém, Paulo não desanimava. Ia sempre que podia ao quarto a fim de lhe fazer companhia. Como tinha outros compromissos, as visitas eram feitas no horário de descanso dos necessitados.

Gradativamente, Elvira foi recuperando a memória. Ao se lembrar de Pedrinho, entrou em desespero. Paulo acalmou-a:

— Não se preocupe com Pedrinho. Renato ficou com ele. Hoje já é um homem. Foi à capital, casou-se e vive bem. Sempre que pode mantém contato com Renato e Caroline.

— Não me conformo de ter perdido o juízo desse jeito e ter deixado meu filho entregue a Renato.

— O que tem isso, Elvira? — perguntou-lhe carinhosamente Paulo.

— Ele é meu filho; eu deveria cuidar dele.

— Você estava impossibilitada. Se não estivesse, teria se lançado ao lago? Agradeça a Deus a oportunidade de ajuda, e também o fato de Renato ter desempenhado tão bem o papel de padrinho.

Elvira, tomada pela emoção, caiu em pranto. Havia cometido uma falta grave contra a própria vida, mas dizia, a título de justificativa, que estava demente à época.

Paulo demonstrou toda a paciência com ela. Em certo dia, Joselina alegremente dirigiu-se a Paulo:

— Creio não haver mais necessidade de Elvira permanecer aqui. Ela precisa ir à colônia para aprender e trabalhar; acho que vocês vão se separar mais uma vez.

Paulo chorou, com um aperto incontido no peito, e pediu a Joselina que deixasse Elvira ficar mais tempo perto dele no posto de regeneração. Entretanto, a senhora foi taxativa:

— Paulo, entenda, Elvira está parcialmente recuperada. O resto da recuperação vai se dar apenas na colônia; aceite isso.

O rapaz não disse mais nada. Não demorou muito e Elvira partiu para a colônia onde Paulo antes se encontrava.

Paulo trabalhou no posto de socorro por mais quatro anos. Nas ocasiões de visita de Diva ou Ernesto, os amigos traziam boas notícias de Elvira. Paulo sentia-se feliz porque ela se encontrava bem, mas, por outro lado, sentia muita falta da companheira.

Em determinada ocasião, Paulo atendia um senhor que havia sido resgatado do Vale dos Suicidas quando recebeu a visita de Diva. Ela pediu que, assim que terminasse seu trabalho, a encontrasse no *hall*, pois precisava urgentemente lhe falar.

Paulo fez como dona Diva lhe dissera. Na hora marcada, estava frente a frente com ela. Como Paulo não era um homem prolixo, esperou que ela dissesse o motivo da visita.

— Meu irmão — começou ela —, o Conselho decidiu que você deverá voltar à colônia. Como tem facilidade em ensinar, foi reservado para você um novo cargo.

— Que cargo? — perguntou Paulo, com curiosidade.

— Você aceita ser o professor dos recém-chegados da Terra?

Paulo, sem hesitar, respondeu:

— Claro, irmã. Aceito e agradeço a oportunidade.

— Então se despeça dos outros irmãos de trabalho, porque amanhã virei buscá-lo.

Paulo sentiu um misto de felicidade e tristeza; felicidade porque iria rever Elvira, e tristeza porque se habituara ao trabalho nas zonas inferiores.

Com emoção, Paulo se despediu de seus companheiros de trabalho. Principalmente Joselina sentia muito por não poder mais contar com a ajuda de Paulo. Embora ele fosse quieto, tinha um jeito especial, e havia conquistado todos com sua disposição para o trabalho e a maneira simples de cooperar com os demais. Joselina carinhosamente confessou a Paulo que, não importava para onde ele fosse, ela sempre se lembraria que um dia havia contado com a ajuda de um companheiro incansável e amigo de todos.

Paulo sorriu, retribuindo o carinho da grande amiga que fizera. Abraçou um a um, em despedida, e, no horário marcado, Diva Aguiar estava no posto de regeneração para buscá-lo.

No trajeto de volta à colônia, Paulo perguntou como Elvira estava. Ficou sabendo que ela progredira muito e estava bem diferente daquela que fora socorrida havia dois anos.

Na colônia, Paulo foi recebido por Ernesto. Juntos foram a uma sala de aula que, segundo o amigo informou, seria sua. Paulo exultou. Mas em sua mente pairava a fisionomia de Elvira. Com constrangimento, ouviu Ernesto lhe falar:

— Meu irmão, não se preocupe com Elvira. Amanhã mesmo você vai vê-la. Para isso, precisa ter paciência. Você foi trazido aqui para trabalhar, e não para ficar perto de Elvira.

— Eu não disse nada — respondeu Paulo, embaraçado.

— Nem precisa — comentou Ernesto. — Assimilei seus pensamentos e sei que está aflito para vê-la. Controle seus impulsos. O homem é forte não quando consegue controlar os outros, mas sim quando controla a si mesmo.

— Não me interprete mal — explicou-se Paulo. — Nunca esqueci que Elvira é minha companheira. Ela sempre será. Acho natural que eu sinta saudade dela.

— Não o estou recriminando. Apenas lhe peço que tenha paciência.

— Está certo. Farei como sugere. Vou procurar não pensar mais nela. Antes, procurarei me distrair trabalhando. Também penso às vezes em minha mãe, Eunice. Gostaria de saber como vai ela.

— Então venha comigo e poderá ver com os próprios olhos. Posso lhe afirmar que ela está muito bem.

Paulo acompanhou Ernesto, e juntos passaram por uma rua arborizada com jardins floridos. Ernesto falava sobre o andamento da colônia durante a ausência de Paulo, enquanto este só escutava e observava o lugar, que estava mais belo que antes. Por fim, o recém-chegado perguntou:

— Diga-me, onde está minha mãe agora?

— Você é mesmo impaciente, não, meu amigo? Veja com seus olhos, como lhe disse.

Ernesto e Paulo passaram por uma avenida onde havia muitas casas, e Ernesto explicou:

— Este é um lugar residencial, onde a maioria dos moradores da colônia habitam.

— Então iremos à casa de mamãe?

— Como você é teimoso! Não falei que ia levá-lo à casa de sua mãe. Por que não tem paciência e aguarda? — respondeu Ernesto em tom brincalhão.

Os dois continuaram a andar. Paulo decidiu não perguntar mais nada, e deixar Ernesto conversar. Passaram por vários outros lugares. Finalmente, Paulo avistou um edifício com quatro andares, e adiantou-se em dizer:

— Este aqui não é o hospital onde me recuperei quando aqui cheguei?

— Sim, amigo. Sua mãe é uma incansável trabalhadora do bem. Aqui ela cumpre as funções de enfermeira e auxilia os recém-chegados da Terra.

Paulo ficou satisfeito em saber que a mãe estava bem. Sentiu-se orgulhoso. Juntos, entraram no edifício. Ernesto perguntou a um enfermeiro onde poderia encontrar Eunice. O rapaz indicou outro pavilhão, no setor de energização. Ambos seguiram as instruções do rapaz. O coração de Paulo estava disparado; após tanto tempo, iria rever a mãe.

Ao se aproximarem do setor, Paulo, surpreso, viu dona Genoveva com uma bandeja na mão. Ignorando que estivesse com as mãos ocupadas, deu-lhe um forte abraço.

— Dona Genoveva, que bom vê-la aqui! Sou-lhe muito grato por tudo que nos ensinou enquanto ainda vivia na Terra.

— Ora, filho, nada fiz. Apenas repeti o que nosso mestre maior, Jesus, nos esclareceu por meio de seus ensinamentos.

Ernesto, sorrindo, retirou a bandeja das mãos de dona Veva.

— Dê-me a bandeja. Assimilei que a senhora também quer abraçá-lo. Não reprima esse desejo, e lhe dê logo o abraço que ele merece.

Genoveva então se juntou a Paulo num abraço cheio de ternura. Depois comentou:

— Agora não posso ficar conversando com você, meu filho, mas, assim que cair o sol, gostaria de lhe falar com calma. É impossível neste momento, pois chegaram cinco recém-desencarnados da Terra, e é meu trabalho dar as primeiras assistências. Porém, há uma pessoa aqui que vai gostar muito de vê-lo. É só ir reto por esse corredor e virar à esquerda, no setor de energização.

Paulo agradeceu e combinou que estaria esperando Genoveva no grande jardim central, depois das seis da tarde. Ansioso e com rapidez, fez o que dona Genoveva lhe orientara. Ao chegar viu sua mãe e mais outros cinco aplicando passe em uma paciente que acabara de chegar da Terra. A mulher dormia, e Paulo podia observar os raios que saíam das mãos dos cinco integrantes. Esperou que Eunice terminasse o serviço. Enquanto isso, indagou:

— Ernesto, o que eles estão fazendo?

— Estão energizando esta senhora. Quando um recém-desencarnado chega da Terra, sente fraqueza. Essa aplicação de passe auxilia na recuperação. Às vezes são pessoas que ficaram anos na terra, sem se dar conta de que tinham morrido. Outras vezes prendem-se à família, e outros ainda ficam porque querem se vingar dos que julgam lhes ter feito mal. Nesse caso, apenas depois de muito tempo são ajudados e, finalmente, conseguem retroceder de seus atos.

— Faz tempo que estou aqui e ainda não tinha entendido muito bem. Acho que, antes de ensinar as pessoas, preciso aprender muitas coisas. Vou estudar com afinco.

— É assim que se fala, Paulo. Estaremos prontos para ajudá-lo no que for necessário.

Paulo se orgulhava de ter sido filho de Eunice após observar o trabalho que ela realizava ali. Logo após o término da aplicação de passes ela o viu e foi rapidamente a seu encontro. Com um abraço afetuoso, lhe disse:

— Filho, que saudades de você! Fiquei muito feliz em saber que estava trabalhando e sendo útil em um lugar tão penoso quanto as zonas inferiores.

— Minha mãe, quando soube que Elvira se encontrava em tão penoso estado, decidi que iria trabalhar nesse lugar para ajudá-la, mas depois vi que não era somente Elvira que precisava de ajuda. Há muitos que também precisam. Por esse motivo, fiquei trabalhando lá. Diva, entretanto, convocou-me para outro trabalho. Como estamos aqui para isso, aceitei. Ah, estou muito feliz em poder abraçá-la mais uma vez. Fomos muito felizes na Terra, não é, mãe?

— Fomos, querido. Desde que aqui cheguei, vi que o trabalho enobrece, e fui convidada pelo irmão Rafael para trabalhar aqui. Enquanto vivia na Terra pensava que havia nascido somente para sofrer, e que a vida dura que tivemos fosse parte de nosso destino, mas hoje vejo que as coisas não são bem assim. Há a lei da causa e efeito; portanto, tudo que passei na Terra serviu para meu burilamento espiritual, e vi que essa última existência foi a que mais me ensinou sobre as leis morais de Jesus. Quando você partiu, meu coração se despedaçou. Depois Elvira ficou fora de seu juízo normal devido ao sofrimento da separação. Eu me preocupava muito com o menino, mas, graças a Deus, Renato, como bom amigo, sempre esteve presente para me ajudar. No sentido material ele não deixou que nada nos faltasse, e não permitiu que Elvira fosse internada em um sanatório, pois sabia que ela iria piorar, e que se sofre ainda mais com o tratamento dispensado nesses lugares. Fiquei agradecida a ele por tudo que nos fez, porém, como já estava doente, meu corpo físico não resistiu mais e desse modo terminei minha jornada na Terra. Quando cheguei aqui, perguntei à enfermeira Solange sobre você, e ela me disse que estava trabalhando incansavelmente em outra parte. Meu coração de mãe ficou por muitos dias pedindo sua presença. Depois da visita de Diva, ela me informou que não só estava bem, como também tentava ajudar Elvira, que se suicidara.

Eunice afagou o braço de Paulo, e continuou:

— Fiquei atônita. Temia que Elvira fizesse isso. Mas a vida é sábia, e Deus é justo. Quando Elvira foi auxiliada e trazida para cá, eu já estava trabalhando e pude finalmente ajudá-la a compreender que a separação de vocês ocorreu pela força das circunstâncias, e que, se o amor de vocês fosse verdadeiro, a própria vida tornaria a uni-los novamente. Sinto-me orgulhosa, filho, de ter sido sua mãe carnal.

Paulo, tomado de emoção, começou a chorar.

— Quando a vi trabalhando, fui tomado de um sentimento tão forte! De que a senhora fosse boa nunca duvidei, mas saber o quanto a senhora pode ser útil me fez feliz. Eu a amo, minha mãe.

— Eu também, filho. E não se preocupe com Elvira. Ela está muito bem. Você ainda não a viu, não é mesmo?

— Não, mãe. Mas, como para tudo tem hora certa, também haverá o momento adequado para vê-la.

Paulo, percebendo que a presença de Eunice se fez necessária, pediu licença e logo se retirou, beijando-a várias vezes na face. Ernesto o acompanhou. No caminho, o amigo comentou:

— Penso na emoção que será quando você reencontrar Elvira. Já vi pessoas sentimentais, mas você é demais.

— Sou como sou — respondeu Paulo francamente. — Para mim, os sentimentos de amor estão acima de qualquer outro.

— Amigo, não o estou recriminando. Acho isso importante, aliás. Pelo que notei enquanto conversava com Eunice, a cada palavra dela você se emocionava. Só tome cuidado para não perder o equilíbrio por conta das emoções. Seja sensato, e saiba aguardar.

Paulo respondeu com voz sumida:

— Sei o que o amigo quer dizer. Que Jesus me ajude a ter o equilíbrio necessário, e que eu possa ter a paciência que o evangelho ensinou, tanto quanto resignação e humildade, a fim de aceitar um bom conselho. — E, terminando de falar essas palavras, abraçou o amigo.

— Muito bem, amigo. Vejo que aprendeu muito trabalhando nas zonas inferiores.

— Ainda tenho a aprender. Sei que, para isso, tenho dois amigos que não faltarão comigo em caso de precisar de ajuda.

Dona Diva aproximou-se dos dois amigos, cumprimentando-os amigavelmente.

— Que a paz de Deus que excede todo pensamento e coração esteja com vocês.

— Que assim seja — responderam os dois quase ao mesmo tempo.

— Paulo, tenho boas notícias para você. No lado esquerdo do jardim há alguém que quer muito vê-lo. Acho bom ir até lá.

— Quem quer me ver? Meu pai?

— Não posso contar. É melhor você conferir com seus próprios olhos. Não se esqueça de que hoje não precisa ir à aula; pode descansar. Amanhã, contudo, deve estar lá no mesmo horário costumeiro.

Paulo pensava que ia encontrar o pai. Ansioso, dirigiu-se imediatamente ao lado esquerdo do jardim, conforme Diva havia lhe indicado. Ao chegar, não notou ninguém conhecido. Viu apenas pessoas que iam e vinham, sorrindo alegremente. Também havia os que cuidavam do jardim. Sentindo-se frustrado, resolveu retornar. Pretendia dizer a Diva e Ernesto que tinham se enganado. Deu alguns passos na direção de onde viera quando ouviu uma pessoa gritar:

— Paulo, Paulo! Por favor, não vá embora.

Quando Paulo se virou, pôde olhar para a figura com a qual sonhara encontrar havia tempo: Elvira! Ela nada se assemelhava àquela que chegara ao posto de regeneração. Com voz embargada de emoção, Paulo correu a seu encontro.

— Elvira! Você não imagina o quanto esperei por este momento. Todos os dias sonhei em me encontrar com você. Como o tempo foi passando, cheguei a perder as esperanças de um reencontro.

Elvira, tocada, aproximou-se de Paulo e lhe deu um caloroso abraço, que foi prontamente correspondido. A saudade de ambos era imensa.

Paulo se sentia tímido ao lado de Elvira. Sentia que ela havia mudado, e suas conversas não eram mais quase infantis, como chegara a dizer a Renato. Ela se portava com dignidade e respeito.

— Por favor, desculpe-me por não tê-lo reconhecido. Eu estava ensandecida. Não podia reconhecer ninguém. Sua morte fez com que eu perdesse o juízo e me atirasse ao lago para encontrá-lo.

— Sinto muito, meu amor, fazê-la sofrer assim. Mas, como sabe, tive a vida ceifada de maneira violenta. Isso me causou alguns danos emocionais. Graças à bondade de Jesus, contudo, hoje me sinto bem. Trabalhando no posto de socorro aos necessitados, aprendi que não era somente você quem precisava de ajuda. Havia lá outras pessoas, também atravessando as mesmas dificuldades. Peço que me perdoe se não pude encontrá-la assim que chegou aqui. Estava ocupado e sendo útil. A melhor coisa que alguém pode ter é a bênção do trabalho. E você? O que fez desde que chegou ao posto de regeneração?

— Quando cheguei à colônia, fui muito bem recebida pelos irmãos responsáveis, principalmente por Diva. À medida que melhorava, sentia também a necessidade de trabalhar. Você sabe, não é, Paulo, que, quando éramos marido e mulher, sempre fui uma pessoa imprestável. Fartava-me com o pão da preguiça, e com isso deixava que sua mãe fizesse todo o serviço doméstico. Quando você partiu senti que estava completamente só no mundo. Sem seu amor, e sem o alimento que você trazia para dentro de casa, eu não conseguiria viver. Um dia resolvi procurar minha mãe, e ela me escorraçou de sua casa dizendo que a filha dela havia morrido no dia em que saíra dali. Isso aumentou meu desespero, e aos poucos fui perdendo a razão de tudo; graças ao bom Deus, sua mãe e eu contamos com a ajuda de Renato, que nos mantinha, mas para mim aquela situação era deprimente. Sentia que estava vivendo de esmolas nos poucos momentos de lucidez que tinha. Quando sua mãe partiu eu já estava completamente alienada de tudo que se passava no mundo externo. Para mim o que importava era a dor interna, que dilacerava, e cortava meu coração em duas partes, você e Valdo, que alguém tinha tirado e levado de mim.

Elvira deu um suspiro, lembrando-se daqueles tempos tristes e de lamento. Depois prosseguiu:

— Depois da morte de dona Eunice, as coisas, que não estavam boas, ficaram ainda piores. Eu morava em uma terra que não julgava ser minha, e os mantimentos que Renato nos mandava faziam que me sentisse ainda pior. Numa manhã de primavera, decidi ir ao lago onde meu filho e marido tinham morrido. Resolvi entrar e, em minha imaginação, parecia que eu o via, e que você pedia que eu entrasse.

— Mas como você entrou naquele lago imenso sozinha? Sempre me disse que tinha medo de água!

— Realmente — respondeu Elvira. — Ainda tenho. Mas, como lhe disse, eu o via acenando para mim e me chamando para ficar junto de você. Quando dei por mim, não sentia mais o fundo, e então me afoguei e deixei a Terra. Não sei por quanto tempo fiquei naquele lugar. Mas tudo o que passamos serve para nosso aprimoramento, não é? Confesso que com todo aquele sofrimento aprendi muito. Quando o vi no posto de regeneração, eu o reconheci, mas temi que não me conhecesse mais.

— Por favor, Elvira! Eu a reconheci desde o primeiro momento em que a encontrei naquele lugar tenebroso. Porém, como sempre estava ocupado, nunca tive tempo de ter com você. Hoje, graças a Jesus, nosso mestre, esse encontro tornou-se inevitável.

Finalmente Paulo e Elvira haviam se reencontrado, e ambos estavam felizes. Quando a noite caiu, sorrindo olharam juntos para as estrelas do céu, confessando como a separação havia sido difícil para eles.

No dia seguinte, Paulo estava radiante. Tudo que esperava tinha acontecido. Quando Diva entrou na sala de aula, Paulo fitou aquela irmã com um olhar de ternura e agradecimento. Diva, percebendo o que ia na mente de Paulo, comentou:

— Irmão, entenda, não fiz nada. Esse encontro só se deu porque Jesus, nosso mentor maior, permitiu. — E, com ar de brincadeira, acrescentou: — Só dei uma forcinha.

— E que forcinha foi essa! — comentou Paulo, também bem-humorado. — Garanto que, se a senhora não nos tivesse ajudado, ainda não nos teríamos encontrado. — E, voltando-se para Elvira, que havia voltado naquele dia para encontrá-lo, continuou: — Elvira, Diva é a melhor amiga que alguém pode ter. Quanto a mim, sou muito feliz por poder contar com ela. Ainda há Ernesto, que é para mim como um irmão.

Despediram-se os dois de Diva e continuaram caminhando pelo jardim.

— Fico feliz por você ter encontrado pessoas dessa escol. Sinto que sempre fizeram de tudo para ajudá-lo — falou Elvira.

— Realmente. Sempre fizeram de tudo para me ajudar. Diva também se preocupa muito com Renato. Para ela, ele é uma espécie de protegido. Sempre que pode está do lado dele.

— Como ela pode tê-lo protegido? Todos sabemos que ele sempre teve comportamento imoral, e que nunca respeitou Caroline, sua esposa.

— Meu amor — falou Paulo —, você não aprendeu que nunca devemos julgar ninguém, pois todos engatinhamos para o aprimoramento moral? Renato, apesar de seus vícios e defeitos, também é um ser humano dotado de muitas virtudes.

— Mas, Paulo, você sabe como sempre ele foi... Acho que não tinha o direito de trair Caroline descaradamente como fazia.

— Elvira, é muito fácil olharmos os defeitos dos outros, mas muitas vezes a nossa visão crítica nos faz esquecer das qualidades. Por exemplo, todos sabemos que ele é um ser humano fanfarrão, dado aos prazeres da carne, e que nunca respeitou a esposa. Porém, pensemos por outro lado: Renato nunca deixou que nada faltasse a sua família, assumiu os bens do pai com dignidade e sempre trabalhou para isso; além do mais, assumiu um filho que não era seu, e o tratou com a mesma bondade que devotava à filha legítima; procurou melhorar a vida das pessoas que trabalhavam para ele; e, como amigo de nossa família, não há nem o que dizer. Após minha morte, assumiu vocês como se fizessem parte da família dele. Agora lhe pergunto: será que Renato não merece ter uma amiga como Diva? Apesar de seu comportamento, é dono de um grande coração.

— Nunca havia pensado nele dessa maneira. Após sua partida, Renato realmente não deixou que nada nos faltasse. Chegou a me levar a um especialista na capital, e não permitiu que eu ficasse internada em um sanatório. Acho que você tem razão. Renato sempre foi bom para nós.

— Se Renato foi mau, só prejudicou a si próprio. Ainda não tive a oportunidade de ir à crosta terrestre depois de uma visita que fizemos, quando você se encontrava muito doente, mas estou com muitas saudades de meu amigo, quase um irmão para mim.

— Olhando por esse ângulo, vejo que estou sendo ingrata. Embora Renato tenha seus defeitos, também fez muitas coisas boas.

Uma moça que aparentava uns vinte e cinco anos se aproximou dos dois. Tinha olhos castanhos e cabelos da cor do sol, como Elvira.

— Irmã, fico feliz em revê-la. Durante sua ausência, fiz o que prometi. Sempre estive a seu lado. Embora não pudesse me ver, eu lhe dava instruções sobre determinadas situações.

— Desculpe-me, mas não a reconheço! — respondeu Elvira constrangida.

— Ah!, que distração a minha. Sei que não se lembra de mim. Eu me chamo Margarida da Cunha. Em uma de suas existências, você e eu nos tornamos inseparáveis, de modo que, quando nos encontramos aqui, prometemos que quem ficasse cuidaria da outra que estaria morando na crosta terrestre.

Elvira fez esforço para se lembrar da moça, mas não conseguiu. Ainda não havia recuperado a memória de suas outras encarnações, e Margarida achou por bem não forçá-la. As lembranças viriam no tempo apropriado.

— Acredito que, se é amiga de Elvira, também é minha amiga — disse Paulo. — Na última existência fomos casados. Mas não me lembro de vê-la aqui.

— Não trabalho aqui. Presto serviços no educandário que você visitou tempos atrás. Assim que o vi, logo o reconheci.

Elvira sentiu uma emoção aquecer-lhe a alma. Gostara de pronto da moça, que não era só simpática, mas também sincera em suas palavras. Sentiu-a realmente como uma amiga querida.

Margarida conversou por pouco tempo com eles porque seu tempo tinha se esgotado. Disse-lhe que havia algumas pessoas no posto de regeneração do umbral que gostariam muito de vê-la. Elvira, sentindo-se à vontade, perguntou de quem se tratava, mas Margarida falou:

— Não quero estragar a surpresa. Deixe que sua memória de existências anteriores retorne. Então você poderá recebê-las. Com certeza Diva já lhes contou sobre seu retorno à pátria espiritual.

Elvira se aproximou de Margarida e lhe deu um forte abraço, que foi retribuído pela visitante. Em seguida, Margarida partiu rumo ao educandário.

— Não me lembro dela — comentou Paulo —, mas gostei de Margarida. Parece que ela realmente gosta de você. Isso me deixa satisfeito.

— Também gostei dela, Paulo. Meu coração diz que ela realmente me quer bem.

Os dois continuaram passeando por ali e aproveitando os momentos juntos, mais equilibrados, mais amadurecidos, mais felizes.

29

A nova vida de Elvira e Paulo

Certo dia, Diva se aproximou de Elvira, e lhe propôs:
— Querida, sei que não se lembra de Margarida, aquela sua amiga que esteve aqui um outro dia. Se quiser, posso adiantar essas lembranças, mas para que isso se dê você tem de querer.
— Mas isso é tudo que quero, dona Diva.
— Não entendo por que me chama de dona. Sou como qualquer outro trabalhador da colônia; não sou melhor que ninguém. O que me difere, apenas, é o trabalho que desempenho. Falando nisso, diga-me: se já está bem, no que pretende trabalhar, Elvira?
— Estive pensando... Resolvi trabalhar no hospital. Sempre gostei de ser útil aos outros, e tenho forte inclinação para a enfermagem. Só não tenho experiência.
— Gostei muito — falou Paulo, orgulhoso. — Neste trabalho podemos usar a empatia para com o próximo. Não é mesmo, dona Diva?
— Sim, Paulo. Se a pessoa tiver inclinação para amparar os outros, por que não trabalhar? Se quiser, Elvira, podemos ir agora mes-

mo falar com o irmão Eusébio, que dirige esse departamento. Logo depois você já pode começar a trabalhar.

— E se eu não conseguir aprender? Vocês me demitirão?

Dona Diva sorriu da simplicidade de Elvira. Com brandura, explicou:

— Filha, Deus é perfeito e imparcial. Se muitos trabalham neste departamento, por que você não poderia fazê-lo?

Elvira deu um sorriso, satisfeita. Entretanto, Paulo, com olhos úmidos, sem conseguir esconder a contrariedade, perguntou:

— Concordo com o que vocês estão planejando. Mas você tem de levá-la agora daqui?

Diva, percebendo a vontade de Paulo de estar próximo de Elvira, respondeu:

— Paulo, você me conhece bem. Sabe que não gosto de deixar assuntos importantes para depois. Você vai ter muito tempo para ficar ao lado de Elvira. E quando ela ou você estiverem trabalhando? Acaso acha que vão ficar o tempo todo um ao lado do outro?

Paulo baixou a cabeça, envergonhado. Tinha consciência de estar sendo egoísta. A colônia era lugar de aprendizado e de trabalho. Nada mais retrucou.

Elvira se despediu de Paulo e acompanhou Diva, que estava ansiosa para falar com Eusébio. Naquele dia tinha muito o que fazer, uma vez que havia se programado para ir à crosta terrestre.

Paulo pensou por alguns instantes: "Vou continuar separado de Elvira. Não queria isso... Vou pedir permissão para retornar à crosta terrestre com Elvira, assim poderemos ficar juntos".

Ernesto, que estava por perto, assimilou os pensamentos do amigo.

— Não pense assim, Paulo. Você sabe que aqui é um lugar de trabalho. Elvira terá de trabalhar. Não peça permissão para retornarem à Terra porque não lhes será concedida. Vocês vieram há pouco de lá, e têm muito que aprender aqui antes de retornar.

Lembre-se de que para tudo há um tempo certo, e no momento essa escolha não é viável.

— Mas o que eu quero é ficar com ela, só isso! Por acaso é errado?

— Paulo, entenda: vocês tinham um compromisso na Terra, porém aqui estão ligados apenas pelo coração. Se o amor de vocês for verdadeiro, nada vai conseguir separá-los.

Paulo mais uma vez entendeu que estava sendo egoísta. Ernesto achou prudente se afastar a fim de que Paulo pudesse refletir com tranqüilidade. O rapaz sentou-se no chão e pensou: "Meu Deus, permita que eu consiga alcançar uma ponta do brilho de Vossa luz; afaste de meu coração o egoísmo, pois nesse momento sinto que este é meu ponto fraco. Dai forças para que eu possa enfrentar com coragem esta minha falha, pois sei que, se continuar assim, poderei atrapalhar o desenvolvimento espiritual de Elvira. Faça, Senhor, que eu trabalhe e coopere com o bom andamento do lugar. Sei que essa é uma de suas moradas". Paulo ficou concentrado nesses pensamentos por um bom tempo e decidiu dedicar-se integralmente à ocupação de professor. Durante os diferentes trabalhos ele havia aprendido muito, e, antes de Elvira ser recebida no plano espiritual, ele aproveitava todos os momentos para estudar.

Assim se deu. Paulo procurou Ernesto e pediu-lhe mais orientações de como ser um bom instrutor. Ernesto ficou radiante com a notícia. Disse que, caso ele quisesse, poderia voltar a dar aulas aos antigos alunos que deixara, mas antes falaria com Moisés, seu instrutor. Paulo o seguiu e, juntos, foram ter com Moisés. Paulo pedia a Deus que tudo desse certo no caminho. Encaminharam-se a um edifício no qual Paulo já estivera antes. Com o coração aos saltos, continuou pedindo ajuda do Alto.

Ernesto estava familiarizado com o lugar. Captando as reflexões do amigo, aconselhou-o:

— Nada tema, meu amigo. Irmão Moisés é maravilhoso. Você vai ver com seus próprios olhos.

Paulo ficou em silêncio e acompanhou o amigo ao edifício. Ao entrarem, Ernesto perguntou à recepcionista se Moisés se encontrava. A moça disse que sim, e pediu que esperassem no *hall*. Ernesto sentou-se em uma confortável poltrona, e o amigo em outra. Paulo observou o recinto e pôde notar que os móveis eram escuros, em estilo Luís XV. A perna da mesa era toda torneada, como se fosse esculpida pelas mãos de grande escultor. O rapaz ficou admirado com a beleza do local. Ernesto pegou uma revista cujo título era *Sigamos os Passos de Jesus*. Folheou-a e viu um artigo interessante enquanto esperava. Paulo, por sua vez, ficou atento à porta, esperando que Moisés aparecesse. Estava aflito.

Passado algum tempo, um homem muito simpático se aproximou.

— Vejo que você é novo por aqui. Nunca o tinha visto antes — disse a Paulo.

— Eu não sou novo. Estive trabalhando em outras esferas, por isso não me conhece. Agora pretendo trabalhar como professor dos recém-desencarnados da Terra.

— Isso é ótimo! Boa escolha. Temos precisado muito de instrutores aqui na colônia. Eu me chamo Alberto e sou secretário do irmão Moisés. Ele vai gostar de saber que está disposto a trabalhar. Se me der licença, vou me retirar agora. Mas logo nos veremos, se Jesus assim permitir.

Paulo se despediu de Alberto, e percebeu que não havia motivos para medos infundados. Estava entre irmãos. Ali não era como na Terra, onde se precisava de uma longa experiência no assunto para assumir determinado tipo de atividade. Ao pensar assim, sentiu-se mais à vontade. Quando a porta novamente se abriu, apareceu um homem aparentando uns cinqüenta anos. Tinha barbas brancas e usava uma túnica branca. Convidou-os a entrar no recinto. Ernesto foi primeiro; em seguida, Paulo entrou. Ernesto iniciou a conversa:

— Que a paz de Deus esteja convosco!

— Que assim seja! — respondeu Moisés, com uma ponta de curiosidade.

— Irmão, o que me traz aqui é meu amigo, Paulo. Ele está aqui há mais ou menos nove anos. Trabalhou no posto de regeneração do Vale dos Suicidas, estudou, e agora sente que tem aptidão para ser professor. Como o senhor é o responsável pelos cursos, gostaria de saber se ele poderá dar aula em algum deles.

O homem nada respondeu de imediato. Encarou Paulo, não com um olhar inquisidor; antes, com um olhar terno, que fez com que Paulo se sentisse mais à vontade. Embora Paulo fosse naturalmente tímido, quando se sentia inseguro ficava mais retraído ainda.

Moisés lhe perguntou:

— O irmão tem experiência de ensino?

— Meu irmão — respondeu Paulo, olhando-o diretamente nos olhos —, experiência de fato não tenho, mas venho me esforçando em aprender, e já fiz vários cursos. Sinto que posso ensinar, se Deus assim o permitir.

Moisés notou que, embora Paulo tivesse um ar introspectivo, havia nele uma dignidade que o agradara.

— Quais cursos fez, irmão? — perguntou Moisés a Paulo, que não desviou o olhar por nenhum segundo sequer.

— Quando aqui cheguei, depois de me recuperar, fiz o curso básico para iniciantes sobre como viver bem em uma das moradas do Pai. Em seguida fiz o curso que falava sobre os ensinamentos básicos de Jesus; depois, outro sobre como manter a disciplina; e um último, a respeito de como atender a irmãos menos esclarecidos nas zonas inferiores.

— Ótimo! Vejo que o irmão está apto para trabalhar conosco. Entretanto, adianto-lhe que disciplina, resignação e humildade andam de mãos dadas. Para ser um bom mestre, não é só saber a teoria; faz-se necessária a prática. Lembro-me de quando vivi na Terra. Meu pai sempre dizia: "Mais vale um grama de exemplo do que uma tonelada de conselhos". Isso quer dizer que antes de tudo você, como instrutor, tem de dar bom exemplo a fim de que seja um modelo a ser seguido. Recorda da parábola dos talentos?

— Sim, lembro.

— Daquele que tem mais, mais lhe será cobrado. Está mesmo disposto a trabalhar?

— Sim, senhor. Se me for dada essa tarefa, eu a cumprirei com todo o carinho de meu coração.

— Muito bem! Então você dará aulas para um grupo de recém-chegados da Terra que ainda estão no posto de socorro da colônia. Quando estiverem prontos, você vai começar a ensiná-los. Aproveite o tempo agora para aprimorar seus conhecimentos.

Ernesto se manifestou:

— Parabéns, Paulo. Você será o novo professor da turma.

Paulo agradeceu o irmão Moisés:

— Muito obrigado, meu irmão. Prometo fazer tudo que estiver a meu alcance para me tornar um bom mestre. Que Jesus o abençoe!

— Trabalhe, meu filho. Não esqueça que tudo que se move trabalha. Às vezes poderão aparecer pedras em seu caminho, mas, se tiver paciência e esforço, removerá esses obstáculos, e o melhor modo de ser bem-sucedido é mostrar empatia com os alunos, interessando-se por seus dilemas e pelas feridas que trouxeram da Terra. No mais, Jesus o acompanhe.

Paulo estava entusiasmado. Conseguira o que almejara ainda quando na Terra. Sempre desejara ser professor, mas as dificuldades não permitiram. Agora estava às vésperas de ser professor de uma turma já formada! Estava tão feliz que tinha de contar a Elvira. Foi ter com ela na enfermaria do hospital, onde estagiava.

— O que você fará depois de sair do trabalho?

— Ainda não sei. Vou para casa estudar, acho, porque amanhã de manhã vou ter de ir ao curso básico de como ser desencarnado. Depois virei trabalhar como voluntária aqui no hospital. Paulo, você não faz idéia de como as pessoas que aqui chegam desconhecem seu novo estado. Por isso, têm de dormir por longas horas para se recuperar.

— Você está gostando de trabalhar aqui?

— Muito. Ser enfermeira é um trabalho gratificante. Além do mais, você não faz idéia de como me sinto ao ver alguém se recuperar.

— O que acha de irmos ao teatro hoje à noite? — indagou Paulo.

— Bem que gostaria. Vi a programação da semana e haverá um sarau de vários instrumentistas, bem como a apresentação de uma cantora que, segundo me afirmaram, possui belíssima voz. Mas não poderei ir; ainda não tenho bônus de hora. Fica para a próxima.

— Não, senhora — falou Paulo. — Eu tenho um bônus de hora que dá para entrarmos, nós dois, no teatro. Ganhei vários. Nunca fui a um espetáculo porque me sentia sozinho. Sempre pensei em tê-la a meu lado quando fosse a um deles. Então, o que me diz?

— Sendo assim, aceito! Vi alguns companheiros de trabalho falando sobre o espetáculo, e fiquei sinceramente com vontade de ir.

— Depois contarei a você uma novidade. Mas só depois do espetáculo.

Dizendo isso, Paulo se despediu com o coração radiante de felicidade. Iria com Elvira ao teatro, o que deixava seu coração feliz. Pensava também em como ela reagiria ao saber que ele seria professor.

Elvira pediu licença para Berenice. Era ela quem controlava as saídas e entradas dos enfermeiros. A senhora falou, com um sorriso matreiro:

— Você vai ao teatro com Paulo, é? Se não me engano, ele era seu marido na Terra, não era?

Elvira, ruborizada, respondeu em tom baixo:

— Sim. Paulo foi meu marido, mas aqui somos bons amigos.

— Você ainda o ama, ou estou enganada?

A moça abriu o coração para Berenice.

— Sim, eu o amo, como jamais pensei amar alguém um dia. Sinto que seu amor por mim também não mudou. Vamos juntos ao teatro, e passearemos depois do espetáculo.

— Certo — concordou Berenice. — Filha, quando os sentimentos são sinceros, nada nem ninguém consegue dissipá-los. Eles se tornam, portanto, um cordão indissolúvel. Desejo-lhe, Elvira, que seja feliz. Aproveite a noite; há um belo luar lá fora.

Elvira se despediu sorrindo. Vagarosamente se dirigiu a sua moradia. Paulo iria buscá-la para saírem à noite. A moça andou pela avenida arborizada e, sentindo uma brisa suave a bater no rosto, olhou para o céu e deparou com uma Lua tão bela que mais parecia uma jóia prateada navegando pela imensidão. Observando o jardim, reparou em várias flores que não tinha conhecido na Terra. Pensou em Jesus naquele momento: "Querido mestre, sabemos que há várias moradas na casa do pai. Esta, entretanto, é maravilhosa. Agradeço imensamente por estar aqui agora. Se aqui me encontro, sei que é pela bondade infinita de nosso Pai". Com essas reflexões, Elvira chegou em casa. Morava em uma bela vivenda com duas amigas, Lúcia e Vera. Havia conhecido as duas na colônia e gostara delas assim que as encontrara.

Lúcia era extrovertida, e estava sempre brincando. Vera, ao contrário, era mais reservada. Elvira tinha um temperamento que ficava entre os dois: ora se soltava, ora preferia ficar calada. As duas amigas se acostumaram com o jeito de ser de Elvira com rapidez, por isso Diva havia arrumado uma bela casa para as moças.

A casa era arejada e havia no entorno um belo jardim. A moradia era grande e tinha vários cômodos. Lúcia e Vera não sentiam as necessidades carnais que Elvira ainda sentia, uma vez que fazia um longo tempo que viviam na colônia.

Elvira, quando não estava trabalhando, passava horas cuidando do jardim. Os tipos variados de flores raras a deixavam encantada.

No hospital, Elvira cuidava dos recém-desencarnados com tanto carinho que, em pouco tempo, passou a ser querida por toda a equipe de trabalho.

O diretor do departamento, o senhor Jorge, havia sido médico enquanto estivera encarnado. Aos poucos, aprendeu a gostar de Elvira, que, embora não fosse dada a muita conversa com os colegas de trabalho, mostrava sempre bondade e interesse para com os necessitados.

Naquela noite Paulo chegou no horário marcado a fim de levá-la ao teatro. Elvira havia plasmado o mesmo vestido do baile, ocasião em que tinha conhecido Paulo. Assim que a viu, sentiu como se o tempo tivesse voltado. Vendo o deslumbramento no olhar de Paulo, a moça lhe perguntou:

— Ora, Paulo, por que me olha tanto? Não gostou de meu vestido?

— Não é isso, Elvira. Você está do jeito que a conheci no baile em sua casa. Já se esqueceu?

— De forma alguma. Fiz questão de plasmar esse vestido a fim de que se lembrasse justamente daquela noite.

— Para mim, não poderia haver melhor presente. Sinto como se tivéssemos voltado no tempo. Parece que dentro em pouco iremos fugir e fazer tudo que fizemos.

— Não pense assim. Para mim, nunca nos separamos. Esta noite vai ser especial, e devemos agradecer a Deus a oportunidade de estarmos novamente juntos.

Os dois saíram então pela avenida arborizada de mãos dadas. Paulo, ao olhar para o céu, comentou:

— Elvira, você não pode imaginar o quanto sofri quando perdi meu corpo de carne. Não foi pelo sítio, mas pelo fato de me afastar de você.

— Para mim também não foi nada fácil. Tanto que acabei por perder o juízo. Quando você me encontrou, viu como eu estava?

— Elvira, não falemos mais no passado. Vamos pensar somente nesta noite, que para nós vai ser inesquecível.

Os dois, então, deixaram-se enlevar pela beleza da colônia e pela emoção que os comandava.

Elvira encantou-se, ao chegar ao teatro, com a arquitetura do local. As poltronas eram aveludadas em um tom avermelhado e o piso era todo acarpetado, combinando com a cor das poltronas. A parede era revestida em madeira de lei, e nela havia muitos quadros de pintores que na Terra haviam sido famosos. Entre eles estava a *Mona Lisa*, de Leonardo da Vinci.

Elvira indagou a Paulo:

— Você já conhecia o teatro?

— Não. Queria que você estivesse comigo quando viesse. Não pensei que fosse tão belo.

Paulo e Elvira olharam para os lados. Ernesto se aproximava. Com curiosidade, Paulo comentou:

— Mas que lugar belo. Parece um palacete das pessoas ricas que moram na Terra. Quem pintou esses quadros?

— Aqui há quadros de diversos pintores famosos — explicou Ernesto. — Esse aqui é o mais famoso entre os encarnados: *Mona Lisa*, de Da Vinci.

— Desde criança ouvi falar muito nesse quadro — falou Elvira. — Meus pais, quando estiveram em Paris, vieram falando maravilhas dele. Mas, sinceramente, não vejo nada de mais nessa pintura. Aliás, é menor do que eu imaginava.

— Minha amiga — disse Ernesto —, a arte está nos olhos dela. Preste atenção nos olhos, e então descobrirá sua beleza.

— Os irmãos que fundaram essa colônia fizeram questão de plasmar este quadro. O original está no Louvre, em Paris.

— Para mim quadros bonitos são os que têm bichos, cavalos, cachorros, galinhas — comentou naturalmente Paulo.

Ernesto riu com vontade ao ouvir aquele comentário simples do amigo.

— Acho bom você mudar seus conceitos sobre arte. Por que não se matricula em um dos cursos que a colônia apresenta? Quem sabe futuramente poderemos conversar.

— Não sei, não. Talvez eu faça isso, mas quero saber a que horas o espetáculo vai começar.

— Como sabia que viriam, reservei duas poltronas ao lado da minha. Espero que me perdoem a audácia.

— Imagine, Ernesto. Foi muito gentil de sua parte. Afinal, não conhecíamos o teatro.

A luz se apagou, e uma luz no centro do palco se acendeu. Os três trataram de se sentar porque o espetáculo ia começar.

Um senhor de aspecto agradável se apresentou e pediu que acendessem o holofote do palco para a apresentação de uma orquestra sinfônica, com cinqüenta participantes. Cada grupo era composto de dez pessoas que tocavam determinado instrumento. Paulo não perdia nenhum detalhe. Nunca tinha visto tamanha beleza. O espetáculo começou com uma composição de um músico da colônia, em dó maior. Elvira ficou encantada com a harmonia dos instrumentos, e Ernesto se deixou levar pela composição, enquanto Paulo, depois de um tempo, começou a ficar entediado; a música, para ele, era sempre a mesma, repetidamente.

Elvira de quando em vez tocava no braço de Paulo, então ele erguia os olhos fingindo estar apreciando a apresentação. Na verdade, ele queria muito sair dali e ficar conversando com Elvira sob a luz das estrelas.

Quando a apresentação teve fim, Ernesto comentou, escondendo um sorriso maroto:

— Elvira, você apreciou o espetáculo, mas, quanto a Paulo, parece que dormia o tempo todo. Ou estou enganado?

— Não, Ernesto, não está enganado — falou Elvira, quase rindo também. — Paulo não está acostumado com esse tipo de música. De fato, ele não gostou muito.

Paulo, envergonhado, tentou explicar:

— Bem, no começo até que achei interessante, mas depois a música foi ficando repetitiva, e não saía daquilo. Confesso que me cansei.

— Não se envergonhe. Nem todos gostam de músicas eruditas. Somos diferentes; assim Deus nos criou. Se não gosta de música clássica, talvez possa gostar de outro tipo de música — respondeu Ernesto.

— Adoro tocar meu violão e cantar minhas canções, principalmente as que falam de amor.

— Você é romântico, amigo, e isso também é um dom de Deus. Faça o que gosta. Só assim será feliz. Somos realmente felizes apenas quando fazemos o que gostamos.

Elvira sorriu, e logo Ernesto se despediu do casal. Paulo, ao ficar sozinho com Elvira, sentiu-se mais à vontade.

— Elvira, para você posso dizer a verdade: achei aquela apresentação muito monótona. Ernesto gosta, mas não eu.

— Paulo, assim como Ernesto, todos temos gostos diferentes. Isso compõe a distinção dos seres. Não tente justificar o que não tem justificativa. Eu, particularmente gosto bastante de música erudita. Mas você não é obrigado a ouvir só porque gosto. Quando houver uma apresentação, não precisa me acompanhar só para me agradar. Poderemos nos encontrar no final.

Paulo concordou com Elvira. Ele havia resolvido em seu coração que não iria mais a esse tipo de apresentação. Os dois caminhavam cada vez mais devagar, pois queriam aproveitar a companhia um do outro. Falavam sobre as belezas da colônia, bem como a respeito da bondade de seus habitantes. Finalmente, Paulo inquiriu:

— Elvira, estou pensando seriamente em ir ao departamento das reencarnações e pedir para voltar. O que acha?

— Vai me deixar, Paulo?

— Não, pretendo reencarnar com você. Futuramente podemos nos encontrar e nos casar novamente.

— Não quero, Paulo. Não pretendo voltar à Terra agora. Tenho muito o que aprender aqui. Além do mais, há algo que pretendo fazer, e isso vai levar algum tempo.

— O que pretende fazer, Elvira? — perguntou Paulo. Ainda não havia aprendido a assimilar os pensamentos alheios.

— Soube que Juvenal faleceu de maus-tratos na prisão. Quero ajudá-lo. Segundo os últimos relatos que tive, ele está nas zonas inferiores. Rogo a Jesus que o ajude, e que também me ajude a perdoá-lo. Só assim vou poder ser feliz.

— Elvira, perdoe e esqueça. Se ele está nas zonas inferiores, é porque fez por merecer. Você não acha que ele se interpôs demais no nosso caminho?

— Não, Paulo. Juvenal é um ser atormentado, preso ao vício dos prazeres da carne. Espero que logo receba a ajuda de que necessita.

— Então você não quer reencarnar por causa dele?

— Não é bem assim. Sinto que preciso aprender mais porque minha última existência foi infrutífera. Preocupei-me com as aparências mais do que com qualquer outra coisa. Agora, trabalhando como enfermeira, sinto-me realizada e feliz. Quando retornar, pretendo seguir essa profissão, ser útil, ajudar a quem precisar, e, além do mais, me realizar como ser divino.

— Está bem — entendeu Paulo. — Deixemos esse assunto para depois. Não vou procurar o departamento das reencarnações até que você tome uma decisão. Tenho uma notícia para lhe dar: fui convidado para dar aula a irmãos analfabetos que vieram do plano terrestre, e estou muito feliz.

Elvira abraçou Paulo, e lhe falou com sinceridade:

— Faça isso, Paulo. Você não imagina o orgulho que sinto de você.

Desse modo, o casal de mãos dadas caminhou lentamente, permanecendo calado e querendo ficar mais tempo junto.

Paulo deixou Elvira em sua casa e se despediu. Na volta, parou em um jardim e começou a pensar na conversa que tivera com Elvira sobre Juvenal. Nesse momento, ele não conseguiu dominar o ciúme. Achava que Elvira escondia algo dele. Ficou sentado no banco do jardim por mais de duas horas, sem se dar conta da aproximação de Diva.

— A noite está maravilhosa, não é mesmo, Paulo?

— Sim — respondeu ele, lacônico.

— Vejo que está com problemas. O que o aflige tanto?

— É que...

— Não precisa explicar. Já sei. Você sente ciúme de Elvira porque ela deseja ajudar o homem que a prejudicou, não é mesmo?

— Como a senhora sabe disso?

— Seus olhos me contaram — falou Diva, e, em seguida, deu uma sonora gargalhada.

Paulo sentiu-se embaraçado. Não estava acostumado a alguém flagrar seus sentimentos daquela maneira. A senhora continuou:

— Paulo, entenda, nossa estada aqui é transitória, assim como nossa estada na Terra. Se alguém nos prejudicou, devemos seguir o exemplo de nosso mestre Jesus, e perdoar. Se Elvira quer ajudar Juvenal, é porque ela está se esforçando para isso. De mais a mais, sei que está pretendendo voltar ao plano terreno. Contudo, fazer isso, vocês dois, neste momento não é boa idéia. Tanto você quanto ela têm coisas a aprender aqui. Aproveite a oportunidade que Deus está dando a você; trabalhe e aprenda. No momento certo, poderá voltar. Elvira tem razão quando diz que quer ser útil. Ela sentiu na pele que a ociosidade nada produz, ao contrário, só infelicita o preguiçoso. Quando ela estava na Terra com você, o que ela fazia para ajudar ao próximo?

— Nada — respondeu Paulo.

— Pois então. Se ela quer ser útil, por que não faz o mesmo? Você vai começar a dar aulas amanhã. O bom instrutor não é aquele que está interessado apenas em ensinar, mas aquele que se preocupa com seus alunos de maneira individual, participando de sua vida, querendo aprender com seus erros, e consolando aqueles que ainda se mostram aflitos por estar aqui, ligados aos familiares encarnados. Faz muito tempo que moro na colônia, e sempre vejo pessoas preocupadas com seus familiares. Seja um bom professor; mostre-lhes as bênçãos de estar aqui, e como Deus é bom por permitir esta estada.

— Realmente, dona Diva, a senhora tem razão. De hoje em diante, me esforçarei para ser amiga de meus pupilos. Farei tudo para melhorar minha falha a respeito de Elvira. Ela me ama, assim como a amo, e nada pode nos separar. Farei tudo para ser um amigo dos meus alunos, em vez de apenas um professor.

— Ótimo, Paulo. Deixe esse ciúme de lado. Esse sentimento é a podridão dos ossos. Se está tendo essa dificuldade, esta é a hora de corrigir. O ciumento sofre com os seus pensamentos; não seja escravo de seus pensamentos. Liberte-se dos sentimentos mesquinhos. Garanto que assim será feliz.

Depois destas palavras de conforto, Diva se afastou. Paulo levantou-se e foi em direção a seu alojamento. Ele não quisera ter uma casa como a de Elvira; o alojamento o agradava mais. O rapaz foi pensando em tudo que Diva havia lhe dito, e com emoção fez uma prece sentida naquele dia. Aprendera uma grande lição: se o amor fosse sincero, não haveria obstáculos que pudessem dissolvê-lo. Ele sabia o quanto Elvira o amava, e que o sentimento que mantinham era um elo para toda a eternidade.

O tempo passou. Paulo dava aulas e se preocupava de coração com seus alunos, sendo também muito querido por eles. Quando via que um aluno sentia saudades de seu lar terreno, ele imediatamente pegava o violão e cantava as canções que ele mesmo compunha.

Sua classe era composta por quinze alunos, todos adultos, que quando viveram na Terra não tiveram a oportunidade de aprender a ler e a escrever. Paulo, com extrema paciência, lhes ensinava desde os exercícios simples até os mais complicados. A maioria aprendera a ler em outra encarnação, só não se lembrava naquele momento. Portanto, a maioria não tinha problemas em aprender. Certamente que uns iam melhor em matemática, enquanto outros se destacavam no português, mas Paulo se sentia realizado em ensiná-los e se lembrava das advertências de Diva:

— O bom professor não é aquele que ensina, apenas, mas aquele que se preocupa com os sentimentos de seus alunos.

Pensando assim, Paulo fazia questão de conhecer os alunos intimamente, logo na primeira aula. Ele não só se apresentou e disse como desencarnara, assim como exortou todos os alunos a fazer o mesmo, a fim de que uns conhecessem os outros.

Entre os alunos havia um com o qual Paulo sentia maior proximidade. Seu nome era Antônio. Ele era falante e gostava de fazer brincadeiras, de modo que Paulo acabava rindo de seus gracejos. Antônio era alto e tinha as mãos calejadas porque, quando estava na Terra, trabalhara na lavoura. Era tão extrovertido que fazia, entre uma lição e outra, seus companheiros gargalhar com as histórias divertidas que contava.

Certo dia, Paulo percebeu que Antônio estava mais calado que o habitual, mas não comentou naquela hora. Assim que a aula terminou, Paulo pediu a Antônio que ficasse um pouco mais, pois pretendia falar com ele. Então o professor começou:

— Antônio, hoje você não participou da aula como de costume. Por acaso tem algum problema?

O homem rapidamente ficou com os olhos marejados. Suspirando, começou a contar sua história. Com dificuldade, falou:

— O senhor lembra quando pediu que todos contassem como haviam desencarnado?

— Sim, lembro — respondeu Paulo. — Já faz alguns dias. Que tem isso agora?

— Bem, não contei toda a minha história. Fiquei envergonhado. Na verdade, não merecia estar aqui. Nunca fui o homem que todos pensam que sou. Sempre fui orgulhoso, egoísta e maldoso. Não escondi que fui socorrido no umbral. Isso é verdade. Mas o motivo que me levou a ter essa experiência eu escondi. Não queria que ficassem sabendo de minhas maldades, pois poderiam me evitar. Para o senhor, professor, vou contar a verdade. Não vou me importar caso resolva me tratar de modo diferente. Não mereço mesmo tanta consideração por parte dos moradores da colônia. Todos aqui são tão bons comigo que, às vezes, sinto-me mal com tanto carinho. Deixe-me lhe contar como foi minha última existência.

Paulo observou que Antônio ainda se sentia constrangido com suas ações. Disse-lhe então o que realmente pensava sobre o assunto:

— Antônio, Deus é todo amor e todo bondade. Se ele nos perdoa, quem somos nós para não fazê-lo? Na maioria das vezes, enquanto encarnados, ficamos presos às ilusões transitórias do mundo. Você não deve se culpar pelo que fez; o importante é ter se arrependido dos maus atos e endireitado suas veredas. Tanto que pôde ser ajudado e resgatado das zonas inferiores. Perdoe-se, irmão, porque Deus nos encara como crianças que apenas engatinham em direção à perfeição.

Antônio caiu em pranto sentido. Paulo, tocando-lhe o ombro, falou em tom paternal:

— Meu irmão, chore porque as lágrimas aliviam o coração. Porém, se hoje está aqui, é porque fez por merecer. Isso é que importa.

— Por favor, professor, deixe-me falar sobre o que fiz. Garanto que, se ficar sabendo, vai me evitar.

Paulo se calou e deixou que Antônio abrisse seu coração.

— Em minha última encarnação, fui um homem muito rico. Herdei de meu pai três fazendas; era respeitado por todos, que me chamavam de coronel Antônio Bento, e isso me deixava orgulhoso. Sentia-me quase um deus. Via meus semelhantes como meus subordinados, e não como meus irmãos, que precisavam de ajuda. Certo dia, andando por uma de minhas fazendas, encontrei um senhor negro que tinha uma grande ferida na perna. A ferida, além do mau cheiro, soltava uma secreção sanguinolenta o tempo todo. Esse homem era tão magro que os dedos de suas mãos eram esqueléticos. Sua figura esquálida me causava repugnância. Assim que o homem me viu, pediu que eu o deixasse lavar a ferida no rio que banhava minhas terras. Imagine minha reação! Chicoteei aquela ferida, de modo que passou a sangrar muito. O pobre homem começou a sentir dores atrozes. Eu, ainda não satisfeito, desci do cavalo e chicoteei a ferida mais uma vez. Com as várias chicotadas que lhe dei, abri mais feridas nas costas e nos braços. No ato de violência, também lhe furei um dos olhos, e pedi que meu capataz o jogasse na estrada.

Antônio deu um suspiro, tentando conter as lágrimas. E prosseguiu:
— Isso não me abalou nem um pouco. Ainda assim permaneci com meu coração endurecido, de modo que não me apiedei daquela criatura que hoje sei que é meu irmão. Sempre fui um homem orgulhoso. Era casado e tinha três belas filhas, sendo Eloísa a mais velha, Maria do Carmo, e Lucíola a caçula. Minha esposa se chamava Gertrudes. Era uma ótima esposa; sua tolerância com os criados fazia-me sentir nojo dela, por isso poucas vezes a procurava para ter um contato mais íntimo. À medida que o tempo foi passando, Eloísa, a mais velha, foi ficando muito bonita. Comecei a desejá-la — sussurrou Antônio — não mais como filha, e sim como mulher. A princípio ela nada percebeu, pois contava com catorze anos, e achava que eu era um pai extremoso. Gertrudes achava que minhas

preocupações com Eloísa eram exacerbadas, pois Eloísa sempre se mostrou ajuizada e obediente. Das três filhas, ela era a mais bonita. Tinha olhos verdes, cabelos louros encaracolados e gestos graciosos. A idéia de possuí-la foi aumentando cada dia mais. Passei a sonhar com ela. Tudo fazia para estar em casa. Sem que ninguém soubesse, furtivamente admirava sua beleza. Mas havia algo nela de que eu não gostava. Ela tinha saído à mãe; estava pronta para socorrer todos que precisassem dela, fossem criados ou não.

O pobre homem, angustiado pelo relato, passou as mãos pelo cabelo. Criando forças, continuou:

— Só que dela eu não sentia a repugnância que sentia por Gertrudes. Finalmente começou a surgir uma idéia maligna em meus pensamentos. Eu a queria de maneira enlouquecedora. Finalmente minha sogra adoeceu na capital da província do Rio de Janeiro, e minha esposa decidiu que iria ficar com a mãe e levaria as filhas com ela. Como nunca ninguém contestava minhas ordens, permiti que elas fossem, menos Eloísa, que ficaria, segundo aleguei, para me fazer companhia. Eloísa pediu-me que a deixasse acompanhar a mãe e as irmãs, mas não permiti. Todas as tardes, ela se trancava em seu quarto e escrevia longas cartas à mãe e às irmãs. Eu, a princípio, nada tentei. Na hora das refeições procurava ser gentil, e pedia-lhe que tocasse piano para eu ouvir. Ela, como filha obediente, fazia-me todas as vontades. Até que certo dia eu lhe servi vinho. Como não estava acostumada a beber, logo sentiu tonturas. Eu então a carreguei e a levei ao quarto. Como ela estava fora de sua razão normal, não se deu conta do que eu iria fazer. Naquela noite, satisfiz todo o meu desejo animal. Assim que ela se deu conta do que acontecera, gritou de desespero. Ela vira no lençol a marca de sua pureza. Chorando, lançou-me uma praga dizendo que eu iria apodrecer em cima de uma cama, e que não haveria ninguém nem mesmo para me dar um copo com água.

Antônio interrompeu o relato porque várias lágrimas lhe chegavam aos olhos. Paulo, entendendo a angústia que devia estar passando pelo peito do irmão, falou com voz suave:

— Continue, irmão, vai lhe fazer bem.

— Depois ela se trancou no quarto — prosseguiu Antônio, enxugando as lágrimas que lhe escorriam pelas faces. — Eu fiquei desesperado quando me dei conta do que tinha feito. Certo dia, ela saiu de casa sem que ninguém ficasse sabendo onde estava. Mandei Armando, meu capataz, procurá-la. Apenas dois dias depois a encontraram; ela estava suspensa em uma árvore com a corda no pescoço. Quando a mãe soube da notícia, veio imediatamente embora. Sua mãe tinha se restabelecido. Quando me perguntou o que tinha acontecido, eu menti dizendo que a havia surpreendido com um jovem das redondezas, e que havia descoberto que ela já não era mais pura. Minha esposa, a princípio, acreditou em mim, e me mandou procurar o rapaz. O que não esperava era que Eloísa tivesse deixado escrita uma carta em que contava tudo que havia acontecido, e o que ela pretendia fazer. Quem descobriu a carta após alguns dias foi Maria do Carmo, minha filha. Vasculhando as coisas da irmã, viu um papel que estava dobrado, sem envelope ou lacre. Assim que leu, entregou-o para a mãe. Gertrudes ficou indignada. Chamou-me de assassino e seviciador da própria filha.

— Não se lamente, irmão. Isso já é passado. Deus o perdoou, tenha certeza.

— Deixe-me continuar até o final. No começo eu neguei, mas depois não consegui manter a farsa. Confessei tudo a Gertrudes, que imediatamente pegou as duas filhas que restaram e levou para a casa da mãe, na capital da província do Rio de Janeiro. Eu fiquei sozinho, com minhas lembranças. A casa da fazenda era muito grande, e eu ouvia a voz de Eloísa. Eu a via correr pelos campos como outrora o fizera, e minha culpa foi tanta que, com o passar do tempo, já não me preocupava mais com a situação das fazendas. Passei tudo para as mãos de Armando, que foi me lesando aos poucos. Perdi duas das fazendas de que outrora me orgulhava muito. Agarrei-me na bebida, e não mais fui procurar minha esposa e filhas. Permaneci sozinho com minha culpa, que não me deixava em paz nem mesmo quando eu dormia. Se o fazia, tinha pesadelos com ela, e acordava suando, em busca de mais bebida.

— Irmão, que triste história a sua. Tanta angústia que deve ter passado...

— Professor, minha angústia não foi nada perante o sofrimento que causei a minha família.

— E depois, o que se deu? — perguntou Paulo.

— Após um tempo, Armando pediu as contas e foi embora. Logo a criadagem também me abandonou, ficando eu sozinho com meus fantasmas. Um dia peguei uma faca distraidamente e, quando vi, minhas mãos estavam sangrando. Não senti dor. Enrolei um pano, e não pensei mais no assunto. Contudo, a insensibilidade de minha pele foi aumentando, e saíram pelo meu corpo manchas arroxeadas. Como eu estava mergulhado na bebida, porém, também não dei caso disso. Até que as feridas abriram, e todos os nervos do meu corpo doíam. Ainda assim, não procurei o médico. As feridas eram purulentas e fétidas, por isso eu estava sempre a enrolar panos em volta delas a fim de tentar estancar as secreções sanguinolentas que delas brotavam. Em certa feita, senti muita dor nos pés. Quando olhei para baixo, notei que meu dedinho havia parcialmente caído. Por fim cheguei à conclusão de que estava com lepra. Não saí mais de casa depois disso.

— Como foi seu passamento, Antônio?

— Eu já havia perdido vários dedos das mãos e dois dedos dos pés. Em minha carne não havia mais nenhum ponto são. As noites eram longas e penosas porque sonhava com Eloísa em lugares frios, fétidos, lamacentos, a me chamar de assassino e asqueroso. Foram dias terríveis... Até que desencarnei. Quando isso sucedeu, me vi em um lugar escuro, frio, com árvores ressequidas e pessoas de todas as formas. Algumas delas tinham aspecto de animais. Eu sentia, além de dores atrozes, muito frio e sede. Não sei quanto tempo fiquei naquele lugar, mas sabia que havia morrido, e pensava estar em um verdadeiro inferno, não daqueles que são ensinados pelas igrejas, nos quais há caldeiras e os maus são queimados, mas, antes, um inferno do qual nunca tinha ouvido falar. Passado um tempo, depois de me acostumar com aquele lugar, sem me importar com as dores e a sede, chegou a mim minha filha, Maria do Carmo. Estava bonita, mas seu aspecto não era mais de uma menina, e sim de mulher. Ela me levantou da lama, e falou: "Papai, sabemos que o senhor cometeu muitas maldades, mas não acha que está na hora de se arrepender dos erros e pedir perdão a Deus pelos seus atos?". Eu lhe respondi: "Filha, não tenho perdão. Estou condenado a viver aqui por toda a eternidade".

— Não é assim, irmão. O Pai sempre perdoa os corações que se voltam para Ele — explicou Paulo.

— Maria do Carmo também me disse isso: "Não seja dramático, meu pai. Peça perdão a Deus de coração, e se perdoe por seus erros". Enquanto a fitava, me veio à mente a imagem de Eloísa. Comecei então a chorar copiosamente. Fiz uma prece com os olhos abertos, pedindo perdão não apenas a Deus, mas também a Eloísa, a quem causei tanto mal. Pegando-me pelas mãos, minha filha me disse: "Venha, meu pai! Está na hora de o senhor ser ajudado. Não faz idéia de quanto tempo esteve preso nas zonas inferiores". Maria do Carmo me levou a um posto de socorro, não muito longe de onde eu estava. As pessoas que lá trabalhavam me trataram com muito carinho. Não foi difícil me habituar à limpeza e aos cuidados que me foram dispensados. Certo dia perguntei a Enéas, o rapaz que vinha cuidando de mim, onde estava Eloísa. Ele me disse que ela havia ficado no Vale dos Suicidas por muito tempo, mas se arrependera por ter tirado a própria vida e fora ajudada. Ele me falou que ela se encontrava bem, mas não me disse onde estava.

— E assim o irmão começou a se recuperar, com a bendita permissão de nosso mestre Jesus?

— Sim. Gradativamente fui melhorando, e comecei a trabalhar no posto de socorro. Fui trazido aqui para a colônia, e tomei as funções de jardineiro. Comecei também a freqüentar os cursos que me eram ofertados. Um dia perguntei ao irmão Ernesto sobre Gertrudes e minhas três filhas. Então fiquei sabendo que Gertrudes trabalhava com pessoas que tinham sofrido traumas sexuais na Terra. Quanto a Maria do Carmo e Lucíola, trabalhavam nos postos de socorro espalhados pela Terra. Soube ainda que Eloísa havia reencarnado.

Paulo, com lágrimas nos olhos, após esperar que o coração de Antônio serenasse, porque também se encontrava envolvido em grande emoção, completou:

— Jamais vou tratá-lo de modo diferente por seus erros agora que sei sua história. Você não será o primeiro, tampouco será o último a cometer certos deslizes. Deus lhe deu a oportunidade de se perdoar. Portanto, amigo, não despreze a misericórdia divina carregando ainda seu sentimento de culpa. Se Deus o perdoou, e lhe deu a chance de estar aqui e aprender sobre Jesus e a seara do bem, o passado apenas serve como lição a fim de que não cometamos mais o mesmo erro. Chega de lamúrias. Viva a verdadeira vida que Deus está lhe ofertando, e procure ser feliz.

— Professor, hoje Eloísa não é mais a filha a quem causei muito mal; ela se encontra no plano terrestre, e já conversei com o irmão Jaime sobre a possibilidade de eu reencarnar como seu filho. Graças a Deus, meu pedido foi aceito. Sei que tenho uma dívida a quitar com Eloísa, portanto, talvez esta tenha sido a última aula que tive.

— Antônio, desejo a você, do fundo do coração, que Deus o ampare em sua nova jornada, e que você consiga o perdão tão necessário de Eloísa. Sei que quando estiver na carne não vai se lembrar de nada, mas tenha em seu subconsciente uma coisa: por mais problemas que você venha a ter com sua mãe, que outrora foi sua filha, seja bom, e, com a ajuda de Jesus, acredito que alcançará o que deseja.

Paulo e Antônio se abraçaram. A classe ficou sabendo do retorno de Antônio à crosta terrestre no dia seguinte. O grupo lhe desejou felicidades em sua nova missão.

Paulo, como bom professor, embora fosse calado, sempre se preocupava com os problemas dos alunos.

À noite em geral ia à casa de Elvira, e então os dois podiam conversar sobre vários assuntos. Paulo gostava de conversar com ela sobre os temas das aulas. Ela, por sua vez, falava sobre os necessitados que atendia no hospital onde trabalhava e sobre os métodos que usava.

Uma noite, Paulo e Elvira estavam no jardim da vivenda onde morava Elvira quando Diva se aproximou e lhes informou que no dia seguinte iria à crosta terrestre. Perguntou se o casal não queria acompanhá-la. Paulo adiantou-se em dizer que não poderia. Tinha aula com os alunos. Elvira também gostaria de ir, mas também não podia deixar seu trabalho.

Com ternura, Diva lhes respondeu:

— Ernesto amanhã pode tomar o seu lugar, Paulo. Já falei com ele. Quanto a Elvira, pedi licença no hospital para ela. Se quiserem, portanto, poderão ir.

Paulo e Elvira ficaram excitados em saber que depois de tanto tempo voltariam à crosta terrestre. Sentiam saudades de Renato e queriam saber como estava o filho. Sorrindo, Paulo e Elvira exultaram com a perspectiva.

30

Retorno à crosta terrestre

No dia seguinte, Elvira e Paulo aguardavam Diva. Assim que ela chegou, saíram os três rumo à crosta terrestre. Volitando rapidamente, chegaram à fazenda de Renato. Paulo ficou triste ao perceber as condições da fazenda. A propriedade não era mais a mesma. A fazenda trazia um ar de abandono e o belíssimo jardim de outrora estava tomado de mato. A varanda que cercava a casa estava toda manchada de preto, e a grande porta de jacarandá jazia desbotada.

Curioso, Paulo perguntou a Diva:

— O que houve aqui? A fazenda nunca teve esse aspecto de abandono em que se encontra.

— O tempo passa, filho — respondeu ternamente Diva. — A casa que antes era bonita e bem cuidada envelheceu junto com os proprietários.

— O que houve com Caroline e Renato?

— Espere e verá com seus próprios olhos.

Diva fez sinal para que entrassem. Paulo e Elvira se surpreenderam com a aparência de Caroline. Apesar de não ser velha, seu aspecto era cansado. Pela respiração, percebia-se que tinha problemas cardíacos.

Paulo novamente perguntou:

— O que aconteceu a Caroline?

— Paulo, o sofrimento também envelhece — respondeu Diva. — Depois que vocês partiram Renato caiu no desregramento total, o que causou muito sofrimento a Caroline. Graças ao pulso firme dela, os negócios continuaram andando sem que houvesse a necessidade de se vender nada. Mas Renato começou a se envolver com mulheres... Você já conhece essa história, não é? Ele saía à noite e voltava apenas no dia seguinte. O relacionamento deles, que, na época em que você partiu, estava estável, voltou a ser um caos. Caroline dizia sentir nojo dele, e ele, sem se importar, voltou a trazer mulheres para passar as noites aqui, sob os olhos da esposa.

— E os filhos? — indagou Elvira. — O que diziam de tudo isso?

— Maria Eugênia e Ageu se casaram com pares da capital. O filho de vocês, Pedrinho, também se casou e se tornou um bacharel em direito de renome. A pobre Caroline, portanto, não tinha com quem desabafar. Como Renato ficava a maior parte do tempo dormindo durante o dia, e saía à noite, Caroline tomou conta da fazenda. Os recursos financeiros não diminuíram graças a ela. Contudo, ela começou a negar dinheiro ao marido, que passou a lhe dar surras violentas. Aos poucos, ela foi envelhecendo com a dor e os problemas de saúde começaram a aparecer.

— E Renato, como ele está? — quis saber Paulo.

— Subamos a seu quarto, e poderão ver por si próprios.

Dirigiram-se ao quarto onde Renato se encontrava deitado. Não era o mesmo de antes. Os cabelos tinham ficado grisalhos, e ele estava magro e com olheiras profundas. Também tossia muito. Diva lhe aplicou um passe energético ao se aproximar. Ele parou de tossir.

Paulo não pôde deixar de sentir pena ao olhar o amigo. Diva, depois do passe, acariciou os cabelos de Renato e lhe beijou ternamente a face. Ele ainda permanecia dormindo.

Elvira comentou, sobressaltada:

— Veja! Na hora em que Renato tossiu, expeliu sangue. O que ele realmente tem?

— Infelizmente, Renato está com tuberculose. Se ele não for se tratar, partirá logo para o mundo dos espíritos.

— Mas, se desencarnar nesse estado, para onde ele vai? — quis saber Paulo.

— Deus dá a cada um segundo o seu merecimento. Renato não pensa na vida além da terrena. Nesse caso, só o Pai pode saber para onde irá.

— Temo que ele vague pelo umbral — disse Paulo, preocupado.

— Precisamos ajudá-lo antes que desencarne.

Diva sorriu com as palavras de Paulo. Ela compartilhou com os amigos o plano de ajuda que tinha esquematizado para Renato antes de seu desencarne. Ao ouvirem o plano, Paulo e Elvira ficaram tranqüilos. Diva era um ser bondoso e prestativo.

Caroline não conversava com o marido havia muito tempo. O primeiro passo seria fazer com que os dois voltassem a conversar. Depois, passariam à tentativa de entendimento, por parte de Renato, sobre a vida desregrada que estava levando. Ele deveria se conscientizar que aquela rotina estava lhe trazendo prejuízos físicos e espirituais.

Naquele dia, portanto, enquanto Renato se arrumava para sair, Diva e Elvira chegaram a seus ouvidos e lhe disseram:

— Renato, não saia. Olhe para você. Nem de longe parece o homem que foi um dia. Preocupe-se com sua esposa. Ela precisa de você. Fique em casa, e pense nos ensinamentos que teve com dona Genoveva.

Renato, sem ouvi-las, mas assimilando o que lhe era sugerido, olhou-se no espelho depois de um grande tempo sem fazê-lo. Assustou-se. Viu o quanto estava magro, abatido, com olheiras. De repente, teve um acesso de tosse e, com o lenço na mão, observou a secreção sanguinolenta que saíra. Pensou então: "Não é normal esse sangramento. Acho que devo procurar um médico. Meus pulmões devem estar seriamente comprometidos". O antigo rapaz, que agora já era homem, quase um senhor, sentou-se na cama e se lembrou de Paulo. Recordou de suas conversas com o amigo, de quando ele fugira com Elvira, e, tristemente, de como morrera. Não conseguiu controlar as lágrimas.

Diva, assimilando os pensamentos de Renato, passou a dizer a Paulo sobre o que ele pensava. O amigo sentou-se ao lado de Renato, e apoiou o braço em seu ombro.

— Renato, meu velho, lembre-se de dona Genoveva, das coisas que ela nos ensinava, e pense na vida espiritual.

Embora Renato não o ouvisse, registrou aquelas palavras. Automaticamente, lembrou-se de dona Genoveva com carinho. Nesse instante, deu-se conta do quanto errara ao pensar somente nos prazeres da carne.

Naquela noite, Caroline estava na sala fazendo crochê. Notou que o marido não tinha descido ainda, e ficou a pensar: "O que estará acontecendo com aquele desavergonhado que ainda não saiu? Aposto que alguma sirigaita virá até aqui". Mas ninguém chegou, e a esposa estranhou o fato de Renato não ter saído do quarto. Ao passar por lá, sentiu ímpeto de bater, mas seu orgulho não deixou.

Elvira, ao sentir que Caroline queria ter com o marido, disse-lhe aos ouvidos:

— Amiga, faça o que seu coração está pedindo. Não deixe o orgulho lhe tapar a visão. Renato sempre foi uma boa pessoa. Se prejudicou alguém, foi ele mesmo. Veja só como tosse... Seu estado de saúde não é bom. Faça a sua parte; auxilie-o para que ele possa compreender como errou.

Caroline andou dois passos, mas voltou-se. Embora não ouvisse as palavras de Elvira, algo tocou seu coração. Ao ouvir a tosse do marido, resolveu lhe perguntar se havia algo errado. Há tempos não via Renato ficar no quarto por tanto tempo. Caroline deu duas batidas na porta, e logo ouviu uma voz rouca que vinha de seu interior:

— Caroline, é você?

— Sim, Renato, sou eu. Você precisa de algo?

— Entre — chamou Renato. Assim que o viu, Caroline teve vontade de sair do quarto. Renato estava deitado e seu corpo todo tremia. Quando tossia, de sua boca saía uma secreção viscosa e sanguinolenta.

— Meu Deus, o que você tem — perguntou Caroline.

— Não sei. Faz uns dias que tenho tido febre. E essa maldita tosse que não me abandona.

— Você precisa de um médico com urgência. Não pode ficar desse jeito.

— Caroline, sei que tenho sido um patife com você. Perdoe-me, se puder, por tanta intransigência. Agora, por caridade, mande alguém chamar o doutor Júlio. Sinto que minha hora está chegando.

— Não exagere, Renato. Você deve ter pegado uma gripe, e está com um ferimento na boca devido à febre. Vou mandar Carlinhos chamar o médico. Mas fique ciente de que o que diz não me comove.

Caroline saiu e pediu a Benedita, mãe de Carlinhos, que o chamasse em casa. Ele era o único que sabia guiar automóvel.

Assim que Carlinhos chegou, recebeu as ordens da patroa, junto com a chave do automóvel. Saiu com rapidez a fim de cumprir as ordens de Caroline. Em seu íntimo, ela estava aflita, mas procurava manter a calma. Tentava afastar o pensamento de que Renato realmente pudesse vir a faltar.

Tempos depois, Carlinhos chegou com o médico. Assim que examinou Renato, ele diagnosticou:

— Você terá de guardar leito. Não deve tomar sereno e tem de se manter sempre aquecido. A alimentação não deve ser descuidada. Além disso, procure tomar os remédios que estou prescrevendo.

— Mas, afinal, o que tenho, doutor?

— Não vou mentir, Renato. Você está com uma lesão grande nos dois pulmões. Se isso não for tratado seriamente, poderá ser fatal.

— O que o senhor quer dizer com lesão?

— Para simplificar, direi que você está com tuberculose. Seus pertences pessoais deverão ser todos tratados separadamente: prato, garfo, faca, xícara, copo, roupas de cama. Até mesmo sua roupa de vestir não deverá ser lavada junto com a dos demais.

Caroline ficou desesperada ao saber do estado de saúde do marido. Embora Renato fosse mulherengo, ela não conseguia se ver sem ele.

Assim que o médico saiu, Caroline fez tudo que o médico havia pedido. Separou todos os objetos de Renato, e entrava no quarto somente quando a janela estava aberta, pois temia pegar a doença.

Diva observava com atenção. Quando Renato dormia e se desvencilhava do corpo, ela lhe dizia:

— Renato, você errou muito. Porém, com essa experiência dolorosa pela qual passa, aprenderá a respeitar sua esposa. Mesmo sabendo que você tinha uma doença grave, ela não o deixou.

— Gosto de Caroline — falava-lhe Renato. — Mas, na verdade, não consigo esquecê-la. Fique comigo.

— Agora não é o momento. Cumpra com seu dever e siga as leis de Jesus para que um dia possamos ficar juntos.

Dizendo isso, Diva conduzia Renato ao corpo, e ele voltava a dormir tranqüilamente.

Com o passar dos dias, Renato piorou, de modo que o doutor Júlio ficou de plantão por um tempo na fazenda, somente para cuidar do coronel. Renato estava magro ao extremo, e sua palidez era quase cadavérica. Não conseguia andar porque as pernas estavam fracas, e o tremor de suas mãos era algo constante.

Caroline mudou de quarto, passando todas as noites ao lado do marido. Certa vez, em um delírio febril, falou:

— Caroline, veja, ela está aqui.

— Quem está aqui, Renato?

— Diva, a mulher que amo... — balbuciou o enfermo.

Caroline se retirou do quarto chorando. Pensava se tratar de uma das aventuras de Renato, alguém que ele tinha realmente amado. Não ia ouvir tamanho disparate. Mesmo doente, não a respeitava como esposa.

Diva, ao assimilar os pensamentos de Caroline, aproximou-se dela.

— Não dê importância ao que ele está falando. Fique ao lado dele. Só assim ele vai poder se sentir tranqüilo. O importante é que ele gosta muito de você, e você é a única pessoa que ele tem. Volte ao quarto; cumpra com sua obrigação de esposa.

Caroline registrou aquela sugestão e voltou com os olhos úmidos. Então, o marido continuou:

— Além de Diva, Paulo e Elvira também estão aqui. Como fico feliz em vê-los, meus amigos.

Caroline deu-se conta que de fato Renato delirava e que ela fora uma boba ao achar que seria uma das aventuras do marido.

O estado de saúde de Renato inspirava medo. Os empregados não queria entrar no quarto porque temiam ser contagiados pela doença do patrão. Caroline era quem cuidava da higiene do marido. Renato sentia febre e, quando não estava dormindo, falava coisas sem sentido. Dia a dia ele foi definhando. A falta de ar que tinha, que antes era momentânea, passou a ser constante. Por isso, Renato sempre ficava com lábios e unhas roxos, e Caroline muitas vezes se entregava ao desespero ao vê-lo daquela maneira. Ele não se alimentava mais, por isso estava debilitado. Suas tosses eram incessantes e sanguinolentas. Embora tivesse separado seus pertences, tinha medo de pegar a doença, uma vez que, sem o marido, quem haveria de cuidar dela com aquele desvelo?

Quando Renato começava a tossir, Diva ficava a seu lado no leito, aplicando-lhe passes tranqüilizantes. O coronel, agora tão fragilizado, se acalmava e dormia.

Paulo, quando observava o carinho com que Diva tratava de Renato, não podia deixar de pensar em como ela o amava. Os cuidados que lhe dispensava externavam todo o sentimento que nutria por aquele que era seu melhor amigo. Em uma dessas ocasiões, notando que os amigos a observavam, explicou:

— Renato é para mim como uma jóia preciosa. O que faço por ele faria por qualquer um que necessitasse de ajuda, mas confesso que o sentimento que nutro por ele é especial. Renato e eu tivemos ligações muito fortes em um passado remoto, como Paulo sabe.

— Um dia, quando puder, me fale dessa ligação que a prende a tão boa criatura. Renato fez tanta questão de nos ajudar, e esqueceu dele mesmo.

— Na verdade — falou Diva —, Renato, em suas andanças e aventuras, procurava algo que ele nunca entendeu o que era. Não sabia que aquele sentimento que conhecia, porém não encontrava, não estava no mundo material. Por isso seus erros são compreensíveis, e suas atitudes deixam claro que ele faz por merecer a ajuda que agora lhe dou.

— Realmente — concordou Paulo. — Renato não era bom somente conosco. Procurava ser bondoso de modo geral. Enquanto ele estava em crise passeei pela fazenda e encontrei um empregado que está inconsolável com a doença dele. A exemplo do pai, este coronel ajudou os empregados, embora tenha se perdido em alguns vícios.

— Muito se erra quando muito se faz — completou Diva. — Que Deus tenha compaixão dele e, assim que romper os laços da matéria, nos permita auxiliá-lo.

— Que Deus assim queira — respondeu Paulo com voz consternada.

Diva ficou ao lado de Renato dia e noite, sempre dando-lhe passes tranqüilizantes a fim de que não sofresse tanto. O enfermo havia adoecido aos quarenta e dois anos; Caroline tinha trinta e seis, embora aparentasse ter bem mais.

Elvira, Paulo e Diva estavam atentos ao declínio visível da saúde de Renato. Certa noite, quando chovia muito, o estado de Renato piorou. Caroline, desesperada, mandou que Carlinhos fosse chamar o doutor Júlio na vila. O médico tinha especial apreço por Renato. Por isso não se importou em sair em meio à chuva para socorrê-lo. Porém, na estrada, o carro atolou em um buraco, e o médico e Carlinhos fizeram de tudo para desatolá-lo, sem sucesso. Doutor Júlio avisou que não poderia mais perder tempo com o carro, e decidiu ir a pé. O rapaz não gostou, mas fez o que o médico mandou. Após uma hora e meia chegaram ao destino. Estavam encharcados, e se encontravam com lama até os joelhos.

Antes de atender Renato, Caroline, solícita, pediu ao médico que se banhasse e se trocasse. Ela providenciaria também uma xícara de chá. O médico, apressado, dispensou o chá, e tentou se recompor o mais rapidamente possível.

Ao entrar no quarto, notou que Renato respirava com dificuldade. Vez por outra, saía de sua boca uma secreção com sangue. Ele tinha febre altíssima. Assim que o examinou, foi claro com Caroline:

— Sinto muito. Nada mais podemos fazer. Ele está no estágio final da doença. O que podemos proporcionar-lhe agora é o máximo de conforto, pois a morte se avizinha. Ele está nas mãos de Deus.

Caroline, envolvida por grande tristeza, chorou sentidamente. Apesar de todo o sofrimento, amava o marido. Sabia que a culpa das brigas dos últimos tempos não era só dele; ela o provocava, tomada de súbito ódio, até que ele perdesse a paciência. Ela não conseguia acreditar que ficaria viúva em questão de horas, e que estaria sozinha naquela casa.

Mais um tempo, e o quadro de saúde de Renato se deteriorou completamente. Diva avisou os companheiros:

— É chegada a hora. Ajudem-me no desligamento. Ele vai precisar ser levado imediatamente ao hospital da colônia para se refazer.

Dessa maneira o trabalho começou. Em poucos minutos, o coronel deu o último suspiro, e o médico constatou que ele havia partido.

No dia seguinte quase todos nos arredores ficaram sabendo do desenlace de Renato, e muitos foram à capela da fazenda prestar-lhe a última homenagem. Os filhos, Maria Eugênia e Ageu, e as respectivas famílias, que tinham chegado para passar os últimos momentos com o pai, também estiveram presentes ao sepultamento. Só Pedro não tinha conseguido chegar a tempo para dar o último adeus ao padrinho, uma vez que estava viajando a trabalho quando recebera a notícia.

Alguns empregados choraram a morte do patrão querido, e muitas mulheres o pranteavam, junto com Caroline. Renato foi enterrado perto dos túmulos dos pais, e em sua lápide estava escrito: "Aqui jaz Renato Dantas Netto. Que sua alma descanse em paz. Saudades da família e filhos".

No momento em que Renato foi desligado do corpo material, Diva, sem perder muito tempo, levou-o ao hospital da colônia. Renato foi colocado em uma enfermaria. O enfermo dormiu por vários dias porque seu perispírito estava debilitado devido à doença. Diva não abandonou seu posto, e ficou aguardando que ele acordasse. Quando o fez, olhou para todos os lados, estranhando o local. Perguntou a Diva:

— Onde estou?

— Você está em um hospital para se curar da enfermidade que adquiriu.

— E Caroline, onde está?

— Fique tranqüilo; ela está orando pelo seu pronto restabelecimento.

— Quem é a senhora? É médica?

— Eu me chamo Diva Aguiar. Estou acompanhando sua melhora.

— Você não pode fazer isso... Se Caroline souber que há uma mulher comigo, ela não vai gostar. A senhora não imagina como ela é ciumenta.

— Não se preocupe com isso agora — respondeu Diva, tentando disfarçar um ar de divertimento que lhe veio ao semblante. — É hora de pensar em se recuperar.

Ernesto adentrou o quarto.

— Como está o ex-doente? — perguntou a Diva.

— Recupera-se bem. É necessário que ele durma mais um pouco, entretanto.

Renato olhou para ambos e indagou com voz embargada:

— Quem são vocês? Onde realmente estou? Por que dizem que sou ex-doente?

— Você teve outra crise de tosse, meu amigo? — perguntou-lhe o rapaz.

— Não - respondeu Renato.

— Saiu secreção sanguinolenta de seus pulmões?

— Não... Desde que acordei, não senti mais falta de ar e não tossi.

— Muito bem. Por isso digo que é um ex-doente. Agora durma; guarde repouso até recuperar totalmente suas forças.

Ernesto comentou com a amiga:

— Acredito que o senhor Renato está com sono. Por que não o deixamos dormir? Garanto que, assim que acordar, se sentirá bem melhor.

Ernesto e Diva saíram da enfermaria, enquanto Renato dormitava. A cada despertar sentia-se melhor que antes. Começou, portanto, a acreditar que de fato não estava mais doente.

No leito ao lado da cama de Renato havia um homem negro que lhe sorria. Renato nunca fora preconceituoso, por isso correspondia. Certo dia, o homem resolveu travar conversa com ele.

— Olá. Como se sente?

— Sinto-me muito bem — respondeu Renato. — Como o senhor se chama?

— Meu nome é Luiz Alfredo. Cheguei aqui faz quinze dias. Diga-me: o que aconteceu com você que veio a desencarnar tão jovem?

— Desencarnar? Do que o senhor está falando?

— De que o senhor morreu, seu Renato?

— Eu morri? Você está ficando louco! Não morri não. Que hospital maluco é este onde Caroline me internou?

O homem riu gostosamente por entender que Renato ignorava seu estado. Entretanto, Renato começou a gritar:

— Meu Deus, Caroline me internou em um sanatório para loucos. Não sou louco. Estou apenas com tuberculose; não sou louco!

Luiz Alfredo se calou e apertou a campainha chamando um enfermeiro. Assustou-se, porque Renato parecia descontrolado. Ele gritava, em tom colérico:

— Que loucura é essa de dizer que morri? Caroline não tinha o direito de me internar num sanatório. Que mal fiz a ela para que aprontasse isso comigo?

O enfermeiro chegou acompanhado de um médico, doutor Frederico. Juntos, aplicaram um passe tranqüilizante em Renato, que voltou a dormir placidamente.

Diva, ao saber do ocorrido, procurou o doutor Frederico. Ele calmamente narrou que alguém havia contado a Renato que ele havia desencarnado. Ele, porém, acreditava estar em um hospital psiquiátrico.

— Apliquei passes energéticos, e agora ele está dormindo — completou Frederico.

— Muito bem — decidiu Diva —, acho melhor levá-lo a um quarto separado dos outros. Quero que ele saiba por nós o que realmente aconteceu. No momento, ele não pode se exaltar; ainda está se recuperando.

Frederico concordou com Diva. Renato foi levado a um pequeno quarto privativo, onde havia somente uma cama, uma mesa com um vaso de flor e uma poltrona. Ao acordar, se viu em lugar diferente. Esperou alguém visitá-lo. O doutor Frederico e Diva foram ter com ele. Diva, com um sorriso sincero no rosto, indagou:

— Como está se sentindo, Renato?

— Estou me sentindo melhor, mas me respondam: por que Caroline me internou em um sanatório para loucos? Estou com tuberculose, mas minhas faculdades mentais estão em perfeito estado.

— Quem lhe disse que se encontra em um sanatório?

— Aquele senhor disse que eu havia morrido; ele é louco, mas eu não.

Frederico e Diva trocaram olhares significativos. O médico pediu que ela explicasse o que ocorria.

— Renato, aqui não é um sanatório de loucos; é um hospital para recuperação daqueles que perderam seu corpo de carne. Como você mesmo sabe, sua doença não tinha cura, portanto você deixou seu invólucro carnal e veio para um hospital na colônia onde residimos. Seu espírito é eterno, e essa é apenas uma das moradas do Pai.

— Mas como isso se deu? Como ficou Caroline, minha esposa?

— Não se preocupe com ela; preocupe-se com sua recuperação, e em como viver bem aqui na colônia. Deus é tão misericordioso que lhe deu essa oportunidade.

— Não mereço estar aqui; sei o quanto errei. O pior de tudo é que morri sem ver meus filhos.

— Seus filhos estavam presentes, mas você estava dormindo a maior parte do tempo.

Vieram-lhe à mente os ensinamentos de dona Genoveva, e Renato se sentiu aliviado.

— Diva, onde estão meus pais, e meus amigos Paulo e Elvira? E os outros que conheci, e também já morreram?

— Estão aqui na colônia. Assim que se recuperar, virão visitá-lo.

Frederico, vendo que Renato estava mais calmo, deixou-o a sós com Diva.

— Já nos conhecemos de algum lugar? — perguntou ele.

— Sim — respondeu evasivamente Diva. — Agora descanse. Você tem de ficar bom logo para receber certos visitantes que estão aflitos para vê-lo.

Renato não quis contrariar as ordens dadas por Diva. Por isso, fingiu dormir para ficar sozinho. Precisava pensar em sua vida porque ela havia mudado completamente, de uma hora para outra.

Diva percebeu que Renato queria ficar sozinho. Retirou-se para deixá-lo mais à vontade com seus pensamentos, até que conciliasse o sono. "Como a vida é estranha. Sempre fui um homem que procurou aproveitar a vida e tirar o máximo dela. Hoje me encontro aqui, neste lugar estranho, com pessoas que nunca vi antes. Dizem-me que morri, ainda por cima. Sei que é verdade. Quando dona Genoveva era viva, me falou sobre a continuidade da vida. Mas achava que suas explicações eram exageradas... E quem é essa mulher que se apresentou como Diva? Não sei o que tem ela que, toda vez que a olho, parece que já a conheço. Sua presença me faz bem, de um jeito desconhecido para mim. Estou tão confuso que acho melhor dormir um pouco. Só assim vou poder levantar desta cama logo e entender melhor essa vida de desencarnado, como eles falam." Com tais pensamentos, Renato adormeceu. Quando acordou, deu com Diva sentada na poltrona a fitá-lo e a lhe sorrir.

Renato retribuiu o sorriso. Ele sempre fora muito simpático; sorrir para os outros era-lhe extremamente fácil, até mesmo natural.

— Como se sente? — perguntou ela.

— Confesso que me sinto muito bem, e que estou cansado de ficar na cama. Será que eu poderia me levantar um pouco?

— Certamente — respondeu Diva com solicitude. — Se quiser, pode ir à janela e ver o belo jardim que cerca o hospital.

Como Renato nunca fora homem de guardar repouso, levantou-se bruscamente, e por isso sentiu tonturas. Foi imediatamente apoiado por Diva, que aconselhou:

— Disse para se levantar, não para saltar da cama. Vá devagar, pois ainda está em fase de recuperação.

Renato acatou a sugestão. Apoiado em Diva, olhou pela janela, e viu muitas pessoas no jardim. O céu tinha um azul lindo, que ele nunca vira antes, e os raios de sol eram intensos, embora não estivesse um calor insuportável. Renato observou, em um canto do jardim, grande quantidade de flores exóticas. Ao centro havia um lago, e, em volta, muitos bancos, ocupados por pessoas que ele desconhecia.

— Por que essas pessoas estão sentadas no jardim? Se estão boas, por que não vão para casa?

— Porque estão se recuperando, como você. Se desejar, poderá ir quando se sentir melhor.

— Não sei... Não tenho roupas apropriadas. E, desde que cheguei aqui, ainda não tomei nenhum banho, não penteei os cabelos, e fiquei somente com essa camisola de dormir. Não acho prudente sair do quarto.

— Você sente falta de banho?

— E como! Banho é sempre muito refrescante.

— Está bem. No trocador, à direita, há um chuveiro. Lá você vai encontrar também roupas para usar.

Renato se dirigiu rapidamente ao trocador. Ficou surpreso ao ver um espelho de cristal, uma toalha de cor branca, escova de dentes e creme dental, e um chuveiro. Ligou o chuveiro e tomou um demorado banho. Depois vestiu uma camisa azul-clara e uma calça de linho cru. Havia também um par de sapatos de cor marrom, que calçou. Penteou os cabelos, depois mirou-se no espelho, achando que estava voltando à velha forma. Ele era vaidoso. Quando encarnado, procurava se vestir com esmero apurado, a fim de chamar a atenção. Ao sair do trocador, sentia-se diferente. Não parecia mais abatido como antes.

— E então, como estou? — perguntou a Diva.

— Bem, mas se sentirá melhor quando começar a ser útil. A melhor beleza é a que vem do coração.

Renato não gostou muito da resposta, mas resolveu ficar calado. Perdeu-se com o olhar através da janela, e pôde ouvir leves batidas na porta.

— Podem entrar — avisou Diva.

Quando Renato viu Paulo e Elvira, correu ao encontro deles e deu um forte abraço em Paulo e um sonoro beijo na face de Elvira. Renato, em tom de brincadeira, comentou:

— Agora acredito que estou morto. Vocês morreram muito antes de mim.

— Não — disse Paulo —, você não está morto. Está mais vivo que nunca. O que mudou foi a roupagem terrena. Você nem sequer pode alegar ignorância, porque dona Genoveva sempre nos falou sobre a sobrevivência do espírito. Aqui é um lugar de paz e harmonia, e, se você aproveitar a sua estada, vai aprender como ser útil e como viver sem o corpo carnal.

— Elvira, e você, como se sente?

— Agora sinto-me bem. Quando desencarnei não tive a mesma sorte que você. Como eu mesma tirei minha vida, fiquei vagando no

Vale dos Suicidas. Paulo, com a ajuda de Deus e de outros irmãos, me trouxe para ser feliz aqui.

— Estou com muitas saudades de meu pai e minha mãe. Vocês os viram por aqui?

— Sim — respondeu Paulo. — Sua mãe trabalha com os jardins das colônias, e seu pai trabalha no Ministério das Organizações.

— Acho isso muito estranho. Parece um sonho. Sinto-me bem já. Estou cansado de ficar preso a esse quarto. Gostaria de andar por aí e conhecer a colônia de que falam com tanto carinho.

— Que seja feita a sua vontade — respondeu Diva pacientemente. — Poderemos ir os quatro para as dependências do hospital, e depois você pode ir ao jardim, se assim desejar.

Renato sorriu para Diva ao responder:

— Você é uma mulher encantadora; é uma pena que seja tão fria.

— É aí que se engana — intercedeu Paulo. — Dona Diva é uma pessoa maravilhosa. Se você está aqui, dê-lhe graças. Ela trabalhou muito a seu favor.

Renato sentiu-se envergonhado e pediu desculpas. Não teve coragem de encarar Diva, que ria, divertidamente, do momento de raro embaraço de Renato.

Diva apresentou ao recém-chegado todas as dependências do hospital. Renato encontrou com dona Eunice, fato que o deixou muito feliz. Foi a seu encontro e lhe deu um forte abraço, dizendo estar com saudades. Depois de andar pelo corredor, virou à direita e deparou com dona Veva.

— Que bom vê-lo aqui, Renato! Logo você, que fugia das reuniões em casa... — completou em tom brincalhão a bondosa senhora.

— Não é bem isso... É quase isso. — Dando uma gargalhada, abraçou dona Genoveva. — A senhora não sabe como me ajudou. Quando aqui cheguei, achei que estava internado em um hospital psiquiátrico.

Genoveva riu, divertida. Renato continuava o mesmo brincalhão de sempre. Após se despedir, Renato foi à recepção. Uma jovem atendente lhe sorriu simpaticamente.

— Poxa, você é tão jovem e já está aqui no meio de todos esses espíritos?

Diva olhou séria para Renato e comentou:

— Meu amigo, contenha-se. Aqui é um lugar de trabalho sério, e você terá de aprender que para tudo há um tempo certo: há tempo para falar, e tempo para ficar calado; aprenda a ficar calado na maioria das vezes, pois será para seu próprio benefício.

Paulo e Elvira ficaram com vontade de rir, mas se controlaram. Diva era direta. Quando tinha algo a dizer, não se preocupava com quem estava a sua volta.

Renato saiu para o jardim e ficou encantado com a beleza do lugar. Avistou Luiz Alfredo, que havia lhe dito que ele estava desancarnado. O homem se aproximou.

— E agora, está mais calmo? Já entendeu a realidade da vida ou continua achando que sou louco?

Renato, constrangido, sorriu para o companheiro.

— Você tinha razão, meu amigo. Estamos todos desencarnados aqui.

Olhou para Diva, temendo levar outra reprimenda. Porém, ela nada disse. Andaram por algum tempo, e então Diva pediu licença e se retirou, deixando Renato com os amigos. Assim que ficaram só os três, Renato desabafou:

— Essa mulher é linda. É uma pena que seja tão severa. Se não fosse assim, diria que estou apaixonado por ela.

— Renato, por favor, deixe esses pensamentos terrenos. Procure, de hoje em diante, viver para a espiritualidade. Diva é excelente pessoa. Ela nos ajudou muito. Mas você tem de aprender que, por aqui, a primeira estância é a disciplina. Você ainda não sabe o que é isso — falou Paulo.

Renato chegou à conclusão de que naquele lugar não poderia dizer o que pensava, pois todos arranjariam um modo de reprimi-lo. Com o passar dos dias, foi se acostumando à colônia. Não falava tanto como a princípio e andava longas horas pelo jardim. Observava os pássaros do céu e o lago, mas em seu íntimo pensava em Caroline e em tudo que lhe fizera. Passou a se sentir culpado, uma vez que não fora o marido que ela esperava. Ao lembrar dela, sentia saudades.

Entretido com tais pensamentos, não viu que Diva se aproximava. Ela assimilou seus pensamentos. Chegando mais perto, comentou:

— Parece-me que está triste. Por quê?

— Não, senhora, é só impressão.

— Renato, não minta para mim. Eu o conheço mais do que imagina. Diga-me o que o aflige.

— Nada me aflige; estou bem.

— Ah é? Por que não diz que está pensando em Caroline, sua esposa, e no quanto foi mau marido? Por que não diz que aqui você não pode ser você mesmo, e que todos o criticam? Por que não diz que todos trabalham, e só você passa o tempo sem fazer nada?

— Mas como a senhora sabe de tudo isso, se não contei a ninguém o que vai em meu íntimo?

— Renato, entenda, estar desencarnado tem suas vantagens. Uma delas é poder assimilar o pensamento tanto de encarnados como de desencarnados. Somos o que pensamos. Você não acha que está sentindo muita pena de si mesmo? Chega disso. Pense em como poderá ajudar Caroline daqui por diante; não fique lamentando a sorte. Ninguém vai repreendê-lo se você não der motivos. E tem mais: não precisa fingir o que você não é somente para impressionar os outros. Diante de Deus, estamos todos em evidência; o que nos vai no coração não passa despercebido. Deixe de se comportar como um menino mimado, querendo a atenção de todos.

— Não estou dizendo nada; estou calado. A senhora ainda vem me dar uma bronca? Estou cansado de que me chamem a atenção. Mesmo estando em meu canto, há sempre motivos para a senhora me repreender.

— Entenda, Renato, o que lhe digo é para seu bem. A mola propulsora aqui é o amor a todas as criaturas. Assim como Deus, nosso pai, é feliz, ele quer que o sejamos também. Você não vai conseguir ser feliz com esse sentimento de culpa que vem se abatendo sobre você. O que passou, passou. Procure melhorar daqui por diante e ajudar Caroline a distância, emanando para ela sentimentos de paz e harmonia, e incluindo-a em suas preces.

Renato não respondeu nada, mas não conseguiu segurar as lágrimas que insistiam em cair em abundância. Ele pediu licença a Diva e foi ao alojamento onde estava hospedado. Naquele dia, não saiu mais de lá, pensando no que tinha ouvido daquela mulher por quem tinha muito respeito.

※

À noite, Elvira e Paulo sentaram-se perto do lago e conversaram sobre o amigo.

— Estou preocupado com Renato — falou Paulo. — Ele não se mostra feliz aqui na colônia. Sinto que, para ele, falta algo.

— Percebi isso também. Mas devemos concordar que Renato é um pouco indisciplinado... Aqui é lugar de ordem, e ele sempre vem com brincadeiras estúpidas. Por isso dona Diva sempre tem chamado a sua atenção.

— Mas ele era assim quando encarnado. Só continua sendo o mesmo. Apesar do desencarne, ele não mudou.

— Só que na Terra é diferente, Paulo. Ele era querido lá, porque a Terra não é um local de disciplina como aqui. Ele deveria ter notado isso desde o primeiro instante em que aqui chegou.

— Amor — comentou Paulo —, cada um é como é. Devemos ajudar Renato a viver melhor aqui na colônia.

— O que você acha de o procurarmos e termos uma conversa com ele?

— Acho ótimo. Nosso amigo precisa de nós agora, Elvira.

Paulo e Elvira saíram lentamente de mãos dadas, olhando para o firmamento repleto de estrelas, e naquela noite tudo traduzia paz para aquelas duas criaturas.

Seguiram ao alojamento onde Renato estava temporariamente hospedado. Ele se encontrava estendido na cama, com os pensamentos longe.

— Que a paz de Deus esteja com você, meu amigo! — iniciou Paulo.

— Que assim seja — respondeu Renato meio a contragosto. Queria ficar sozinho.

— Renato, o que está acontecendo com você? Vai ficar aí deitado, sem fazer nada?

— Se fico quieto, vem a tal da dona Diva e me passa uma reprimenda; se falo alguma coisa, ela faz o mesmo. Se estou pensando em algo, lá vem ela, sempre a me criticar. Vou ser sincero: estou enfadado com essa nova vida que vocês chamam de paraíso. Para mim, tornou-se um mar morto. Não tenho vida própria; tenho de fazer o que os outros querem, pensar como os outros pensam, dizer somente o que for conveniente para todos, ou seja, sinto que estou perdendo minha identidade. Sempre fui alegre, mas aqui não é permitido sê-lo. Todos têm de ser e falar do mesmo jeito.

— Não é bem assim — continuou Paulo. — Dona Diva tem percebido esse modo de pensar, e está tentando ajudá-lo. Mas, se não quiser aceitar o auxílio, aprenda pelo menos a aceitar as coisas com resignação. Você, melhor que ninguém, sabe que viveu uma vida inconseqüente enquanto esteve na carne. Contudo, a espiritualidade está chamando você para novas responsabilidades. Preste atenção ao chamado e você vai aprender como ser feliz em um lugar tão belo quanto a colônia.

— Sei que estão cobertos de razão — respondeu Renato. — Mas sou assim, e vou continuar do mesmo jeito. Nada vai me mudar. Ando preocupado com Caroline. Ela ficou sozinha, sem meu amparo, com todo aquele patrimônio para cuidar. Sei que não fui um bom marido, chegando muitas vezes a perder a paciência com ela, e usando de brutalidade física. Mas, na verdade, eu a amo e desejo ficar com ela.

— Você na verdade não a ama — ponderou Paulo. — Está apenas deixando que o sentimento de culpa destrua sua paz, assim pode reforçar a própria idéia de se tornar inativo aqui no plano. Caroline é forte, e ela já o perdoou pelo que fez a ela. Procure aprender; há vários cursos em que poderá se inscrever. Isso poderá ajudá-lo. Na verdade, você não sabe o que é o amor. Se soubesse, não viveria procurando em outras mulheres o que tem guardado no coração há muitas eras.

— De que você está falando?

— Melhore, e vai poder aprender.

Os três conversaram um pouco mais sobre o que estavam aprendendo na colônia. Paulo e Elvira então deixaram o alojamento e voltaram ao jardim. Continuavam preocupados com o amigo, e ali ficaram por mais tempo palestrando sobre aquele assunto, sentindo grande prazer um na companhia do outro.

31

O desencarne de Caroline

Paulo e Elvira se encontravam juntos certo dia quando Diva se aproximou e contou que precisavam ir à crosta terrestre. Caroline haveria de fazer a grande viagem em pouco tempo.

Elvira, logo pensando no amigo, perguntou:

— Por que não levamos Renato conosco?

— Ele não está apto para esse tipo de trabalho. Poderia nos causar problemas.

— Conversamos com ele outro dia — falou Elvira. — Ele nos disse que ama Caroline. Acho que ficará feliz se ela estiver aqui.

— Ele ainda vive de ilusão, que poderá lhe custar muito caro. Mas deixemos que Deus se encarregue de lhe mostrar a verdade.

Dessa maneira, Paulo, Elvira e Diva volitaram rumo à crosta terrestre a fim de analisarem a situação. Quando chegaram à fazenda, Caroline estava no leito, com febre muito alta e tendo convulsões. Doutor Júlio estava a seu lado e os filhos, sentados na sala, principalmente Maria Eugênia, choravam muito. Ageu segurava a mão da esposa, temendo o futuro da mãe. Pedro, filho de Paulo e Elvira, também estava presente. Com alegria, Elvira pôde ver o homem que se tornara. Ela não via o filho havia muito tempo. Na ocasião do desencarne de Renato, Pedro estava viajando a trabalho.

A criadagem estava triste. Há pouco tinham perdido o patrão tão querido; agora Caroline se mostrava bastante enferma.

O médico saiu do quarto de Caroline, reuniu os filhos e lhes disse solenemente:

— Meus amigos, é com grande pesar que dou esta notícia, mas a obrigação de médico me obriga a ser sincero com os familiares: dona Caroline Soares Dantas não tem muito tempo de vida. Dou permissão para que fiquem ao lado dela o quanto quiserem, pois, pelos meus cálculos, restam-lhe poucas horas de vida. A febre não cede, e ela está tendo uma convulsão atrás da outra, o que debilita ainda mais seu estado físico.

Maria Eugênia começou a soluçar e, em desespero, perguntou ao médico:

— Diga-nos, por favor, o que realmente nossa mãe tem, doutor. Desconhecemos o motivo dessa febre.

— Tudo leva a crer — ponderou doutor Júlio — que sua mãe contraiu tifo. O estágio da doença está bem adiantado. Não lhe garanto que seja isso, mas minha experiência como médico me faz crer nessa possibilidade.

Os filhos e o afilhado, desconsolados, rumaram ao quarto. Caroline apresentava os lábios e as unhas arroxeados. As olheiras eram tão profundas que se mais parecia um espectro cadavérico. Foram horas difíceis para a família. Não restava a menor dúvida: a hora da morte de Caroline estava próxima.

Diva, que comandava o grupo espiritual, com segurança falou a Paulo e Elvira:

— É chegada a hora. Vamos fazer o desligamento.

As três entidades começaram a fazer o trabalho de desligamento. Diva, levantando o espírito de Caroline com carinho, abraçou-a pela cintura e juntos voltaram à colônia.

⁂

Renato começou a fazer o curso de como viver desencarnado, e a partir daí passou a viver um pouco melhor. Dava-se bem com todos, e prestava qualquer tipo de serviço, pois gostava de estar em movimento e se sentir útil.

Dias depois, Diva se aproximou de Renato, que estava lendo o evangelho para um senhor que era analfabeto. Foi interrompido por Diva.

— Renato, venha até aqui. Precisamos conversar.

Renato então pensou: "O que será que eu fiz de errado desta vez? Ela só fala comigo quando tem de me repreender!"

Diva, assimilando os pensamentos de Renato, disse em tom amistoso:

— Não se preocupe. Você não fez nada para que eu o repreendesse. Vim apenas lhe dar boas notícias. Caroline se encontra na enfermaria, na ala feminina. Gostaria muito de vê-lo.

— O quê? A senhora quer dizer que Caroline desencarnou, e vocês nada me disseram?

— Dizer para que, Renato? Sua presença iria só atrapalhar. Você não tem ainda o equilíbrio necessário para nos acompanhar nesse serviço.

— Quem foi com a senhora?

— Elvira e Paulo.

— Quer dizer que meus melhores amigos sabiam disso, e nada me disseram? Isso é o que chamo de injustiça!

— Renato, não se comporte como uma criança mimada. Se tivesse condições, teria ido. Mas continua provando que não tem estrutura para isso.

Renato percebeu que havia se excedido. Resolveu contemporizar:

— Desculpe-me. Não queria ter dito essas palavras. Agradeço pela notícia. Já vou ver Caroline. Nossa, como senti sua falta!

Diva nada respondeu, e retirou-se. Renato pediu licença ao homem para o qual lia parte do evangelho e foi se sentar em seu lugar favorito para reflexões: "O que acontece comigo quando Diva se aproxima? Sinto por ela uma atração tão grande! Ao mesmo tempo, eu a quero longe. Será que estou apaixonado por ela e não sei? Isso não pode ser. Ela só se aproxima de mim para me repreender. Isso me aborrece muito. Contudo, quando a vejo, sinto meu coração acelerar e tenho vontade de que ela fique a meu lado. Devo estar apaixonado. Será? Ela é uma pessoa muito querida neste lugar, e, pelo jeito, é também muito equilibrada. Se descobrir o que vai em minha mente, será capaz de rir de mim. Não quero mais pensar nela. Vou ver Caroline; esta sim é a mulher que amo". Renato se levantou e andou lentamente em direção ao hospital. Atravessando o jardim, andou por longa avenida arborizada, fitou os prédios, e, finalmente, chegou ao hospital onde Caroline estava.

Pediu informação à recepcionista, e adentrou uma grande enfermaria. Avistou, ao longe, os pais de Caroline a seu lado. Ao vê-la, lembrou-se imediatamente do dia de seu casamento com ela. Caroline voltara a ter o mesmo aspecto. A juventude voltara a seu semblante, bem como sua beleza. Ao se aproximar, não conseguiu segurar as lágrimas. Sentira realmente falta da companheira de tantos anos.

Caroline, ao ver Renato, abraçou-o e lhe pediu que fizesse o mesmo com ela. Renato obedeceu prontamente; estava com muita saudade.

Os pais de Caroline resolveram se retirar a fim de deixar os dois à vontade. Renato, ainda com lágrimas nos olhos, falou:

— Caroline, perdão por não ter sido o marido que você esperava. Entretanto, no período em que estive aqui, pude compreender que não consigo viver sem você. Quando voltarmos à Terra, quero me casar contigo novamente, e fazer as coisas da maneira correta dessa vez.

— Não, Renato, não é isso que você realmente quer. O que sente a meu respeito é um grande sentimento de culpa, que não tem razão de ser. Em tudo que houve entre nós dois também tive minha parcela de responsabilidade. Durante sua ausência vi que não foi somente você quem errou; eu também. Eu o quero muito como amigo, mas nossos compromissos acabaram na hora em que desencarnamos. Você está livre para procurar a mulher que realmente o fará feliz. Eu vou procurar meu rumo. Não sejamos infantis a ponto de nos enganar. Você é boa pessoa e merece ser feliz, não comigo, mas com a pessoa que realmente o ama.

— O que quer dizer com isso, Caroline?

— Que não nos amamos de fato. Enganamo-nos a vida inteira. Terá em mim uma leal amiga, mas nada mais que isso.

— Não, eu não aceito. Eu a amo, e quero ficar com você.

— Renato, não complique as coisas. Aceite o que não pode ser mudado. Trabalhe, aprenda, seja útil. Deus vai lhe dar a esposa que você merece.

Renato se deu conta do quanto Caroline estava diferente. Mais amadurecida, talvez, mas muito diferente, no ponto de vista de Renato. Ele a abraçou mais uma vez, e em seguida se despediu. Os pensamentos estavam em sua mente como um mar revolto, e suas idéias pareciam descontroladas, de modo que novamente sentou-se perto do lago. Refletindo sobre as palavras de Caroline, pôde sentir que ela tinha razão. Talvez não a amasse da mesma maneira que Paulo amava Elvira. Na verdade, ele sempre tinha desejado um amor como o de Paulo, que enfrentava todo tipo de obstáculo para um poder ficar ao lado do outro.

Renato pensava em sua vida como encarnado. Chegou à conclusão de que ela havia sido infrutífera e vazia. Ele procurava um amor, e só se dera conta disso depois que partira da Terra e da conversa que tivera havia pouco com Caroline.

Paulo sempre conversava com Renato nos momentos de folga, e dizia gostar de dar aula, gostar da colônia, gostar dos amigos e dos alunos; enfim, Paulo dizia gostar de tudo. Quando o ouvia, Renato apenas comentava:

— Você é feliz, meu amigo. Goza da companhia da mulher que sempre amou, goza da alegria de ser útil... Agora olhe para mim: o que sou ou fui? Um estúpido. Se assim não tivesse sido, talvez gostasse deste lugar maravilhoso como você e Elvira gostam.

— O que quer dizer? Que realmente não gosta daqui?

— Não é isso, meu amigo. Gosto do lugar, e todos me tratam com gentilezas e atenção. Sei que não é por interesse, como na Terra. Aqui somos iguais. Porém, sinto falta, meu irmão, só não sei do quê. Estou carente; deve ser isso.

— Renato, preste atenção no que vou lhe falar. Você está fazendo o curso de como viver melhor como desencarnado, e está aprendendo. Contudo, há ainda muitas coisas que desconhece. Aceite a chance que Deus está lhe dando, e preencha esse vazio que habita em seu coração.

— Quando estávamos encarnados — comentou Renato —, sempre admirei o seu amor por Elvira. Você a ama tanto que foi capaz de perdoá-la de uma traição. Eu também o fiz em relação a Caroline, eu sei, mas o amor que une vocês é diferente, sincero e verdadeiro. Todos têm um par. Por que só eu não tenho? Passei minha vida como um louco a vagar pelos lugares obscuros para encontrar a mulher que seria dona de meu coração. Casei-me com Caroline, mas, em meu íntimo, sabia que ela não era o amor de minha vida. Procurei novas aventuras, e também não encontrei nelas aquilo que queria. Vou ficar sozinho; acho que é este meu destino.

— Deixe de bobagem, Renato — contemporizou Paulo. — Deus deu a cada homem a sua companhia, e você não é exceção.

Portanto, tenha calma e espere. A propósito, como vai seu relacionamento com dona Diva?

— Que pergunta esquisita, Paulo. Eu a continuo evitando. Toda vez que ela me encontra, arranja uma desculpa para me repreender, eu já lhe disse. Ela se porta diante de mim como se fosse alguém superior.

— Renato, cuidado com seus pensamentos. Dona Diva é uma pessoa séria, que visa o bem-estar de todos os que estão aqui. Se você se comportar, vai descobrir a pessoa maravilhosa que ela é. Diva me auxiliou muito desde que cheguei aqui.

— Paulo, não o entendo. Estou falando de meus sentimentos e você vem me falar de dona Diva! Por favor... Não pensei que fosse tão insensível a respeito do que sinto.

— Deixe de bancar a vítima, amigo. Aceite, que um dia você entenderá o que estou querendo dizer.

Diva aproximou-se dos dois com um rapaz louro, de olhos azuis, alto e de fisionomia bondosa.

— Renato, este aqui é Augusto — ela apresentou. — Sei que vocês se darão muito bem. Ele é para mim como um filho; espero que você o procure conhecer melhor. Quem sabe não poderão ser bons amigos?

Ao olhar o rapaz, Renato sentiu ímpetos de abraçá-lo, mas se conteve. Pensou consigo mesmo: "Tenho a impressão de que já conheço este rapaz. Posso afirmar, do fundo de meu coração, que gosto muito dele".

Diva, assimilando os pensamentos de Renato, sorriu.

— Realmente, Renato. Você e Augusto já se conhecem e sempre foram amigos. Ele o quer como se fosse um pai.

Renato, quase sem perceber, aproximou-se e abraçou o rapaz.

— Sei que já o conheço. Se você vê em mim um pai, eu o vejo como um filho. Espero que aprenda a gostar de mim como gosto de você.

— Sempre gostei de você, Renato, sempre! Pelo jeito, você continua o mesmo cabeça-dura dos velhos tempos.

Renato sorriu, e, a partir daquele dia, pouco procurava Paulo e Elvira, pois sempre estava às voltas com Augusto. O rapaz transmitia-lhe segurança, e Renato sentia que com ele podia se abrir e dizer o que pensava, sem se preocupar com as ordens das palavras. Com Diva era diferente; temia as reprimendas que ela lhe dava.

Após Renato ter encontrado Augusto, não mais sentiu falta de companhia. Foi assim que começou a gostar da colônia, sobretudo da companhia de Augusto.

Certo dia, estando Renato sentado em seu lugar preferido, junto ao lago dos Amores, pensou em como sua vida tinha mudado desde que conhecera Augusto. Ele sentia em seu coração que já vivera com o rapaz em uma outra existência.

Augusto, avistando Renato e estando também em um momento de folga, foi ter com ele, sentando-se a seu lado. Deu-lhe um sonoro beijo no rosto. Surpreso, Renato perguntou:

— Ora, ora, o que está havendo com você?

— Não posso demonstrar amor para um pai querido como você?

— Como? Está querendo dizer que já fui seu pai?

— Sim, meu pai. Seu nome não era Renato na época; era Marck, ou Marcos. Mas não posso lhe dizer mais nada. Com o tempo você vai lembrar. Espero que aceite que eu o chame de pai.

— Para mim será uma honra, meu filho. Desde o primeiro momento em que o vi, senti um carinho tão grande por você que parecia já tê-lo conhecido. Eu o amo, filho, e nunca ninguém vai nos separar.

Renato então abraçou o rapaz e beijou-lhe a fronte. Augusto correspondeu com um afetuoso abraço.

Diva olhava a cena a distância. Com o coração cheio de emoção, agradecia a Deus por aquele reencontro. Somente o amor de pai o faria mudar sua maneira de ser.

Augusto e Diva também sempre estavam juntos. Trabalhavam na mesma atividade a maior parte do tempo, e ele a chamava de mãe.

Quanto a Renato, embora não se lembrasse ainda das existências anteriores, sentia um afeto inexplicável por Augusto. Só em relação a Diva não conseguia definir o que se passava em seu coração.

Augusto interrompeu os pensamentos de Renato.

— Pai, eu o acompanhei enquanto vivia na Terra. Sei dos seus erros, mas também conheço seu caráter bondoso. Entretanto, há algo que está esquecendo. O tempo passou, mas as marcas das feridas ficam.

— O que quer dizer com isso, filho?

— Lembra da pobre Jacira? Ela ainda não foi ajudada. Talvez eu precise de sua companhia para prestar-lhe auxílio. O que me diz?

— Sinto-me envergonhado por ter sido tão covarde e ao mesmo tempo tão leviano. Sinceramente, não me lembrei dela desde que aqui cheguei. Contudo, se ela sofre, tenho como obrigação ajudá-la. Está vendo só? A cada dia que passa, você se torna dono absoluto de meu coração.

— Ora, pai, você não poderá ir assim despreparado. Antes, terá de estudar, aprender sobre as zonas inferiores e conseguir controlar suas emoções. Apenas depois disso é que poderemos juntos tentar ajudar aquela nossa irmã, que pena no Umbral.

— Muito bem, filho. Farei tudo que está me sugerindo. A partir de hoje, não quero mais ficar longas horas sentado perto do lago, me colocando na posição de vítima. Quero ser útil, como você. Em uma das conversas que tive com dona Diva, ela me disse que você é um grande trabalhador na seara do bem, e eu quero seguir seu exemplo.

Renato se inscreveu em vários cursos. O que lhe inspirara maior interesse era o que falava sobre como manter o equilíbrio diante dos desequilibrados. Gradativamente, ele começou a se transformar. Não pensava mais só tanto em si. Iniciou um trabalho com Augusto no hospital. O rapaz era um grande estudioso, que procurava em suas análises descobrir meios de ajudar os irmãos recém-chegados da Terra. Não era médico, mas gostava do que fazia. E, desde que Renato vira a utilidade que o rapaz tinha no hospital, tinha vontade de ser como ele.

Renato trabalhava, estudava e procurava ser obediente. Participava de todos os acontecimentos da colônia, coisa que não fazia antes de conhecer Augusto.

O tempo foi passando, e ele não temia mais a presença de Diva. Ela estava feliz com o desempenho de Renato, que estava despontando como alguém esforçado e útil. Augusto gostava muito de observar Renato conversando com Diva. Ele conhecia os laços que uniam aqueles dois corações. Eram raras as vezes, entretanto, que Diva falava com Renato. Em seu íntimo, Renato sentia a ausência de Diva, mas não confessava isso a ninguém, nem mesmo a Augusto, que passou a ser seu filho do coração.

Augusto era um jovem que demonstrava beleza interna, e também externa. Renato muitas vezes sentia orgulho de ser chamado de pai por ele. O jovem tinha uma inteligência acentuada, e procurava ser correto em tudo que fazia. O caráter forte do filho exercia influência positiva sobre Renato.

Com esse progresso visível da condição espiritual de Renato, certo dia Augusto se aproximou dele, que aplicava passes energéticos em um recém-chegado da Terra, e lhe falou:

— Pai, estou esperando você no jardim. Assim que folgar, venha ter comigo. O que temos a tratar é urgente.

— Assim que puder, estarei lá.

Logo que terminou o trabalho, dirigiu-se ao jardim. Avistando Augusto, aproximou-se.

— O que aconteceu, filho, para vir a essa hora me chamar para conversar?

— Pai, a hora é chegada. Estive conversando com os superiores e chegamos à conclusão de que o senhor está apto para ir comigo aju-

Doce Entardecer

dar Jacira, que se encontra em péssimo estado nas zonas inferiores. Contudo, há um porém. Não sei se vai aceitar...

— Diga-me, que porém é esse?

— Diva Aguiar e mais cinco pessoas irão conosco.

Renato ficou mudo a princípio. No fundo do coração, ficou feliz em saber que Diva iria. Dissimuladamente perguntou:

— Mas por que vai uma comitiva tão grande conosco, meu filho?

— Os superiores temem que o senhor perca o equilíbrio, prejudicando assim a etapa de auxílio a Jacira, que se encontra enferma e dementada no Umbral.

— Além de dona Diva, quem são os outros que irão conosco?

— Bem... Irão o irmão Jaime, Leôncio, Cláudio, a irmã Benedita, dona Diva e eu. E, logicamente, você, se quiser.

— Sei que a presença de todos eles, pessoas de que gosto, aliás, vai me ajudar. Afinal, se Jacira se encontra nessa situação, a culpa é minha. Não quero que ela sofra mais. Se for o caso, ficarei no lugar dela a fim de que possa ser ajudada.

— Não diga isso, meu pai. Não será necessário. Vamos todos auxiliá-la, e não fazer uma troca de lugar. Aviso de antemão, contudo: se ela não for ajudada na primeira visita, não desanime. Se for o caso, outras visitas surgirão. O melhor que tem a fazer é incluí-la em suas preces. A oração é um bálsamo que pode aliviar as dores dos necessitados.

— Não se preocupe, Augusto. Farei tudo que estiver a meu alcance para ajudá-la. Agora, se me der licença, quero ficar sozinho. Pretendo conversar com Deus e lhe expor os sentimentos que vão em meu coração.

— Muito bem, que assim seja. No entanto, não esqueça: ela é uma irmã que precisa de sua ajuda, e não de seu sentimento de culpa. Recomendo que mantenha o equilíbrio.

— Farei tudo que puder. Se não conseguir auxiliá-la, prometo que não vou atrapalhar.

— Muito bem. Sairemos amanhã de manhã. Não se atrase, e espere-nos na frente do hospital.
— Certo, filho. Até amanhã.

⁂

No dia imediato, Renato estava no local combinado com quinze minutos de antecedência. Na frente do hospital havia um belíssimo jardim. No horário marcado, todos estavam presentes.

Renato não se sentiu à vontade em virtude da presença de Diva, mas decidiu ficar calado a fim de não ser repreendido diante dos outros companheiros.

Augusto se sentia particularmente feliz. Era a primeira vez que saía com Renato e Diva juntos. Antes de Renato chegar, Augusto estava sempre com Diva. Entretanto, nos últimos tempos, ele havia devotado todas as atenções a Renato, que se sentia seguro ao lado do rapaz.

Quando todos estavam presentes, Jaime iniciou:

— Queridos irmãos, é do saber de todos o motivo dessa nossa nova empreitada. Há nas zonas inferiores uma irmã que continua a sofrer as agruras dos sentimentos após a vida terrestre. Como irmãos fraternos, devemos ajudá-la a perdoar e esquecer quem ela acredita ser o causador de seu sofrimento.

Ao ouvir tais palavras, Renato abaixou a cabeça, sentindo-se envergonhado. Não conseguiu encarar Jaime, que prosseguia serenamente:

— Sabemos, meus irmãos, que Jesus, nosso irmão maior, sempre nos ensinou a perdoar nossos semelhantes, assim como gostaríamos que nos perdoassem. Confiemos em Deus, a fim de que nossa empreitada seja feita com sucesso. Não devemos desanimar caso essa pobre irmã recuse nossa ajuda. Antes, devemos pedir a Jesus por ela e por nós também. No momento é conveniente que façamos uma prece pedindo a orientação de Deus em nossos esforços. Mantenhamos o equilíbrio diante dos sofrimentos alheios.

Depois de fazer uma prece, todos deram as mão e, juntos, volitaram. Até mesmo Renato já havia aprendido como fazer essa locomoção rápida. Ao chegarem perto de uma gruta escura, Jaime disse a Renato:

— Irmão, sei que nunca esteve aqui antes. Aviso de antemão que muitos poderão pedir-lhe ajuda, outros tocarão sua vestimenta, mas não acredite em tudo que ouvir. Nem sempre os moradores deste lugar querem realmente sair daqui. Tudo é questão de afinidade. Assim como nos afinamos na colônia, eles também se afinam com este lugar. Quando pedem ajuda, querem somente que amenizemos suas dores e sofrimentos. Há vários motivos para se encontrarem aqui. Uns têm o coração empedernido, ou estão escravizados pelas entidades do mal. Há ainda os que são viciados em álcool; outros se julgam superiores porque tiveram uma vida abastada na Terra. Enfim, os motivos da destemperança encontrada aqui são vários. A recomendação principal é: PERMANEÇA EM PRECE, E MANTENHA O EQUILÍBRIO.

Renato permanecia calado, ouvindo com atenção. Ele estava de fato empenhado em ajudar Jacira, aquela a quem fizera tanto mal.

Diva avisou em tom firme:

— Você não entendeu. Agora não é hora para sentimentos de culpa. Antes, é momento para agradecermos a Deus pela oportunidade dada.

Renato continuou calado, mas sentiu-se um tanto constrangido com as palavras de Diva. Ele a julgava extremamente severa com suas palavras.

Por fim, os integrantes da comitiva foram adentrando as zonas inferiores. Renato de pronto sentiu-se arrepiado ao observar o lugar, fétido e lamacento. As vegetações não eram como as da colônia; tratava-se de árvores ressequidas e contorcidas. Pareciam estar mortas há muito. Andaram por um tempo, e as cenas que foram passando aos olhos de Renato o deixaram muito impressionado: viu pessoas de todo o tipo, sujas e deformadas, enquanto a fedentina do local subia-lhe pelas narinas. Alguns andavam em bandos e tinham aspecto de animais, embora não perdessem a características humanas. Espantado, puxou Augusto pelo braço.

— Filho, o que são na verdade estes seres? São humanos ou animais?

Augusto, percebendo o real interesse de Renato, explicou:

— Essas criaturas que chegam a ser horrendas foram pessoas como nós, porém se infiltraram tanto nas maldades de seus corações e atos que, ao voltarem para cá, adquiriram essa aparência.

— Eles não sentem que sua fisionomia está mudando?

— Sim, sentem, mas não se importam. O que vale para eles é se vingar daqueles que os ofenderam enquanto estavam na carne. Tal aparência se deve às maldades que praticam.

— Mas são tão feios... Você não acha que é mais fácil perdoar do que ficar nesse estado, Augusto?

— Sim, acho. Mas eles não. São vingativos, e muitas vezes se vingam enquanto o ofensor ainda está encarnado, levando-o à loucura.

Diva continuou com os esclarecimentos:

— Renato, se tão-somente colocassem as orientações de Jesus em prática sobre amar a Deus sobre todas as coisas e ao próximo como a si mesmo, não estariam nesse vale de lágrimas e desespero.

— Mas me foi dito que muitos têm afinidade com este lugar. Como alguém pode gostar de viver em um lugar tenebroso como este?

— Há suas exceções... Muitos gostam de viver aqui, mas há aqueles que desejam de coração ter uma condição melhor de vida.

Renato, temendo uma reprimenda, resolveu se calar e andar por aquele vale de lamentações. Passou por uma senhora cujo vestido parecia ser elegante, embora estivesse suja e com os cabelos desgrenhados. Olhando para a comitiva, pediu:

— Seres da luz, tenham piedade de mim. Sofro terrivelmente, e não suporto as dores, a fome e a sede que sinto.

Jaime falou em tom misericordioso:

— Irmã, arrependa-se de seus atos passados e peça perdão a Deus. Ele, clemente e misericordioso como é, vai ouvir suas rogativas e enviará alguém para ajudá-la.

Jaime continuou sua caminhada pelo umbral. Renato, indignado, indagou:

— Aquela pobre mulher nos rogou ajuda, e o que fizemos? Retiramo-nos sem sequer nos despedirmos dela. Como podemos ajudar as pessoas daqui se continuarmos a agir dessa forma?

Diva elucidou:

— Renato, aquela pobre criatura nos rogou ajuda para seus sofrimentos, mas não se arrependeu de seus atos passados. Ela matou seus três filhos afogados em um rio porque o marido a traiu, e o pior de tudo isso é que ela não se arrependeu. Na verdade, sente-se superior aos demais, porque, enquanto na Terra, era de família abastada e tradicional. Seus traços de orgulho não desapareceram com o tempo. Em nenhum momento ela pediu a ajuda de Deus, que está sempre pronto a nos perdoar por nossas falhas.

Renato, admirado com a sabedoria e a humildade de Diva, passou daquele momento em diante a admirá-la, e procurou entender todos os seus pontos de vista. Todos a mencionavam como exemplo.

Augusto percebeu que Renato estava mais à vontade ao lado de Diva. Ficou radiante em vê-los conversando como dois bons amigos.

Jaime, o dirigente da excursão, avisou:

— Irmãos, a necessitada que procuramos está próxima daqui. Mantenhamos silêncio. Faremo-nos invisíveis a seus olhos, pois precisamos ver como está seu coração figurativo.

— O que é um "coração figurativo"? — perguntou Renato.

— Significa as nossas emoções mais profundas. Quando estamos desencarnados, é muito fácil assimilarmos o que se pensa e o que se sente.

Renato ficou estarrecido ao ver o estado de Jacira. Ela se encontrava suja e sua saia tinha manchas de sangue. Seus olhos estavam injetados, fixos em um lugar distante. Jaime, a fim de assimilar os pensamentos de Jacira, ficou concentrado alguns minutos. Renato, como não aprendera ainda a assimilar pensamentos alheios, ficou sem nada entender.

Jacira passava as mãos na barriga e pensava: "Aquele canalha que um dia amei me enganou. Há quanto tempo estou aqui? Não sei dizer; sei que sofro muito. Mas ele vai sofrer muito mais que eu quando conseguir colocar as mãos nele".

Renato perguntou baixinho para Augusto:

— O que estamos esperando? Vamos falar com ela e convidá-la a ir conosco. Não agüento mais ficar neste lugar.

— Calma, Renato. Ela ainda não está pronta para ser auxiliada. Seu ódio ainda a consome. Tenhamos paciência, e façamos uma prece para ajudá-la.

— Augusto, olhe para os pés dela! Estão parecendo cascos de cavalo.

— Sim, irmão. Tudo isso porque ela não perdoou você e quer se vingar, custe o que custar.

— Realmente assumo que errei, e sei também que causei todo esse sofrimento a ela. Cabe a mim, portanto, pedir-lhe perdão. Se não tivesse feito o que fiz, talvez ela não estivesse aqui hoje.

— Calma, Renato — aconselhou Jaime. — Para tudo há um tempo; há tempo para pedir perdão e para ser perdoado. Não é chegado ainda o tempo de ela perdoar, mas o sofrimento vai fazer com que ela enxergue a luz da verdade. O perdão é o único remédio para ela. Bem, acho que nossa excursão acaba por aqui. É melhor voltarmos para a colônia e deixarmos que o tempo a faça reconhecer que a falta de perdão só a está infelicitando ainda mais. Roguemos a Deus que essa criatura venha a enxergar as verdades básicas de Jesus, nosso mestre.

Renato voltou à colônia decepcionado. Achava que Jacira os acompanharia na primeira visita. Pensativo, sentou-se junto ao lago e passou a meditar: "Meu Deus, o que eu fiz com aquela pobre criatura? Destruí sua vida física, impedi que ela tivesse a alegria de ser mãe, e ainda estou aqui, neste lugar maravilhoso, enquanto ela está naquele local de odor fétido e cheio de lama. Julgo, Pai, que não mereço estar aqui. Enquanto encarnado, causei o sofrimento de muita gente". Estava envolto nessas reflexões quando Diva foi ter com ele. Renato se voltou, pedindo-lhe desculpas pela distração.

— Eu é que lhe peço desculpas — disse Diva — por ter chegado sorrateiramente.

Renato, sempre gentil, cedeu seu lugar no banco e convidou-a a sentar-se. Ele gostava de se sentar na grama, costume desde encarnado. Diva aceitou o convite que Renato gentilmente lhe fizera.

Renato já não era mais a criatura rebelde do começo, e mostrou a Diva pela primeira vez, desde que chegara à colônia, quem realmente era. Não ficou calado por medo de repressão. Ao contrário, destravou a língua e pôs-se a falar ininterruptamente.

— Quando estava encarnado, sempre achei que as pessoas deveriam me servir. Aliás, tive muito mais do que o necessário, chegando mesmo ao abuso, e até desperdiçando bens que poderiam ser gastos de modo mais frutífero. Achava que aproveitar a vida estava nos prazeres carnais, indo ao mais fundo poço que um homem pode chegar. Hoje vejo que tudo que fiz foi ruim para mim mesmo. Aproveitei-me de uma moça que trabalhava na minha fazenda, e depois, como se não bastasse, fiz com que ela cometesse o crime hediondo do aborto, impossibilitando assim que um irmão viesse reencarnar. Por causa do aborto, ela morreu. Entretanto, o que me perturba mais é o fato de ela não me perdoar. Sinto-me tão pequeno; vejo que não sou digno de viver numa colônia como esta, tendo apenas amigos a meu redor e sendo parcialmente feliz.

— Por que parcialmente? O que o impede de ser feliz aqui conosco, Renato? — perguntou Diva, boquiaberta diante daquele jorro de confissão.

— Como poderei ser feliz sabendo que nas zonas inferiores há um ser que sofre por minha culpa, e se atormenta dia a dia com seu ódio?

— Renato — explicou Diva com doçura —, quando estamos vivendo na carne, somos levados pela ilusão. Com você não foi diferente. Como tinha tudo que o dinheiro podia comprar, iludiu-se achando que poderia fazer qualquer coisa que nada lhe aconteceria. O que sente hoje é cobrança de sua própria consciência. Mas o que ocorreu não foi totalmente errado. Veja bem, Deus é justo, e Ele deu a cada um de nós o livre-arbítrio. Também Jacira utilizou seu livre-arbítrio. Querendo levar uma vida melhor, a gravidez foi de propósito, para que pudesse se casar com você.

— Sei que a senhora me diz isso para me consolar. Mas fui eu quem a persegui até conseguir o que queria. Posso me lembrar muito bem disso. Ela, apaixonada, se entregou a um homem que acreditava ser seu futuro marido.

— Renato, entenda, não sou de dizer coisas somente para consolar. Acredite: Jacira também tem sua parcela de culpa no que ocorreu. A ganância a fez se entregar a você. Ela sentia uma forte atração, mas nunca chegou a ser amor verdadeiro. Se ela realmente quisesse o filho, jamais teria concordado com o aborto. Ela só o fez porque acreditava que, depois do escândalo, você se casaria com ela.

— Dona Diva, se isso for verdade, sofri muito em vão. Eu me achava culpado de todo e qualquer sofrimento que Jacira estivesse sentindo. A senhora quer me dizer, acaso, que, se ela sofre, é por sua própria causa?

— Sim, Renato. Hoje você está muito diferente de quando aqui chegou. Acredito que está na hora de ter lembranças de suas vidas passadas.

— Como vou poder fazer isso? Já tentei várias vezes e não consegui.

— Bem, se quiser, posso ajudá-lo. O restante, contudo, é com você.

Diva então colocou a destra sobre a cabeça de Renato e mandou que ele fechasse os olhos e se concentrasse em suas palavras. Ela fez uma prece pedindo a Deus que o ajudasse a se lembrar do passado.

Renato, de olhos fechados, concentrado, viu uma cena mental que o impressionou: uma mulher se aproximava dele e lhe dizia: "Você hoje será meu. Não aceitarei não como resposta". Rapidamente a cena mudou, e Renato pôde ver um homem esbravejar:

— Como você, que abriguei como um filho em minha casa, pôde fazer isso com minha esposa, desrespeitando o lar e ainda mais o homem que a tinha como esposa?

Uma outra cena veio à mente de Renato, e ele se lembrou de ter dito à mulher:

— Jamais

— Jamais farei isso com meu amigo Sanches. Ele me recebeu em sua casa como irmão.

Mas a mulher, obcecada, lhe falou:

— Não se preocupe com meu marido; ele não ficará sabendo de nossos encontros amorosos. Você está protegido.

— Sinto decepcioná-la, mas nada terei contigo. A amizade que me une a Sanches é mais importante para mim que um romance com você.

— Então não me acha interessante?

— Não, pois você é a esposa de meu melhor amigo. Se ele é como um irmão, você é uma irmã para mim também, e eu nada farei com você.

A mulher, com os olhos chispando de rancor, esbravejou:

— Isso não vai ficar assim. Você vai ver o que farei.

Renato, em outra cena mental, viu a mulher conversando com o marido e contando-lhe que o amigo a havia estuprado. Disse-lhe que ela nada pôde fazer, porque o amigo era muito forte.

Sanches, rubro de ódio, o esbofeteou várias vezes no rosto e o mandou embora. Lembrou-se também que seu nome era Carlos Dela Vegas. Saindo dali, abrigou-se com mendigos, e depois morreu ao relento. Renato também lembrou do quanto tinha odiado aquela mulher, que também fora morador das zonas inferiores, e que, em condição de desencarnado, passara a persegui-la, de modo que ela viera a desencarnar dementada. Quando tinham se encontrado no umbral, ele a espancara violentamente. Após um tempo fora auxiliado, e ela tinha ficado no umbral.

Veio-lhe à mente como um raio que Sanches era, na verdade, o pai de Jacira, e que sua esposa, Mercedes, era a própria Jacira. Haviam vivido no México, em tempos idos.

— Dona Diva, lembrei-me de que vivi no México — contou Renato, vendo que as cenas tinham parado. — Jacira era Mercedes, que me fez muito mal. Agora eu fiz mal a ela. Quando isso vai parar?

— Quando ela conseguir perdoá-lo. Pela maneira endurecida em que se encontra seu coração, isso poderá demorar.

— Não tenho nada contra ela. Desta vez, fui eu que a persegui.

— Mas ela também queria. Na verdade, ainda nutria por você uma atração que ia além de suas forças.

— Pensando bem, não devo ter esse sentimento de culpa que me consome. Ainda assim, pretendo ajudá-la.

— Que Jesus o abençoe. Daqui em diante, vai se lembrar de mais coisas.

Renato ficou pensando em tudo que se lembrara. Ao mesmo tempo, teimava em assaltá-lo de quando em vez o sentimento de culpa por Jacira estar na condição sofrível em que a encontrara.

Doce Entardecer

No dia seguinte, Renato foi ao curso que estava fazendo. Ao chegar à casa onde se dava o curso, observando o jardim, lastimou-se: "Se não fosse por mim, Jacira poderia muito bem estar desfrutando desse ambiente maravilhoso, e certamente estaria feliz". Pela primeira vez, Renato pensou nos pais de Jacira. Havia lhes dado alta soma em dinheiro para que ele próprio esquecesse do assunto, e sabia que o dinheiro tinha sido usado na compra de um pequeno sítio. Com o coração transbordando de dor, pensou em como eles deviam ter sofrido com a perda da filha querida.

Perdido nesses pensamentos, surgiu à sua frente Paulo. Vendo o abatimento de Renato, perguntou-lhe:

— O que está acontecendo com você, meu amigo? Parece-me que está chorando!

— Sim, Paulo. Não paro de pensar em Jacira. Eu a vi em estado lastimável nas zonas inferiores. Agora, para completar, tomei consciência do quanto seus pais devem ter sofrido a ausência da filha. Eles devem me odiar. Paulo, do fundo do meu coração, se pudesse, repararia todo o mal que fiz àquela família. Mas, como você sabe, não sou o que sempre pensei que fosse. Quando encarnado, julgava-me inabalável. Qualquer problema que surgisse diante de mim, afastava com o dinheiro, maculando muitas vezes a reputação de gente honesta como Jacira. Como posso me redimir de todo mal que fiz?

— Renato, graças a Deus você foi socorrido assim que abandonou o corpo de carne. Se começar a pensar por esse ponto de vista, algo de bom deve ter feito para merecer tal privilégio. Como sabemos, muitos irmãos que abandonam o corpo de carne ou vão para as zonas inferiores, ou ficam a vagar pela Terra, desconhecendo até mesmo seu novo estado de desencarnado. Por isso, amigo, não deixe que seus erros passados venham a atrapalhar o seu presente. Se se encontra em nosso meio, é porque fez por merecer. Seu sentimento de culpa me parece infundado. Tenha certeza de que, na hora certa, irá ressarcir as dívidas contraídas com Jacira. Não fique preso ao que passou. Antes, preste atenção no presente que Deus está lhe ofertando. Tem aqui amigos sinceros que gostam realmente de você. Não são como os da Terra, que ficavam a seu lado para ter projeção social ou para tirar proveito de sua situação financeira. Pense em como a colônia é bonita, e como os moradores dela são felizes. Procure mudar seus sentimentos para que se sinta feliz aqui, com os outros, e aproveite bem os cursos que está fazendo. Eles serão benéficos para você no futuro, quando já estiver reencarnado. Embora não se lembre, muitas coisas aprendidas ficarão em seu subconsciente, e lhe serão úteis em momentos de dificuldade.

Renato fitou com firmeza Paulo e lhe disse, com toda a sinceridade:

— Graças dou a Deus por ter colocado você em meu caminho. Você tem o dom de dizer a palavra certa na hora certa. Confesso que lhe sou muito grato por tudo que tem feito por mim.

— Que Deus o ajude a superar essa fase, amigo, e que encontre a felicidade aqui junto com quem realmente o quer bem. Ah, ia me esquecendo... Conversei com seu pai, Donato. Ele me disse que virá ao alojamento para lhe fazer uma visita.

— Que alegria você me dá. Desde que aqui cheguei, ainda não tive a oportunidade de me encontrar com ele nem com minha mãe.

— Eles moram em outra colônia. Virão especialmente para vê-lo. Não é de bom-tom que o encontrem nesse estado. Para nós, desencarnados, é muito simples assimilarmos os pensamentos dos outros.

Renato, que estava mais refeito da conversa que tivera com Paulo, disse alegremente:

— Vou procurar melhorar. Ontem dona Diva falou que Deus é feliz e ele quer que seus filhos também sejam felizes. Por isso, não me debruçarei mais sobre o passado. Antes, vou arranjar uma forma de ajudar Jacira.

— Sinto que você quer me contar alguma coisa, Renato. Vamos, conte-me logo. Entre nós nunca existiu segredo, nem nunca vai existir.

Olhando maliciosamente para Paulo, ele disse:

— Estive pensando em Diva, e à conclusão de que ela não é aquela pessoa que julguei ser no início, quando aqui cheguei. Ela é meiga, branda, bonita, franca; ela tem tudo para fazer alguém feliz.

— Renato, acaso quer me dizer que está enamorado de dona Diva?

— Não, claro que não. Como sabe, ainda amo Caroline e pretendo reconquistá-la para que um dia reencarnemos juntos e felizes.

— Renato, não seja, ou não se faça de ingênuo. Caroline não o ama. Na verdade, nunca o amou. Você só quer arranjar desculpas para negar o óbvio.

— O que quer dizer com isso?

— Faça uma análise sincera em seu coração que descobrirá. Não sou a pessoa mais indicada para lhe contar algo que já sabe. Agora devemos entrar; meus alunos me aguardam, e sua aula está prestes a começar.

Renato se despediu de Paulo e os dois se separaram no grande corredor, cada um entrando em uma classe diferente. Renato estava pensativo, e perguntava-se a toda hora: "Mas o que Paulo queria dizer com aquelas palavras? Ele aprendeu com os outros a falar por enigmas; não gosto muito disso".

O irmão Jonas entrou e deu início à aula sobre como viver melhor nas moradas que o Pai oferece. Renato, prestando atenção no professor, esqueceu-se por completo do assunto. Ao término da aula, novamente refletiu no que havia conversado com Paulo. Veio-lhe naquele momento a imagem de Diva à mente, mas ele a refutou, dizendo para si mesmo: "Não posso estar apaixonado por ela. Diva é tão diferente de mim. Nunca se apaixonaria por um inconseqüente como eu; acho melhor deixar de divagar e ir ao meu trabalho. Somente lá consigo deixar de lado os conflitos íntimos que me afligem. Quando estou trabalhando, sou realmente feliz."

Quando chegou ao alojamento, pensou novamente em Jacira, e fez uma sentida prece em seu favor, pedindo a Deus que iluminasse seu caminho, e que ela pudesse ver a luz que Jesus, nosso mestre, tinha a lhe oferecer. O que Renato não sabia, porém, é que, quando se faz uma simples prece para alguém que se encontra nos planos inferiores, uma pequena luz se acende em favor daquela pessoa. Jacira viu a luz, e entrou rapidamente no meio das pedras para se esconder; temia que alguém a pegasse. Em uma de suas aulas, Renato tomou conhecimento desse fato. Então, todos os dias, com o coração transbordando de alegria, ele fazia preces em seu favor.

32

Grandes revelações

Com o passar do tempo, Jacira foi perdendo o medo da pequena luz que iluminava sua cabeça. Em uma das visitas dos irmãos que prestavam socorro no lugar, Jacira, entre lágrimas, gritou:

— Por Deus, venham em meu auxílio. Sei que errei muito, mas também sofro bastante por causa de minhas más ações. Ajudem-me a sair daqui. Pretendo deixar este lugar, se Jesus assim o permitir.

O irmão Mariano, junto com a irmã Odete, chegaram até Jacira e puderam ver que ela chorava muito, e pedia perdão por seus erros. Finalmente Jacira foi retirada com uma maca do local, e levada ao posto de socorro das zonas inferiores. Assim que entrou, ficou maravilhada em ver como as coisas eram organizadas, e aquelas dores horríveis que ela sentia no abdômen foram passando. Jacira adormeceu num sono tranqüilo e reparador. Não sentia frio, nem as dores a maltratavam mais.

Com o passar dos dias, Jacira acordava e novamente voltava a dormir. A cada vez que acordava, sentia-se melhor. Com humildade, agradecia a todos os irmãos que cuidavam dela. Rapidamente Jacira ficou apta a freqüentar a colônia, uma vez que os primeiros socorros já haviam sido prestados e ela estava com o perispírito equilibrado, por isso a influência do corpo não a aborrecia mais.

Havia no posto uma irmã que se chamava Lourdes. Jacira era extremamente grata a ela, que cuidara da enferma com desvelo. Aos poucos, ficou sabendo que só tinha sido ajudada porque um irmão da colônia sempre a incluía em suas preces. Jacira, interessada em saber quem era, perguntou:

— Quem é esse irmão bondoso que pediu tanto por mim?

— O nome dele é Renato. Vocês se encontraram em sua última existência. Ele está muito preocupado com você.

— Preocupado? Renato? Ele é um ser egoísta, incapaz de pensar em alguém. Se fiquei tantos anos naquele lugar horrível, fugindo de bandoleiros que passavam, escondendo-me dos dementados que vez por outra apareciam, mergulhando-me na lama malcheirosa do lugar, a culpa é dele. Se ele fez preces por mim, foi para aliviar a própria consciência, que, com certeza, lhe cobrava muito.

— Minha irmã, você está sendo injusta. Coloca-se na posição de vítima. Cuidado com seus sentimentos. Pense bem: se sofreu tudo que sofreu, a culpa foi exclusivamente sua. Se não desejasse casar com um homem rico, e por isso não tivesse querido engravidar propositadamente dele, nada disso teria acontecido. Além do mais, Renato era jovem quando se deu esse fato. Se realmente quisesse o filho que Deus estava ofertando, com ou sem o casamento, teria assumido a responsabilidade e criado seu filho da melhor maneira possível.

— Mas como poderia eu criá-lo, sendo que não tinha condições para isso?

— Condições, filha, sempre arranjamos quando o desejo é do coração. Você, na verdade, queria Renato, e não seu filho.

— Lourdes, você está sendo cruel comigo.

— Não, querida, não estou sendo cruel. Apenas tento fazê-la enxergar a verdade. A culpa não foi só de Renato. Você tem tanta responsabilidade quanto ele.

Jacira foi tomada de grande emoção e caiu em prantos. Sabia que seu segredo fora descoberto, e que ela não era tão inocente assim na história. Lourdes prosseguiu:

— Filha, o melhor que tem a fazer é perdoar quem você julga lhe ter feito mal, além de perdoar a si própria por ter impedido que um irmão viesse ao mundo.

O choro de Jacira se intensificou. Ela abraçou Lourdes, e lhe confessou com sinceridade:

— Você tem razão! Prometo que farei o que estiver a meu alcance para esquecer essa historia sórdida. Quando me encontrar com Renato, tentarei ser amistosa.

— Agora sim, filha. Você deve pensar desse jeito doravante, e entender que ninguém comete uma falta dessa natureza sozinho. Há de sempre existir o outro, e, no seu caso, infelizmente foi Renato.

Após alguns dias, Jacira foi encaminhada à colônia. Estava praticamente restabelecida, porém foi necessário que ficasse mais alguns dias no hospital. Quando estava completamente reestruturada, Caroline a convidou para morar com ela em sua casa.

Jacira, a princípio, sentiu-se constrangida com o convite. Depois resolveu aceitar, pois não queria ficar no alojamento. Ela acompanhou Caroline por uma avenida arborizada, onde havia muitas casas. Todas eram bonitas, mas a que pertencia a Caroline se destacava por causa do jardim. Havia espécies raras de flores que não se conhecem no plano terrestre. Caroline, carinhosa, apresentou a Jacira às duas amigas que moravam com ela.

— Jacira, esta é Júlia, companheira de casa e de trabalho. Costumamos passar a maior parte do tempo juntas. Esta é Mariana. Não trabalhamos juntas, pois ela sempre está às voltas com os assuntos da Terra. Contudo, quando estamos reunidas, é sempre uma festa.

Jacira se mostrou introspectiva de início. Porém, vendo a sinceridade das habitantes da casa, logo se soltou e começou a conversar com Caroline com a maior naturalidade. Sendo assim, conquistou a simpatia das outras moradoras. Jacira queria saber sobre Renato, mas não tinha coragem de perguntar a Caroline. Afinal, ela havia sido sua esposa enquanto estava na Terra.

Caroline percebia os pensamentos de Jacira, mas resolveu não se manifestar sobre o assunto. Renato havia se tornado para ela um bom amigo, mas ela não queria falar sobre ele porque o assunto a aborrecia. Jacira, contudo, não notava que suas companheiras de casa haviam percebido seus pensamentos. Sendo assim, continuou achando que o que ela pensava só ela conhecia.

Jacira começou a freqüentar as aulas. Certo dia, inevitavelmente encontrou com Renato no corredor. Quando o viu, sentiu voltar toda a raiva que nutria por ele. Entretanto, como Renato não havia aprendido a assimilar pensamentos, não desconfiou de nada. Com alegria, recebeu-a:

— Jacira, você por aqui! Que alegre surpresa. Não sabia que havia sido ajudada. De qualquer maneira, agradeço a Deus pelo seu restabelecimento espiritual. Não quero mais que você sinta mágoa a meu respeito. Sei que errei, e por isso lhe peço perdão. Tenho consciência do quanto você sofreu, mas também sofri muito por você.

Jacira fingiu para Renato que o perdoava. Com alegria, Renato se propôs apresentar a colônia a ela. Jacira recusou o oferecimento. Ela não sabia ao certo ainda o que sentia por ele. Ora sentia raiva, ora tinha saudade daqueles tempos em que ela julgava amá-lo.

Renato, por sua vez, refeito de seu sentimento de culpa, começou a freqüentar a casa de Caroline com assiduidade. Tanto Caroline quanto as outras o recebiam bem. Mas Jacira, quando o via, sentia sua revolta aumentar.

Caroline percebeu o que se passava e teve uma conversa com Renato.

— Por favor, Renato, espero que você compreenda, mas acho que sua visita a nossa casa deverá ser interrompida temporariamente.

— Por que diz isso? Acaso minha visita não lhe tem feito bem?

— Não é nada comigo. Só que Jacira não conseguiu esquecer por completo o que se passou com ela. Por enquanto, acho melhor você se afastar.

— Não diga uma coisa dessas. Ela e eu já resolvemos nossas pendências do passado, e hoje somos amigos.

— Bem, não direi mais nada. Mas, antes de voltar a nos visitar, tenha uma conversa com dona Diva.

— O que dona Diva tem a ver com isso?

— Se conversar com ela, saberá. Continue com suas obrigações; um dia, quem sabe, vai poder voltar a nos visitar dessa maneira.

— Caroline, eu ainda a amo. Não vou desistir de você.

— Não, Renato, você não me ama. Pensa que me ama. Aqui, onde vivemos, estamos mais aptos a nos livrar das ilusões. O que você diz sentir por mim nada mais é que uma ilusão. Para mim você é um irmão querido. Eu o estimo muito.

Renato se despediu sentindo um aperto no coração. Entendeu que Caroline jamais voltaria a ser sua esposa. Sentou-se junto ao lago, e fez sentida prece pedindo orientação divina. Sentia falta de Caroline, embora não deixasse de pensar também em Diva.

Depois do pedido de Caroline, Renato não voltou mais a sua casa. Sentia-se ofendido com o modo como Caroline lhe falara, por isso procurou também evitar se encontrar com ela. Certo dia, conversando com Augusto, lhe disse:

— Filho, sou feliz aqui na colônia onde vivemos. Mas às vezes me sinto tão só que a solidão chega a dilacerar meu coração. Não sei por que sinto tanto vazio em minha alma.

— Pai, se colocar seus problemas nas mãos de Deus, verá que eles não são nada diante da eternidade. Confie em Deus e trabalhe no bem que este vazio que sente vai passar, assim como as águas passam sob a ponte.

— Você quer dizer que eu não tenho fé?

— Sinto dizer isso, meu pai, mas você não tem a fé necessária para enfrentar seus problemas interiores. Veja bem, sei que se sente culpado em relação a Caroline e a Jacira, mas note que ambas, graças a Deus, estão bem, e vivem na mesma colônia que você. Desligue-se do passado. Sinto que ainda vive preso às ilusões do mundo terreno. Quando pensar que algo é, tenha plena convicção de que não é.

— O que quer dizer com isso, Augusto?

— Pense bem. Você julga amar Caroline, mas, quando foi seu esposo, não a tratou como ela merecia. O que o liga a ela são sentimentos de culpa. Com Jacira ocorre o mesmo. Portanto, sei que não ama nem uma, nem outra.

— Do jeito que fala, parece que fui criado para viver só.

— Essa é a questão, meu pai. Ninguém foi criado para viver só. Eu já lhe disse: quando pensar que é, não é; e quando pensar que não é, aí sim pode ter certeza de que é.

— Continuo sem entender esse seu raciocínio.

— Em quem tem pensado ultimamente?

Corando de vergonha, Renato tentou dissimular:

— Em ninguém em especial.

— Não tente me enganar. Essa pessoa que anda povoando seus pensamentos, ela sim é para você.

— Não pode ser. Diva só me repreende, todo o tempo. Bem, ultimamente ela não tem feito mais isso.

— Faça uma análise sincera em seu coração, e chegará à resposta.

Dizendo isso, Augusto pediu licença e se retirou para continuar seu trabalho.

Doce Entardecer

Renato refletiu sobre o que Augusto havia lhe dito. Chegou à conclusão de que o rapaz queria fazer troça dele.

Passado certo tempo, Renato teve uma notícia que o deixou estarrecido. Tal evento o levou a procurar Paulo, seu amigo.

— Paulo, fiquei sabendo que Caroline vai reencarnar. Isso é verdade?

— Sim. Parece-me que vai em pouco tempo. Faremos uma despedida para ela a fim de que seja bem-sucedida em sua nova empreitada.

— Mas ela não pode ir e me deixar aqui. Ela sabe o quanto eu a amo. Não vou conseguir viver sem a presença dela.

— Deixe de ser dramático. Você sabe muito bem que não a ama. Por que insiste em dizer coisas que não são verdadeiras?

— Você duvida de meus sentimentos por ela?

— Não, meu amigo. Só quero que entenda que está preso a uma ilusão. Se realmente amasse Caroline, jamais a teria feito sofrer como você fez.

— Está me acusando, Paulo?

— Claro que não, Renato. Só quero que enxergue a verdade. O amor é longânime, benigno; não é egoísta, não visa o seu próprio interesse, não se agrada com o mal. Portanto, pergunto a você: alguma vez, enquanto esteve casado com Caroline, você pensou em como ela se sentia?

Renato constatou que o amigo tinha razão. Resolveu, por isso, não estender mais o assunto. O que Paulo lhe dizia era verdade. Ele nunca se importara com os sentimentos de Caroline. Entendeu o que o amigo tentava lhe explicar.

— Se ela voltar à carne, também quero voltar. Quem sabe reencarnando juntos não conseguimos sanar essa pendenga.

— Renato — falou Paulo amigavelmente —, não há nenhuma pendenga entre vocês. Ela o perdoou por tudo, e chegou à conclusão de que você nunca foi o marido ideal. Por isso, ela está à procura de alguém que será realmente dono de seu coração.

— Quando vai se dar o nascimento dela na Terra? — perguntou Renato.

— Segundo me disseram, em quinze de outubro de mil novecentos e cinqüenta e dois.

— Então nada mais tenho a fazer para impedir isso. Ela decidiu, e assim será.

— Assim é que se fala! Aceite o fato e aproveite sua estada aqui na colônia, que também será transitória. Um dia terá de voltar à carne e, quando isso ocorrer, espero que tenha sucesso e consiga reaver suas dívidas.

— Obrigado, Paulo. Você foi e sempre será meu grande irmão.

Renato compareceu à reunião de despedida de Caroline. Sentia-se embaraçado pelo fato de ela voltar primeiro que ele. Renato havia tentado conversar com os superiores para reencarnar também, mas sua reencarnação foi negada. Tinha muitas coisas a aprender ali mesmo, na colônia.

Quando Caroline voltou à crosta terrestre, Renato não quis saber onde nasceria. Queria tirá-la do coração de uma vez por todas.

Depois de mais um tempo, Renato estava trabalhando quando ouviu um colega dizer:

— Você está sabendo quem irá voltar à crosta terrestre?

— Não — respondeu Renato, sem vontade de continuar o assunto.

— Jacira, aquela que mora na alameda dos Gerânios, junto com Júlia e Mariana.

— Jacira vai voltar ao orbe terrestre?

— Sim. E, pelo jeito, vai ter uma despedida para ela também, que está sendo promovida pelas duas amigas da casa.

— Quando ela vai?

— Não sei dizer.

Renato encerrou a conversa, e foi rapidamente procurar Paulo para saber dos fatos. Paulo confirmou a notícia.

— Sim, Renato. Jacira voltará para a crosta terrestre em pouco tempo. Nós desejamos que ela faça muitas das coisas que deixou para trás quando lá esteve.

— Mas como pode ser isso? Estou aqui há bem mais tempo que ela, e agora ela vai voltar, e eu ainda não posso?

— Pelas informações que dona Diva me deu, ela aprendeu muito enquanto estava aqui. Agora é necessário pôr em prática, pois ela sente necessidade de auto-aprimoramento. Como dona Diva sempre diz: sabemos na teoria, mas Deus dá a oportunidade de aprendermos na prática.

— Para quando está previsto o nascimento dela na Terra?

— Pelo que sei, será em vinte e um de setembro de mil novecentos e cinqüenta e sete.

Renato comentou com Paulo, em tom de sinceridade:

— Espero que desta vez ela seja mais feliz do que em sua última existência.

Assim se deu. Jacira voltou ao orbe terrestre com votos de sucesso e, principalmente, com o dom do perdão. Justamente ela, que, antes, dificilmente esquecia uma ofensa.

Renato compareceu à despedida de Jacira e lhe desejou votos de sucesso. Ela ainda sentia uma ponta de ressentimento contra ele. Renato, desta feita, conseguiu assimilar seus pensamentos, uma vez que havia aprendido como fazê-lo em um dos cursos.

Renato sentiu-se muito solitário novamente. Afinal, duas mulheres que julgava amar estavam no plano terrestre, e ele ainda não havia aprendido o suficiente para reencarnar. Certo dia, ao conversar com Augusto, comentou:

— Fiquei muito triste com o fato de Caroline e Jacira reencarnarem. Sinto, de verdade, falta delas. Lembro-me de uma de nossas conversas, e entendo que tenha razão. O amor não é algo possessivo, e não deve, muito menos, envolver sentimentos de culpa. Compreendo hoje que o que nutria por aquelas duas irmãs nada mais era que culpa pelas inconseqüências que cometi. Talvez eu deva aprender mais, ser mais humilde, ter mais fé. No tempo em que estive aqui, não aprendi o suficiente. Diva, por exemplo, várias vezes me chamou a atenção com respeito às minhas falhas. Não tive humildade suficiente para entender que todos nós somos iguais perante Deus, e que Jesus, nosso irmão maior, sempre foi um modelo de humildade, brandura, firmeza, ternura, paciência, resignação, e, acima de tudo, foi o maior exemplo de bondade que nós temos a seguir.

Renato fez uma pausa, enquanto Augusto o olhava com curiosidade. Queria descobrir aonde o pai queria chegar com aqueles pensamentos. Renato prosseguiu:

— Quando vivia na Terra, fui sempre alvo das atenções em todas as rodas sociais, não porque era dotado de uma inteligência brilhante, e muito menos porque eu era uma pessoa simples, mas, antes, porque tinha dinheiro. Estava acostumado a ser servido, e não a servir; a mandar, e não a receber ordens. Qual não foi minha decepção quando cheguei aqui e vi que todos eram tratados como iguais; que, acima de tudo, somos todos irmãos, criaturas do mesmo Deus.

— Muito bem, meu pai. É assim que se diz. Vejo que você progrediu bastante com o passar do tempo, e que já não se sente superior aos outros. Jesus disse que aquele que se portar como o menor, será o maior no reino de nosso Pai. Portanto, espero que perceba que, perante Deus, não há diferenças. Somos todos espíritos ignorantes rumo à perfeição. Sei que um dia voltará à Terra, e que não se lembrará dessa nossa conversa. Porém, gostaria que ela permanecesse gravada em seu subconsciente, pois sei que um dia precisará dessas valiosas lições para avançar em direção à perfeição.

— Estive pensando, meu filho... Quando eu voltar, não sei ainda quando se dará, vou querer ser médium, ter um pouquinho das qualidades de Jesus, como paciência e resignação. Não quero nascer na opulência; antes, pretendo ter poucos recursos, mas que eles me dêem meios de ajudar meus irmãos.

— Pai, você sabe o significado da palavra médium?

— Sim, filho. Médium é quem tem a capacidade de assimilar os dois mundos, o material e o espiritual.

— Muito bem. Se sua vontade de ajudar for sincera, Deus vai auxiliá-lo. Mas, lembre-se: não será fácil; é uma provação a mais.

— Eu sei, Augusto. Mas quero ser útil, ajudar os necessitados, e, principalmente, auxiliar a mim mesmo, a fim de que possa ter as qualidades que preciso para me tornar um ser melhor.

— Se é isso o que deseja, espero que, quando chegar a sua vez de regressar, você possa ter a ajuda necessária de Deus para guiá-lo. A mediunidade é uma provação, mas você não deve ter medo. Deus não dá um fardo maior que aquele que possamos agüentar. Para isso, você deverá ter fé e paciência.

Renato abraçou Augusto e apertou-o fortemente contra seu peito.

— Filho, onde eu estiver, saiba que o terei em meu coração. Você é a parte mais terna que um ser pode ter guardada dentro do peito.

— Sei que gosta muito de mim, pai. Contudo, há uma outra pessoa que o senhor ama. Um dia você vai descobrir, e será realmente feliz.

Dando um sorriso enigmático, Augusto se despediu de Renato, que ficou entregue aos próprios pensamentos. "Várias vezes ele me deu essa indireta. Diz que eu amo uma pessoa, mas quem será ela?" Divagando sobre essas e outras tantas coisas, Renato começou a traçar planos para o futuro, quando voltasse à Terra. Tão entretido estava, que não percebeu a chegada de Diva.

— Que faz o gentil cavalheiro? Olha para as estrelas e medita sobre a vida?

Sorridente, Renato respondeu, com ironia:

— Por que pergunta, se sabe o que penso?

— Nada melhor que sair de sua boca, gentil cavalheiro.

Renato tornou a rir. Criando coragem, fez-lhe uma pergunta indiscreta:

— Aquele jovem que sempre está com você é alguém importante do passado?

Como se estivesse divagando, Diva lentamente respondeu:

— Sim. Ele foi um de meus companheiros em minha última existência. Estive presa a uma ilusão. Quando vivi junto dele, julgava amá-lo. Hoje sei, porém, que meu amor por ele é puramente fraternal.

— Ele foi seu marido?

Diva fitou Renato com seriedade. Colocou as mãos espalmadas sobre sua cabeça, e Renato, lentamente, foi fechando os olhos. Imagens apareceram em sua mente, e Renato ficou concentrado por alguns momentos. A encarnação na Idade Média como Marck foi se desenhando à sua frente.

Após tomar conhecimento daquelas lembranças, surpreso, perguntou a Diva:

— Você teve participação naquele incidente fatídico?

— Por Deus, Renato, claro que não! Nunca perdoei aquele mordomo por ter lhe feito tal coisa, muito menos por ter causado tanto sofrimento a Augusto.

Renato pôde perceber que, embora Diva fizesse um esforço enorme para não demonstrar tanta emoção, estava quase chorando.

— Diva, do fundo de meu coração, não guardo nenhum rancor por você. Portanto, se me aconteceu isso, devo ter aprendido muito. Eu lhe dispenso o maior respeito.

— Descobri, quando você desencarnou, que eu amava você, Renato.

— Mas e o mordomo, como ficará? Pelo que me lembro, ele a amava verdadeiramente.

— Não, Renato, ele não me amava. Se me amasse, teria poupado sua vida. Ele tinha a plena consciência de que não poderíamos viver juntos. Eu jamais iria viver com ele como plebéia. Descobri que tudo foi uma grande ilusão, e que eu poderia ter sido feliz com você.

— Esqueçamos o passado — respondeu Renato serenamente.

— Sinto-me confuso em relação a você. Isso não é bom. Se nosso sentimento for verdadeiro, ele atravessará as barreiras do tempo. No momento, eu a quero como uma irmã querida. Com relação ao mordomo, eu o perdôo de coração, e não falemos mais nisso.

— Você diz amar Caroline. É verdade?

— Como lhe disse, sinto-me confuso. Não quero pensar nisso agora. Sei que em breve deverei voltar à Terra, por isso quero me aprimorar na senda do bem. Deus tem sido benevolente comigo, e é meu dever sê-lo também com meu semelhante. Nutro um carinho especial por você. Se um dia descobrir que meus sentimentos são verdadeiros, com certeza ficaremos juntos.

Diva deu a conversa por encerrada. Em seguida se retirou, deixando Renato imerso em seus próprios pensamentos. Ele se lembrava dos detalhes, do sentimento que o unia a Diva. Olhando para o alto, pediu a Deus que lhe desse serenidade em meio à tempestade emocional em que se encontrava. Depois da prece, sentiu-se melhor e procurou não pensar mais no assunto. Naquele mesmo dia, Renato foi à procura de Augusto.

— Filho, precisamos conversar. Estive com Diva e recordei uma de minhas existências passadas. Eu continuo amando-o como meu filho querido, e assim sempre será. Graças a seu amor, pude me tornar um pouco mais disciplinado neste lugar. Ainda que o tempo passe, eu o terei como um filho; ainda que a chuva das desilusões terrestres venha me assolar; ainda que eu passe por diversos problemas, você será alguém que terei no recôndito de meu coração.

Ao ouvir tamanha expressão de amor, Augusto não pôde evitar que lágrimas de alegria escorressem por seu rosto. Deu um forte abraço em Renato, e lhe disse:

— Senhor Renato Dantas, você sempre será meu pai querido. Que nossa amizade seja intensa para sempre; que mesmo quando não estivermos juntos, ou seja, na matéria ou aqui na colônia, estejamos ligados pelos laços do coração.

Depois de ficarem abraçados por alguns segundos, Renato comentou:

— Meu filho, agora tenho de ir. Preciso estudar porque amanhã terei de continuar com minha rotina. Desejo melhorar meu espírito, e preciso aprender como fazer isso.

— Muito bem. Até mais — respondeu Augusto, emanando todo o amor que sentia enquanto Renato se afastava rumo ao alojamento onde morava. Augusto pensou: "Eu tenho muito orgulho de essa criatura ter sido meu pai um dia. Ele vai continuar a ser meu paizinho querido, que Deus me deu de presente."

Os dias passaram na colônia. Vez por outra, Renato ficava sabendo de notícias sobre Caroline e Jacira. Ficara apreensivo, contudo, com o fato de não conseguirem cumprir os compromissos assumidos. Sempre fazia preces em favor das duas. Ele as queria muito bem, e pedia a Jesus, nosso mentor maior, que lhes desse sabedoria.

Renato tinha mudado muito. A rebeldia dera lugar a mais amadurecimento. Era humilde, trabalhador, e estava sempre preocupado com o bem-estar de seu semelhante. Diva se aproximou dele certa vez para um convite.

— Amanhã irei à crosta terrestre. Não gostaria de ir comigo?

— Sim, minha irmã — respondeu Renato. — Mas o que faremos lá?

— Amanhã vai saber. Iremos logo pela manhã.

— Alguém mais vai conosco?

— Sim. O irmão Irineu tem urgência em ir; a viagem é do interesse dele.

— Está bem, iremos. Antes, no entanto, quero lhe fazer uma pergunta que vem me apoquentando as idéias há alguns dias.

— Diga-me então. Se puder ajudá-lo...

— Você me ajudou a lembrar de uma das minhas existências, na qual você se chamava Deiene. Por que agora se chama Diva Aguiar?

Diva tornou o olhar para a amplidão dos céus e começou a falar como se não houvesse mais ninguém ali. Renato notou que se tratava da história de uma outra existência. Com interesse, pôs-se a escutar.

— Como sabe, fui sua esposa por aparência na Suíça, e depois reencarnei como filha de um pescador no Brasil. Meu pai se chamava Leôncio de Aguiar. Éramos muito pobres. Meu pai passava longos dias no mar, pescando para tirar o sustento da família. Minha mãe lavava roupas para fora a fim de ajudar a criar meus sete irmãos. Éramos muito unidos. Minha mãe, Luiza de Mendonça Aguiar, sempre foi uma boa mãe. Criou-nos com muito sacrifício. Embora meus irmãos fossem bem mais velhos que eu, tratavam-me com muito carinho. Meu pai, com o tempo, começou a se queixar de fortes dores no estômago. Certo dia, a mando de minha mãe, ele foi procurar um médico do vilarejo. Este, por falta de recurso, não soube detectar o que meu pai na verdade tinha, até que ele não conseguiu mais trabalhar, ficando sua jangada ancorada. Meus irmãos não seguiram os passos de nosso pai. Arrumaram rapidamente, portanto, uma outra forma de ganhar dinheiro. Como era a única mulher entre meus irmãos, fiquei em casa para fazer companhia para meus pais, até que certo dia ele desencarnou, sem poder agüentar mais a moléstia que tomava seu corpo físico. Morreu com pouco mais de cinqüenta anos, e ficamos apenas eu e minha mãe. Meus irmãos tinham todos arrumado trabalho. Dois deles foram para a cidade, trabalhar em uma lavanderia; o outro foi trabalhar em uma pensão. Os demais se arranjaram como puderam. Eles traziam dinheiro no final da semana para minha mãe, que contava na época com pouco mais de quarenta anos. Como a vida no Ceará, lugar onde encarnei, não é fácil para quem é pobre, minha mãe começou a apresentar problemas mentais, por isso continuei em casa a fim de cuidar dela. De todos os irmãos, o mais carinhoso comigo era Antônio. Além de sempre me trazer dinheiro, fazia questão de que eu ficasse bem. Com o tempo, comecei a trabalhar como ajudante em uma fábrica de macarrão. Dessa maneira, podíamos, todos, dividir os custos da internação de mamãe. Meus irmãos se preocupavam muito com ela, mas ela só se preocupava com Francisco, o caçula dos homens. Nós sabíamos que minha mãe não se conformava com a idéia de ser pobre e depender da ajuda de outros para nos manter. Ela sempre fora vaidosa e orgulhosa.

 Certo dia, ela, em um de seus ataques, jogou-se em um buraco que haviam feito no hospital para jogar lixo, quebrou o pescoço e desencarnou. Sentimos muito a falta dela. Eu contava com dezenove anos. Antônio, como se preocupava muito comigo, quis que morássemos juntos. Ficamos num bairro próximo, que não ficava muito distante da praia. Lá conheci Maurício, e começamos a namorar. Antônio não se conformava com meu namoro. Pediu-me várias vezes que não me casasse com Maurício, pois ele não era a pessoa que eu pensava que fosse. Mas eu insisti tanto que acabei me casando. Antônio, inconformado, sem saber nadar, lançou-se ao mar, morrendo logo em seguida. Eu me senti muito culpada, por isso abandonei Maurício e resolvi não me casar com mais ninguém. Com o tempo, meus irmãos foram desencarnando. Como não podia ser diferente, eu também, devido à febre amarela. Ao nos encontrarmos no plano espiritual vim a saber de muitas coisas. Por exemplo, meu pai havia sido um homem poderoso na Suíça, muito rico, que desprezava todos os que tinham menos dinheiro que ele. Minha mãe era uma mulher muito orgulhosa, sendo já esposa dele em outra existência. Entendi então por que, quando minha mãe lavava roupas, dizia que aquela vida não era para ela. Ela odiava ter nascido pobre, e meu irmão Antônio era o mordomo que tinha provocado seu acidente, por isso entendi o amor doentio e ciumento que sentia por mim. Quando cheguei aqui, Antônio se encontrava no Vale dos Suicidas. Depois de muita ajuda, veio a residir na colônia. Procurei melhorar e aprender. Desde então, não reencarnei mais. Espero a minha vez, e essa é toda a história de Diva Aguiar, que já foi Deiene.

— Como você veio parar em uma colônia tão distante da qual foi ajudada? — perguntou Renato.

— Fui convidada por um dos fundadores que, em visita à nossa colônia, disse que estava precisando de trabalhadores. Por isso, aqui estou.

— E Antônio? Onde está ele?

— Ele continua aqui na colônia. Sempre que pode, trabalha comigo. Mas hoje entendeu que nós não podíamos ficar juntos porque o passado estava morto. Para mim, ele é tão-somente um irmão querido.

Renato não pôde deixar de fitar Diva e pensar como ela era uma criatura encantadora. Após perguntas e devidas resposta, Diva confirmou a viagem para o dia seguinte. Ao vê-la se afastar, Renato constatou que o fascínio que ela exercia sobre ele era forte, e que agora ele não temia mais a sua presença, mas, antes, a respeitava pela criatura maravilhosa que ela demonstrava ser.

33

Assistência aos necessitados

No dia seguinte, no horário combinado, Renato estava esperando. Ao vê-lo, Diva lhe presenteou com um grande sorriso, ao qual não pôde deixar de retribuir.

Os dois estavam conversando quando o principal interessado na excursão chegou. Diva, sorridente, o saudou:

— Que a paz de nosso grande mestre Jesus esteja com você!

— E que o amor de Deus, que excede todo pensamento, esteja com vocês também — respondeu Irineu.

Renato sentiu como Irineu tratava Diva com gentileza, e seu coração sofreu um leve aperto. Irineu percebeu o que Renato sentia, por isso esclareceu:

— Não se preocupe, meu irmão. Diva e eu somos companheiros de trabalho há tempos. Sei que lembra do passado, portanto agora não é hora de sentir ciúme. Onde há esse sentimento, há também toda sorte de coisas malévolas.

— Não estou com ciúme. Por favor, perdoe-me se deixei transparecer isso. Gosto de Diva como se fosse uma irmã querida.

Diva não se manifestou a respeito daquele incidente. Apenas lançou um olhar enigmático para Renato.

— Queridos irmãos, vamos. Não podemos nos atrasar com nossos compromissos na Terra. Você sabe, Irineu, o quanto sou pontual.

De mãos dadas, seguiram rumo à crosta terrestre. Embora Renato desconhecesse o motivo de tal viagem, ficou calado. Quando chegaram a uma casa simples, entraram. Antes, Diva avisou:

— Hoje, Renato, você vai conhecer uma das casas de ajuda aos necessitados. Espero que goste.

— Onde estamos? Não conheço esta cidade. Que lugar é este?

— Encontramo-nos em Curitiba. Nesta casa é que trabalhamos nos dias de tratamento espiritual a irmãos necessitados.

— O que se faz aqui?

— Espere e verá, amigo — respondeu Irineu, todo feliz.

Ao entrarem, a casa ainda estava fechada. Entretanto, havia muitos irmãos necessitados lá dentro. Renato observou a infinidade de entidades que tinham mutilações, e algumas se perguntavam o que faziam naquele lugar, enquanto outras tentavam sair de qualquer maneira. Renato não entendia nada. Notou que a casa material era muito simples, e que havia uma mesa comprida com várias cadeiras ao redor. Apesar do lugar material simples, Renato ficou entusiasmado com a harmonia daquela singela casa; parecia haver outro mundo dentro dela. Renato, admirado, indagou:

— Vejo que há diferença entre os ambientes. Por que isso ocorre?

— A mesa e as cadeiras são materiais, mas os irmãos necessitados que vê aqui são entidades espirituais que, logo mais à noite, receberão a ajuda de que necessitam — esclareceu Diva.

— Isso é fenomenal. Se os encarnados soubessem que dentro desta humilde casa há um verdadeiro posto de socorro, nunca deixariam de vir aqui.

— Certamente — concordou Irineu. — Aqui é um oásis para os que estão sedentos das palavras de Jesus, que confortam não apenas o corpo físico, mas também o espiritual.

Renato perguntou mais uma vez;

— Estes irmãos que trabalham aqui ficam o tempo todo?

— A maior parte do tempo. Eles se preocupam com a organização espiritual do lugar.

— Que maravilhoso! Mas o que haverá logo mais, como me contou Diva?

— Espere e verá.

Renato notou um homem que tinha um ferimento no abdômen que sangrava muito. Pôde ver quando um dos trabalhadores do local disse que ele não teria de esperar mais do que um quarto de hora, pois a reunião ia começar logo.

Renato ficou ansioso aguardando a famosa reunião. Ela se iniciou com o auxílio dos feridos primeiro; após, um breve esclarecimento para os que desconheciam sua nova condição; em seguida, assistência aos que tinham aparência horrenda e não pareciam humanos. Ao ver alguns irmãos em tão sofrível condição, Renato sentiu certo receio. Ficara impressionado com o que vira. Irineu esclareceu:

— Não se impressione. Esses irmãos, nestas tristes condições, precisam passar por aqui a fim de que incorporem em um dos médiuns para, depois de aceitar a ajuda oferecida, possam voltar ao estado humano novamente.

— Mas por que ficaram nessas condições?

— Porque se entregaram de coração ao mal, e, arraigados como estão nos maus sentimentos, sofreram modificações horríveis. Uns não gostam da aparência; outros acabam por gostar porque se sentem poderosos ao ver a temeridade daqueles que os olham.

— Como funciona o trabalho neste lugar?

— Espere mais algumas horas e verá. Deus é misericordioso, e não quer que ninguém permaneça no mal.

Renato ficou observando os trabalhadores do lugar, e viu como eles se comportavam. Ora falavam do amor do Cristo e da misericórdia de Deus, ora ajudavam no tratamento físico dos que estavam feridos ou doentes. Finalmente, Renato viu quando um senhor de aparência simpática abriu a porta da singela casa, e foi acendendo as luzes.

— Por que ele acendeu as luzes, se está tão claro como a luz do dia? — indagou Renato com curiosidade.

— É que no plano espiritual estamos sempre na luz. Por isso você não se deu conta de que a luz do plano material estava apagada — respondeu Diva.

O homem, depois de a casa estar iluminada, sentou-se à cabeceira da mesa e pegou um livro para ler. Renato perguntou:

— Por que ele lê aquele livro?

— Aquele livro é *O Evangelho Segundo o Espiritismo*, que contém o código de moral de Jesus. Certamente ele está estudando alguma parte para ensinar aos encarnados e desencarnados que aqui vierem.

Renato então silenciou, e aguardou o que viria a seguir. Após um tempo, começaram a aparecer encarnados e a falar com ele sobre alguns problemas que tinham.

— Por que falam com ele? — inquiriu Renato novamente.

— Porque ele preside a reunião da noite. Além do mais, seu Mário é um veterano neste trabalho e sempre tem bons conselhos a dar.

Dentro de meia hora, o pequeno salão material já contava com várias pessoas, mas o que mais chamou a atenção do grupo espiritual que assistia aos encarnados foi uma senhora que entrou acompanhada de um desencarnado com um grande ferimento na perna direita. A senhora esperou sua vez e foi ter com Mário.

— Boa noite, seu Mário. Estou aqui hoje para pedir ajuda. Não tenho mais a quem procurar. Minha prima, que é espírita, disse-me para procurar um centro espírita porque meu problema é espiritual.

— Qual o nome da senhora?

— Eu me chamo Eliana. Estou com sérios problemas de saúde. Minha perna direita dói muito. Fiz vários exames, mas nada consta. Passei até mesmo por três especialistas, e eles me disseram que não há nada de anormal comigo. Porém, sinto tanta dor na perna que já cheguei a ficar de cama por vários dias. Parece que algo, por dentro, está me corroendo, embora clinicamente não apresente nada.

Seu Mário perguntou a Eliana:

— Vejo que a senhora não tem conhecimentos sobre o mundo dos espíritos e seus efeitos sobre nós. Estou enganado?

— Não, senhor. Sempre tive medo de mexer com esse negócio de espíritos. Sou católica. Mas, como pioro a cada dia, e minha prima Maria me aconselhou a vir buscar ajuda em um centro, achei melhor vir.

— O que ocorre com a senhora é o seguinte: vejo um irmão a seu lado que está com um ferimento muito grande na perna direita. Do ferimento sai uma secreção sanguinolenta, e é por isso que a senhora sente essa dor. Nesse processo, o irmão fica aliviado de estar a seu lado, porque há uma simbiose de energias. Ele passa à senhora o que sente, e ele próprio se sente melhor.

Eliana ficou estarrecida com as palavras ponderadas do bom homem. Aguardou receber ajuda.

Dessa maneira, o trabalho daquela noite foi caminhando. Sentaram-se algumas pessoas ao redor da mesa, e depois calmamente o irmão Mário fez uma prece inicial. Em seguida, começou a contar a parábola de Jesus sobre a expulsão dos demônios de um homem. Jesus perguntou qual era o nome do demônio em questão, e o homem respondeu que o nome do demônio era Legião. Jesus, depois disso, expulsou-o, mandando-o para uma manada de porcos que estavam próximos. Os porcos, em agonia, lançaram-se ao mar.

Seu Mário, então, deu início à explanação do assunto. Abordou o tema demônios, e perguntou quem seriam realmente eles.

— Um demônio — explicou seu Mário — é apenas um desencarnado que abusa de seu estado para prejudicar alguém. Os irmãos desencarnados estão em todos os lugares, ora por ignorância, ora por maldade. Portanto, meus irmãos, quando morremos, simplesmente desencarnamos, e podemos fazer certas coisas que um encarnado não poderia. Irmãos, se angariarmos inimizades com um irmão carnal, quando ele desencarnar, poderá se tornar um irmão vingativo, levando-nos à obsessão. Este trabalho, para quem não o conhece, é um trabalho de desobsessão, no qual irmãos que obsediam encarnados são afastados e geralmente ajudados para que elevem seus pensamentos a Deus e se arrependam de seus atos.

Renato ouvia atentamente o que seu Mário dizia. O trabalho de desobsessão começou, e o coordenador pediu por Eliana. O irmão que estava ao lado dela aproximou-se de um dos médiuns, e perguntou:

— Por que me trouxeram a este lugar?

— Meu irmão, você estava perto de nossa irmã Eliana?

— Sim. Por que se meter no que está resolvido?

— Está resolvido para você, irmão, mas não para ela. Você está lhe transferindo as dores que sente na perna.

— Sou esperto. Sofri muito com essa ferida na perna. Contudo, quando encontrei alguém que pudesse me ajudar, fiquei. Não se intrometa entre nós.

— Meu irmão — falou com calma o dirigente —, você acha justo ficar junto dela, transmitindo-lhe sua dor e angústia?

— Você não pode nos afastar. Fique longe. Não atrapalhamos você, portanto espero que não nos atrapalhe.

— Irmão, você está maltratando o corpo carnal de nossa irmã. Ela não tem nada na perna! Quem tem é você. O irmão sabe por que fica perto dela?

— Porque me sinto melhor; ela é boa comigo.

— Mas ela o vê, irmão?

— Sim. Eu falo com ela, e ela em geral faz o que eu mando.

— Irmão, ela não o vê. Você desencarnou por causa de um problema grave que tinha na perna.

— Não, eu não posso ter morrido. Sinto-me tão vivo quanto antes; até sinto dores.

— Irmão, a morte não é o fim de tudo. Quando morremos, passamos a ter um outro corpo que, de material, passa a ser perispiritual. Você não tem mais essa ferida que abreviou seus dias.

— Não é possível. Isso não pode estar acontecendo comigo. Eu consigo me apalpar a toda hora. A ferida que tenho na perna, por exemplo. Quando ela se torna purulenta, consigo fazer com que a secreção diminua. Agora você vem me dizer que estou morto?

— Não estou dizendo, irmão; você *realmente* está morto. Você passou de um estágio a outro, ou seja, fez a grande viagem que todos faremos um dia.

— E agora, o que será de mim?

— Acompanhe este irmão que lhe estende a mão e vá com ele. Ele vai levá-lo a um lugar onde sua ferida, purulenta e fétida, vai sarar. Lá também poderá obter mais conhecimentos sobre seu novo estado.

A entidade fez o que seu Mário havia recomendado, e acompanhou um dos companheiros espirituais que trabalhavam no centro.

Depois de alguns pedidos, a reunião se encerrou com uma prece. Eliana disse ao dirigente:

— Obrigada, seu Mário. A dor horrível de minha perna desapareceu como por encanto.

— Não agradeça a mim, filha. Agradeça a Deus, que permitiu àquele irmão ser ajudado. Você vai ver que não precisará mais procurar médicos para resolver este problema. A dor não era sua; era do irmão. Mas, com a graça de Jesus, ele foi ajudado, e logo também não sofrerá mais com aquela lesão horrível na perna.

Eliana sentiu-se grata. Saiu andando ligeiramente, uma vez que o marido a aguardava na esquina. Ao vê-la, perguntou, com ansiedade:

— Eliana, e a dor na perna?

— Desapareceu, Júlio. Um espírito que me acompanhava é quem tinha uma ferida na perna. Ele foi ajudado hoje, portanto, não vou precisar mais de médicos.

— Então sua prima estava com a razão?

— Sim, Júlio. Quanto a mim, não deixarei de vir a essa casa abençoada. Além de me ver livre desta dor, sinto uma paz tão grande que não consigo traduzir em palavras.

— Está certo. Da próxima vez que vier, também a acompanharei. Quero saber o que tem de especial nessa casa.

— Tem as bênçãos de Deus de especial; disso você pode ter certeza.

Rindo, Eliana enlaçou o braço do marido e juntos foram para casa.

Renato continuou ajudando os irmãos que tinham recebido ajuda por meio da incorporação, e que após eram levados de ônibus, um tanto diferente dos da Terra, a um posto de socorro. Diva lhe perguntou:

— Gostou do que viu, meu irmão?

— Sim — respondeu Renato. — Gostei muito. Queria trabalhar aqui com vocês.

Voltaram à colônia felizes, com o coração satisfeito, sabendo que uma missão fora cumprida com sucesso.

Assim que chegou à colônia, Renato foi procurar Paulo, que conversava com Elvira. Animado, contou-lhes tudo que passara naquele dia. Os amigos riram do entusiasmo de Renato. Eles já tinham ido ao centro espírita com Diva, e conheciam os métodos de trabalho.

— Conto-lhes as várias coisas que presenciei, e vocês ficam alheios ao que digo, e ainda fazem troça de mim?

— Não é nada disso, Renato — respondeu Elvira. — É que o que é novidade para você, para nós não é. Já conhecemos o centro espírita onde Irineu e dona Diva trabalham, e confesso que também fiquei admirada com tudo que presenciamos lá a primeira vez que fui. Não é, Paulo?

— Sim. Eu também fiquei impressionado. A primeira vez que fui ao centro espírita — contou ele —, pude sentir de perto a bondade de Deus.

— Aquele Deus de que nos fala a igreja é um Deus vingativo, mas não vi nada disso quando fui ao centro — completou Elvira.

— Deus é todo amor e bondade. Ele não está em lugares luxuosos, como se acredita quando estamos encarnados. Jesus não nos disse, quando esteve na Terra, que onde houvesse uma lasca de madeira e onde se levantasse uma pedra, lá estaria Ele? Aquela casa simples, que você teve o privilégio de conhecer, é onde Deus mora. Aliás, Deus está dentro de cada um de nós.

— Elvira, pude notar o quanto você mudou. Já não é mais aquela pessoa inútil de outros tempos — falou Renato. — Agora está muito mais madura, e tem sempre boas palavras para dizer a quem precisa.

— Entenda, Renato, não mudei. Apenas aprendi, e espero que você também tenha aprendido, com tantas experiências vividas na casa do Pai.

— Meus amigos, sou feliz aqui. Mas tenho pensado muito em voltar para a Terra. Sinto falta de Caroline. Sei onde ela se encontra, e pretendo ficar com ela.

— Não se iluda — falou Paulo. — Se ainda estamos aqui, é porque temos muito que aprender. Não se prenda a essa ilusão de amor por Caroline. Se a amasse, não teria feito tanta coisa para magoá-la. Hoje sei que, se voltar com o intuito de ficar com ela, sofrerá muito.

— É que me sinto muito só neste lugar — lamentou-se Renato.

— Renato — explicou Paulo —, a única maneira de espantar a solidão é trabalhando e sendo útil. Você sabe o quanto temos a fazer aqui na colônia, e também na crosta terrestre, quando nos dispomos a ajudar os irmãos necessitados. Nessas ocasiões, esquecemos os próprios problemas.

— Você quer dizer que não estou trabalhando o suficiente?

— Não, Renato. Você trabalha muito. Mas tem de dar mais de si mesmo, para que seja realmente feliz. Se assim o fizer, vai esquecer os dramas pessoais.

— Você diz isso porque está ao lado da mulher que ama aqui na colônia. Mas, quanto a mim, estou sozinho.

— Será que realmente está sozinho? Muitas vezes basta olhar para o lado, e verá que o horizonte é bem maior do que pensa.

Renato, ao fitar o casal à sua frente, pensou: "Eles não entendem o que eu quero dizer. Acho melhor me calar".

Paulo ajuntou:

— Amigo, entendemos sim o que quer dizer. Mas a questão em pauta é se é realmente isso o que quer. Continuo afirmando que está preso a uma ilusão. Tome cuidado, amigo. A ilusão é um mal que pode nos levar à derrocada. Entretanto, se sentir que é o quer de fato, por que não tenta falar com dona Diva a fim de que o oriente?

— Já sei o que ela me dirá: a mesma coisa que acabei de ouvir de vocês. Mas a saudade de Caroline é tão grande, que meu coração chega a doer.

— Não tome decisões precipitadas — ponderou Elvira. — Pode se arrepender.

— Não vou me arrepender — respondeu Renato. — Viver com Caroline é tudo que mais quero no mundo.

— Novamente recomendo: não se iluda... Não viverá com ela. Não se esqueça de que agora há o empecilho da idade. E também há um outro fato. Lembra-se de Mauro, o jovem a quem dei aulas, e que retornou à Terra?

— Sim — respondeu Renato. — Mas o que tem Mauro a ver com nossa conversa?

— Lembre-se de que ele, em sua última existência, usou e abusou das mulheres por ser um homem bonito, assim como você...

— E daí? Todos os dias pessoas voltam à Terra — respondeu Renato, em tom zombeteiro.

— O que você não sabe é que ele, tendo a mesma pressa de reencarnar que você, voltou como mulher.

— O quê? Você está sugerindo que eu volte como mulher em minha próxima existência?

— Não é isso. Quero apenas dizer que todos precisamos melhorar, não importa se somos homens ou mulheres. A sexualidade é uma questão material. Aqui conservamos o que fomos na última existência, mas há alguns que não aceitam e têm problemas ao reencarnar.

— Isso não vai acontecer comigo — disse Renato triunfante.

— Espero que não. Porém, se ocorrer, aceite com resignação. Deus sabe em que você precisa melhorar.

— Está bem. Vou falar com Diva, e veremos se ela me ajuda com os superiores.

— Que Deus o ilumine — recomendou Paulo. — Você não será feliz enquanto estiver preso às ilusões terrestres.

Renato nada mais disse ou pensou. Pediu licença e se retirou.

Paulo falou a Elvira, quando Renato se afastou:

— Tenho feito várias preces em favor de Renato. Mas parece que ele está cego pelas ilusões que mantém. Ele acha que ama Caroline, mas tenho certeza de que, mais cedo ou mais tarde, vai entender que na verdade a pessoa que ele procura está bem perto dele.

— Fazer o quê? — completou Elvira. — Enquanto pensar dessa maneira, tudo que lhe dissermos será em vão. Melhor deixar que ele faça o que lhe convier, embora saibamos que ele pode vir a sofrer.

Com carinho, Paulo disse a Elvira:

— Agradeço a Deus todos os dias por ter me dado você como presente. Com você, sou feliz onde estiver.

Elvira sorriu e deu a mão a Paulo. Os dois caminharam lentamente pelas ruas arborizadas da colônia, enquanto conversavam.

Renato chegou ao alojamento e se pôs a meditar em tudo que presenciara naquele dia. Ao se lembrar do trabalho de Diva, sentiu-se comovido. Ela se mostrava tão útil e, além do mais, extremamente feliz. Ele não pôde deixar de sentir uma onda de ternura invadir-lhe o coração ao lembrar de seu rosto.

No dia seguinte, Renato foi ao encontro de Diva e lhe pediu:

— Irmã, sei que deveria ser grato como os demais, mas sinto muita falta de Caroline. Gostaria que pedisse aos superiores que me dessem uma chance de retornar ao lar terrestre.

— Renato, você ainda não está em condições de retornar. Tem muito o que aprender. Por que não aproveita o tempo que passa aqui para se aprimorar no amor a Deus e a seus semelhantes?

— Sei que deveria ficar mais tempo, mas a saudade que sinto de Caroline me tira o gosto das coisas. Tudo que faço parece ser artificial porque não sinto disposição para fazer as coisas.

— Bem, a solução para seus problemas está exatamente neste ponto. Quando encontrar ânimo para fazer as coisas com amor, aí sim verá como é bom estar aqui na colônia.

— Eu sei, mas acontece que não consigo.

— Recomendo, Renato, que pense com mais calma no assunto. Você ainda tem muito que aprender e fazer pelos outros aqui.

Sentindo-se um tanto frustrado, Renato pensou que precisava com urgência falar com Augusto; o rapaz realmente o entendia. Parecendo assimilar seus pensamentos, no caminho de volta encontrou justamente com ele.

— Augusto, queria lhe falar — saudou Renato.

— O que quer me dizer, meu pai? — perguntou com um sorriso.

— Pretendo voltar às esferas terrestres.

Augusto, cenho franzido, respondeu a Renato:

— Ainda não está apto a voltar, meu pai. Por que não se preocupa mais com seu trabalho aqui na colônia e com seus estudos?

Renato, surpreso, ficou em silêncio, aguardando que o filho lhe dissesse mais coisas. Ele então prosseguiu:

— Desde que aqui chegou, não fez outra coisa a não ser pensar em Caroline. Mas, na verdade, nunca a amou de verdade, não é mesmo? Se a tivesse amado, não a teria desrespeitado da maneira que fez, levando meretrizes para passar a noite com você em sua própria casa, com Caroline lá. Aliás, para lhe falar a verdade, você não sabe o que é amor. Se soubesse, procuraria melhorar, e não ficaria pensando no que já foi. Melhore, aprimore-se; esta é sua chance. Só assim você vai encontrar a felicidade, e não correrá mais atrás de ilusões.

— Augusto, você está me magoando!

— Que assim seja. Gosto muito de você, e não quero vê-lo sofrendo na Terra. Por isso, ouça o que lhe digo: você não deve voltar agora. Quando for a hora, eles o informarão sobre o fato. Portanto, aquiete seu coração e procure servir, mas servir com amor, a fim de que possa receber as bênçãos de Deus.

Renato ficou calado, e não respondeu aos argumentos de Augusto. Apenas ficou em silêncio, considerando tudo que ouvira. Depois de um tempo, respondeu:

— Augusto, você tem razão. Paulo e Elvira me disseram o mesmo. Não pedirei mais para voltar. Quando o fizer, quero ser útil na Terra. Não quero nascer em uma família rica; acho que a miséria poderá me ensinar várias coisas. Também desejo voltar no seio de uma família que seja diferente em tudo de mim. Se Deus ajudar, quando chegar a hora vou mostrar o quanto aprendi aqui na colônia.

— É isso mesmo — aconselhou Augusto. — Não quero mais ouvir nada a este respeito por um bom tempo. Aceite com resignação a vontade do Pai; somente assim você mostrará seu valor.

Renato abraçou amorosamente Augusto, e os dois foram conversando pelo caminho animadamente.

Elvira e Paulo, que tinham observado de longe a conversa dos dois, sabendo de antemão do que se tratava, comentaram um com o outro:

— Renato é um bom sujeito. Mas tem hora que é tão teimoso! — falou Paulo. — Espero que Deus lhe dê serenidade suficiente para que ele suporte a separação daquela que julga amar, porque na verdade não a ama.

— Também penso assim, Paulo. De fato, o que me deixa muito feliz é saber que meu grande amor está aqui comigo, e que temos a eternidade juntos.

Paulo passou os braços pelo ombro de Elvira e olhou para o horizonte. Embriagado de prazer, falou a Elvira:

— Meu amor, olhe como o entardecer é lindo aqui na colônia. É tão lindo, que se torna doce.

Elvira completou, abraçando-o também e sorrindo:

— Sim, amor, você tem razão. Isso é o que chamo de um doce entardecer!

Nota da autora espiritual

Há duas maneiras de aprender: uma pelo amor; outra pela dor.

Muitas vezes somos levados pela ilusão do conforto, ou do prazer carnal. Acabaremos, fatalmente, por aprender de modo doloroso, o que acarretará lágrimas pungentes de arrependimento.

Quando, entretanto, procuramos aprender pelo amor, somos obrigados a fazer determinadas renúncias, que nos levarão a captar os ensinamentos do Mestre e viver de maneira mais plena diante de nós mesmos e de nossa consciência.

Um dos ensinamentos de Jesus é que não são apenas os laços de sangue que unem verdadeiramente as pessoas, mas, antes, que eles são laços reforçados pelas afinidades espirituais. Isso explica o fato de um amigo, por vezes, ser mais próximo que um irmão de sangue.

A amizade entre Paulo e Renato evidencia essa verdade. Embora não fossem irmãos carnais, mostram-se tão fraternos em espírito que a ternura que envolve o relacionamento dos dois acompanha a passagem de ambos para mundos mais felizes.

A máxima de Jesus diz que devemos amar o próximo como a nós mesmos, o que nos deixa claro que somente o amor a Deus e ao próximo é que nos fará indivíduos melhores, pais melhores, amigos melhores; enfim, só tais ensinamentos nos farão alcançar a evolução tão esperada. Só com a aplicação das verdades do Mestre é que poderemos perceber como é belo o entardecer em uma das moradas do Pai.

Margarida da Cunha